SE 07

Curso

MAD360

La diferencia entre aprobar y sacar plaza

Auxiliar de Enfermería

DIPUTACIÓN DE ALMERÍA

Si aún no dispones de tu **Curso MAD360**, te ofrecemos un acceso GRATIS de 30 días para que disfrutes de los siguientes recursos:

- Técnicas de Memoria 360.
- MADTEST: Test *online* Nivel PRO.
- Temario en formato digital.
- Vídeos.
- Esquemas.
- Planificación de estudio.
- Foro entre opositores hasta la fecha del examen.*
- Recursos y novedades exclusivas.
- Consulta sobre la oposición y el proceso selectivo.
- Actualizaciones legislativas (Boletines Oficiales) hasta 60 días antes de la fecha del examen.*

Para acceder a esta prueba del Curso MAD360** será necesaria la compra de todos los libros para esta especialidad de la edición 2025.

Regístrate en **mad.es/iniciar-sesion** y en la pestaña BIBLIOTECA valida los códigos que encuentras en la última página de tus libros.

NOTA IMPORTANTE:

* Examen de esta categoría profesional correspondiente a la convocatoria publicada en el BOE n.º 45, de 21 de febrero de 2025, o hasta el 30 de abril de 2026, lo que se cumpla antes, y previa renovación del servicio.

** El acceso al CURSO MAD360 estará disponible desde abril de 2025 (algunos recursos podrían estar disponibles en fecha posterior). Tendrá una duración de 30 días RENOVABLES mediante pago, desde la validación de códigos, o hasta el 31 de octubre de 2026, lo que se cumpla antes.

MAD se reserva el derecho a ampliar dichas fechas.

Auxiliar de Enfermería de la Diputación de Almería

Auxiliar de Enfermería de la Diputación de Almería

Temario
Volumen 1

M.ª TERESA TORRES FONSECA
Licenciada en Derecho

LUIS FERNANDO RODRÍGUEZ SUAREZ
Licenciado en Medicina y Cirugía

JOSÉ MANUEL GONZÁLEZ RABANAL
Licenciado en Derecho

LUIS SILVA GARCÍA
Diplomado Universitario en Enfermería
Recuperación de Urgencias

M.ª JOSÉ GARCÍA BERMEJO
Licenciada en Biología
Técnica Superior en Laboratorio de Diagnóstico Clínico

Primera edición, marzo 2025 (452 páginas)
Derechos de edición reservados a favor de 7 Editores
IMPRESO EN ESPAÑA
Diseño Portada: 7 Editores
Edita: 7 Editores
Avda. San Francisco Javier, 9 · Edificio Sevilla 2 · Planta 11 · Módulos 25-27 · 41018 Sevilla
Teléfono: 954 784 411 · WEB: www.mad.es · e-mail: administracion@7editores.com
ISBN: 978-84-142-9357-7
ISBN Obra Completa: 978-84-142-9359-1

Presentación

Primer volumen de desarrollo del Temario para la preparación del proceso selectivo de acceso a plazas de Auxiliar de Enfermería de la Diputación Provincial de Almería, conforme a las Bases de la convocatoria publicada en el BOP de Almería núm. 17, de 27 de enero de 2025 (BOE núm. 45 de 21 de febrero de 2025).

En este volumen se incluyen los 4 temas del Bloque I (Bloque común Subgrupo C2), así como los temas 1 a 6 del Bloque II, convenientemente desarrollados y actualizados mediante la incorporación de las novedades que les afectan. Cuentan, además, con una serie de recursos didácticos, a modo de recordatorios y actividades, que favorecen un estudio dinámico y eficaz, optimizando el rendimiento.

La colección se completa con otro volumen donde se recoge el resto de temas que culminan el programa de materias y con nuestro manual de cuestionarios tipo test, que te será de gran ayuda para autoevaluarte y conseguir una preparación efectiva de la materia.

Finalmente, en el Curso MAD360 tienes todos los recursos necesarios para llevar tu preparación al siguiente nivel; consulta las condiciones en la primera página de tu manual.

Índice

BLOQUE I

TEMA 1

La Constitución Española de 1978. Antecedentes. Características y estructura. Principios generales. Derechos y deberes fundamentales de los españoles

Índice

1. La Constitución Española de 1978. Antecedentes. Características y estructura. Principios generales

1.1. Introducción

Proclamado Rey de España JUAN CARLOS I DE BORBÓN, tras la muerte de FRANCO, el sistema de Leyes Fundamentales que regía el anterior régimen político, se mostró inapropiado para la efectiva implantación de un Estado de Derecho y, consiguientemente, de un régimen democrático, en la forma en que este se entiende en los países occidentales y en la teoría constitucional.

Por ello, utilizando el resorte del referéndum, se aprobó, como nueva Ley Fundamental, la Ley para la Reforma Política (Ley 1/1977, de 4 de enero), que modificó sustancialmente los esquemas de las anteriores Leyes Fundamentales, abriendo la vía para la instauración de un sistema político pluralista, con claro protagonismo de los partidos políticos.

Acto seguido, el 15 de junio de 1977, se celebraron elecciones generales para Cortes, sin que en momento alguno se planteara, al menos formalmente, su carácter de constituyentes. No obstante, a la vista de la citada inadecuación de las Leyes Fundamentales, las nuevas Cortes elegidas democráticamente y representativas del pluripartidismo existente, asumieron como misión fundamental la elaboración de una Constitución.

Para ello, en el seno de la Comisión de Asuntos Constitucionales del Congreso de los Diputados, se designó una Ponencia Constitucional encargada de redactar el Proyecto de Constitución.

Constitución Española

Don Juan Carlos I.
Rey de España.

A todos los que la presente vieren y entendieren.

Sabed: que las Cortes han aprobado y el Pueblo español ratificado la siguiente Constitución.

Portada de la Constitución Española de 1978

Tras la pertinente tramitación parlamentaria, ambas Cámaras (Congreso de los Diputados y Senado), por separado, aprobaron el texto de la Constitución el 31 de octubre de 1978.

Posteriormente, el 6 de diciembre siguiente, se aprobó en referéndum, sancionándolo y promulgándolo el Rey el 27 del mismo mes y año, y publicándose en el Boletín Oficial del Estado el 29 de diciembre de 1978, entrando en vigor ese mismo día, a tenor de lo dispuesto en su Disposición Final.

1.2. Caracteres

La Constitución (CE, en adelante) se caracteriza por:

a) Su codificación en un solo texto, es decir, es una Constitución cerrada, a diferencia de las Leyes Fundamentales que vino a sustituir.

b) Su extensión, fruto de su propio pragmatismo, a diferencia de otras Constituciones occidentales, de breve contenido y, por lo mismo, más flexibles a los cambios y evolución política de los regímenes a que se aplican.

   La extensión se debe, además, al laborioso consenso entre las distintas fuerzas políticas al elaborarla, lo que ha quedado reflejado en numerosos artículos del texto constitucional, señaladamente en el 2, como se expondrá.

   La contrapartida a esta extensión y a su carácter consensuado es la dificultad en su interpretación y aplicación, resultando fundamental, a estos efectos, la intervención del Tribunal Constitucional, intérprete supremo de la Constitución, según el art. 1 de su Ley reguladora (la Ley Orgánica 2/1979, de 3 de octubre), que ha venido depurando, con la doctrina contenida en sus pronunciamientos, su alcance y significado.

c) Su rigidez, es decir, la imposibilidad de modificarla a través de procedimientos legislativos ordinarios, regulando su Título X los mecanismos de reforma en la forma que después se estudiará.

d) El establecimiento, como forma política del Estado, de la monarquía parlamentaria.

e) La configuración del Estado como unitario regionalizado y no federal.

Finalmente, la CE, aunque no exenta de originalidad, se ha basado en otras Constituciones históricas, como la Española de 9 de diciembre de 1931, y de nuestro entorno, como la Ley Fundamental de Bonn de 1949, la Constitución Italiana de 1947, etc., sin olvidar textos internacionales como la Declaración Universal de Derechos Humanos, el Convenio Europeo para la Protección de los Derechos Humanos y de las Libertades Fundamentales, adoptado en Roma el 4 de noviembre de 1950, entre otros.

1.3. Estructura

Nuestra Constitución, como las Constituciones de la mayor parte de los países europeos y americanos, consta de un preámbulo, una parte dogmática, una parte orgánica, una regulación de las garantías de su mantenimiento y de los procedimientos para, excepcionalmente, proceder a su reforma o revisión, y de un sector dedicado a la estructura socioeconómica del Estado (que podría llamarse Derecho Constitucional Socioeconómico).

Su estructuración concreta se lleva a cabo a través de:

1. El Preámbulo.
2. Ciento sesenta y nueve artículos, repartidos en un Título Preliminar y otros diez Títulos más.
3. Cuatro Disposiciones Adicionales.
4. Nueve Disposiciones Transitorias.
5. Una Disposición Derogatoria.
6. Una Disposición Final.

En cuanto su desarrollo, exponemos, a continuación, una somera idea del contenido de la CE, con especial referencia a los principios generales recogidos en el Título Preliminar.

Actividad 1

¿Cuántos Títulos tiene nuestra Constitución?

1.4. Preámbulo

Es muy breve, pero constituye una declaración solemne y de gran fuerza política.

Deja traslucir, como ha señalado el Profesor ALZAGA VILLAAMIL, una filosofía de la libertad y un horizonte de una sociedad democrática más progresiva.

Resume o incorpora ideas que están plasmadas en forma dispositiva en numerosos artículos de la Constitución.

Se trata, en definitiva, de un texto sin fuerza jurídica de obligar, aunque con un gran valor declaratorio-político, constituyendo, en cuanto declaración solemne de intenciones que formula colectivamente el poder constituyente, un factor decisivo o de la mayor importancia a la hora de interpretar rectamente el contenido normativo de nuestra Ley política fundamental.

En el mismo se manifiesta que «la Nación española, deseando establecer la justicia, la libertad y la seguridad y promover el bien de cuantos la integran, en uso de su soberanía, proclama su voluntad de:

- Garantizar la convivencia democrática dentro de la Constitución y de las leyes, conforme a un orden económico y social justo.
- Consolidar un Estado de Derecho que asegure el imperio de la Ley como expresión de la voluntad popular.
- Proteger a todos los españoles y pueblos de España en el ejercicio de los derechos humanos, sus culturas y tradiciones, lenguas e instituciones.
- Promover el progreso de la cultura y de la economía para asegurar a todos una digna calidad de vida.
- Establecer una sociedad democrática avanzada.
- Colaborar en el fortalecimiento de unas relaciones pacíficas y de eficaz cooperación entre todos los pueblos de la Tierra».

Actividad 2

Indica si la siguiente cuestión es verdadera o falsa:

El Preámbulo de nuestra Constitución es un texto sin fuerza jurídica de obligar.

Verdadera ☐ Falsa ☐

Sabías que...

Con 169 artículos, la Constitución Española es una de las constituciones más extensas de la Unión Europea. La francesa tiene 89 artículos, la alemana 146, la italiana 139 y la de Estados Unidos tan solo siete artículos originales.

1.5. Título Preliminar

Podría calificarse como la «antesala» de la Constitución, en la que se han recogido preceptos de importancia capital, como los arts. 1, 2 y 9, junto a otros preceptos que no han encontrado una incardinación a lo largo del texto constitucional, y que, por su generalidad, se han agrupado bajo esta rúbrica.

En efecto:

1. El **art. 1** define el tipo de Estado de Derecho por el que se opta (Estado social y democrático de Derecho, que propugna como valores superiores de su ordenamiento jurídico la libertad, la justicia, la igualdad y el pluralismo político), enuncia el titular de la soberanía (el pueblo español) y consagra la llamada forma política del Estado (la Monarquía Parlamentaria).

   En este contexto, como manifestaciones del Estado de Derecho recogidas en la CE, deben señalarse:

   a) El imperio de la Ley, al que se refiere, además del Preámbulo en la forma expuesta, el art. 9,3.º cuando dice que la Constitución garantiza el principio de legalidad; el art. 97, al señalar que el Gobierno ejerce sus funciones de acuerdo con la Constitución y las Leyes, y el art. 103,1.º al establecer que la Administración actúa con sometimiento pleno a la Ley y al Derecho.

   b) La división de poderes, prefigurada por CHARLES LOUIS DE SECONDAT, BARÓN DE LA BREDE ET DE MONTESQUIEU, en 1748, en su obra «De l'Esprit des Lois» y recogida por la CE en sus arts. 66,2.º, que dispone que «las Cortes Generales ejercen la potestad legislativa» y «controlan la acción del Gobierno»; 97,

al prescribir que «el Gobierno dirige la política interior y exterior, la Administración civil y militar y la defensa del Estado. Ejerce la función ejecutiva y la potestad reglamentaria de acuerdo con la Constitución y las Leyes», y 117,1.º, cuando señala que «la justicia emana del pueblo y se administra en nombre del Rey por Jueces y Magistrados integrantes del Poder Judicial, independientes, inamovibles, responsables y sometidos únicamente al imperio de la Ley».

c) El principio de legalidad en la actuación administrativa, al que se ha hecho referencia.

d) El reconocimiento formal de los derechos y libertades.

Principios	Artículo	Texto
Estado de Derecho	Art. 1.1	España se constituye en un Estado social y democrático de Derecho, que propugna como valores superiores de su ordenamiento jurídico la libertad, la justicia, la igualdad y el pluralismo político.
Estado Democrático	Art. 1.1	España se constituye en un Estado social y democrático de Derecho, que propugna como valores superiores de su ordenamiento jurídico la libertad, la justicia, la igualdad y el pluralismo político.
Estado Social	Art. 1.1	España se constituye en un Estado social y democrático de Derecho, que propugna como valores superiores de su ordenamiento jurídico la libertad, la justicia, la igualdad y el pluralismo político.
Estado Autonómico	Art. 2	La Constitución se fundamenta en la indisoluble unidad de la Nación española, patria común e indivisible de todos los españoles, y reconoce y garantiza el derecho a la autonomía de las nacionalidades y regiones que la integran y la solidaridad entre todas ellas.
Monarquía Parlamentaria	Art. 1.3	La forma política del Estado Español es la Monarquía Parlamentaria.

Por su parte, como manifestaciones del Estado Social de Derecho, deben citarse, además del principio de igualdad recogido en los arts. 9,2.º y 14, los llamados derechos económicos y sociales, a los que se refiere el Capítulo Tercero del Título I de la CE, y la denominada Constitución económica, plasmada en el Título VII a la que aludiremos más adelante.

Finalmente, como expresión del Estado Democrático de Derecho, debe hacerse mención al reconocimiento de la soberanía popular, manifestado en el art. 1,2.º: «la soberanía nacional reside en el pueblo español, del que emanan los poderes del Estado», en el art. 66,1.º: «las Cortes representan al pueblo español» y en el art. 117: «la justicia emana del pueblo». Asimismo, debe citarse la aceptación del pluralismo político y social, de la que son claros exponentes los arts. 6 y 7 CE, la participación de los ciudadanos en los asuntos públicos, reflejada esencialmente en el art. 23,1.º, así como en los arts. 29 (derecho de petición), 87,3.º (iniciativa legislativa popular), 105 (participación en los procedimientos administrativos), 125 (participación en la administración de la justicia) y 92, 167 y 168 (que recogen la figura del referéndum).

En cuanto a los valores superiores del ordenamiento jurídico, como ha indicado PECES-BARBA, constituyen la meta del Estado y del Derecho que pretende el Constituyente de 1978, siendo el punto de partida de todo el resto del ordenamiento jurídico, en el sentido de que suponen el marco, el límite y el objetivo a alcanzar por el ordenamiento, al que tienen que acoplarse todas las demás normas y al que tienen que ajustar su actuación todos los operadores jurídicos.

Estos valores enunciados en el art. 1 se han plasmado a lo largo del texto constitucional en la forma que sigue:

a) El valor libertad, en el Título I, que regula los derechos y deberes fundamentales, fundamento del orden político y de la paz social (art. 10,1.º CE).

b) El valor justicia se concreta constitucionalmente en los Títulos VI, relativo al Poder Judicial, y IX, sobre el Tribunal Constitucional.

c) El valor igualdad se positiviza en los arts. 9,2.º y 14 CE.

d) El valor pluralismo político es recogido en los arts. 6 y 7 CE.

2. El **art. 2** encierra la transacción más discutida de cuantas han sido acogidas en el articulado de la CE, estableciendo que «la Constitución se fundamenta en la indisoluble unidad de la Nación española, patria común e indivisible de todos los españoles, y reconoce y garantiza el derecho a la autonomía de las nacionalidades y regiones que la integran y la solidaridad entre todas ellas».

   La concreción de este artículo se efectúa en el Título VIII CE: «De la Organización Territorial del Estado».

3. El **art. 9**, que, tras señalar la sujeción de los ciudadanos y de los poderes públicos a la Constitución y al resto del ordenamiento jurídico, e impeler a los segundos a velar por la libertad e igualdad del individuo y de los grupos en que se integra, así como a facilitar la participación de todos los ciudadanos en la vida política, económica, cultural y social, declara solemnemente los principios de nuestro ordenamiento jurídico, estableciendo como tales los de:

   a) Legalidad.

   b) Jerarquía normativa.

   c) Publicidad de las normas.

   d) Irretroactividad de las disposiciones sancionadoras no favorables o restrictivas de derechos individuales.

   e) Seguridad jurídica.

   f) Responsabilidad e interdicción de la arbitrariedad de los poderes públicos.

Recuerda que...

El Estado español es un Estado social y democrático de Derecho, que propugna como valores superiores de su ordenamiento jurídico la libertad, la justicia, la igualdad y el pluralismo político.

Los restantes artículos de este Título Preliminar tratan de:

1. El castellano como lengua española oficial del Estado, que todos los españoles tienen el deber de conocer y el derecho de usar, así como las restantes lenguas españolas, que serán también oficiales en las respectivas Comunidades Autónomas (**art. 3**).
2. La bandera de España (formada por tres franjas horizontales, roja, amarilla y roja) y las banderas y enseñas propias de las Comunidades Autónomas (que estas utilizarán junto a la española en sus edificios públicos y actos oficiales) (**art. 4**).
3. Madrid como capital del Estado (**art. 5**).
4. Los partidos políticos, que expresan el pluralismo político, concurren a la formación y manifestación de la voluntad popular y son instrumento fundamental para la participación política. Su creación y el ejercicio de su actividad son libres dentro del respeto a la Constitución y a la ley, y su estructura interna y funcionamiento deberán ser democráticos (**art. 6**).
5. Los Sindicatos de trabajadores y las Asociaciones empresariales, que contribuyen a la defensa y promoción de los intereses económicos y sociales que les son propios, con igual pronunciamiento que el de los partidos políticos en cuanto a su creación, ejercicio, estructura interna y funcionamiento (**art. 7**).
6. Las Fuerzas Armadas, que tienen como misión garantizar la soberanía e independencia de España, defender su integridad territorial y el ordenamiento constitucional (**art. 8**).

Actividad 3

Indica si las siguientes cuestiones son verdaderas o falsas:

- **España es un Estado social y democrático de Derecho.**

  Verdadera ☐ Falsa ☐

- **Los valores superiores de nuestro ordenamiento jurídico son la libertad, la justicia, la igualdad y el pluralismo político.**

  Verdadera ☐ Falsa ☐

- **La soberanía nacional reside en el Gobierno español, del que emanan los poderes del Estado.**

  Verdadera ☐ Falsa ☐

- **La forma política del Estado español es la Monarquía constitucional.**

  Verdadera ☐ Falsa ☐

1.6. Título Primero

Trata de los derechos y deberes fundamentales, comenzando por la declaración general del **art. 10**, conforme al cual:

1. La dignidad de la persona, los derechos inviolables que le son inherentes, el libre desarrollo de la personalidad, el respeto a la Ley y a los derechos de los demás son el fundamento del orden político y de la paz social.

2. Las normas relativas a los derechos fundamentales y a las libertades que la Constitución reconoce se interpretarán de conformidad con la Declaración Universal de Derechos Humanos y los Tratados y Acuerdos Internacionales sobre las mismas materias ratificados por España.

Sabías que...

La **Declaración Universal** de **Derechos Humanos** fue adoptada por la tercera Asamblea General de las Naciones Unidas, el 10 de diciembre de 1948 en París. Ninguno de los 56 miembros de las Naciones Unidas votó en contra del texto, aunque Sudáfrica, Arabia Saudita y la Unión Soviética se abstuvieron.

Junto a estas normas, hay que tener en cuenta lo dispuesto por el art. 2 de la Ley Orgánica 1/2008, de 30 de julio, por la que se autoriza la ratificación por España del Tratado de Lisboa, por el que se modifican el Tratado de la Unión Europea y el Tratado Constitutivo de la Comunidad Europea, firmado en la capital portuguesa el 13 de diciembre de 2007, según el cual a tenor de lo dispuesto en el párrafo segundo del artículo 10 de la Constitución española, y en el apartado 8 del artículo 1 del Tratado de Lisboa, las normas relativas a los derechos fundamentales y a las libertades que la Constitución reconoce se interpretarán también de conformidad con lo dispuesto en la Carta de los Derechos Fundamentales publicada en el «Diario Oficial de la Unión Europea» de 14 de diciembre de 2007.

Los restantes artículos se agrupan en los siguientes cinco capítulos:

a) El **Capítulo Primero**, dedicado a los españoles y extranjeros, con tres artículos que tratan, respectivamente, de:

    1. La nacionalidad española, que se adquiere, se conserva y se pierde de acuerdo con lo establecido en la Ley, sin que ningún español de origen pueda ser privado de la misma (**art. 11**).

    2. La mayoría de edad de los españoles a los dieciocho años (**art. 12**).

3. Los derechos y libertades de los extranjeros en España, similares a los de los españoles en los términos que establezcan los tratados y las leyes, que han sido regulados por la Ley Orgánica 4/2000, de 11 de enero, sobre derechos y libertades de los extranjeros en España y su integración social, incorporándose, atendiendo a criterios de reciprocidad y en los términos que establezca un tratado o una ley, además del derecho de sufragio activo, el sufragio pasivo (o posibilidad de ser elegido) en las elecciones municipales, como consecuencia de la reforma parcial de la Constitución, de 27 de agosto de 1992, llevada a efecto para posibilitar la adhesión al Tratado de Maastricht.

   En cuanto a la extradición, que solo se concederá en cumplimiento de un tratado o de la ley, atendiendo al principio de reciprocidad y de la que quedan excluidos los delitos políticos, no considerándose como tales los actos de terrorismo (regulada –la extradición pasiva– por Ley 4/1985, de 21 de marzo) y el derecho de asilo en España a favor de ciudadanos de otros países y de los apátridas (regulado por la Ley 12/2009, de 30 de octubre, reguladora del derecho de asilo y de la protección subsidiaria (**art. 13**).

b) El **Capítulo Segundo**, que se dedica a los derechos y libertades.

c) El **Capítulo Tercero**, que trata de los principios rectores de la política social y económica, consagrando los llamados derechos sociales.

d) El **Capítulo Cuarto**, que versa sobre las garantías de las libertades y derechos fundamentales, regulando la figura del Defensor del Pueblo.

e) El **Capítulo Quinto**, finalmente, que se dedica a la suspensión de los derechos y libertades en los estados de excepción y sitio, así como en la actuación contra bandas armadas o elementos terroristas.

Recuerda que...

La dignidad de la persona, los derechos inviolables que le son inherentes, el libre desarrollo de la personalidad, el respeto a la ley y a los derechos de los demás son el fundamento del orden político y de la paz social.

1.7. Título Segundo

Trata «de la Corona», regulándose la figura del Rey, la sucesión a la Corona, la Regencia, las funciones del Rey, etc.

1.8. Título Tercero

Trata «de las Cortes Generales», constando de tres Capítulos relativos a las Cámaras (Congreso de los Diputados y Senado), la elaboración de las Leyes y los Tratados Internacionales.

1.9. Título Cuarto

Trata «del Gobierno y de la Administración» y regula la composición y funciones del Gobierno, su nombramiento, cese, responsabilidad, etc.

1.10. Título Quinto

Trata «de las relaciones entre el Gobierno y las Cortes Generales», regulando la responsabilidad política del Gobierno, las mociones, interpelaciones y preguntas al mismo, así como los estados de alarma, excepción y sitio.

1.11. Título Sexto

Trata «del Poder Judicial», regulando sus funciones y las de su órgano de gobierno: el Consejo General del Poder Judicial.

Actividad 4

Indica si las siguientes cuestiones son verdaderas o falsas:

- **La mayoría de edad se recoge en el Capítulo II del Título Primero de nuestra Constitución.**

  Verdadera ☐ Falsa ☐

- **Los principios rectores de la política social y económica, se recogen en el Capítulo III del Título Primero de nuestra Constitución.**

  Verdadera ☐ Falsa ☐

- **La figura del Defensor del Pueblo se recoge en el Capítulo IV del Título Primero de nuestra Constitución.**

  Verdadera ☐ Falsa ☐

1.12. Título Séptimo

Trata «de la Economía y Hacienda», regulando lo que se ha venido a llamar el Derecho Constitucional Socioeconómico.

1.13. Título Octavo

Trata «de la Organización Territorial del Estado», con tres Capítulos, relativos a los Principios Generales, la Administración Local y las Comunidades Autónomas. Este último es el más amplio de todos, regulándose con mucho detalle las competencias exclusivas y delegables de las Comunidades Autónomas y del Estado, así como el contenido y aprobación de los Estatutos de Autonomía.

1.14. Título Noveno

Trata «del Tribunal Constitucional», como órgano supremo del Estado en materia de garantías constitucionales e interpretación de la Constitución.

1.15. Título Décimo

Trata «de la reforma constitucional», garantizando al texto constitucional frente a intentos simples de revisión.

1.16. Disposiciones adicionales y transitorias

Entre otras materias, regulan algunos procedimientos especiales de acceso a la autonomía, como el caso de Navarra, Ceuta y Melilla, etc.; asimismo, tratan de los Derechos Históricos Forales, su posible actualización, etc.

1.17. Disposición derogatoria

Deja sin vigor a la ley para la Reforma Política, de 4 de enero de 1977, así como, en tanto no estuvieran ya derogadas por esta, a las anteriores Leyes Fundamentales.

Contiene, también, una cláusula derogatoria general respecto de cuantas disposiciones se opongan a lo establecido en la Constitución.

1.18. Disposición final

Establece que «esta Constitución entrará en vigor el mismo día de la publicación de su texto oficial en el Boletín Oficial del Estado. Se publicará, también, en las demás lenguas de España».

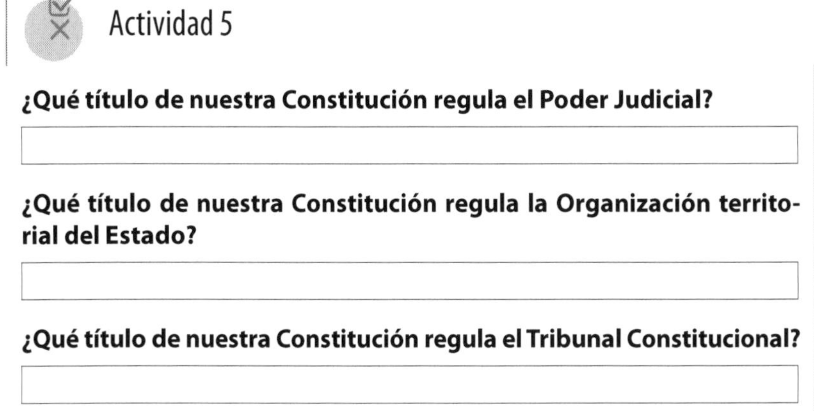

Actividad 5

¿Qué título de nuestra Constitución regula el Poder Judicial?

¿Qué título de nuestra Constitución regula la Organización territorial del Estado?

¿Qué título de nuestra Constitución regula el Tribunal Constitucional?

2. Derechos y deberes fundamentales de los españoles

2.1. Introducción

Como ya anticipamos en el apartado anterior, la CE trata de los derechos y deberes fundamentales de los españoles en su Título I: «De los derechos y deberes fundamentales» y, tras el artículo 10, encontramos los Capítulos:

a) Primero: "De los españoles y los extranjeros" (artículos 11 a 13).

b) Segundo: «De los derechos y libertades», que abarca a los arts. 14 a 38, divididos, tras la mención general del art. 14, en dos Secciones:

   1. Sección 1.ª: «De los derechos fundamentales y de las libertades públicas» (arts. 15 a 29).

   2. Sección 2.ª: «De los derechos y deberes de los ciudadanos» (arts. 30 a 38).

c) Tercero: «De los principios rectores de la política social y económica»; Capítulo, este, donde se recogen los denominados «derechos sociales» (arts. 39 a 52).

d) Cuarto: «De las garantías de las libertades y derechos fundamentales» (arts. 53 y 54).

e) Quinto: «De la suspensión de los derechos y libertades» (art. 55).

2.2. Derechos

Como se expuso, el **art. 10 CE** dispone que:

1. La dignidad de la persona, los derechos inviolables que le son inherentes, el libre desarrollo de la personalidad, el respeto a la Ley y a los derechos de los demás son el fundamento del orden político y de la paz social.

2. Las normas relativas a los derechos fundamentales y a las libertades que la Constitución reconoce se interpretarán de conformidad con la Declaración Universal de Derechos Humanos y los Tratados y Acuerdos Internacionales sobre las mismas materias ratificados por España.

Por su parte, el art. 14 CE trata del **principio de igualdad**, al establecer que «los españoles son iguales ante la ley, sin que pueda prevalecer discriminación alguna por razón de nacimiento, raza, sexo, religión, opinión o cualquier otra condición o circunstancia personal o social». Una plasmación práctica de este derecho es la Ley 33/2006, de 30 de octubre, sobre igualdad del hombre y la mujer en el orden sucesorio de los títulos nobiliarios, junto a la que debe hacerse mención especial a la Ley Orgánica 3/2007, de 22 de marzo, para la igualdad efectiva de mujeres y hombres, y al Real Decreto 902/2020, de 13 de octubre, de igualdad retributiva entre mujeres y hombres.En cuanto a los demás derechos que se reconocen en este Título I, son los siguientes:

Derecho a la vida y a la integridad física y moral, sin que, en ningún caso, pueda ser sometido alguien a tortura ni a penas o tratos inhumanos o degradantes, quedando abolida la pena de muerte, salvo lo que dispongan las leyes penales militares para tiempos de guerra (art. 15), sobre lo que habrá que estar a lo dispuesto en la Ley Orgánica 14/2015, de 14 de octubre, del Código Penal Militar. Sobre la pena de muerte, hay que señalar, asimismo, que España manifestó el 16 de diciembre de 2009 su consentimiento al Protocolo n.º 13 al Convenio para la Protección de los Derechos Humanos y de las Libertades Fundamentales (hecho en Vilna el 3 de mayo de 2002), relativo a la abolición de la pena de muerte en todas las circunstancias, con entrada en vigor en nuestro país el 1 de abril de 2010.

Libertad ideológica, religiosa y de culto (art. 16), sin más limitación en sus manifestaciones que la necesaria para el mantenimiento del orden público protegido por la Ley, y sin que nadie pueda ser obligado a declarar sobre su ideología, religión y creencias, consagrándose la aconfesionalidad del Estado. La libertad religiosa ha sido regulada por la Ley Orgánica 7/1980, de 5 de julio, de Libertad Religiosa.

Derecho a la libertad y a la seguridad personal, por lo que nadie podrá ser privado de su libertad, sino con la observancia de lo dispuesto en el art. 17 y en los casos y en la forma prevista en la Ley.

Asimismo, la detención preventiva no podrá durar más del tiempo estrictamente necesario para la realización de las averiguaciones tendentes al esclarecimiento de los hechos, y, en todo caso, en el plazo máximo de setenta y dos horas, el detenido deberá ser puesto en libertad o a disposición de la autoridad judicial.

Por otro lado, toda persona detenida debe ser informada de forma inmediata, y de modo que le sea comprensible, de sus derechos y de las razones de su detención, no pudiendo ser obligada a declarar. Se garantiza la asistencia de Abogado al detenido en las diligencias policiales y judiciales, en los términos que la Ley establezca (esta es la Ley 14/1983, de 12 de diciembre, junto a la que debe tenerse en cuenta la Ley 1/1996, de 10 de enero, de Asistencia Jurídica Gratuita).

Finalmente, la Ley regulará un procedimiento de «habeas corpus» para producir la inmediata puesta a disposición judicial de toda persona detenida ilegalmente (es la Ley Orgánica 6/1984, de 24 de mayo). Asimismo, por Ley se determinará el plazo máximo de duración de la prisión provisional (art. 17).

En relación con estos derechos, ha de hacerse mención a la Ley Orgánica 4/2015, de 30 de marzo, de protección de la seguridad ciudadana, a la que habrá que estar, así como a la mencionada Ley 36/2015, de 28 de septiembre, de Seguridad Nacional.

Derecho al honor, a la intimidad personal y familiar y a la propia imagen, reconocido en el art. 18 y regulado por la Ley Orgánica 1/1982, de 5 de mayo.

Por lo demás, este art. 18 establece que:

a) **El domicilio es inviolable**, sin que pueda hacerse entrada o registro en él sin consentimiento del titular o resolución judicial, salvo en caso de flagrante delito, debiendo tenerse en cuenta, al efecto, la Ley 22/1995, de 17 de agosto, mediante la que se garantiza la presencia Judicial en los registros domiciliarios.

b) Se garantiza el **secreto de las comunicaciones**, y, en especial, de las postales, telegráficas y telefónicas, salvo resolución judicial.

c) **La Ley limitará el uso de la informática** para garantizar el honor y la intimidad personal y familiar de los ciudadanos y el pleno ejercicio de sus derechos (al efecto, habrá que estar a lo dispuesto en la Ley Orgánica 3/2018, de 5 de diciembre, de Protección de Datos Personales y garantía de los derechos digitales).

Derecho a la libre elección de residencia y a la libre circulación por el territorio nacional, recogido en el art. 19, así como el derecho a entrar y salir libremente de España en los términos que la Ley establezca; derecho que no podrá ser limitado por motivos políticos o ideológicos.

Derecho de expresión, que engloba los siguientes, enunciados por el art. 20, según el cual:

1. Se reconocen y protegen los derechos:

   a) A expresar y difundir libremente los pensamientos, ideas y opiniones mediante la palabra, el escrito o cualquier otro medio de reproducción.

   b) A la producción y creación literaria, artística, científica y técnica.

   c) A la libertad de cátedra.

   d) A comunicar o recibir libremente información veraz por cualquier medio de difusión. La Ley regulará el derecho a la cláusula de conciencia (en concreto, habrá que estar a lo dispuesto en la Ley Orgánica 2/1997, de 19 de junio, reguladora de la cláusula de conciencia de los profesionales de la información) y al secreto profesional en el ejercicio de estas libertades.

2. El ejercicio de estos derechos no puede restringirse mediante ningún tipo de censura previa.

3. La Ley regulará la organización y el control parlamentario de los medios de comunicación social dependientes del Estado o de cualquier ente público y garantizará el acceso a dichos medios de los grupos sociales y políticos significativos, respetando el pluralismo de la sociedad y de las diversas lenguas de España.
4. Estas libertades tienen su límite en el respeto a los derechos reconocidos en este Título I, en los preceptos de las leyes que lo desarrollen y, especialmente, en el derecho al honor, a la intimidad, a la propia imagen, y a la protección de la juventud y de la infancia.
5. Solo podrá acordarse el secuestro de publicaciones, grabaciones y otros medios de información en virtud de resolución judicial.

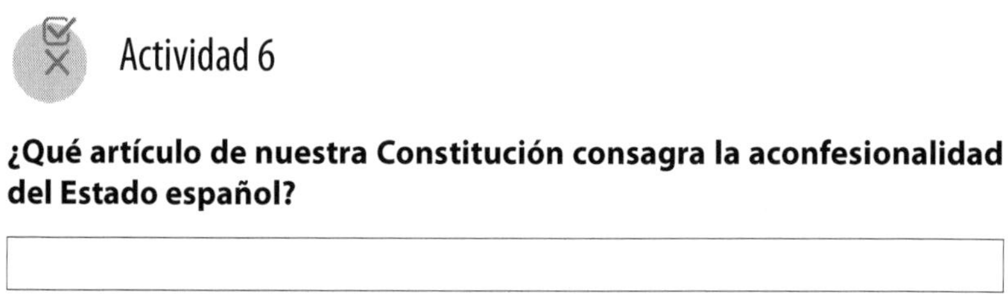

Actividad 6

¿Qué artículo de nuestra Constitución consagra la aconfesionalidad del Estado español?

Derecho de reunión pacífica y sin armas, sin necesidad de autorización previa, y con comunicación previa a la Autoridad, que solo podrá prohibirlas cuando existan razones fundadas de alteración del orden público, con peligro para personas o bienes, en los casos de reuniones en lugares de tránsito público y manifestaciones, según el art. 21 CE (el derecho de reunión se ha regulado por Ley Orgánica 9/1983, de 15 de julio).

Derecho de asociación, debiendo inscribirse en un Registro a los solos efectos de publicidad, y sin que las asociaciones que se creen se disuelvan o suspendan en sus actividades sino en virtud de resolución judicial.

Declara, además, el art. 22, como ilegales, las asociaciones que persigan fines o utilicen medios tipificados como delito. Y prohíbe las asociaciones secretas y las de carácter paramilitar.

El derecho de asociación se ha regulado por la Ley Orgánica 1/2002, de 22 de marzo.

Derecho de participación en los asuntos públicos, directamente o por medio de representantes, libremente elegidos en elecciones periódicas por sufragio universal.

Asimismo, los ciudadanos tienen **derecho a acceder en condiciones de igualdad a las funciones y cargos públicos**, con los requisitos que señalen las Leyes (art. 23).

Derecho de todas las personas a obtener la tutela efectiva de los Jueces y Tribunales en el ejercicio de sus derechos e intereses legítimos, sin que, en ningún caso, pueda producirse indefensión.

Asimismo, todos tienen derecho al Juez ordinario predeterminado por la Ley, a la defensa y a la asistencia de Letrado (sobre lo que debe tenerse en cuenta la Ley 1/1996, de 10 de enero, de Asistencia Jurídica Gratuita), a ser informados de la acusación formulada contra ellos, a un proceso público sin dilaciones indebidas y con todas las garantías, a utilizar los medios de prueba pertinentes para su defensa, a no declarar contra sí mismos, a no confesarse culpables y a la presunción de inocencia.

La Ley regulará los casos en que, por razón de parentesco o de secreto profesional, no se estará obligado a declarar sobre hechos presuntamente delictivos (art. 24).

Principio de legalidad penal, que recoge el art. 25, conforme al cual:

1. Nadie puede ser condenado o sancionado por acciones u omisiones que en el momento de producirse no constituyan delito, falta o infracción administrativa, según la legislación vigente en aquel momento.
2. Las penas privativas de libertad y las medidas de seguridad estarán orientadas hacia la reeducación y reinserción social y no podrán consistir en trabajos forzados. El condenado a pena de prisión que estuviere cumpliendo la misma gozará de los derechos fundamentales de este Capítulo, a excepción de los que se vean expresamente limitados por el contenido del fallo condenatorio, el sentido de la pena y la ley penitenciaria. En todo caso, tendrá derecho a un trabajo remunerado y a los beneficios correspondientes de la Seguridad Social, así como al acceso a la cultura y al desarrollo integral de su personalidad.
3. La Administración civil no podrá imponer sanciones que, directa o subsidiariamente, impliquen privación de libertad.

Actividad 7

Indica en qué artículo de nuestra Constitución se regula cada uno de los siguientes derechos:

- Derecho de expresión: ______________________________
- Inviolabilidad del domicilio: ___________________________
- Derecho de asociación: ______________________________

Recuerda que...

Nuestra CE prohíbe las asociaciones secretas y las de carácter paramilitar.

Prohibición de los Tribunales de Honor en el ámbito de la Administración Civil y de las Organizaciones Profesionales (art. 26).

Derecho a la Educación, que se recoge en el art. 27, conforme al cual:

1. Todos tienen el derecho a la educación. Se reconoce la libertad de enseñanza.
2. La educación tendrá por objeto el pleno desarrollo de la personalidad humana en el respeto a los principios democráticos de convivencia y a los derechos y libertades fundamentales.
3. Los poderes públicos garantizan el derecho que asiste a los padres para que sus hijos reciban la formación religiosa y moral que esté de acuerdo con sus propias convicciones.
4. La enseñanza básica es obligatoria y gratuita.
5. Los poderes públicos garantizan el derecho de todos a la educación mediante una programación general de la enseñanza, con participación efectiva de todos los sectores afectados y la creación de centros docentes.
6. Se reconoce a las personas físicas y jurídicas la libertad de creación de centros docentes, dentro del respeto a los principios constitucionales.
7. Los profesores, los padres y, en su caso, los alumnos intervendrán en el control y gestión de los centros sostenidos por la Administración con fondos públicos, en los términos que la Ley establezca.
8. Los poderes públicos inspeccionarán y homologarán el sistema educativo para garantizar el cumplimiento de las leyes.
9. Los poderes públicos ayudarán a los centros docentes que reúnan los requisitos que la ley establezca.
10. Se reconoce la autonomía de las Universidades en los términos que la ley establezca.

Derecho de libre sindicación, reconocido en el art. 28 y regulado por la Ley Orgánica 11/1985, de 2 de agosto, de Libertad Sindical, pudiéndose limitar o exceptuar, por Ley, a las Fuerzas o Institutos armados o a los demás Cuerpos sometidos a disciplina militar y debiéndose regular las peculiaridades de su ejercicio para los Funcionarios Públicos.

Esta libertad sindical comprende el derecho a fundar Sindicatos y a afiliarse al de su elección, así como el derecho de los Sindicatos a formar Confederaciones y a fundar Organizaciones Sindicales Internacionales o a afiliarse a las mismas, sin que pueda ser obligado nadie a afiliarse a un Sindicato.

Se reconoce, también, el **derecho de huelga de los trabajadores** para la defensa de sus intereses, debiendo garantizarse, en todo caso, por Ley, el mantenimiento de los servicios esenciales de la comunidad durante la huelga.

Derecho de petición individual y colectiva, por escrito, en la forma y con los efectos que determine la Ley (se trata de la Ley Orgánica 4/2001, de 12 de noviembre, Reguladora del Derecho de Petición, parcialmente modificada por la mencionada Ley Orgánica 9/2011, de 27 de julio).

En cuanto a los miembros de las Fuerzas o Institutos armados o de los Cuerpos sometidos a disciplina militar, podrá ejercerse este derecho solo individualmente y con arreglo a lo dispuesto en su legislación específica (art. 29).

Derecho-deber de defender a España, recogido en el art. 30 y regulado por la Ley Orgánica 5/2005, de 17 de noviembre, de la Defensa Nacional y derecho a la objeción de conciencia, regulado por la Ley 22/1998, de 6 de julio, reguladora de la Objeción de Conciencia y de la Prestación Social Sustitutoria, desarrollada por el Real Decreto 700/1999, de 30 de abril, por el que se aprueba el Reglamento de la objeción de conciencia y de la prestación social sustitutoria.

Sobre este derecho-deber ha de hacerse notar que desde el 31 de diciembre de 2001 se suspendió la prestación del servicio militar, así como la prestación social sustitutoria del servicio militar.

Asimismo, este artículo dispone que pueda establecerse un servicio civil para el cumplimiento de fines de interés general. Y que mediante Ley podrán regularse los deberes de los ciudadanos en los casos de grave riesgo, catástrofe o calamidad pública.

Derecho del hombre y de la mujer a contraer matrimonio con plena igualdad jurídica. La Ley –dice el artículo 32– regulará las formas de matrimonio, la edad y capacidad para contraerlo, los derechos y deberes de los cónyuges, las causas de separación y disolución y sus efectos.

Derecho a la propiedad privada y a la herencia, delimitándose el contenido de estos derechos por la función social que han de cumplir (art. 33 CE).

Asimismo, se establece por este art. 33 CE que nadie podrá ser privado de sus bienes y derechos sino por causa justificada de utilidad pública o interés social, mediante la correspondiente indemnización y de conformidad con lo dispuesto por las Leyes (actualmente, la Ley de Expropiación Forzosa, de 16 de diciembre de 1954, sucesivamente modificada).

Derecho de Fundación, para fines de interés general, con arreglo a la Ley, rigiendo para las Fundaciones lo expuesto respecto de las asociaciones (art. 34). Este derecho se ha desarrollado por la Ley 50/2002, de 26 de diciembre, de Fundaciones, así como por la Ley 30/1994, de 24 de noviembre, de Fundaciones y de Incentivos Fiscales a la Participación Privada en Actividades de Interés General.

Derecho-deber al trabajo, al que se refiere el art. 35 y junto al que se reconocen los siguientes derechos:

a) Derecho a la libre elección de profesión u oficio.

b) Derecho a la promoción a través del trabajo.

c) Derecho a una remuneración suficiente para satisfacer sus necesidades y las de la familia, sin que, en ningún caso, pueda hacerse discriminación por razón de sexo.

En cuanto a la regulación del mismo, aparte de las previsiones específicas que puedan existir para determinados segmentos de trabajadores, por ejemplo los integrantes de la Función Pública en sus múltiples vertientes, que se regulan por su legislación específica, ha de estarse a lo dispuesto en el Texto Refundido de la Ley del Estatuto de los Trabajadores, aprobado por el Real Decreto Legislativo 2/2015, de 23 de octubre. Junto al mismo, ha de hacerse expresa mención a la Ley 20/2007, de 11 de julio, del Estatuto del Trabajo Autónomo.

El art. 36 señala que la Ley regulará las peculiaridades propias del régimen jurídico de los **Colegios Profesionales y el ejercicio de las profesiones tituladas**, debiendo ser democráticos la estructura interna y el funcionamiento de los Colegios.

Los Colegios Profesionales se regularon por la Ley 2/1974, de 13 de febrero, que ha sido objeto de diferentes modificaciones.

Derecho a la negociación colectiva, al que se refiere el art. 37, al establecer que «la Ley garantizará el derecho a la negociación colectiva laboral entre los representantes de los trabajadores y empresarios, así como la fuerza vinculante de los convenios».

Esta materia se ha regulado por el Título III, arts. 82 a 92, inclusive, del reiterado Texto Refundido de la Ley del Estatuto de los Trabajadores.

Asimismo, se reconoce el **derecho de los trabajadores y empresarios a adoptar medidas de conflicto colectivo**, debiendo garantizarse el funcionamiento de los servicios esenciales para la comunidad.

Libertad de empresa en el marco de la economía de mercado, garantizando los poderes públicos y protegiendo su ejercicio y la defensa de la productividad, de acuerdo con las exigencias de la economía general y, en su caso, de la planificación (art. 38).

Junto a los derechos enunciados, el Capítulo III de este Título I reconoce una serie de derechos denominados sociales, como se dijo, como:

El art. 39 trata del **derecho de la familia a ser protegida social, económica y jurídicamente por los poderes públicos**, así como del **derecho de los hijos, iguales ante la ley con independencia de su filiación y de las madres, cualquiera que sea su estado civil, a una protección** integral (debiendo tenerse en cuenta la citada Ley Orgánica 1/2004, de 28 de diciembre, de Medidas de Protección Integral contra la Violencia de Género, reconociéndose, también, el **deber de los padres de prestar asistencia de todo orden a los hijos habidos dentro y fuera del matrimonio, durante su minoría de edad y en los demás casos en que legalmente proceda**.

Actividad 8

Sobre el derecho-deber de defender a España del art. 30, ¿en qué año se suspendió la prestación del servicio militar, así como la prestación social sustitutoria del servicio militar?

El art. 40, por su parte, recoge los siguientes derechos:

a) **Derecho a una distribución más equitativa de la renta y a una política orientada al pleno empleo.**

b) **Derecho a la formación y readaptación profesionales.**

c) **Derecho a la seguridad e higiene en el trabajo,** sobre el que deben tenerse en cuenta las previsiones de la Ley 31/1995, de 8 de noviembre, de Prevención de Riesgos Laborales.

d) **Derecho al descanso necesario**, mediante la limitación de la jornada laboral, las vacaciones periódicas retribuidas y la promoción de centros adecuados.

El art. 41 CE reconoce el **derecho a la Seguridad Social para todos los ciudadanos**, que garantice la asistencia y prestaciones sociales suficientes ante situaciones de necesidad, especialmente en caso de desempleo. Al respecto, puede citarse el Real Decreto Legislativo 8/2015, de 30 de octubre, por el que se aprueba el texto refundido de la Ley General de la Seguridad Social.

El art. 42 impele al Estado a **salvaguardar los derechos económicos y sociales de los trabajadores españoles en el extranjero** y a orientar su política hacia el retorno. Al efecto, debe tenerse en cuenta la Ley 40/2006, de 14 de diciembre, del Estatuto de la ciudadanía española en el exterior.

El art. 43 reconoce el **derecho a la protección de la salud**, a través de medidas preventivas y de las prestaciones y servicios necesarios, debiendo los poderes públicos fomentar la educación sanitaria, la educación física y el deporte, facilitando, además, la adecuada utilización del ocio.

En relación con este derecho, deben tenerse en cuenta, además de la Ley 14/1986, de 25 de abril, General de Sanidad, la Ley 41/2002, de 14 de noviembre, básica reguladora de la autonomía del paciente y de derechos y obligaciones en materia de información y documentación clínica; la Ley 16/2003, de 28 de mayo de cohesión y calidad del Sistema Nacional de Salud; la Ley 55/2003, de 16 de diciembre, del Estatuto Marco del personal estatutario de los servicios de salud, entre otras.

El art. 44 regula el **derecho de acceso a la cultura por parte de todos**, impeliéndose a los poderes públicos a promover la ciencia y la investigación científica y técnica en beneficio del interés general. Al efecto, debe tenerse en cuenta la Ley 10/2007, de 22 de junio, de la lectura, del libro y de las bibliotecas.

El art. 45 CE sanciona el derecho a **disfrutar de un medio ambiente adecuado para el desarrollo de la persona**, debiendo los poderes públicos velar por la utilización racional de todos los recursos naturales, con el fin de proteger y mejorar la calidad de vida y defender y restaurar el medio ambiente, apoyándose en la indispensable solidaridad colectiva. Para quienes violen estas previsiones, en los términos que la ley fije se establecerán sanciones penales o, en su caso, administrativas, así como la obligación de reparar el daño causado.

El art. 46 señala que los poderes públicos garantizarán la **conservación y** promoverán el **enriquecimiento del patrimonio histórico, cultural y artístico de los pueblos de España y de los bienes que lo integran**, cualquiera que sea su régimen jurídico y su titularidad. La ley penal sancionará los atentados contra este patrimonio.

Conforme al art. 47 CE, todos los españoles tienen **derecho a disfrutar de una vivienda digna y adecuada**, debiendo los poderes públicos regular la utilización del suelo de acuerdo con el interés general para impedir la especulación, y participando la comunidad en las plusvalías que genere la acción urbanística de los Entes Públicos. En relación con esta materia, habrá que estar a la legislación sobre Régimen del Suelo y Ordenación Urbana tanto estatal –constituida, básicamente, por el citado Real Decreto Legislativo 7/2015, de 30 de octubre, por el que se aprueba el texto refundido de la Ley de Suelo y Rehabilitación Urbana, así como la Ley 29/1994, de 24 de noviembre, de Arrendamientos Urbanos.

El art. 48 trata del **derecho de la juventud a una participación libre y eficaz en el desarrollo político, social, económico y cultural**.

La nueva redacción del art. 49 de la CE señala que las **personas con discapacidad** ejercen los derechos previstos en este Título en condiciones de libertad e igualdad reales y efectivas. Se regulará por ley la protección especial que sea necesaria para dicho ejercicio.

Además, los poderes públicos impulsarán las políticas que garanticen la plena autonomía personal y la inclusión social de las personas con discapacidad, en entornos universalmente accesibles. Asimismo, fomentarán la participación de sus organizaciones, en los términos que la ley establezca. Se atenderán particularmente las necesidades específicas de las mujeres y los menores con discapacidad.

El art. 50 se ocupa de la **Tercera Edad**, estableciendo su derecho a pensiones adecuadas y periódicamente actualizadas y a la utilización de un sistema de servicios sociales que atenderán sus problemas específicos de salud, vivienda, cultura y ocio. En relación con este artículo, debe tenerse en cuenta el Real Decreto 117/2005, de 4 de febrero, por el que se regula el Consejo Estatal de las Personas Mayores.

El art. 51 impone a los poderes públicos la obligación de garantizar la **defensa de los consumidores y usuarios**, protegiendo, mediante procedimientos eficaces, la seguridad, la salud y los legítimos intereses económicos de los mismos. Asimismo, se promoverá la información y la educación de los consumidores y usuarios, fomentándose sus organizaciones, a las que se oirá en las cuestiones que les puedan afectar.

En relación con este artículo, ha de tenerse en cuenta el Texto Refundido de la Ley General para la Defensa de los Consumidores y Usuarios y otras leyes complementarias, aprobado por el Real Decreto Legislativo 1/2007, de 16 de noviembre.

El art. 52 prescribe, finalmente, que la Ley regulará las **Organizaciones Profesionales** que contribuyan a la defensa de sus intereses, cuya estructura interna y funcionamiento deberán ser democráticos.

2.3. Deberes de los españoles

Fundamentalmente son:

1. **Deber** (que es también un derecho) **de defender a España**, regulándose en el art. 30, además, la prestación obligatoria del servicio militar, remitiéndose a una regulación por Ley (ya citada) de lo relativo a la objeción de conciencia, así como las causas de exención del servicio militar obligatorio, pudiendo imponer, en su caso, una prestación social sustitutoria.

   Asimismo, este artículo dispone que pueda establecerse un servicio civil para el cumplimiento de fines de interés general. Y que mediante Ley podrán regularse los deberes de los ciudadanos en los casos de grave riesgo, catástrofe o calamidad pública (a esta materia se refieren la Ley Orgánica 4/1981, de 1 de junio, de estados de Alarma, Excepción y Sitio, y la citada Ley 17/2015, de 9 de julio, del Sistema Nacional de Protección Civil).

2. **Deberes tributarios**, recogidos en el art. 31,1.º conforme al cual «todos contribuirán al sostenimiento de los gastos públicos de acuerdo con su capacidad económica mediante un sistema tributario justo inspirado en los principios de igualdad y progresividad que, en ningún caso, tendrá alcance confiscatorio».

A este respecto, el número 3 de este artículo dispone que «solo podrán establecerse prestaciones personales o patrimoniales de carácter público con arreglo a la Ley».

Por su parte, el número 2 prescribe que «el gasto público realizará una asignación equitativa de los recursos públicos, y su programación y ejecución responderán a los criterios de eficiencia y economía».

3. **Deber** (que, a la vez, es derecho) **de trabajar, sin discriminación por razón de sexo** (art. 35).
4. **Deber de los padres a prestar asistencia de todo orden a sus hijos habidos dentro y fuera del matrimonio, durante su minoría de edad y en los demás casos en que legalmente proceda** (art. 39).
5. **Deber de conservación del medio ambiente**, conforme al art. 45, estableciéndose, en los términos que la Ley fije, sanciones penales (sobre lo que habrá que estar a la Ley Orgánica 10/1995, de 23 de noviembre, del Código Penal) o, en su caso, administrativas, así como la obligación de reparar el daño causado.
6. **Deber de conservación del patrimonio histórico, cultural y artístico** (art. 46).

Actividad 9

Indica en qué artículo de nuestra Constitución se regula cada uno de los siguientes deberes:

- Deber de trabajar: ______________________________
- Deber de conservación del medio ambiente: ______________
- Deberes tributarios: ______________________________

2.4. Garantías de los derechos y libertades

Vienen recogidas en los arts. 53 y 54 CE.

El art. 53 dispone que:

1. Los derechos y libertades reconocidos en el capítulo segundo del presente título (es decir los contenidos en los arts. 14 a 38) vinculan a todos los poderes públicos. Solo por ley, que en todo caso deberá respetar su contenido esencial, podrá regularse el ejercicio de tales derechos y libertades, que se tutelarán de acuerdo con lo previsto en el artículo 161.1.a) (es decir, a través del recurso de inconstitucionalidad ante el Tribunal Constitucional, de acuerdo con lo dispuesto en la Ley Orgánica 2/1979, de 3 de octubre, del Tribunal Constitucional).
2. Cualquier ciudadano podrá recabar la tutela de las libertades y derechos reconocidos en el artículo 14 y la sección primera del capítulo segundo (integrada por los arts. 15 a 29) ante los Tribunales ordinarios por un procedimiento basado en los prin-

cipios de preferencia y sumariedad (recogido en los arts. 114 a 122 de la Ley 29/1998, de 13 de julio, Reguladora de la Jurisdicción Contencioso-Administrativa) y, en su caso, a través del recurso de amparo ante el Tribunal Constitucional. Este último recurso será aplicable a la objeción de conciencia reconocida en el artículo 30.

3. El reconocimiento, el respeto y la protección de los principios reconocidos en el capítulo tercero (los derechos reconocidos en los arts. 39 a 52) informarán la legislación positiva, la práctica judicial y la actuación de los poderes públicos. Solo podrán ser alegados ante la jurisdicción ordinaria, de acuerdo con lo que dispongan las leyes que los desarrollen.

El art. 54, por su parte, trata del Defensor del Pueblo, estableciendo que «una Ley Orgánica regulará la institución del Defensor del Pueblo, como Alto Comisionado de las Cortes Generales, designado por estas para la defensa de los derechos comprendidos en este Título, a cuyo efecto podrá supervisar la actividad de la Administración, dando cuenta a las Cortes Generales».

Esta Ley Orgánica es la 3/1981, de 6 de abril, junto a la que debe tenerse en cuenta la Ley 36/1985, de 6 de noviembre, por la que se regulan las relaciones entre la Institución del Defensor del Pueblo y las figuras similares de las distintas Comunidades Autónomas.

Finalmente, dentro de estos mecanismos de garantías, hemos de señalar que, una vez agotadas las instancias internas, y en virtud de una Declaración de nuestro Ministerio de Asuntos Exteriores, de 11 de junio de 1981 (renovada el 18 de octubre de 1985, por cinco años, prorrogables tácitamente), se pueden plantear demandas ante el Secretario General del Consejo de Europa, conociendo de las mismas la Comisión Europea de Derechos Humanos, por la violación de los derechos reconocidos en el Convenio Europeo para la Protección de los Derechos Humanos y de las Libertades Fundamentales, de Roma, de 4 de noviembre de 1950. En la actualidad, estas demandas se dirigirán ante el Tribunal ante el Tribunal Europeo de Derechos Humanos.

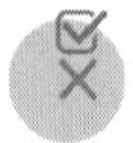

Actividad 10

Indica si las siguientes cuestiones son verdaderas o falsas:

- **Cualquier ciudadano podrá recabar la tutela de las libertades y derechos reconocidos en el artículo 14 y la sección primera del capítulo segundo del Título I, ante los Tribunales ordinarios por un procedimiento basado en los principios de preferencia y sumariedad.**

  Verdadera ☐ Falsa ☐

- **El recurso de amparo ante el Tribunal Constitucional no podrá ser aplicable a la objeción de conciencia reconocida en el artículo 30 CE.**

  Verdadera ☐ Falsa ☐

Cuadro de clasificación de los derechos y libertades reconocidos en la Constitución		
Tipo	**Regulación**	**Enumeración**
Derechos fundamentales y libertades públicas (Nivel máximo de protección)	Sección I Capítulo II Título I	– Principio de igualdad (14).[1] – Derecho a la vida y a la integridad física y moral (15). – Derecho a la libertad ideológica, religiosa y de culto (16). – Derecho a la libertad y a la seguridad (17). – Derecho a la intimidad, al honor y a la propia imagen (18). – Derecho a la inviolabilidad del domicilio (18.2) y al secreto de las comunicaciones. – Derecho a elegir libremente residencia y a circular por territorio nacional (19). – Derecho a expresar y difundir libremente los pensamientos, ideas y opiniones (20.1.a). – Derecho a la producción y creación literaria, artística, científica y técnica (20.1.b) – Libertad de prensa (20.1.d). – Libertad de cátedra (20.1.c). – Derecho de reunión pacífica y sin armas (21). – Derecho de asociación (22). – Derecho a participar en los asuntos públicos, directamente o a través de representantes (23). – Derecho de acceso a funciones y cargos públicos (23.2). – Derecho a la tutela judicial efectiva (24). – Principio de legalidad penal (art. 25). – Prohibición de los Tribunales de Honor en el ámbito de la Administración Civil y de las Organizaciones Profesionales (art. 26). – Derecho a la educación (27). – Libertad de enseñanza (27). – Derecho a sindicarse libremente (28). – Derecho de huelga (28.2). – Derecho de petición (29).
Derechos y deberes de los ciudadanos (Nivel medio de protección)	Sección II Capítulo II Título I	– Derecho y deber de defender España (30.1). – Derecho a la objeción de conciencia (30.2). – Deber de sostener los gastos públicos de acuerdo con la capacidad económica (31). – Derecho a contraer matrimonio (32). – Derecho a la propiedad privada y a la herencia (33). – Derecho de fundación (34). – Deber de trabajar y derecho al trabajo (35). – Derecho a la negociación colectiva laboral (37). – Libertad de empresa (38).
Principios rectores de la política social y económica (Nivel mínimo de protección)	Capítulo III	– Protección de la familia (39). – Protección a los niños (39.4). – Progreso económico y social (40.1). – Régimen público de Seguridad Social (41). – Protección trabajadores en el extranjero (42). – Derecho a la protección de la salud (43). – Promoción de la cultura y de la ciencia e investigación científica (44). – Protección del medio ambiente (45). – Protección Patrimonio histórico, cultural y artístico (46). – Derecho a una vivienda digna (47). – Protección a la juventud (48). – Protección a personas con discapacidad (49). – Protección a personas de tercera edad (50). – Protección consumidores y usuarios (51).

[1] El principio de igualdad no está incluido en esta sección, sino justo antes, pero su protección es la misma que los derechos fundamentales y las libertades públicas, es decir, la máxima.

Los mecanismos de protección para cada derecho y libertad son:

TIPO DE DERECHO	PROTECCIÓN
Principios rectores de la Política Social y Económica (Cap. III) (Nivel más bajo de protección)	Su reconocimiento, respeto y protección han de informar: - La legislación positiva. - La práctica judicial. - La actuación de los poderes públicos.
Derechos y deberes de la Sección II del Capítulo II (Nivel medio de protección)	- Vinculan a todos los poderes públicos en sus actuaciones. - Solo puede regularse su ejercicio mediante ley que debe respetar su contenido esencial. - Si no lo hiciera se podrá impugnar dicha ley ante el Tribunal Constitucional que la podrá declarar inconstitucional. - Protección ante Tribunales de Justicia por procedimiento ordinario.
Derechos Fundamentales y Libertades Públicas (Sección I, del Capítulo II) (Máxima protección) (Además de lo establecido en el apartado anterior)	- Protección ante Tribunales Ordinarios mediante procedimiento preferente y sumario. - Protección ante el Tribunal Constitucional mediante recurso de amparo. - Su desarrollo solo puede hacerse mediante Ley Orgánica (art. 81). - Se excluye en su desarrollo la delegación legislativa. - Su modificación constitucional se equipara a una reforma total de la Constitución.

2.5. Suspensión de los derechos y libertades

Viene regulada en el art. 55 de la Constitución, sobre la base del cual se puede hacer la siguiente distinción:

1. Los derechos reconocidos en los artículos 17, 18, apartados 2 y 3, artículos 19, 20, apartados 1,a) y d), y 5, artículos 21, 28, apartado 2, y artículo 37, apartado 2 (es decir, los derechos a la libertad y seguridad personal, la inviolabilidad del domicilio y secreto de las comunicaciones, libertad de residencia y circulación, libertad de expresión e información, de reunión y manifestación, a la huelga y a la adopción de medidas de conflicto colectivo), podrán ser suspendidos cuando se acuerde la declaración del estado de excepción o el de sitio en los términos previstos en la Constitución. Se exceptúa de lo establecido anteriormente el apartado 3 del artículo 17 (el derecho de información del detenido de sus derechos, razones de su detención y asistencia de Letrado en las diligencias policiales y judiciales) para el supuesto de declaración del estado de excepción (a estos estados de excepción y sitio se refiere el art. 116 de la Constitución).

2. Una ley orgánica podrá determinar la forma y los casos en los que, de forma individual y con la necesaria intervención judicial y el adecuado control parlamentario, los derechos reconocidos en los artículos 17, apartado 2, y 18, apartados 2 y 3 (los derechos de plazo de setenta y dos horas para ser puesto el detenido a disposición

de la Autoridad Judicial o en libertad, a la inviolabilidad del domicilio y al secreto de las comunicaciones), pueden ser suspendidos para personas determinadas, en relación con las investigaciones correspondientes a la actuación de bandas armadas o elementos terroristas.

La utilización injustificada o abusiva de las facultades reconocidas en dicha ley orgánica producirá responsabilidad penal, como violación de los derechos y libertades reconocidos por las leyes (esta suspensión se ha regulado por la Ley Orgánica 4/1988, de 25 de mayo, que reformó la Ley de Enjuiciamiento Criminal en materia de delitos relacionados con la actividad de estas bandas armadas y elementos terroristas o rebeldes).

Solución a las actividades

Actividad 1.

Un Título Preliminar y diez Títulos más.

Actividad 2.

Verdadera.

Actividad 3.

- Verdadera.
- Verdadera.
- Falsa.
- Falsa.

Actividad 4.

- Falsa.
- Verdadera.
- Verdadera.

Actividad 5.

- El Título VI.
- El Título VIII.
- El Título IX.

Actividad 6.

Art. 16 CE.

Actividad 7.

- Derecho de expresión: Art. 20 CE.
- Inviolabilidad del domicilio: Art. 18 CE.
- Derecho de asociación: Art. 22 CE.

Actividad 8.

En el año 2001, concretamente el 31 de diciembre.

Actividad 9.

- Deber de trabajar: Art.35 CE.
- Deber de conservación del medio ambiente: Art. 45 CE.
- Deberes tributarios: Art. 31 CE.

Actividad 10.

- Verdadera.
- Falsa.

TEMA 2

Régimen Local español. Clases de Entidades Locales. Organización municipal. Competencias municipales. Organización provincial. Competencias provinciales

Una buena planificación es imprescindible. Organízate con nuestros **recursos y consejos** de tu Curso MAD360.

Índice

1. Régimen Local español. Clases de Entidades Locales

1.1. Introducción

Dentro de la Administración Pública, entendida en un sentido amplio, se ha de diferenciar la Administración Directa y la Administración Indirecta, incluyendo en la primera a la Administración Central y Periférica del Estado, y, dentro de la segunda, a la Administración Autonómica, la Administración Local y la Administración Institucional.

Nos corresponde tratar, ahora, de la Administración Local.

1.2. Concepto

ENTRENA CUESTA la define como «aquel sector de la Administración Pública integrado por los Entes Públicos menores de carácter territorial».

1.3. Características

De esta definición, se desprenden las siguientes:

a) La Administración Local forma parte de la Administración Pública, por lo que los Entes que en ella se comprenden están investidos de las prerrogativas y potestades propias de aquella, si bien tales prerrogativas y potestades no les corresponden con carácter originario, sino derivado, pues, aunque son Entes Públicos, son menores, es decir, existen jurídicamente porque el Estado los crea o reconoce.

   En concreto, el art. 4 de la Ley 7/1985, de 2 de abril, reguladora de las Bases del Régimen Local (LRL, en adelante), y el art. 4 del Reglamento de Organización, Funcionamiento y Régimen Jurídico de las Entidades Locales, aprobado por el Real Decreto 2568/1986, de 28 de noviembre (ROFRJEL, en lo sucesivo), reconocen a los Municipios, Provincias e Islas, en su calidad de Administraciones Públicas de carácter territorial y dentro de la esfera de sus competencias una serie de potestades, como la reglamentaria, de autoorganización, tributaria y financiera, expropiatoria, sancionadora, etc., señalando, además, que estas potestades y prerrogativas podrán ser aplicadas o reconocidas a las restantes Entidades Locales.

b) A diferencia de la Administración del Estado (e, incluso, de la Autonómica), la Local está integrada por Entes, no por órganos; es decir, por sujetos de Derecho con personalidad jurídica propia.

c) Los Entes Públicos menores que se encuadran en la Administración Local -a salvo de lo que inmediatamente diremos- tienen, a diferencia de los Entes Institucionales, carácter territorial. El territorio constituye un elemento esencial de aquellos.

   Esto explica que estos Entes se organicen conforme al sistema de la generalidad: pueden perseguir todos aquellos fines que redunden en beneficio de quienes ocupan el territorio de su jurisdicción, mientras que los Entes Institucionales deberán enderezar su actividad pública siempre y solo a aquel o aquellos fines específicos que determinaron su reconocimiento o creación.

Ahora bien, la LRL, junto a las clásicas Entidades Locales territoriales (Municipio, Provincia e Isla), reconoce otras de las que no cabe predicar este carácter territorial como elemento determinante. A ellas nos referiremos después.

Normativa de interés

Ley 7/1985, de 2 de abril, Reguladora de las Bases del Régimen Local.

https://www.boe.es/buscar/act.php?id=BOE-A-1985-5392

1.4. Evolución del Régimen Local

Desde el momento en que los hombres se reunieron en un territorio determinado para satisfacer sus necesidades comunes, se puede hablar de Régimen Local.

No obstante, sin negar la importancia que en otras épocas, en España, tuvo el Municipio (por ejemplo, en la Edad Media), a la hora de abordar la evolución del Régimen Local en el sentido con el que actualmente se le entiende, hay que señalar, como hitos legislativos más importantes, la Constitución de Cádiz de 1812, así como la restante legislación del siglo XIX, especialmente el Decreto de JAVIER DE BURGOS, de 30 de noviembre de 1833, la Ley Municipal y Provincial de 1870, la Ley Municipal de 1877 y la Ley Provincial de 1882.

En el siglo XX, han de destacarse los Estatutos Municipal y Provincial de CALVO SOTELO, de 1924 y 1925, respectivamente, la Ley de Bases Municipal de 1935, la Ley de Bases de 1945 y el Texto Refundido de la Ley de Régimen Local de 24 de junio de 1955, así como las sucesivas normas que lo desarrollaron y completaron, que han constituido hasta la vigente LRL (la Ley 7/1985, de 2 de abril, como se dijo) y el Texto Refundido de las disposiciones legales vigentes en materia de Régimen Local, aprobado por el Real Decreto Legislativo 781/1986, de 18 de abril (TR/86, en las próximas citas), la normativa básica en la materia, sin perjuicio de las modificaciones introducidas por la propia Constitución, de 27 de diciembre de 1978 (CE, en las restantes llamadas) y disposiciones posteriores.

Sabías que...

El proyecto de los Estatutos de José CALVO SOTELO estaba inspirado en el planteado anteriormente por Antonio MAURA pero, a diferencia de este, el de CALVO SOTELO tenía un carácter más democrático y autonomista. En su preámbulo comienza diciendo que el Estado, para ser democrático, ha de apoyarse en municipios libres, lo que no deja de ser una afirmación sorprendente para una disposición legal de una etapa dictatorial.

1.5. Principios constitucionales

La Constitución trata de las Entidades Locales en su Título VIII, que versa sobre «la organización territorial del Estado», y, concretamente, en el Capítulo Segundo de dicho Título, que comprende los arts. 140 a 142.

Con carácter general, el art. 137 dispone que «el Estado se organiza territorialmente en Municipios, en Provincias y en las Comunidades Autónomas que se constituyan. Todas estas Entidades gozan de autonomía para la gestión de sus respectivos intereses».

A la vista de este y de los demás artículos citados, se pueden señalar tres principios fundamentales en relación con el Régimen Local:

a) La autonomía de las Corporaciones Locales en la gestión de sus intereses.

b) El carácter democrático y representativo de sus órganos de gobierno.

c) La suficiencia de las Haciendas Locales.

En efecto, el art. 140 dispone que «la Constitución garantiza la autonomía de los Municipios. Estos gozarán de personalidad jurídica plena. Su gobierno y administración corresponde a sus respectivos Ayuntamientos, integrados por los Alcaldes y los Concejales. Los Concejales serán elegidos por los vecinos del Municipio mediante sufragio universal, igual, libre, directo y secreto, en la forma establecida en la ley. Los Alcaldes serán elegidos por los Concejales o por los vecinos. La ley regulará las condiciones en las que proceda el régimen de Concejo Abierto».

Por su parte, el art. 141 establece que:

1. La Provincia es una Entidad Local con personalidad jurídica propia, determinada por la agrupación de Municipios y división territorial para el cumplimiento de las actividades del Estado. Cualquier alteración de los límites provinciales habrá de ser aprobada por las Cortes Generales mediante ley orgánica.
2. El Gobierno y la administración autónoma de las Provincias estarán encomendados a Diputaciones u otras Corporaciones de carácter representativo.
3. Se podrán crear agrupaciones de Municipios diferentes de la Provincia.
4. En los archipiélagos, las Islas tendrán además su administración propia en forma de Cabildos o Consejos.

Finalmente, el art. 142 prescribe que «las Haciendas Locales deberán disponer de los medios suficientes para el desempeño de las funciones que la ley atribuye a las Corporaciones respectivas y se nutrirán fundamentalmente de tributos propios y de participación en los del Estado y de las Comunidades Autónomas».

Por lo demás, al margen de estos principios constitucionales especialmente establecidos respecto al Régimen Local, no puede olvidarse la existencia de otros preceptos constitucionales que, referidos a todas las Administraciones Públicas, establecen otros principios, como los recogidos en el art. 103,1.º CE, según el cual «la Administración Pública sirve con objetividad los intereses generales y actúa de acuerdo con los principios de eficacia, jerarquía, descentralización, desconcentración y coordinación con sometimiento pleno a la ley y al Derecho.

En el mismo sentido, puede hacerse mención al art. 9 CE, con arreglo al cual:

1. Los ciudadanos y los poderes públicos están sujetos a la Constitución y al resto del ordenamiento jurídico.
2. Corresponde a los poderes públicos promover las condiciones para que la libertad y la igualdad del individuo y de los grupos en que se integra sean reales y efectivas; remover los obstáculos que impidan o dificulten su plenitud y facilitar la participación de todos los ciudadanos en la vida política, económica, cultural y social.
3. La Constitución garantiza el principio de legalidad, la jerarquía normativa, la publicidad de las normas, la irretroactividad de las disposiciones sancionadoras no favorables o restrictivas de derechos individuales, la seguridad jurídica, la responsabilidad y la interdicción de la arbitrariedad de los poderes públicos.

La Administración Local en la Constitución		
Artículo	**Referencia a**	**Contenido principal**
137	Organización territorial del Estado	El Estado se organiza territorialmente en: - Municipios. - Provincias. - Comunidades Autónomas.
140	Municipio	La Constitución garantiza la autonomía de los municipios. Estos gozarán de personalidad jurídica plena.
141	Provincia	La provincia es una entidad local, determinada por la agrupación de municipios y división territorial para el cumplimiento de las actividades del Estado.
142	Haciendas Locales	La Haciendas locales deberán disponer de los medios suficientes. Se nutrirán fundamentalmente de: - Tributos propios. - La participación en los del Estado y de las Comunidades Autónomas.

Actividad 1

Indica si la siguiente cuestión es verdadera o falsa:

El Estado se organiza territorialmente en Municipios, en Provincias y en las Comunidades Autónomas que se constituyan. Todas estas Entidades gozan de autonomía para la gestión de sus respectivos intereses.

Verdadera ☐ Falsa ☐

1.6. Regulación Jurídica

La legislación vigente en materia de Régimen Local se puede concretar en los siguientes textos:

1. En el escalón más alto, la Constitución, especialmente los arts. 137 a 142, además de otras normas dispersas en su articulado.
2. En segundo lugar, la vigente LRL, que, dicho sea de paso, fue declarada parcialmente inconstitucional (y por lo tanto derogada en esos puntos por la Constitución) por la Sentencia 214/1989, de 21 de diciembre, del Tribunal Constitucional, y que ha sido modificada parcialmente por numerosas leyes.
3. En tercer lugar, el Texto Refundido de la Ley Reguladora de las Haciendas Locales, aprobado por el Real Decreto Legislativo 2/2004, de 5 de marzo (TR-LHL, en otras citas), parcialmente modificado.
4. En cuarto lugar, habrá de estarse a las leyes sobre Régimen Local que dicten las Comunidades Autónomas, dentro del esquema competencial que tengan asumido.
5. En quinto lugar, el Texto Refundido de 1986, antes aludido, sucesivamente modificado o derogado.
6. Los Reglamentos que complementan y desarrollan estas normas; en concreto, los actualizados respecto de las mismas:

   a) De Bienes de las Entidades Locales, aprobado por el Real Decreto 1372/1986, de 13 de junio (RBEL, en otras llamadas).

   b) De Población y Demarcación Territorial de las Entidades Locales, aprobado por el Real Decreto 1690/1986, de 11 de julio.

   c) De Organización, Funcionamiento y Régimen Jurídico de las Entidades Locales, aprobado por el ya citado Real Decreto 2568/1986, de 28 de noviembre.

   Junto a ellos, por el momento, hasta que no se actualicen y acomoden en los términos de la Disposición Final Primera de la LRL, y mientras no se opongan o contravengan las normas anteriores, hay que citar los siguientes:

   a) De Funcionarios de la Administración Local, de 30 de mayo de 1952, profundamente afectado por la legislación a que luego aludiremos.

   b) De Personal de los Servicios Sanitarios Locales, de 27 de noviembre de 1953.

   c) De Servicios de las Corporaciones Locales, de 17 de junio de 1955, derogado y modificado parcialmente por el Real Decreto 2009/2009, de 23 de diciembre, y parcialmente derogado (sus arts. 37 a 40, inclusive), también con efectos de 2 de octubre de 2016, por la reiterada LRJSP.

7. En materia de elecciones locales, la Ley Orgánica 5/1985, de 19 de junio, del Régimen Electoral General, parcialmente modificada.

8. En materia de funcionarios:

   a) La Ley 30/1984, de 2 de agosto, de Medidas para la Reforma de la Función Pública, derogada en buena parte por la citada LEBEP (derogada por el Real Decreto Legislativo 5/2015, de 30 de octubre, por el que se aprueba el Texto Refundido del Estatuto Básico del Empleado Público –TR-LEBEP, en otras referencias–), y modificada parcialmente.

   b) El Real Decreto 896/1991, de 7 de junio, por el que se establecen las reglas básicas y los programas mínimos a que debe ajustarse el procedimiento de selección de los Funcionarios de Administración Local, junto al que debe citarse, con carácter supletorio en esta materia, el Real Decreto 364/1995, de 10 de marzo, por el que se aprueba el Reglamento General de Ingreso del Personal al Servicio de la Administración General del Estado y de Provisión de Puestos de Trabajo y Promoción Profesional de los Funcionarios Civiles de la Administración General del Estado, parcialmente modificado por el Real Decreto 255/2006, de 3 de marzo, sin que deban olvidarse las previsiones al efecto del TR- LEBEP.

   c) La Ley 53/1984, de 26 de diciembre, sobre Incompatibilidades, también afectada por la citada Ley 14/2000, de 29 de diciembre, así como por el Real Decreto Legislativo 5/2015, de 30 de octubre, por el que se aprueba el texto refundido de la Ley del Estatuto Básico del Empleado Público (TR-LEBEP); la citada Ley Orgánica 4/2007, de 12 de abril y la Ley Orgánica 2/2023, de 22 de marzo, del Sistema Universitario.

   d) Ante la ausencia de una normativa específica, el Real Decreto 365/1995, de 10 de marzo, por el que se aprueba el Reglamento de Situaciones Administrativas de los Funcionarios Civiles de la Administración General del Estado, parcialmente modificado por el Real Decreto 255/2006, de 3 de marzo, y que habrá que acomodar al TR- LEBEP.

   e) El Real Decreto 861/1986, de 25 de abril, sobre régimen retributivo de los funcionarios de la Administración Local (profundamente afectado por el TR-LEBEP).

   f) La casi totalmente derogada (por el TR-LEBEP, así como por el citado Real Decreto-Ley 20/2012, de 13 de julio) Ley 9/1987, de 12 de junio, de Órganos de Representación, Determinación de las Condiciones de Trabajo y Participación del Personal al Servicio de las Administraciones Públicas.

   g) Real Decreto 128/2018, de 16 de marzo, por el que se regula el régimen jurídico de los funcionarios de Administración Local con habilitación de carácter nacional.

   h) El Real Decreto 480/1993, de 2 de abril, por el que se integra en el Régimen General de la Seguridad Social el Régimen Especial de la Seguridad Social de los Funcionarios de la Administración Local, comportando la desaparición de la Mutualidad Nacional de Previsión de Administración Local.

   i) Orden TFP/153/2021, de 16 de febrero, por la que se regula la valoración de los méritos generales del personal funcionario de Administración Local con habilitación de carácter nacional.

9. En materia de Haciendas Locales, además del TR-LHL antes señalado puede citarse, fundamentalmente, la Ley Orgánica 2/2012, de 27 de abril, de Estabilidad Presupuestaria y Sostenibilidad Financiera; el Real Decreto 337/2018, de 25 de mayo, sobre los requisitos aplicables a las previsiones macroeconómicas y presupuestarias; el Real Decreto 1463/2007, de 2 de noviembre, por el que se aprueba el reglamento de desarrollo de la Ley 18/2001, de 12 de diciembre, de Estabilidad Presupuestaria, en su aplicación a las entidades locales; Real Decreto 705/2002, de 19 de julio, por el que se regula la autorización de las emisiones de Deuda Pública de las entidades locales; el Real Decreto 424/2017, de 28 de abril, por el que se regula el régimen jurídico del control interno en las entidades del Sector Público Local; la Orden HAP/2105/2012, de 1 de octubre, por la que se desarrollan las obligaciones de suministro de información previstas en la Ley Orgánica 2/2012, de 27 de abril, de Estabilidad Presupuestaria y Sostenibilidad Financiera; la Orden EHA/3565/2008, de 3 de diciembre, por la que se aprueba la estructura de los Presupuestos de las Entidades Locales; la Orden EHA/4040/2004, de 23 de noviembre, por la que se aprueba la Instrucción del modelo Básico de Contabilidad Local y la Resolución de 2 de abril de 2020, de la Intervención General de la Administración del Estado, por la que se establecen las instrucciones a las que habrán de ajustarse el contenido, estructura y formato del informe resumen, así como la solicitud del informe previo a la resolución de discrepancias y la remisión de información contable e informes de auditoría de cuentas anuales de las entidades del sector público local.

10. En materia de contratación, la Ley 9/2017, de 8 de noviembre, de Contratos del Sector Público, por la que se transponen al ordenamiento jurídico español las Directivas del Parlamento Europeo y del Consejo 2014/23/UE y 2014/24/UE, de 26 de febrero de 2014.

11. En materia de bienes, la Ley 33/2003, de 3 de noviembre, del Patrimonio de las Administraciones Públicas, parcialmente modificada y desarrollada por el Real Decreto 1373/2009, de 28 de agosto, por el que se aprueba el Reglamento General de la Ley 33/2003, de 3 de noviembre, del Patrimonio de las Administraciones Públicas, además de la regulación contenida en la LRL y en la legislación autonómica citada.

12. Junto a estas normas, hay que citar diversas disposiciones de carácter sectorial, como la legislación urbanística, la Ley 17/2015, de 9 de julio, del Sistema Nacional de Protección Civil, etc.

Recuerda que...

La Constitución trata de las Entidades Locales en su Título VIII, que versa sobre la organización territorial del Estado.

1.7. Entidades que integran la Administración Local

El art. 3 LRL distingue entre:

1.7.1. Entidades Locales Territoriales

a) El Municipio, al que define el art. 1,1.º de este texto legal como «Entidad básica de la organización territorial del Estado y cauce inmediato de participación ciudadana en los asuntos públicos, que institucionaliza y gestiona con autonomía los intereses propios de la respectiva colectividad», y al que confiere el art. 11,1.º personalidad jurídica y plena capacidad para el cumplimiento de sus fines.

b) La Provincia, que define el art. 31 LRL como «Entidad Local determinada por la agrupación de Municipios, con personalidad jurídica propia y plena capacidad para el cumplimiento de sus fines», reconociéndole el art. 1,2.º autonomía para la gestión de sus intereses, y el carácter de división territorial para el cumplimiento de las actividades del Estado el art. 141 CE.

c) La Isla en los archipiélagos balear y canario, con idéntica autonomía para la gestión de sus intereses (art. 1,2.º) y gobernadas, administradas y representadas por los Cabildos y Consejos Insulares (art. 41).

Actividad 2

Rellena los huecos con las palabras que faltan:

- La Provincia es una Entidad Local con __________, determinada por la agrupación de __________ y __________ para el cumplimiento de las actividades del Estado. Cualquier alteración de los __________ habrá de ser aprobada por las Cortes Generales mediante __________.

1.7.2. Otras Entidades Locales

a) Las Comarcas u otras Entidades que agrupen varios Municipios, instituidas por las Comunidades Autónomas (por ley de la Asamblea Legislativa de la Comunidad Autónoma), de conformidad con esta ley y los correspondientes Estatutos de Autonomía. Se trata, de acuerdo con el art. 42 LRL, de una agrupación de Municipios, cuyas características determinen intereses comunes precisados de una gestión propia o demanden la prestación de servicios de dicho ámbito.

b) Las Áreas Metropolitanas, a las que define el art. 43,2.º como Entidades Locales integradas por los Municipios de grandes aglomeraciones urbanas entre cuyos núcleos de población existan vinculaciones económicas y sociales que hagan necesaria la planificación conjunta y la coordinación de determinados servicios y obras. Su creación se efectúa por ley de la Asamblea Legislativa de la Comunidad Autónoma.

c) Las Mancomunidades de Municipios, para la ejecución en común de obras y servicios de su competencia (art. 44,1.º). Se crean por acuerdo de los propios Municipios que se mancomunan.

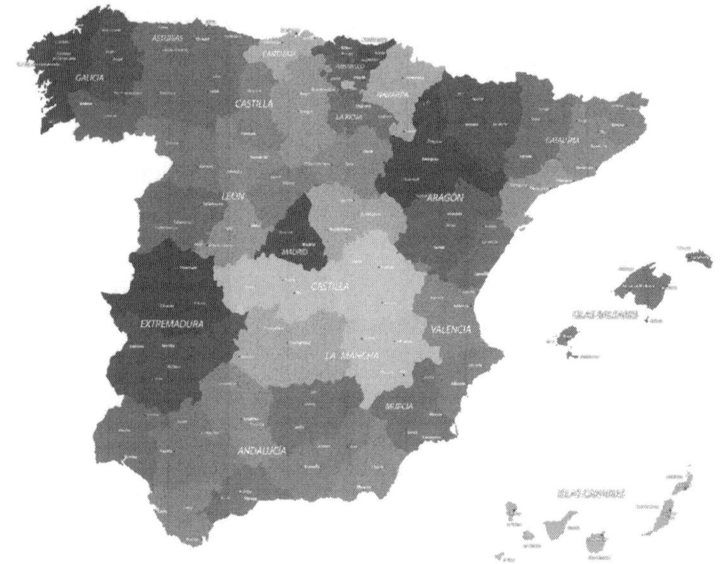

Tras la profunda reforma de la LRL llevada a efecto por la Ley 57/2003 de 16 de diciembre, de medidas para la modernización del gobierno local, LRSAL en adelante, han perdido la condición de Entidades Locales las Entidades de ámbito territorial inferior al Municipio, lo que no obsta a que subsistan e, incluso, en determinados supuestos a que concluyan su constitución en los términos de las Disposiciones Transitorias Cuarta y Quinta de esta LRSAL.

En concreto, a tenor de la primera de ellas:

1. Las entidades de ámbito territorial inferior al Municipio existentes en el momento de la entrada en vigor de la presente LRL (el 31 de diciembre de 2013) mantendrán su personalidad jurídica y la condición de Entidad Local.

2. Con fecha de 31 de diciembre de 2014, las entidades de ámbito territorial inferior al Municipio deberán presentar sus cuentas ante los organismos correspondientes del Estado y de la Comunidad Autónoma respectiva para no incurrir en causa de disolución.

3. La no presentación de cuentas por las entidades de ámbito territorial inferior al Municipio ante los organismos correspondientes del Estado y de la Comunidad Autónoma respectiva será causa de disolución. La disolución será acordada por Decreto del órgano de gobierno de la Comunidad Autónoma respectiva en el que se podrá determinar su mantenimiento como forma de organización desconcentrada.

   La disolución en todo caso conllevará:

   a) Que el personal que estuviera al servicio de la entidad disuelta quedará incorporado en el Ayuntamiento en cuyo ámbito territorial esté integrada.

   b) Que el Ayuntamiento del que dependa la entidad de ámbito territorial inferior al municipio queda subrogado en todos sus derechos y obligaciones.

La Disposición Transitoria Quinta, por su parte, sobre las Entidades de ámbito territorial inferior al Municipio en constitución, señala que el núcleo de población que antes del 1 de enero de 2013 hubiera iniciado el procedimiento para su constitución como entidad de ámbito territorial inferior al Municipio, una vez que se constituya, lo hará con personalidad jurídica propia y con la condición de Entidad Local y se regirá por lo dispuesto en la legislación autonómica correspondiente.

En este contexto, el art. 24 bis LRL (ex LRSAL) dispone que:

1. Las leyes de las Comunidades Autónomas sobre régimen local regularán los entes de ámbito territorial inferior al Municipio, que carecerán de personalidad jurídica, como forma de organización desconcentrada del mismo para la administración de núcleos de población separados, bajo su denominación tradicional de caseríos, parroquias, aldeas, barrios, anteiglesias, concejos, pedanías, lugares anejos y otros análogos, o aquella que establezcan las leyes.

2. La iniciativa corresponderá indistintamente a la población interesada o al Ayuntamiento correspondiente. Este último debe ser oído en todo caso.

3. Solo podrán crearse este tipo de entes si resulta una opción más eficiente para la administración desconcentrada de núcleos de población separados de acuerdo con los principios previstos en la Ley Orgánica 2/2012, de 27 de abril, de Estabilidad Presupuestaria y Sostenibilidad Financiera.

Actividad 3

Define las Áreas Metropolitanas conforme al artículo 43º.2 LRL:

2. Organización municipal

2.1. Introducción

La organización constituye el tercero de los elementos del Municipio, junto a la población y el territorio, estando constituida por una serie de medios personales, simples o complejos e institucionales (los órganos de gobierno propiamente dichos) o burocráticos (el personal al servicio de cada Corporación), que desarrollan las actividades propias del Municipio para que este cumpla los fines que le son propios.

El art. 19 LRL, establece que el Gobierno y la administración municipal, salvo en aquellos Municipios que legalmente funcionen en régimen de Concejo Abierto (es decir, los regulados en el art. 29 LRL), corresponde al Ayuntamiento, integrado por el Alcalde y los Concejales.

Los Concejales son elegidos mediante sufragio universal, igual, libre, directo y secreto, y el Alcalde es elegido por los Concejales o por los vecinos; todo ello en los términos que establezca la legislación electoral general.

El régimen de organización de los municipios señalados en el Título X de la LRL, es decir, el de los Municipios de gran población, se ajustará a lo dispuesto en el mismo (que luego examinaremos), y, en lo no previsto por dicho Título, será de aplicación el régimen común regulado en los artículos siguientes.

El régimen de Concejo Abierto a que se ha hecho referencia, se aplicará, conforme al citado art. 29 LRL:

1. Funcionan en Concejo Abierto:
   a) Los municipios que tradicional y voluntariamente cuenten con ese singular régimen de gobierno y administración.
   b) Aquellos otros en los que por su localización geográfica, la mejor gestión de los intereses municipales u otras circunstancias lo hagan aconsejable.
2. La constitución en concejo abierto de los municipios a que se refiere el apartado b) del número anterior, requiere petición de la mayoría de los vecinos, decisión favorable por mayoría de dos tercios de los miembros del Ayuntamiento y aprobación por la Comunidad Autónoma.

3. En el régimen de Concejo Abierto, el gobierno y la administración municipales corresponden a un Alcalde y una asamblea vecinal de la que forman parte todos los electores. Ajustan su funcionamiento a los usos, costumbres y tradiciones locales y, en su defecto, a lo establecido en esta ley y las leyes de las Comunidades Autónomas sobre régimen local.
4. No obstante lo anterior, los alcaldes de las corporaciones de municipios de menos de 100 residentes podrán convocar a sus vecinos a Concejo Abierto para decisiones de especial trascendencia para el municipio. Si así lo hicieren deberán someterse obligatoriamente al criterio de la Asamblea vecinal constituida al efecto.

   Los municipios que con anterioridad venían obligados por ley en función del número de residentes a funcionar en Concejo Abierto, podrán continuar con ese régimen especial de gobierno y administración si tras la sesión constitutiva de la Corporación, convocada la Asamblea Vecinal, así lo acordaran por unanimidad los tres miembros electos y la mayoría de los vecinos.

2.2. Organización propiamente dicha

A tenor de lo dispuesto en el **art. 20 LRL** (art. 35,2.º ROFRJEL):

1. La organización municipal responde a las siguientes reglas:
   a) El Alcalde, los Tenientes de Alcalde y el Pleno existen en todos los Ayuntamientos.

   b) La Junta de Gobierno Local existe en todos los municipios con población superior a 5.000 habitantes y en los de menos, cuando así lo disponga su Reglamento orgánico o así lo acuerde el Pleno de su Ayuntamiento.

   c) En los municipios de más de 5.000 habitantes, y en los de menos en que así lo disponga su Reglamento orgánico o lo acuerde el Pleno, existirán, si su legislación autonómica no prevé en este ámbito otra forma organizativa, órganos que tengan por objeto el estudio, informe o consulta de los asuntos que han de ser sometidos a la decisión del Pleno, así como el seguimiento de la gestión del Alcalde, la Junta de Gobierno Local y los concejales que ostenten delegaciones, sin perjuicio de las competencias de control que corresponden al Pleno. Todos los grupos políticos integrantes de la Corporación tendrán derecho a participar en dichos órganos, mediante la presencia de concejales pertenecientes a los mismos en proporción al número de Concejales que tengan en el Pleno.

   d) La Comisión Especial de Sugerencias y Reclamaciones existe en los municipios señalados en el Título X, y en aquellos otros en que el Pleno así lo acuerde, por el voto favorable de la mayoría absoluta del número legal de sus miembros, o así lo disponga su Reglamento orgánico.

   e) La Comisión Especial de Cuentas existe en todos los municipios, de acuerdo con la estructura prevista en el art. 116.

2. Las leyes de las Comunidades Autónomas sobre el régimen local podrán establecer una organización municipal complementaria a la prevista en el número anterior.
3. Los propios municipios, en los Reglamentos orgánicos, podrán establecer y regular otros órganos complementarios, de conformidad con lo previsto en este artículo y en las leyes de las Comunidades Autónomas a las que se refiere el número anterior.

El art. 119 ROFRJEL señala como órganos complementarios:

1. Los Concejales Delegados.
2. Las Comisiones Informativas.
3. La Comisión Especial de Cuentas, que, conforme al art. 20, es órgano necesario en todos los municipios.
4. Los Consejos Sectoriales.
5. Los órganos desconcentrados y descentralizados para la gestión de servicios.
6. Los representantes personales del Alcalde en los poblados y barriadas.
7. Las Juntas Municipales de Distrito.

Pasamos, a continuación, a tratar de los distintos órganos.

2.3. El Alcalde

Estatuto personal

Es el órgano unipersonal que preside la Corporación.

En cuando a su nombramiento, es elegido por los Concejales o por los vecinos, en los términos que establece la LOREG (arts. 19 LRL y 140 CE).

Al efecto, el art. 196 de esta ley (LOREG), dispone que «en la misma sesión de constitución de la Corporación se procede a la elección de Alcalde, de acuerdo con el siguiente procedimiento:

a) Pueden ser candidatos todos los Concejales que encabecen sus correspondientes listas.

b) Si alguno de ellos obtiene la mayoría absoluta de los votos de los Concejales, es proclamado electo.

c) Si ninguno de ellos obtiene dicha mayoría es proclamado Alcalde el Concejal que encabece la lista que haya obtenido mayor número de votos populares en el correspondiente Municipio. En caso de empate, se resolverá por sorteo.

En los Municipios comprendidos entre cien y doscientos cincuenta habitantes pueden ser candidatos a Alcalde todos los Concejales; si alguno de los candidatos obtiene la mayoría absoluta de los votos de los Concejales, es proclamado electo; si ninguno obtuviese dicha mayoría, será proclamado Alcalde el Concejal que hubiere obtenido más votos populares en las elecciones de Concejales».

En cuanto a quién puede ser elegido Alcalde, la citada LOREG establece que «son elegibles los españoles mayores de edad que, poseyendo la cualidad de elector (es decir, españoles mayores de edad inscritos en el censo electoral vigente, que no carezcan del derecho de sufragio por condena según sentencia judicial a la pena de privación de este derecho, o declarados incapaces al efecto por sentencia judicial, o, finalmente, internados en un Hospital Psiquiátrico con autorización judicial con expresa mención de incapacidad para el ejercicio del derecho de sufragio) no se encuentren incursos en alguna de las causas de inelegibilidad que la propia ley detalla» (art. 6, en relación con el 2 y 3 LOREG).

A ellos habrá que añadir, tras la reforma parcial de la LOREG, a través de la Ley Orgánica 1/1997, de 30 de mayo, de modificación de la Ley Orgánica del Régimen Electoral General para la transposición de la Directiva 94/80/CE, de Elecciones Municipales, todas las personas residentes en España que, sin haber adquirido la nacionalidad española:

a) Tengan la condición de ciudadanos de la Unión Europea según lo previsto en el párrafo 2 del apartado 1 del artículo 8 del Tratado Constitutivo de la Comunidad Europea, o bien sean nacionales de países que otorguen a los ciudadanos españoles el derecho de sufragio pasivo en sus elecciones municipales en los términos de un Tratado.

b) Reúnan los requisitos para ser elegibles exigidos en esta ley para los españoles.

c) No hayan sido desposeídos del derecho de sufragio pasivo en su Estado de origen.

Por lo demás, conforme al art. 18 TR/86, «antes de comenzar el ejercicio de sus funciones, el alcalde deberá jurar o prometer el cargo ante el Ayuntamiento».

Por lo que se refiere a su tratamiento, los de Madrid y Barcelona lo tienen de Excelencia; los de las demás Capitales de Provincia, de Ilustrísima, y los de los Municipios restantes, de Señoría, respetándose, no obstante, los tratamientos que respondan a tradiciones reconocidas por disposiciones legales (art. 19 TR/86 y art. 33 ROFRJEL).

Finalmente, el mandato del Presidente será por cuatro años, pero el Alcalde puede ser destituido de su cargo mediante moción de censura o por la pérdida de una cuestión de confianza por él planteada ante el Pleno de la Corporación. Una y otra figura se regulan por los arts. 197 y 197 bis de la LOREG, redactados *ex novo* por la Ley Orgánica 8/1999, de 21 de abril, de modificación de la LOREG. Así pues, dispone el artículo 197 de la LOREG respecto a la **moción de censura** del Alcalde, lo siguiente:

1. El Alcalde puede ser destituido mediante moción de censura, cuya presentación, tramitación y votación se regirá por las siguientes normas:

    a) La moción de censura deberá ser propuesta, al menos, por la mayoría absoluta del número legal de miembros de la Corporación y habrá de incluir un candidato a la Alcaldía, pudiendo serlo cualquier Concejal cuya aceptación expresa conste en el escrito de proposición de la moción.

    En el caso de que alguno de los proponentes de la moción de censura formara o haya formado parte del grupo político municipal al que pertenece el Alcalde cuya censura se propone, la mayoría exigida en el párrafo anterior se verá incrementada en el mismo número de concejales que se encuentren en tales circunstancias.

    Este mismo supuesto será de aplicación cuando alguno de los concejales proponentes de la moción haya dejado de pertenecer, por cualquier causa, al grupo político municipal al que se adscribió al inicio de su mandato.

    b) El escrito en el que se proponga la moción de censura deberá incluir las firmas debidamente autenticadas por Notario o por el Secretario general de la Corporación y deberá presentarse ante este por cualquiera de sus firmantes. El Secretario general comprobará que la moción de censura reúne los requisitos exigidos en este artículo y extenderá en el mismo acto la correspondiente diligencia acreditativa.

    c) El documento así diligenciado se presentará en el Registro General de la Corporación por cualquiera de los firmantes de la moción, quedando el Pleno automáticamente convocado para las doce horas del décimo día hábil siguiente al de su registro. El Secretario de la Corporación deberá remitir notificación indicativa de tal circunstancia a todos los miembros de la misma en el plazo máximo de un día, a contar desde la presentación del documento en el Registro, a los efectos de su asistencia a la sesión, especificando la fecha y hora de la misma.

    d) El Pleno será presidido por una Mesa de edad, integrada por los concejales de mayor y menor edad de los presentes, excluidos el Alcalde y el candidato a la Alcaldía, actuando como Secretario el que lo sea de la Corporación, quien acreditará tal circunstancia.

    e) La Mesa se limitará a dar lectura a la moción de censura, constatando para poder seguir con su tramitación que en ese mismo momento se mantienen los requisitos exigidos en los tres párrafos del apartado a), dando la palabra, en su caso, durante un breve tiempo, si estuvieren presentes, al candidato a la Alcaldía, al Alcalde y a los Portavoces de los grupos municipales, y a someter a votación la moción de censura.

2. Ningún concejal puede firmar durante su mandato más de una moción de censura. A dichos efectos no se tomarán en consideración aquellas mociones que no hubiesen sido tramitadas por no reunir los requisitos previstos en la letra b) del apartado 1 de este artículo.
3. La dimisión sobrevenida del Alcalde no suspenderá la tramitación y votación de la moción de censura.
4. En los municipios en los que se aplique el régimen de concejo abierto, la moción de censura se regulará por las normas contenidas en los dos números anteriores, con las siguientes especialidades:
    a) Las referencias hechas a los concejales a efectos de firma, presentación y votación de la moción de censura, así como a la constitución de la Mesa de edad, se entenderán efectuadas a los electores incluidos en el censo electoral del municipio, vigente en la fecha de presentación de la moción de censura.
    b) Podrá ser candidato cualquier elector residente en el municipio con derecho de sufragio pasivo.
    c) Las referencias hechas al Pleno se entenderán efectuadas a la Asamblea vecinal.
    d) La notificación por el Secretario a los concejales del día y hora de la sesión plenaria se sustituirá por un anuncio a los vecinos de tal circunstancia, efectuado de la forma localmente usada para las convocatorias de la Asamblea vecinal.
    e) La Mesa de edad concederá la palabra solamente al candidato a la Alcaldía y al Alcalde.
5. El Alcalde, en el ejercicio de sus competencias, está obligado a impedir cualquier acto que perturbe, obstaculice o impida el derecho de los miembros de la Corporación a asistir a la sesión plenaria en que se vote la moción de censura y a ejercer su derecho al voto en la misma. En especial, no son de aplicación a la moción de censura las causas de abstención y recusación previstas en la legislación de procedimiento administrativo.
6. Los cambios de Alcalde como consecuencia de una moción de censura en los municipios en los que se aplique el sistema de concejo abierto no tendrán incidencia en la composición de las Diputaciones Provinciales.

En cuanto a la **cuestión de confianza**, dispone el artículo 197 bis de la LOREG lo siguiente:

1. El Alcalde podrá plantear al Pleno una cuestión de confianza, vinculada a la aprobación o modificación de cualquiera de los siguientes asuntos:
    a) Los presupuestos anuales.
    b) El reglamento orgánico.

c) Las ordenanzas fiscales.

d) La aprobación que ponga fin a la tramitación de los instrumentos de planeamiento general de ámbito municipal.

2. La presentación de la cuestión de confianza vinculada al acuerdo sobre alguno de los asuntos señalados en el número anterior figurará expresamente en el correspondiente punto del orden del día del Pleno, requiriéndose para la adopción de dichos acuerdos el «quórum» de votación exigido en la Ley 7/1985, de 2 de abril, reguladora de las Bases del Régimen Local, para cada uno de ellos. La votación se efectuará, en todo caso, mediante el sistema nominal de llamamiento público.

3. Para la presentación de la cuestión de confianza será requisito previo que el acuerdo correspondiente haya sido debatido en el Pleno y que este no hubiera obtenido la mayoría necesaria para su aprobación.

4. En el caso de que la cuestión de confianza no obtuviera el número necesario de votos favorables para la aprobación del acuerdo, el Alcalde cesará automáticamente, quedando en funciones hasta la toma de posesión de quien hubiere de sucederle en el cargo. La elección del nuevo Alcalde se realizará en sesión plenaria convocada automáticamente para las doce horas del décimo día hábil siguiente al de la votación del acuerdo al que se vinculase la cuestión de confianza, rigiéndose por las reglas contenidas en el artículo 196, con las siguientes especialidades:

   a) En los municipios de más de 250 habitantes, el Alcalde cesante quedará excluido de la cabeza de lista a efectos de la elección, ocupando su lugar el segundo de la misma, tanto a efectos de la presentación de candidaturas a la Alcaldía como de designación automática del Alcalde, en caso de pertenecer a la lista más votada y no obtener ningún candidato el voto de la mayoría absoluta del número legal de concejales.

   b) En los municipios comprendidos entre 100 y 250 habitantes, el Alcalde cesante no podrá ser candidato a la Alcaldía ni proclamado Alcalde en defecto de un candidato que obtenga el voto de la mayoría absoluta del número legal de concejales. Si ningún candidato obtuviese esa mayoría, será proclamado Alcalde el concejal que hubiere obtenido más votos populares en las elecciones de concejales, excluido el Alcalde cesante.

5. La previsión contenida en el número anterior no será aplicable cuando la cuestión de confianza se vincule a la aprobación o modificación de los presupuestos anuales. En este caso se entenderá otorgada la confianza y aprobado el proyecto si en el plazo de un mes desde que se votara el rechazo de la cuestión de confianza no se presenta una moción de censura con candidato alternativo a Alcalde, o si esta no prospera.

   A estos efectos, no rige la limitación establecida en el apartado 2 del artículo anterior.

6. Cada Alcalde no podrá plantear más de una cuestión de confianza en cada año, contado desde el inicio de su mandato, ni más de dos durante la duración total del mismo. No se podrá plantear una cuestión de confianza en el último año de mandato de cada Corporación.

7. No se podrá plantear una cuestión de confianza desde la presentación de una moción de censura hasta la votación de esta última.

8. Los concejales que votasen a favor de la aprobación de un asunto al que se hubiese vinculado una cuestión de confianza no podrán firmar una moción de censura contra el Alcalde que lo hubiese planteado hasta que transcurra un plazo de seis meses, contado a partir de la fecha de votación del mismo.

Asimismo, durante el indicado plazo, tampoco dichos concejales podrán emitir un voto contrario al asunto al que se hubiese vinculado la cuestión de confianza, siempre que sea sometido a votación en los mismos términos que en tal ocasión. Caso de emitir dicho voto contrario, este será considerado nulo.

Atribuciones

Con arreglo al **art. 21 LRL**:

1. El alcalde es el Presidente de la Corporación y ostenta las siguientes atribuciones:

   a) Dirigir el gobierno y la administración municipal.

   b) Representar al ayuntamiento.

   c) Convocar y presidir las sesiones del Pleno, salvo los supuestos previstos en esta ley y en la legislación electoral general, de la Junta de Gobierno Local, y de cualesquiera otros órganos municipales cuando así se establezca en disposición legal o reglamentaria, y decidir los empates con voto de calidad.

   d) Dirigir, inspeccionar e impulsar los servicios y obras municipales.

   e) Dictar Bandos.

   f) El desarrollo de la gestión económica de acuerdo con el Presupuesto aprobado, disponer gastos dentro de los límites de su competencia, concertar operaciones de crédito, con exclusión de las contempladas en el artículo 158.5 de la Ley 39/1988, de 28 de diciembre, Reguladora de las Haciendas Locales, siempre que aquellas estén previstas en el Presupuesto y su importe acumulado dentro de cada ejercicio económico no supere el 10 por ciento de sus recursos ordinarios, salvo las de tesorería que le corresponderán cuando el importe acumulado de las operaciones vivas en cada momento no supere el 15 por ciento de los ingresos corrientes liquidados en el ejercicio anterior, ordenar pagos y rendir cuentas; todo ello de conformidad con lo dispuesto en la Ley Reguladora de las Haciendas Locales (esta referencia al art. 158.5 hay que entenderla hecha al art. 177.5 del Texto Refundido de la Ley Reguladora de las Haciendas Locales, aprobado por el Real Decreto Legislativo 2/2004, de 5 de marzo –TR-LHL, en otras referencias–, que ha derogado a la citada Ley 39/1988, de 28 de diciembre, que, como el antiguo art. 158.5, se refiere a los créditos extraordinarios y los suplementos de crédito).

g) Aprobar la oferta de empleo público de acuerdo con el Presupuesto y la plantilla aprobados por el Pleno, aprobar las bases de las pruebas para la selección del personal y para los concursos de provisión de puestos de trabajo y distribuir las retribuciones complementarias que no sean fijas y periódicas.

h) Desempeñar la jefatura superior de todo el personal, y acordar su nombramiento y sanciones, incluida la separación del servicio de los funcionarios de la Corporación y el despido del personal laboral, dando cuenta al Pleno, en estos dos últimos casos, en la primera sesión que celebre. Esta atribución se entenderá sin perjuicio de lo dispuesto en los artículos 99.1 y 3 de esta ley (esta referencia al art. 99 LRL ha quedado obsoleta, dado que fue derogado por la Ley 7/2007, de 12 de abril, del Estatuto Básico del Empleado Público, derogado por Real Decreto Legislativo 5/2015, de 30 de octubre, por el que se aprueba el texto refundido de la Ley del Estatuto Básico del Empleado Público).

i) Ejercer la jefatura de la Policía Municipal.

j) Las aprobaciones de los instrumentos de planeamiento de desarrollo del planeamiento general no expresamente atribuidas al Pleno, así como la de los instrumentos de gestión urbanística y de los proyectos de urbanización.

k) El ejercicio de las acciones judiciales y administrativas y la defensa del ayuntamiento en las materias de su competencia, incluso cuando las hubiere delegado en otro órgano, y, en caso de urgencia, en materias de la competencia del Pleno, en este supuesto dando cuenta al mismo en la primera sesión que celebre para su ratificación.

l) La iniciativa para proponer al Pleno la declaración de lesividad en materias de la competencia de la Alcaldía.

m) Adoptar personalmente, y bajo su responsabilidad, en caso de catástrofe o de infortunios públicos o grave riesgo de los mismos, las medidas necesarias y adecuadas dando cuenta inmediata al Pleno.

n) Sancionar las faltas de desobediencia a su autoridad o por infracción de las ordenanzas municipales, salvo en los casos en que tal facultad esté atribuida a otros órganos.

ñ) *(Derogada).*

o) La aprobación de los proyectos de obras y de servicios cuando sea competente para su contratación o concesión y estén previstos en el presupuesto.

p) *(Derogada).*

q) El otorgamiento de las licencias, salvo que las leyes sectoriales lo atribuyan expresamente al Pleno o a la Junta de Gobierno Local.

r) Ordenar la publicación, ejecución y hacer cumplir los acuerdos del Ayuntamiento.

s) Las demás que expresamente le atribuyan las leyes y aquellas que la legislación del Estado o de las Comunidades Autónomas asignen al municipio y no atribuyan a otros órganos municipales.

2. Corresponde asimismo al Alcalde el nombramiento de los Tenientes de Alcalde.

3. El Alcalde puede delegar el ejercicio de sus atribuciones, salvo las de convocar y presidir las sesiones del Pleno y de la Junta de Gobierno Local, decidir los empates con el voto de calidad, la concertación de operaciones de crédito, la jefatura superior de todo el personal, la separación del servicio de los funcionarios y el despido del personal laboral, y las enunciadas en los apartados a), e), j), k), l) y m) del apartado 1 de este artículo. No obstante, podrá delegar en la Junta de Gobierno Local el ejercicio de las atribuciones contempladas en el apartado j).

Finalmente, el Alcalde dará cuenta sucinta a la Corporación, en cada sesión ordinaria del Pleno, de las resoluciones que hubiere adoptado desde la última sesión plenaria ordinaria, para que los Concejales conozcan el desarrollo de la Administración Municipal, a los efectos de control y fiscalización de su gestión (art. 42 ROFRJEL).

2.4. El Ayuntamiento Pleno

Composición

Conforme al **art. 22 LRL**, (art. 49 ROFRJEL), está integrado por todos los Concejales y es presidido por el Alcalde.

En cuanto al número de Concejales que habrá de elegirse para cada Ayuntamiento, depende de la población que exista en el término municipal, determinándose con arreglo a la siguiente escala que establece el art. 179 LOREG (modificado por la citada Ley Orgánica 2/2011, de 28 de enero):

- Hasta 100 residentes: 3.
- De 101 a 250: 5.
- De 251 a 1.000: 7.
- De 1.001 a 2.000: 9.
- De 2.001 a 5.000: 11.
- De 5.001 a 10.000: 13.
- De 10.001 a 20.000: 17.
- De 20.001 a 50.000: 21.
- De 50.001 a 100.000: 25.
- De 100.001 en adelante, un Concejal más por cada 100.000 residentes o fracción, añadiéndose uno más cuando el resultado sea un número par.

El procedimiento concreto de elección de los Concejales viene determinado en la citada LOREG, siendo electores todos los ciudadanos españoles (y lo serán hasta los extranjeros, en los términos del art. 18,2.º LRL) que reúnan las condiciones antes señaladas respecto del Alcalde y no se hallen incursos en alguna de las causas de inelegibilidad e incompatibilidad que la propia ley señala.

Atribuciones

A tenor del citado **art. 22 LRL**:

1. El Pleno, integrado por todos los Concejales, es presidido por el Alcalde.
2. Corresponden, en todo caso, al Pleno municipal en los Ayuntamientos, y a la Asamblea vecinal en el régimen de Concejo Abierto, las siguientes atribuciones:
   a) El control y la fiscalización de los órganos de gobierno.
   b) Los acuerdos relativos a la participación en organizaciones supramunicipales; alteración del término municipal; creación o supresión de municipios y de las entidades a que se refiere el artículo 45; creación de órganos desconcentrados; alteración de la capitalidad del municipio y el cambio de nombre de este o de aquellas entidades y la adopción o modificación de su bandera, enseña o escudo.
   c) La aprobación inicial del planeamiento general y la aprobación que ponga fin a la tramitación municipal de los planes y demás instrumentos de ordenación previstos en la legislación urbanística, así como los convenios que tengan por objeto la alteración de cualesquiera de dichos instrumentos.
   d) La aprobación del reglamento orgánico y de las ordenanzas.
   e) La determinación de los recursos propios de carácter tributario; la aprobación y modificación de los presupuestos, y la disposición de gastos en materia de

su competencia y la aprobación de las cuentas; todo ello de acuerdo con lo dispuesto en la Ley Reguladora de las Haciendas Locales.

f) La aprobación de las formas de gestión de los servicios y de los expedientes de municipalización.

g) La aceptación de la delegación de competencias hecha por otras Administraciones públicas.

h) El planteamiento de conflictos de competencias a otras entidades locales y demás Administraciones públicas.

i) La aprobación de la plantilla de personal y de la relación de puestos de trabajo, la fijación de la cuantía de las retribuciones complementarias fijas y periódicas de los funcionarios y el número y régimen del personal eventual.

j) El ejercicio de acciones judiciales y administrativas y la defensa de la corporación en materias de competencia plenaria.

k) La declaración de lesividad de los actos del Ayuntamiento.

l) La alteración de la calificación jurídica de los bienes de dominio público.

m) La concertación de las operaciones de crédito cuya cuantía acumulada, dentro de cada ejercicio económico, exceda del 10 por ciento de los recursos ordinarios del Presupuesto -salvo las de tesorería, que le corresponderán cuando el importe acumulado de las operaciones vivas en cada momento supere el 15 por ciento de los ingresos corrientes liquidados en el ejercicio anterior- todo ello de conformidad con lo dispuesto en la Ley Reguladora de las Haciendas Locales.

n) (Derogada)

ñ) La aprobación de los proyectos de obras y servicios cuando sea competente para su contratación o concesión, y cuando aún no estén previstos en los presupuestos.

o) (Derogada)

p) Aquellas otras que deban corresponder al Pleno por exigir su aprobación una mayoría especial.

q) Las demás que expresamente le confieran las leyes.

3. Corresponde, igualmente, al Pleno la votación sobre la moción de censura al Alcalde y sobre la cuestión de confianza planteada por el mismo, que serán públicas y se realizarán mediante llamamiento nominal en todo caso, y se rigen por lo dispuesto en la legislación electoral general.

4. El Pleno puede delegar el ejercicio de sus atribuciones en el Alcalde y en la Junta de Gobierno Local, salvo las enunciadas en el apartado 2, párrafos a), b), c), d), e), f), g), h), i), l) y p), y en el apartado 3 de este artículo.

2.5. La Junta de Gobierno Local

A tenor del **art. 23 LRL**:

1. La Junta de Gobierno Local se integra por el Alcalde y un número de Concejales no superior al tercio del número legal de los mismos, nombrados y separados libremente por aquel, dando cuenta al Pleno.
2. Corresponde a la Junta de Gobierno Local:
   a) La asistencia al Alcalde en el ejercicio de sus atribuciones.
   b) Las atribuciones que el Alcalde u otro órgano municipal le delegue o le atribuyan las leyes.
3. Los Tenientes de Alcalde sustituyen, por el orden de su nombramiento y en los casos de vacante, ausencia o enfermedad, al Alcalde, siendo libremente designados y removidos por este de entre los miembros de la Junta de Gobierno Local y, donde esta no exista, de entre los Concejales.
4. El Alcalde puede delegar el ejercicio de determinadas atribuciones en los miembros de la Junta de Gobierno Local y, donde esta no exista, en los Tenientes de Alcalde, sin perjuicio de las delegaciones especiales que, para cometidos específicos, pueda realizar en favor de cualesquiera Concejales, aunque no pertenecieran a aquella.

2.6. Los Tenientes de Alcalde

Como acabamos de examinar, los Tenientes de Alcalde sustituyen, por el orden de su nombramiento y en los casos de vacante, ausencia o enfermedad, al Alcalde, siendo libremente designados y removidos por este de entre los miembros de la Junta de Gobierno Local y, donde esta no exista, de entre los Concejales.

Según los arts. 22 TR/86 y 46 ROFRJEL, en los Municipios con Junta de Gobierno Local, el número de Tenientes de Alcalde no podrá exceder del número de miembros de aquella. En los que no exista, el número de Tenientes de Alcalde no podrá exceder del tercio del número legal de los miembros de la Corporación.

Los nombramientos y los ceses se harán por resolución del Alcalde, de la que dará cuenta al Pleno en la primera sesión que se celebre, notificándose, además, personalmente a los designados, y se publicarán en el Boletín Oficial de la Provincia, sin perjuicio de su efectividad desde el día siguiente al de la firma de la resolución por el Alcalde, si en ella no se dispone otra cosa.

La condición de Teniente de Alcalde se pierde, además de por el cese, por renuncia expresa manifestada por escrito y por pérdida de la condición de miembro de la Junta de Gobierno Local.

En cuanto a sus atribuciones, les corresponde, con arreglo a los arts. 23,3.º LRL y 47 ROFRJEL, sustituir en la totalidad de sus funciones y por el orden de su nombramiento al Alcalde, en los casos de ausencia, enfermedad o impedimento que imposibilite a este para el ejercicio de sus atribuciones, así como desempeñar las funciones del Alcalde en los supuestos de vacante en la Alcaldía hasta que tome posesión el nuevo Alcalde. También sustituirán al Alcalde en las sesiones cuando deba abstenerse de intervenir en relación a algún punto concreto de las mismas.

En los casos de ausencia, enfermedad o impedimento, las funciones del alcalde no podrán ser asumidas por el Teniente de Alcalde a quien corresponda, sin expresa delegación, salvo lo previsto en el art. 47,2.º ROFRJEL.

2.7. La Comisión Especial de Cuentas

Es de existencia preceptiva, a tenor de los arts. 20,1.º,e), y 116 LRL, y su constitución, composición e integración y funcionamiento se ajusta a lo señalado para las demás Comisiones Informativas.

Le corresponde el examen, estudio e informe de todas las cuentas, presupuestarias y extrapresupuestarias, que deba aprobar el Pleno de la Corporación.

A través del Reglamento Orgánico o mediante acuerdo adoptado por el Pleno de la Corporación, esta Comisión podrá actuar como Comisión Informativa Permanente para los asuntos relativos a Economía y Hacienda de la Entidad.

2.8. Órganos complementarios

Dentro de los mismos, hay que señalar, siguiendo los **arts. 119 a 133 ROFRJEL**:

Los Concejales Delegados

Ostentan alguna delegación especial del Alcalde, con las atribuciones que se especifiquen en el Decreto de delegación. En el caso de que la delegación se refiera genéricamente a una materia o sector de actividad, sin especificación de potestades, se entenderá que comprende todas aquellas facultades, derechos y deberes referidos a la materia delegada que correspondan al órgano que tiene asignadas originariamente las atribuciones, salvo las que no sean delegables.

Cesarán en su condición de tales por renuncia expresa por escrito ante la Alcaldía, por revocación de la delegación y por pérdida de la condición de miembro de la Junta de Gobierno Local cuando la delegación se les confirió por ostentar este carácter.

Las Comisiones Informativas

Integradas exclusivamente por miembros de la Corporación, son órganos sin atribuciones resolutorias, que tienen por función el estudio, informe o consulta de los asuntos que hayan de ser sometidos a la decisión del Pleno y de la Junta de Gobierno Local cuando esta actúe con competencias delegadas por el Pleno, salvo cuando hayan de adoptarse acuerdos declarados urgentes.

Igualmente, informarán aquellos asuntos de la competencia propia de la Junta de Gobierno Local y del Alcalde, que les sean sometidos a su conocimiento por expresa decisión de aquellos.

Pueden ser Permanentes y Especiales. Las primeras se constituyen con carácter general, distribuyendo entre ellas las materias que han de someterse al Pleno, procurándose, en lo posible, su correspondencia con el número y denominación de las grandes áreas en que se estructuran los servicios corporativos.

Las Especiales son constituidas por el Pleno para un asunto concreto, en consideración a sus características especiales de cualquier tipo. Estas Comisiones se extinguen automáticamente una vez que hayan dictaminado o informado sobre el asunto que constituye su objeto, salvo que el acuerdo plenario que las creó dispusiera otra cosa.

En el acuerdo de creación de unas y otras Comisiones Informativas se determinará su composición, teniendo en cuenta las siguientes reglas:

a) El Alcalde es el Presidente nato de todas ellas, pudiendo delegar la presidencia efectiva en cualquier miembro de la Corporación, a propuesta de la propia Comisión, tras la correspondiente elección efectuada en su seno.

b) Cada Comisión estará integrada de forma que su composición se acomode a la proporcionalidad existente entre los distintos grupos políticos representados en la Corporación.

c) La adscripción concreta a cada Comisión de los miembros de la Corporación que deban formar parte de la misma en representación de cada grupo, se realizará mediante escrito del Portavoz del mismo dirigido al Alcalde, y del que se dará cuenta al Pleno. Podrá designarse, de igual forma, un suplente por cada titular.

En cuanto a su funcionamiento, habrá que estar a los arts. 134 a 138 ROFRJEL.

Por lo demás, sus dictámenes tienen carácter preceptivo (salvo los supuestos de urgencia de que trata el art. 126) y no vinculante.

Los Consejos Sectoriales

Su finalidad será la de canalizar la participación de los ciudadanos y de sus asociaciones en los asuntos municipales, informando y, en su caso, proponiendo las iniciativas municipales relativas al sector de actividad al que corresponde cada Consejo. Su creación, composición, organización, ámbito de actuación y funcionamiento serán establecidos en el correspondiente acuerdo plenario. En cualquier caso, estarán presididos por un miembro de la Corporación, nombrado y separado libremente por el Alcalde, que actuará como enlace entre aquella y el Consejo.

Los órganos desconcentrados y descentralizados para la gestión de los servicios

Son creados por el Pleno de la Corporación, con personalidad jurídica propia los segundos, y se establecen cuando así lo aconseje la necesidad de una mayor eficacia en la gestión, la complejidad de la misma, la agilización de los procedimientos, la expectativa de aumentar o mejorar la financiación o la conveniencia de obtener un mayor grado de participación ciudadana en la actividad de prestación de los servicios. Su número, en función del principio de economía organizativa, será el menos posible en atención a la correcta prestación de los servicios.

Los representantes personales del Alcalde en los poblados y barriadas

A ellos se refiere el art. 122 ROFRJEL, conforme al cual «en cada uno de los poblados y barriadas separados del casco urbano y que no constituyan Entidad Local, el Alcalde podrá nombrar un representante personal entre los vecinos residentes en los mismos. También podrá nombrar el Alcalde dichos representantes en aquellas ciudades en que el desenvolvimiento de los servicios así lo aconseje. El representante habrá de estar avecindado en el propio núcleo en el que ejerza sus funciones. La duración del cargo estará sujeta a la del mandato del Alcalde que lo nombró, quien podrá removerlo cuando lo juzgue oportuno. Los representantes tendrán carácter de Autoridad en el cumplimiento de sus cometidos municipales, en cuanto representantes del Alcalde que los nombró».

Las Juntas Municipales de Distrito

Son creadas por el Pleno, con el carácter de órganos territoriales de gestión desconcentrada (art. 24 LRL) y cuya finalidad será la mejor gestión de los asuntos de la competencia municipal y facilitar la participación ciudadana en el respectivo ámbito territorial. Su composición, organización y ámbito territorial, así como las funciones administrativas que, en relación con las competencias municipales, se deleguen o puedan ser delegadas en las mismas (dejando a salvo la unidad de gestión del Municipio), se determinará en el correspondiente Reglamento regulador de las mismas aprobado por el Pleno y que se considerará, a todos los efectos, parte integrante del Reglamento Orgánico (arts. 128 y 129 ROFRJEL).

En concreto, el citado art. 24 LRL dispone que:

1. Para facilitar la participación ciudadana en la gestión de los asuntos locales y mejorar esta, los municipios podrán establecer órganos territoriales de gestión desconcentrada, con la organización, funciones y competencias que cada ayuntamiento les confiera, atendiendo a las características del asentamiento de la población en el término municipal, sin perjuicio de la unidad de gobierno y gestión del municipio.

2. En los municipios señalados en el artículo 121 será de aplicación el régimen de gestión desconcentrada establecido en el artículo 128.

Entidades de ámbito territorial inferior al Municipio sin personalidad jurídica

El art. 24 bis LRL dispone que:

1. Las leyes de las Comunidades Autónomas sobre régimen local regularán los entes de ámbito territorial inferior al Municipio, que carecerán de personalidad jurídica, como forma de organización desconcentrada del mismo para la administración de núcleos de población separados, bajo su denominación tradicional de caseríos, parroquias, aldeas, barrios, anteiglesias, concejos, pedanías, lugares anejos y otros análogos, o aquella que establezcan las leyes.
2. La iniciativa corresponderá indistintamente a la población interesada o al Ayuntamiento correspondiente. Este último debe ser oído en todo caso.
3. Solo podrán crearse este tipo de entes si resulta una opción más eficiente para la administración desconcentrada de núcleos de población separados de acuerdo con los principios previstos en la Ley Orgánica 2/2012, de 27 de abril, de Estabilidad Presupuestaria y Sostenibilidad Financiera.

2.9. Organización de los Municipios de gran población

Introducción

Como se ha venido exponiendo, la LMMGL ha establecido un régimen peculiar para los Municipios de gran población, recogido en el **Título X de la LRL**, cuyas normas (que, a tenor de la Disposición Adicional Undécima LRL, prevalecerán respecto de las demás normas de igual o inferior rango en lo que se opongan, contradigan o resulten incompatibles), conforme al **art. 121** de la misma, serán de aplicación:

a) A los municipios cuya población supere los 250.000 habitantes.

b) A los municipios capitales de provincia cuya población sea superior a los 175.000 habitantes.

c) A los municipios que sean capitales de provincia, capitales autonómicas o sedes de las instituciones autonómicas.

d) Asimismo, a los municipios cuya población supere los 75.000 habitantes, que presenten circunstancias económicas, sociales, históricas o culturales especiales.

En los supuestos previstos en los párrafos c) y d), se exigirá que así lo decidan las Asambleas Legislativas correspondientes a iniciativa de los respectivos ayuntamientos.

Cuando un municipio, de acuerdo con las cifras oficiales de población resultantes de la revisión del padrón municipal aprobadas por el Gobierno con referencia al 1 de enero del año anterior al de inicio de cada mandato de su ayuntamiento, alcance la población requerida para la aplicación del régimen previsto en este título, la nueva corporación dispondrá de un plazo máximo de seis meses desde su constitución para adaptar su organización al contenido de las disposiciones de este Título.

A estos efectos, se tendrá en cuenta exclusivamente la población resultante de la indicada revisión del padrón, y no las correspondientes a otros años de cada mandato.

Los municipios a los que resulte de aplicación el régimen previsto en este título, continuarán rigiéndose por el mismo aun cuando su cifra oficial de población se reduzca posteriormente por debajo del límite establecido en esta ley.

Por lo demás, conforme a la Disposición Transitoria Primera de la LMMGL, los Plenos de los Ayuntamientos a los que resulte de aplicación este régimen dispondrán de un plazo de seis meses desde la entrada en vigor de esta ley (el 1 de enero de 2004) para aprobar las normas orgánicas necesarias para la adaptación de su organización a lo previsto en este Título X, continuando en vigor las normas que regulan estas materias en el momento de entrada en vigor de esta LMMGL en tanto se aprueban tales normas orgánicas. Esta previsión será de aplicación, asimismo, a los Plenos de los Cabildos Insulares que queden incluidos en el ámbito de la Disposición Adicional Decimocuarta LRL, añadida por esta LMMGL, según la cual:

1. Las normas contenidas en los capítulos II y III del título X de esta ley, salvo los artículos 128, 132 y 137, serán de aplicación:

   a) A los Cabildos Insulares Canarios de islas cuya población sea superior a 175.000 habitantes.

   b) A los restantes Cabildos Insulares de islas cuya población sea superior a 75.000 habitantes, siempre que así lo decida mediante ley el Parlamento Canario a iniciativa de los Plenos de los respectivos Cabildos.

2. Serán órganos insulares necesarios de los Cabildos el Pleno, el Presidente y el Consejo de Gobierno Insular.
3. Las referencias contenidas en los artículos 122, 123, 124, 125 y 126 al Alcalde, se entenderán hechas al Presidente del Cabildo; las contenidas en los artículos 124, 125 y 127 a los Tenientes de Alcalde, a los Vicepresidentes; las contenidas en los artículos 123, 126, 127, 129 y 130 a la Junta de Gobierno Local, al Consejo de Gobierno Insular y las contenidas en los artículos 122, 124 y 126 a los Concejales, a los Consejeros.
4. Las competencias atribuidas a los órganos mencionados en el apartado anterior serán asumidas por el respectivo órgano insular del Cabildo, siempre que las mismas no sean materias estrictamente municipales.
5. La Asesoría Jurídica, los Órganos Superiores y Directivos y el Consejo Social Insular, tendrán las competencias asignadas a los mismos en los artículos 129, 130 y 131. El nombramiento de los titulares de la Asesoría Jurídica y de los Órganos Directivos se efectuará teniendo en cuenta los requisitos exigidos en los artículos 129 y 130.

Pasamos a examinarlo a la luz de los arts. 122 a 137 LRL.

El Ayuntamiento Pleno

A tenor del **art. 122 LRL**:

1. El Pleno, formado por el Alcalde y los Concejales, es el órgano de máxima representación política de los ciudadanos en el gobierno municipal.
2. El Pleno será convocado y presidido por el Alcalde, salvo en los supuestos previstos en esta ley y en la legislación electoral general, al que corresponde decidir los empates con voto de calidad. El Alcalde podrá delegar exclusivamente la convocatoria y la presidencia del Pleno, cuando lo estime oportuno, en uno de los concejales.
3. El Pleno se dotará de su propio reglamento, que tendrá la naturaleza de orgánico. No obstante, la regulación de su organización y funcionamiento podrá contenerse también en el reglamento orgánico municipal.

   En todo caso, el Pleno contará con un secretario general y dispondrá de Comisiones, que estarán formadas por los miembros que designen los grupos políticos en proporción al número de concejales que tengan en el Pleno.

4. Corresponderán a las comisiones las siguientes funciones:

   a) El estudio, informe o consulta de los asuntos que hayan de ser sometidos a la decisión del Pleno.

   b) El seguimiento de la gestión del Alcalde y de su equipo de gobierno, sin perjuicio del superior control y fiscalización que, con carácter general, le corresponde al Pleno.

   c) Aquellas que el Pleno les delegue, de acuerdo con lo dispuesto en esta ley.

   En todo caso, serán de aplicación a estas Comisiones las previsiones contenidas para el Pleno en los artículos 46.2, párrafos b), c) y d).

5. Corresponderá al secretario general del Pleno, que lo será también de las comisiones, las siguientes funciones:

   a) La redacción y custodia de las actas, así como la supervisión y autorización de las mismas, con el visto bueno del Presidente del Pleno.

   b) La expedición, con el visto bueno del Presidente del Pleno, de las certificaciones de los actos y acuerdos que se adopten.

   c) La asistencia al Presidente del Pleno para asegurar la convocatoria de las sesiones, el orden en los debates y la correcta celebración de las votaciones, así como la colaboración en el normal desarrollo de los trabajos del Pleno y de las comisiones.

   d) La comunicación, publicación y ejecución de los acuerdos plenarios.

   e) El asesoramiento legal al Pleno y a las comisiones, que será preceptivo en los siguientes supuestos:

      1.º Cuando así lo ordene el Presidente o cuando lo solicite un tercio de sus miembros con antelación suficiente a la celebración de la sesión en que el asunto hubiere de tratarse.

      2.º Siempre que se trate de asuntos sobre materias para las que se exija una mayoría especial.

      3.º Cuando una ley así lo exija en las materias de la competencia plenaria.

      4.º Cuando, en el ejercicio de la función de control y fiscalización de los órganos de gobierno, lo solicite el Presidente o la cuarta parte, al menos, de los Concejales.

   Dichas funciones quedan reservadas a funcionarios de Administración local con habilitación de carácter nacional. Su nombramiento corresponderá al Presidente en los términos previstos en la disposición adicional octava, teniendo la misma equiparación que los órganos directivos previstos en el artículo 130 de esta ley, sin perjuicio de lo que determinen a este respecto las normas orgánicas que regulen el Pleno.

En cuanto a las atribuciones del Pleno, el **art. 123 LRL** dispone, al efecto, que:

1. Corresponden al Pleno las siguientes atribuciones:

   a) El control y la fiscalización de los órganos de gobierno.

   b) La votación de la moción de censura al Alcalde y de la cuestión de confianza planteada por este, que será pública y se realizará mediante llamamiento nominal en todo caso y se regirá en todos sus aspectos por lo dispuesto en la legislación electoral general.

   c) La aprobación y modificación de los reglamentos de naturaleza orgánica. Tendrán en todo caso naturaleza orgánica:

      - La regulación del Pleno.
      - La regulación del Consejo Social de la ciudad.
      - La regulación de la Comisión Especial de Sugerencias y Reclamaciones.
      - La regulación de los órganos complementarios y de los procedimientos de participación ciudadana.
      - La división del municipio en distritos, y la determinación y regulación de los órganos de los distritos y de las competencias de sus órganos representativos y participativos, sin perjuicio de las atribuciones del Alcalde para determinar la organización y las competencias de su administración ejecutiva.
      - La determinación de los niveles esenciales de la organización municipal, entendiendo por tales las grandes áreas de gobierno, los coordinadores generales, dependientes directamente de los miembros de la Junta de Gobierno Local, con funciones de coordinación de las distintas Direcciones Generales u órganos similares integradas en la misma área de gobierno, y de la gestión de los servicios comunes de estas u otras funciones análogas y las Direcciones Generales u órganos similares que culminen la organización administrativa, sin perjuicio de las atribuciones del Alcalde para determinar

el número de cada uno de tales órganos y establecer niveles complementarios inferiores.

- La regulación del órgano para la resolución de las reclamaciones económico-administrativas.

d) La aprobación y modificación de las ordenanzas y reglamentos municipales.

e) Los acuerdos relativos a la delimitación y alteración del término municipal; la creación o supresión de las entidades a que se refiere el artículo 45 de esta ley; la alteración de la capitalidad del municipio y el cambio de denominación de este o de aquellas Entidades, y la adopción o modificación de su bandera, enseña o escudo.

f) Los acuerdos relativos a la participación en organizaciones supramunicipales.

g) La determinación de los recursos propios de carácter tributario.

h) La aprobación de los presupuestos, de la plantilla de personal, así como la autorización de gastos en las materias de su competencia. Asimismo, aprobará la cuenta general del ejercicio correspondiente.

i) La aprobación inicial del planeamiento general y la aprobación que ponga fin a la tramitación municipal de los planes y demás instrumentos de ordenación previstos en la legislación urbanística.

j) La transferencia de funciones o actividades a otras Administraciones públicas, así como la aceptación de las delegaciones o encomiendas de gestión realizadas por otras Administraciones, salvo que por ley se impongan obligatoriamente.

k) La determinación de las formas de gestión de los servicios, así como el acuerdo de creación de organismos autónomos, de entidades públicas empresariales y de sociedades mercantiles para la gestión de los servicios de competencia municipal, y la aprobación de los expedientes de municipalización.

l) Las facultades de revisión de oficio de sus propios actos y disposiciones de carácter general.

m) El ejercicio de acciones judiciales y administrativas y la defensa jurídica del Pleno en las materias de su competencia.

n) Establecer el régimen retributivo de los miembros del Pleno, de su secretario general, del Alcalde, de los miembros de la Junta de Gobierno Local y de los órganos directivos municipales.

ñ) El planteamiento de conflictos de competencia a otras entidades locales y otras Administraciones públicas.

o) Acordar la iniciativa prevista en el último inciso del artículo 121.1, para que el municipio pueda ser incluido en el ámbito de aplicación del título X de esta ley.

p) Las demás que expresamente le confieran las leyes.

2. Se requerirá el voto favorable de la mayoría absoluta del número legal de miembros del Pleno, para la adopción de los acuerdos referidos en los párrafos c), e), f), j) y o) y para los acuerdos que corresponda adoptar al Pleno en la tramitación de los instrumentos de planeamiento general previstos en la legislación urbanística.

   Los demás acuerdos se adoptarán por mayoría simple de votos.

3. Únicamente pueden delegarse las competencias del Pleno referidas en los párrafos d), k), m) y ñ) a favor de las comisiones referidas en el apartado 4 del artículo anterior.

El Alcalde

Conforme al **art. 124 LRL**:

1. El Alcalde ostenta la máxima representación del municipio.
2. El Alcalde es responsable de su gestión política ante el Pleno.
3. El Alcalde tendrá el tratamiento de Excelencia.
4. En particular, corresponde al Alcalde el ejercicio de las siguientes funciones:
   a) Representar al ayuntamiento.
   b) Dirigir la política, el gobierno y la administración municipal, sin perjuicio de la acción colegiada de colaboración en la dirección política que, mediante el ejercicio de las funciones ejecutivas y administrativas que le son atribuidas por esta ley, realice la Junta de Gobierno Local.
   c) Establecer directrices generales de la acción de gobierno municipal y asegurar su continuidad.
   d) Convocar y presidir las sesiones del Pleno y las de la Junta de Gobierno Local y decidir los empates con voto de calidad.
   e) Nombrar y cesar a los Tenientes de Alcalde y a los Presidentes de los Distritos.
   f) Ordenar la publicación, ejecución y cumplimiento de los acuerdos de los órganos ejecutivos del Ayuntamiento.
   g) Dictar bandos, decretos e instrucciones.
   h) Adoptar las medidas necesarias y adecuadas en casos de extraordinaria y urgente necesidad, dando cuenta inmediata al Pleno.
   i) Ejercer la superior dirección del personal al servicio de la Administración municipal.
   j) La Jefatura de la Policía Municipal.
   k) Establecer la organización y estructura de la Administración municipal ejecutiva, sin perjuicio de las competencias atribuidas al Pleno en materia de organización municipal, de acuerdo con lo dispuesto en el párrafo c) del apartado 1 del artículo 123.

l) El ejercicio de las acciones judiciales y administrativas en materia de su competencia y, en caso de urgencia, en materias de la competencia del Pleno, en este supuesto dando cuenta al mismo en la primera sesión que celebre para su ratificación.

m) Las facultades de revisión de oficio de sus propios actos.

n) La autorización y disposición de gastos en las materias de su competencia.

ñ) Las demás que le atribuyan expresamente las leyes y aquellas que la legislación del Estado o de las comunidades autónomas asignen al municipio y no se atribuyan a otros órganos municipales.

5. El Alcalde podrá delegar mediante decreto las competencias anteriores en la Junta de Gobierno Local, en sus miembros, en los demás concejales y, en su caso, en los coordinadores generales, directores generales u órganos similares, con excepción de las señaladas en los párrafos b), e), h) y j), así como la de convocar y presidir la Junta de Gobierno Local, decidir los empates con voto de calidad y la de dictar bandos. Las atribuciones previstas en los párrafos c) y k) solo serán delegables en la Junta de Gobierno Local.

Los Tenientes de Alcalde

A los mismos se refiere el **art. 125 LRL**, según el cual:

1. El Alcalde podrá nombrar entre los concejales que formen parte de la Junta de Gobierno Local a los Tenientes de Alcalde, que le sustituirán, por el orden de su nombramiento, en los casos de vacante, ausencia o enfermedad.
2. Los Tenientes de Alcalde tendrán el tratamiento de Ilustrísima.

La Junta de Gobierno Local

Conforme al **art. 126 LRL**, declarado parcialmente inconstitucional por Sentencia del Pleno del Tribunal Constitucional 103/2013, de 25 de abril de 2013, en Recurso de inconstitucionalidad 1523-2004, interpuesto por el Parlamento de Cataluña en relación con diversos preceptos de la Ley 57/2003, de 16 de diciembre, de medidas para la modernización del Gobierno Local, en cuanto al nombramiento como miembros de la Junta de Gobierno Local de personas que no ostenten la condición de concejales:

1. La Junta de Gobierno Local es el órgano que, bajo la presidencia del Alcalde, colabora de forma colegiada en la función de dirección política que a este corresponde y ejerce las funciones ejecutivas y administrativas que se señalan en el artículo 127 de esta ley.
2. Corresponde al Alcalde nombrar y separar libremente a los miembros de la Junta de Gobierno Local, cuyo número no podrá exceder de un tercio del número legal de miembros del Pleno, además del Alcalde.

El Alcalde podrá nombrar como miembros de la Junta de Gobierno Local a personas que no ostenten la condición de concejales, siempre que su número no supere un tercio de sus miembros, excluido el Alcalde. Sus derechos económicos y prestaciones sociales serán los de los miembros electivos (esta previsión ha sido declarada inconstitucional y, por ende, derogada por la propia Constitución).

En todo caso, para la válida constitución de la Junta de Gobierno Local se requiere que el número de miembros de la Junta de Gobierno Local que ostentan la condición de concejales presentes sea superior al número de aquellos miembros presentes que no ostentan dicha condición (al no poder existir miembros no electos, también deja de tener sentido esta previsión).

Los miembros de la Junta de Gobierno Local podrán asistir a las sesiones del Pleno e intervenir en los debates, sin perjuicio de las facultades que corresponden a su Presidente.

3. La Junta de Gobierno Local responde políticamente ante el Pleno de su gestión de forma solidaria, sin perjuicio de la responsabilidad directa de cada uno de sus miembros por su gestión.
4. La Secretaría de la Junta de Gobierno Local corresponderá a uno de sus miembros que reúna la condición de concejal (como se ha apuntado, ya todos los miembros deben ser concejales), designado por el Alcalde, quien redactará las actas de las sesiones y certificará sobre sus acuerdos. Existirá un órgano de apoyo a la Junta de Gobierno Local y al concejal-secretario de la misma, cuyo titular será nombrado entre funcionarios de Administración local con habilitación de carácter nacional. Sus funciones serán las siguientes:
   a) La asistencia al concejal-secretario de la Junta de Gobierno Local.
   b) La remisión de las convocatorias a los miembros de la Junta de Gobierno Local.
   c) El archivo y custodia de las convocatorias, órdenes del día y actas de las reuniones.
   d) Velar por la correcta y fiel comunicación de sus acuerdos.

5. Las deliberaciones de la Junta de Gobierno Local son secretas. A sus sesiones podrán asistir los concejales no pertenecientes a la Junta y los titulares de los órganos directivos, en ambos supuestos cuando sean convocados expresamente por el Alcalde.

En cuanto a sus atribuciones, a tenor del **art. 127 LRL**, le corresponde:

a) La aprobación de los proyectos de ordenanzas y de los reglamentos, incluidos los orgánicos, con excepción de las normas reguladoras del Pleno y sus comisiones.

b) La aprobación del proyecto de presupuesto.

c) La aprobación de los proyectos de instrumentos de ordenación urbanística cuya aprobación definitiva o provisional corresponda al Pleno.

d) Las aprobaciones de los instrumentos de planeamiento de desarrollo del planeamiento general no atribuidas expresamente al Pleno, así como de los instrumentos de gestión urbanística y de los proyectos de urbanización.

e) La concesión de cualquier tipo de licencia, salvo que la legislación sectorial la atribuya expresamente a otro órgano.

f) (*Derogada* por Ley 30/2007, de 30 de octubre, de Contratos del Sector Público).

g) El desarrollo de la gestión económica, autorizar y disponer gastos en materia de su competencia, disponer gastos previamente autorizados por el Pleno, y la gestión del personal.

h) Aprobar la relación de puestos de trabajo, las retribuciones del personal de acuerdo con el presupuesto aprobado por el Pleno, la oferta de empleo público, las bases de las convocatorias de selección y provisión de puestos de trabajo, el número y régimen del personal eventual, la separación del servicio de los funcionarios del Ayuntamiento, sin perjuicio de lo dispuesto en el artículo 99 de esta ley, el despido del personal laboral, el régimen disciplinario y las demás decisiones en materia de personal que no estén expresamente atribuidas a otro órgano.

   La composición de los tribunales de oposiciones será predominantemente técnica, debiendo poseer todos sus miembros un nivel de titulación igual o superior al exigido para el ingreso en las plazas convocadas. Su presidente podrá ser nombrado entre los miembros de la Corporación o entre el personal al servicio de las Administraciones públicas (esta previsión debe entenderse en el contexto del art. 60 del Texto Refundido de la Ley del Estatuto Básico del Empleado Público –TR-LEBEP, en lo sucesivo–, aprobado por el Real Decreto Legislativo 5/2015, de 30 de octubre, que impide al personal de elección o de designación política, a los funcionarios interinos y al personal eventual formar parte de los órganos de selección).

i) El nombramiento y el cese de los titulares de los órganos directivos de la Administración municipal, sin perjuicio de lo dispuesto en la disposición adicional octava para los funcionarios de Administración local con habilitación de carácter nacional.

j) El ejercicio de las acciones judiciales y administrativas en materia de su competencia.

k) Las facultades de revisión de oficio de sus propios actos.

l) Ejercer la potestad sancionadora salvo que por ley esté atribuida a otro órgano.

m) Designar a los representantes municipales en los órganos colegiados de gobierno o administración de los entes, fundaciones o sociedades, sea cual sea su naturaleza, en los que el Ayuntamiento sea partícipe.

n) Las demás que le correspondan, de acuerdo con las disposiciones legales vigentes.

La Junta de Gobierno Local podrá delegar en los Tenientes de Alcalde, en los demás miembros de la Junta de Gobierno Local, en su caso, en los demás concejales, en los coordinadores generales, directores generales u órganos similares, las funciones enumeradas en los párrafos e), f), g), h) con excepción de la aprobación de la relación de puestos de trabajo, de las retribuciones del personal, de la oferta de empleo público, de la determinación del número y del régimen del personal eventual y de la separación del servicio de los funcionarios, y l) antes examinadas.

Los Distritos

A los mismos se refiere el **art. 128 LRL**, según el cual:

1. Los ayuntamientos deberán crear distritos, como divisiones territoriales propias, dotadas de órganos de gestión desconcentrada, para impulsar y desarrollar la participación ciudadana en la gestión de los asuntos municipales y su mejora, sin perjuicio de la unidad de gobierno y gestión del municipio.
2. Corresponde al Pleno de la Corporación la creación de los distritos y su regulación, en los términos y con el alcance previsto en el artículo 123, así como determinar, en una norma de carácter orgánico, el porcentaje mínimo de los recursos presupuestarios de la corporación que deberán gestionarse por los distritos, en su conjunto.
3. La presidencia del distrito corresponderá en todo caso a un concejal.

Recuerda que...

Corresponde al Pleno de la Corporación la creación de los distritos y la presidencia del distrito corresponderá en todo caso a un concejal.

La Asesoría Jurídica

El **art. 129 LRL** dispone que:

1. Sin perjuicio de las funciones reservadas al secretario del Pleno por el párrafo e) del apartado 5) del artículo 122 de esta ley, existirá un órgano administrativo responsable de la asistencia jurídica al Alcalde, a la Junta de Gobierno Local y a los órganos directivos, comprensiva del asesoramiento jurídico y de la representación y

defensa en juicio del ayuntamiento, sin perjuicio de lo dispuesto en el apartado segundo del artículo 447 de la Ley Orgánica 6/1985, de 1 de julio, del Poder Judicial (esta referencia al art. 447 debe entenderse hecha al art. 551 de dicha Ley Orgánica del Poder Judicial, reformada por la Ley Orgánica 19/2003, de 23 de diciembre).

2. Su titular será nombrado y separado por la Junta de Gobierno Local, entre personas que reúnan los siguientes requisitos:
   a) Estar en posesión del título de licenciado en derecho.
   b) Ostentar la condición de funcionario de administración local con habilitación de carácter nacional, o bien funcionario de carrera del Estado, de las comunidades autónomas o de las entidades locales, a los que se exija para su ingreso el título de doctor, licenciado, ingeniero, arquitecto o equivalente.

Órganos superiores y directivos

El **art. 130 LRL** (cuyo apartado 1.B debe interpretarse en el sentido de la Sentencia del Tribunal Constitucional 103/2013, de 25 de abril, según la cual "se limita a relacionar dentro de los órganos directivos, los titulares de órganos que pertenecen a la organización básica de los municipios de gran población," y "no impide a las leyes autonómicas que completen, dentro de su competencia para regular la organización complementaria, este elenco de órganos directivos", y cuyo apartado 3 ha sido redactado de nuevo por la LRSAL) establece que:

1. Son órganos superiores y directivos municipales los siguientes:
   A) Órganos superiores:
      a) El Alcalde.
      b) Los miembros de la Junta de Gobierno Local.
   B) Órganos directivos:
      a) Los coordinadores generales de cada área o concejalía.
      b) Los directores generales u órganos similares que culminen la organización administrativa dentro de cada una de las grandes áreas o concejalías.
      c) El titular del órgano de apoyo a la Junta de Gobierno Local y al concejal-secretario de la misma.
      d) El titular de la asesoría jurídica.
      e) El Secretario general del Pleno.
      f) El interventor general municipal.
      g) En su caso, el titular del órgano de gestión tributaria.
2. Tendrán también la consideración de órganos directivos, los titulares de los máximos órganos de dirección de los organismos autónomos y de las entidades públicas empresariales locales, de conformidad con lo establecido en el artículo 85 bis, párrafo b).

3. El nombramiento de los coordinadores generales y de los directores generales, atendiendo a criterios de competencia profesional y experiencia deberá efectuarse entre funcionarios de carrera del Estado, de las Comunidades Autónomas, de las Entidades Locales o con habilitación de carácter nacional que pertenezcan a cuerpos o escalas clasificados en el subgrupo A1, salvo que el Reglamento Orgánico Municipal permita que, en atención a las características específicas de las funciones de tales órganos directivos, su titular no reúna dicha condición de funcionario.
4. Los órganos superiores y directivos quedan sometidos al régimen de incompatibilidades establecido en la Ley 53/1984, de 26 de diciembre, de Incompatibilidades del personal al servicio de las Administraciones públicas, y en otras normas estatales o autonómicas que resulten de aplicación.

Actividad 4

Relaciona mediante flechas:

El titular de la asesoría jurídica	
El Alcalde	
El Secretario general del Pleno	Órganos superiores
El interventor general municipal	Órganos directivos
Los miembros de la Junta de Gobierno Local	
El titular del órgano de apoyo a la Junta de Gobierno Local	

El Consejo Social de la Ciudad

Al mismo se refiere el **art. 131 LRL**, conforme al cual, en los municipios señalados en este título, existirá un Consejo Social de la Ciudad, integrado por representantes de las organizaciones económicas, sociales, profesionales y de vecinos más representativas.

Corresponderá a este Consejo, además de las funciones que determine el Pleno mediante normas orgánicas, la emisión de informes, estudios y propuestas en materia de desarrollo económico local, planificación estratégica de la ciudad y grandes proyectos urbanos.

Comisión Especial de Sugerencias y Reclamaciones

Finalmente, con arreglo al **art. 132 LRL**:

1. Para la defensa de los derechos de los vecinos ante la Administración municipal, el Pleno creará una Comisión especial de Sugerencias y Reclamaciones, cuyo funcionamiento se regulará en normas de carácter orgánico.

2. La Comisión especial de Sugerencias y Reclamaciones estará formada por representantes de todos los grupos que integren el Pleno, de forma proporcional al número de miembros que tengan en el mismo.
3. La citada Comisión podrá supervisar la actividad de la Administración municipal, y deberá dar cuenta al Pleno, mediante un informe anual, de las quejas presentadas y de las deficiencias observadas en el funcionamiento de los servicios municipales, con especificación de las sugerencias o recomendaciones no admitidas por la Administración municipal. No obstante, también podrá realizar informes extraordinarios cuando la gravedad o la urgencia de los hechos lo aconsejen.
4. Para el desarrollo de sus funciones, todos los órganos de Gobierno y de la Administración municipal están obligados a colaborar con la Comisión de Sugerencias y Reclamaciones.

Criterios de la gestión económico-financiera

El **art. 133 LRL** (que hay que matizar respecto de las remisiones que efectúa a la antigua Ley de Haciendas Locales) establece los criterios de la gestión económico-financiera, disponiendo que la gestión económico-financiera se ajuste a los siguientes criterios:

a) Cumplimiento del objetivo de estabilidad presupuestaria, de acuerdo con lo dispuesto en la legislación que lo regule (la Ley Orgánica 2/2012, de 27 de abril, de Estabilidad Presupuestaria y Sostenibilidad Financiera).

b) Separación de las funciones de contabilidad y de fiscalización de la gestión económico-financiera.

c) La contabilidad se ajustará en todo caso a las previsiones que en esta materia contiene el TR-LHL.

d) El ámbito en el que se realizará la fiscalización y el control de legalidad presupuestaria será el presupuesto o el estado de previsión de ingresos y gastos, según proceda.

e) Introducción de la exigencia del seguimiento de los costes de los servicios.

f) La asignación de recursos, con arreglo a los principios de eficacia y eficiencia, se hará en función de la definición y el cumplimiento de objetivos.

g) La administración y rentabilización de los excedentes líquidos y la concertación de operaciones de tesorería se realizarán de acuerdo con las bases de ejecución del presupuesto y el plan financiero aprobado.

h) Todos los actos, documentos y expedientes de la Administración municipal y de todas las entidades dependientes de ella, sea cual fuere su naturaleza jurídica, de los que se deriven derechos y obligaciones de contenido económico estarán sujetos al control y fiscalización interna por el órgano que se determina en esta ley, en los términos establecidos en los arts. 213 a 222 TR-LHL.

Órganos de gestión económico-financiera y presupuestaria

El **art. 134 LRL** se refiere al órgano u órganos de gestión económico-financiera y presupuestaria, estableciendo que:

1. Las funciones de presupuestación, contabilidad, tesorería y recaudación serán ejercidas por el órgano u órganos que se determinen en el Reglamento orgánico municipal.
2. El titular o titulares de dicho órgano u órganos deberá ser un funcionario de Administración local con habilitación de carácter nacional, salvo el del órgano que desarrolle las funciones de presupuestación.

Órgano de gestión tributaria

El **art. 135 LRL**, en este contexto, regula el órgano de gestión tributaria, prescribiendo que:

1. Para la consecución de una gestión integral del sistema tributario municipal, regido por los principios de eficiencia, suficiencia, agilidad y unidad en la gestión, se habilita al Pleno de los ayuntamientos de los municipios de gran población para crear un órgano de gestión tributaria, responsable de ejercer como propias las competencias que a la Administración Tributaria le atribuye la legislación tributaria.
2. Corresponderán a este órgano de gestión tributaria, al menos, las siguientes competencias:
    a) La gestión, liquidación, inspección, recaudación y revisión de los actos tributarios municipales.
    b) La recaudación en período ejecutivo de los demás ingresos de derecho público del ayuntamiento.
    c) La tramitación y resolución de los expedientes sancionadores tributarios relativos a los tributos cuya competencia gestora tenga atribuida.
    d) El análisis y diseño de la política global de ingresos públicos en lo relativo al sistema tributario municipal.
    e) La propuesta, elaboración e interpretación de las normas tributarias propias del ayuntamiento.
    f) El seguimiento y la ordenación de la ejecución del presupuesto de ingresos en lo relativo a ingresos tributarios.
3. En el caso de que el Pleno haga uso de la habilitación prevista en el apartado 1, la función de recaudación y su titular quedarán adscritos a este órgano, quedando sin efecto lo dispuesto en el artículo 134.1 en lo que respecta a la función de recaudación.

Órgano responsable del control y de la fiscalización interna

El **art. 136 LRL** se refiere al órgano responsable del control y de la fiscalización interna, disponiendo que:

1. La función pública de control y fiscalización interna de la gestión económico-financiera y presupuestaria, en su triple acepción de función interventora, función de control financiero y función de control de eficacia, corresponderá a un órgano administrativo, con la denominación de Intervención general municipal.
2. La Intervención general municipal ejercerá sus funciones con plena autonomía respecto de los órganos y entidades municipales y cargos directivos cuya gestión fiscalice, teniendo completo acceso a la contabilidad y a cuantos documentos sean necesarios para el ejercicio de sus funciones.
3. Su titular será nombrado entre funcionarios de Administración local con habilitación de carácter nacional.

Órgano para la resolución de las reclamaciones económico-administrativas

Finalmente, el **art. 137 LRL** regula el órgano para la resolución de las reclamaciones económico-administrativas, disponiendo que:

1. Existirá un órgano especializado en las siguientes funciones:
   a) El conocimiento y resolución de las reclamaciones sobre actos de gestión, liquidación, recaudación e inspección de tributos e ingresos de derecho público, que sean de competencia municipal.
   b) El dictamen sobre los proyectos de ordenanzas fiscales.
   c) En el caso de ser requerido por los órganos municipales competentes en materia tributaria, la elaboración de estudios y propuestas en esta materia.
2. La resolución que se dicte pone fin a la vía administrativa y contra ella solo cabrá la interposición del recurso contencioso-administrativo.
3. No obstante, los interesados podrán, con carácter potestativo, presentar previamente contra los actos previstos en el apartado 1 a) el recurso de reposición regulado en el artículo 14 de la Ley 39/1988, de 28 de diciembre, reguladora de las Haciendas Locales (actualmente el art. 14 del TR-LHL). Contra la resolución, en su caso, del citado recurso de reposición, podrá interponerse reclamación económico-administrativa ante el órgano previsto en el presente artículo.
4. Estará constituido por un número impar de miembros, con un mínimo de tres, designados por el Pleno, con el voto favorable de la mayoría absoluta de los miembros que legalmente lo integren, de entre personas de reconocida competencia técnica, y cesarán por alguna de las siguientes causas:
   a) A petición propia.
   b) Cuando lo acuerde el Pleno con la misma mayoría que para su nombramiento.

c) Cuando sean condenados mediante sentencia firme por delito doloso.

d) Cuando sean sancionados mediante resolución firme por la comisión de una falta disciplinaria muy grave o grave.

Solamente el Pleno podrá acordar la incoación y la resolución del correspondiente expediente disciplinario, que se regirá, en todos sus aspectos, por la normativa aplicable en materia de régimen disciplinario a los funcionarios del ayuntamiento.

5. Su funcionamiento se basará en criterios de independencia técnica, celeridad y gratuidad. Su composición, competencias, organización y funcionamiento, así como el procedimiento de las reclamaciones se regulará por reglamento aprobado por el Pleno, de acuerdo en todo caso con lo establecido en la Ley General Tributaria y en la normativa estatal reguladora de las reclamaciones económico-administrativas, sin perjuicio de las adaptaciones necesarias en consideración al ámbito de actuación y funcionamiento del órgano.

6. La reclamación regulada en el presente artículo se entiende sin perjuicio de los supuestos en los que la ley prevé la reclamación económico-administrativa ante los Tribunales Económico-Administrativos del Estado.

2.10. Conflictos de atribuciones entre órganos

Hemos de señalar, con el art. 50 LRL y el art. 222 ROFRJEL, que los conflictos de atribuciones que surjan entre órganos y Entidades dependientes de una misma Corporación Local se resolverán:

a) Por el Pleno, cuando se trate de conflictos que afecten a órganos colegiados o miembros de estos o Entidades Locales de ámbito territorial inferior al Municipio.

b) Por el Presidente de la Corporación, en el resto de los supuestos.

3. Competencias municipales

3.1. Concepto

Se entiende por competencia municipal el ámbito sectorial en que el Municipio puede actuar con arreglo a Derecho. Es, en definitiva, el conjunto de facultades atribuidas al Municipio para que este pueda cumplir los fines que le son propios.

3.2. Clases

Conforme al **art. 7 LRL**:

1. Las competencias de las Entidades Locales son propias o atribuidas por delegación.

2. Las competencias propias de los Municipios, las Provincias, las Islas y demás Entidades Locales territoriales solo podrán ser determinadas por ley y se ejercen en

régimen de autonomía y bajo la propia responsabilidad, atendiendo siempre a la debida coordinación en su programación y ejecución con las demás Administraciones Públicas.

3. El Estado y las Comunidades Autónomas, en el ejercicio de sus respectivas competencias, podrán delegar en las Entidades Locales el ejercicio de sus competencias.

   Las competencias delegadas se ejercen en los términos establecidos en la disposición o en el acuerdo de delegación, según corresponda, con sujeción a las reglas establecidas en el artículo 27, y preverán técnicas de dirección y control de oportunidad y eficiencia.

4. Las Entidades Locales solo podrán ejercer competencias distintas de las propias y de las atribuidas por delegación cuando no se ponga en riesgo la sostenibilidad financiera del conjunto de la Hacienda municipal, de acuerdo con los requerimientos de la legislación de estabilidad presupuestaria y sostenibilidad financiera y no se incurra en un supuesto de ejecución simultánea del mismo servicio público con otra Administración Pública. A estos efectos, serán necesarios y vinculantes los informes previos de la Administración competente por razón de materia, en el que se señale la inexistencia de duplicidades, y de la Administración que tenga atribuida la tutela financiera sobre la sostenibilidad financiera de las nuevas competencias.

   En todo caso, el ejercicio de estas competencias deberá realizarse en los términos previstos en la legislación del Estado y de las Comunidades Autónomas.

Sobre la clasificación de las competencias, se ha de hacer notar que esta LRSAL ha derogado el art. 28 LRL, que contemplaba la posibilidad de que «los Municipios pueden realizar actividades complementarias de las propias de otras Administraciones Públicas y, en particular, las relativas a la educación, la cultura, la promoción de la mujer, la vivienda, la sanidad y la protección del medio ambiente», debiendo estarse en la actualidad a las clases de competencias antes aludidas.

3.3. Competencias propias

Conforme al **art. 25 LRL**:

1. El Municipio, para la gestión de sus intereses y en el ámbito de sus competencias, puede promover actividades y prestar los servicios públicos que contribuyan a satisfacer las necesidades y aspiraciones de la comunidad vecinal en los términos previstos en este artículo.

2. El Municipio ejercerá en todo caso como competencias propias, en los términos de la legislación del Estado y de las Comunidades Autónomas, en las siguientes materias:

   a) Urbanismo: planeamiento, gestión, ejecución y disciplina urbanística. Protección y gestión del Patrimonio histórico. Promoción y gestión de la vivienda de protección pública con criterios de sostenibilidad financiera. Conservación y rehabilitación de la edificación.

b) Medio ambiente urbano: en particular, parques y jardines públicos, gestión de los residuos sólidos urbanos y protección contra la contaminación acústica, lumínica y atmosférica en las zonas urbanas.

c) Abastecimiento de agua potable a domicilio y evacuación y tratamiento de aguas residuales.

d) Infraestructura viaria y otros equipamientos de su titularidad.

e) Evaluación e información de situaciones de necesidad social y la atención inmediata a personas en situación o riesgo de exclusión social.

f) Policía local, protección civil, prevención y extinción de incendios.

g) Tráfico, estacionamiento de vehículos y movilidad. Transporte colectivo urbano.

h) Información y promoción de la actividad turística de interés y ámbito local.

i) Ferias, abastos, mercados, lonjas y comercio ambulante.

j) Protección de la salubridad pública.

k) Cementerios y actividades funerarias.

l) Promoción del deporte e instalaciones deportivas y de ocupación del tiempo libre.

m) Promoción de la cultura y equipamientos culturales.

n) Participar en la vigilancia del cumplimiento de la escolaridad obligatoria y cooperar con las Administraciones educativas correspondientes en la obtención de los solares necesarios para la construcción de nuevos centros docentes. La conservación, mantenimiento y vigilancia de los edificios de titularidad local destinados a centros públicos de educación infantil, de educación primaria o de educación especial.

ñ) Promoción en su término municipal de la participación de los ciudadanos en el uso eficiente y sostenible de las tecnologías de la información y las comunicaciones.

o) Actuaciones en la promoción de la igualdad entre hombres y mujeres así como contra la violencia de género. (Apartado añadido por la Disposición Final primera del Real Decreto-ley 9/2018, de 3 de agosto, de medidas urgentes para el desarrollo del Pacto de Estado contra la violencia de género).

3. Las competencias municipales en las materias enunciadas en este artículo se determinarán por ley debiendo evaluar la conveniencia de la implantación de servicios locales conforme a los principios de descentralización, eficiencia, estabilidad y sostenibilidad financiera.
4. La ley a que se refiere el apartado anterior deberá ir acompañada de una memoria económica que refleje el impacto sobre los recursos financieros de las Administraciones Públicas afectadas y el cumplimiento de los principios de estabilidad, sostenibilidad financiera y eficiencia del servicio o la actividad. La ley debe prever la dotación de los recursos necesarios para asegurar la suficiencia financiera de las Entidades Locales sin que ello pueda conllevar, en ningún caso, un mayor gasto de las Administraciones Públicas.

   Los proyectos de leyes estatales se acompañarán de un informe del Ministerio de Hacienda en el que se acrediten los criterios antes señalados.
5. La ley determinará la competencia municipal propia de que se trate, garantizando que no se produce una atribución simultánea de la misma competencia a otra Administración Pública.
6. Con carácter previo a la atribución de competencias a los municipios, de acuerdo con el principio de diferenciación, deberá realizarse una ponderación específica de la capacidad de gestión de la entidad local, dejando constancia de tal ponderación en la motivación del instrumento jurídico que realice la atribución competencial, ya sea en su parte expositiva o en la memoria justificativa correspondiente.

3.4. Servicios mínimos

El **art. 26 LRL**, prescribe que:

1. Los Municipios deberán prestar, en todo caso, los servicios siguientes:
   a) En todos los Municipios: alumbrado público, cementerio, recogida de residuos, limpieza viaria, abastecimiento domiciliario de agua potable, alcantarillado, acceso a los núcleos de población y pavimentación de las vías públicas.

   b) En los Municipios con población superior a 5.000 habitantes, además: parque público, biblioteca pública y tratamiento de residuos.
   c) En los Municipios con población superior a 20.000 habitantes, además: protección civil, evaluación e información de situaciones de necesidad social y la atención inmediata a personas en situación o riesgo de exclusión social, prevención y extinción de incendios e instalaciones deportivas de uso público.

   d) En los Municipios con población superior a 50.000 habitantes, además: transporte colectivo urbano de viajeros y medio ambiente urbano.

2. En los municipios con población inferior a 20.000 habitantes será la Diputación provincial o entidad equivalente la que coordinará la prestación de los siguientes servicios:
   a) Recogida y tratamiento de residuos.
   b) Abastecimiento de agua potable a domicilio y evacuación y tratamiento de aguas residuales.
   c) Limpieza viaria.
   d) Acceso a los núcleos de población.
   e) Pavimentación de vías urbanas.
   f) Alumbrado público.

   Para coordinar la citada prestación de servicios, la Diputación propondrá, con la conformidad de los municipios afectados, al *Ministerio de Hacienda,* la forma de prestación, consistente en la prestación directa por la Diputación o la implantación de fórmulas de gestión compartida a través de consorcios, mancomunidades u otras fórmulas. *Para reducir los costes efectivos de los servicios, el mencionado Ministerio decidirá sobre la propuesta formulada que deberá contar con el informe preceptivo de la Comunidad Autónoma si es la Administración que ejerce la tutela financiera.* (Se declaran inconstitucionales y nulos los incisos destacados en cursivas en este párrafo, por Sentencia del TC 111/2016, de 9 de junio).

   Cuando el municipio justifique ante la Diputación que puede prestar estos servicios con un coste efectivo menor que el derivado de la forma de gestión propuesta por la Diputación provincial o entidad equivalente, el municipio podrá asumir la prestación y coordinación de estos servicios si la Diputación lo considera acreditado.

   Cuando la Diputación o entidad equivalente asuma la prestación de estos servicios repercutirá a los municipios el coste efectivo del servicio en función de su uso. Si estos servicios estuvieran financiados por tasas y asume su prestación la Diputación o entidad equivalente, será a esta a quien vaya destinada la tasa para la financiación de los servicios.

3. La asistencia de las Diputaciones o entidades equivalentes a los Municipios, prevista en el artículo 36, se dirigirá preferentemente al establecimiento y adecuada prestación de los servicios mínimos.

3.5. Conflictos de competencias

Finalmente, el art. 50,2.º LRL y el art. 222,2.º ROFRJEL, disponen que los conflictos de competencias planteados entre diferentes Entidades Locales serán resueltos por la Administración de la Comunidad Autónoma o por la Administración del Estado, previa audiencia de las Comunidades Autónomas afectadas, según se trate de Entidades pertenecientes a la misma o a distinta Comunidad, y sin perjuicio de la ulterior posibilidad de impugnar la resolución dictada ante la Jurisdicción Contencioso-Administrativa.

4. Organización provincial

4.1. Introducción

Conforme a los arts. 141,2.º CE y 31,3.º LRL, el gobierno y la administración autónoma de la Provincia corresponden a la Diputación u otras Corporaciones de carácter representativo, a las que el art. 55,1.º del Real Decreto 2568/1986, de 28 de noviembre, por el que se aprueba el Reglamento de Organización, Funcionamiento y Régimen Jurídico de las Entidades Locales, ROFRJEL, en adelante, con evidente impropiedad jurídica, les confiere el carácter de «Corporación de Derecho Público».

En concreto, el **art. 32 LRL**, redactado *ex novo* por la Ley 57/2003, de 16 de diciembre, de Medidas para la Modernización del Gobierno Local (LMMGL, en las restantes llamadas), establece que la organización provincial responde a las siguientes reglas:

1. El Presidente, los Vicepresidentes, la Junta de Gobierno y el Pleno existen en todas las Diputaciones.
2. Asimismo, existirán en todas las Diputaciones órganos que tengan por objeto el estudio, informe o consulta de los asuntos que han de ser sometidos a la decisión del Pleno, así como el seguimiento de la gestión del Presidente, la Junta de Gobierno y los Diputados que ostenten delegaciones, siempre que la respectiva legislación autonómica no prevea una forma organizativa distinta en este ámbito y sin perjuicio de las competencias de control que corresponden al Pleno.

   Todos los grupos políticos integrantes de la Corporación tendrán derecho a participar en dichos órganos, mediante la presencia de Diputados pertenecientes a los mismos, en proporción al número de Diputados que tengan en el Pleno.
3. El resto de los órganos complementarios de los anteriores se establece y regula por las propias Diputaciones. No obstante, las leyes de las Comunidades Autónomas sobre régimen local podrán establecer una organización provincial complementaria de la prevista en este texto legal.

En concreto, el art. 119 ROFRJEL señala como tales:

a) Los Diputados Delegados.

b) Las Comisiones Informativas.

c) La Comisión Especial de Cuentas.

d) Los Consejos Sectoriales.

e) Los órganos desconcentrados y descentralizados para la gestión de servicios.

Pasamos, a continuación, a tratar de estos órganos.

4.2. El Presidente

A) Estatuto personal

Es el órgano unipersonal que preside la Corporación.

La Diputación, en su sesión constitutiva, presidida por una Mesa de Edad, elegirá al Presidente de entre sus miembros, por mayoría absoluta del número legal de Diputados en primera votación y por mayoría simple en la segunda (art. 207,2.º de la Ley Orgánica 5/1985, de 19 de junio, del Régimen Electoral General –LOREG, en adelante).

Conforme al art. 26 TR/86, antes de comenzar el ejercicio de sus funciones, el Presidente de la Diputación deberá jurar o prometer el cargo ante el Pleno de la misma. Por su parte, el art. 27 de este TR/86 y el art. 34 ROFRJEL establecen que los Presidentes de las Diputaciones Provinciales tendrán el tratamiento de Ilustrísima, salvo el de Barcelona, que tendrá el de Excelencia, respetándose, no obstante, los tratamientos que respondan a tradiciones reconocidas por disposiciones legales.

El mandato del Presidente será por cuatro años, pero puede ser destituido de su cargo mediante moción de censura o por la pérdida de una cuestión de confianza por él planteada ante el Pleno de la Corporación. Una y otra figura se regulan por los arts. 197 y 197 bis de la LOREG, aplicables también al Presidente de la Diputación en base a los apartados 3 y 4 del artículo 207 de la misma Ley Así pues, dispone el artículo 197 de la LOREG respecto a la moción de censura del Alcalde, lo siguiente:

1. El Alcalde puede ser destituido mediante moción de censura, cuya presentación, tramitación y votación se regirá por las siguientes normas:

   a) La moción de censura deberá ser propuesta, al menos, por la mayoría absoluta del número legal de miembros de la Corporación y habrá de incluir un candidato a la Alcaldía, pudiendo serlo cualquier Concejal cuya aceptación expresa conste en el escrito de proposición de la moción.

   En el caso de que alguno de los proponentes de la moción de censura formara o haya formado parte del grupo político municipal al que pertenece el Alcalde cuya censura se propone, la mayoría exigida en el párrafo anterior se verá incrementada en el mismo número de concejales que se encuentren en tales circunstancias.

Este mismo supuesto será de aplicación cuando alguno de los concejales proponentes de la moción haya dejado de pertenecer, por cualquier causa, al grupo político municipal al que se adscribió al inicio de su mandato.

b) El escrito en el que se proponga la moción de censura deberá incluir las firmas debidamente autenticadas por Notario o por el Secretario general de la Corporación y deberá presentarse ante este por cualquiera de sus firmantes. El Secretario general comprobará que la moción de censura reúne los requisitos exigidos en este artículo y extenderá en el mismo acto la correspondiente diligencia acreditativa.

c) El documento así diligenciado se presentará en el Registro General de la Corporación por cualquiera de los firmantes de la moción, quedando el Pleno automáticamente convocado para las doce horas del décimo día hábil siguiente al de su registro. El Secretario de la Corporación deberá remitir notificación indicativa de tal circunstancia a todos los miembros de la misma en el plazo máximo de un día, a contar desde la presentación del documento en el Registro, a los efectos de su asistencia a la sesión, especificando la fecha y hora de la misma.

d) El Pleno será presidido por una Mesa de edad, integrada por los concejales de mayor y menor edad de los presentes, excluidos el Alcalde y el candidato a la Alcaldía, actuando como Secretario el que lo sea de la Corporación, quien acreditará tal circunstancia.

e) La Mesa se limitará a dar lectura a la moción de censura, constatando para poder seguir con su tramitación que en ese mismo momento se mantienen los requisitos exigidos en los tres párrafos del apartado a), dando la palabra, en su caso, durante un breve tiempo, si estuvieren presentes, al candidato a la Alcaldía, al Alcalde y a los Portavoces de los grupos municipales, y a someter a votación la moción de censura.

2. Ningún concejal puede firmar durante su mandato más de una moción de censura. A dichos efectos no se tomarán en consideración aquellas mociones que no hubiesen sido tramitadas por no reunir los requisitos previstos en la letra b) del apartado 1 de este artículo.

3. La dimisión sobrevenida del Alcalde no suspenderá la tramitación y votación de la moción de censura.

4. En los municipios en los que se aplique el régimen de concejo abierto, la moción de censura se regulará por las normas contenidas en los dos números anteriores, con las siguientes especialidades:

   a) Las referencias hechas a los concejales a efectos de firma, presentación y votación de la moción de censura, así como a la constitución de la Mesa de edad, se entenderán efectuadas a los electores incluidos en el censo electoral del municipio, vigente en la fecha de presentación de la moción de censura.

   b) Podrá ser candidato cualquier elector residente en el municipio con derecho de sufragio pasivo.

   c) Las referencias hechas al Pleno se entenderán efectuadas a la Asamblea vecinal.

d) La notificación por el Secretario a los concejales del día y hora de la sesión plenaria se sustituirá por un anuncio a los vecinos de tal circunstancia, efectuado de la forma localmente usada para las convocatorias de la Asamblea vecinal.

e) La Mesa de edad concederá la palabra solamente al candidato a la Alcaldía y al Alcalde.

5. El Alcalde, en el ejercicio de sus competencias, está obligado a impedir cualquier acto que perturbe, obstaculice o impida el derecho de los miembros de la Corporación a asistir a la sesión plenaria en que se vote la moción de censura y a ejercer su derecho al voto en la misma. En especial, no son de aplicación a la moción de censura las causas de abstención y recusación previstas en la legislación de procedimiento administrativo.

6. Los cambios de Alcalde como consecuencia de una moción de censura en los municipios en los que se aplique el sistema de concejo abierto no tendrán incidencia en la composición de las Diputaciones Provinciales.

En cuanto a la cuestión de confianza, dispone el artículo 197 bis de la LOREG lo siguiente:

1. El Alcalde podrá plantear al Pleno una cuestión de confianza, vinculada a la aprobación o modificación de cualquiera de los siguientes asuntos:
   a) Los presupuestos anuales.
   b) El reglamento orgánico.
   c) Las ordenanzas fiscales.
   d) La aprobación que ponga fin a la tramitación de los instrumentos de planeamiento general de ámbito municipal.

2. La presentación de la cuestión de confianza vinculada al acuerdo sobre alguno de los asuntos señalados en el número anterior figurará expresamente en el correspondiente punto del orden del día del Pleno, requiriéndose para la adopción de dichos acuerdos el «*quórum*» de votación exigido en la Ley 7/1985, de 2 de abril, reguladora de las Bases del Régimen Local, para cada uno de ellos. La votación se efectuará, en todo caso, mediante el sistema nominal de llamamiento público.

3. Para la presentación de la cuestión de confianza será requisito previo que el acuerdo correspondiente haya sido debatido en el Pleno y que este no hubiera obtenido la mayoría necesaria para su aprobación.

4. En el caso de que la cuestión de confianza no obtuviera el número necesario de votos favorables para la aprobación del acuerdo, el Alcalde cesará automáticamente, quedando en funciones hasta la toma de posesión de quien hubiere de sucederle en el cargo. La elección del nuevo Alcalde se realizará en sesión plenaria convocada automáticamente para las doce horas del décimo día hábil siguiente al de la votación del acuerdo al que se vinculase la cuestión de confianza, rigiéndose por las reglas contenidas en el artículo 196, con las siguientes especialidades:
   a) En los municipios de más de 250 habitantes, el Alcalde cesante quedará excluido de la cabeza de lista a efectos de la elección, ocupando su lugar el segundo

de la misma, tanto a efectos de la presentación de candidaturas a la Alcaldía como de designación automática del Alcalde, en caso de pertenecer a la lista más votada y no obtener ningún candidato el voto de la mayoría absoluta del número legal de concejales.

b) En los municipios comprendidos entre 100 y 250 habitantes, el Alcalde cesante no podrá ser candidato a la Alcaldía ni proclamado Alcalde en defecto de un candidato que obtenga el voto de la mayoría absoluta del número legal de concejales. Si ningún candidato obtuviese esa mayoría, será proclamado Alcalde el concejal que hubiere obtenido más votos populares en las elecciones de concejales, excluido el Alcalde cesante.

5. La previsión contenida en el número anterior no será aplicable cuando la cuestión de confianza se vincule a la aprobación o modificación de los presupuestos anuales. En este caso se entenderá otorgada la confianza y aprobado el proyecto si en el plazo de un mes desde que se votara el rechazo de la cuestión de confianza no se presenta una moción de censura con candidato alternativo a Alcalde, o si ésta no prospera.

   A estos efectos, no rige la limitación establecida en el apartado 2 del artículo anterior.

6. Cada Alcalde no podrá plantear más de una cuestión de confianza en cada año, contado desde el inicio de su mandato, ni más de dos durante la duración total del mismo. No se podrá plantear una cuestión de confianza en el último año de mandato de cada Corporación.

7. No se podrá plantear una cuestión de confianza desde la presentación de una moción de censura hasta la votación de esta última.

8. Los concejales que votasen a favor de la aprobación de un asunto al que se hubiese vinculado una cuestión de confianza no podrán firmar una moción de censura contra el Alcalde que lo hubiese planteado hasta que transcurra un plazo de seis meses, contado a partir de la fecha de votación del mismo.

Asimismo, durante el indicado plazo, tampoco dichos concejales podrán emitir un voto contrario al asunto al que se hubiese vinculado la cuestión de confianza, siempre que sea sometido a votación en los mismos términos que en tal ocasión. Caso de emitir dicho voto contrario, este será considerado nulo.

B) Atribuciones

Conforme al **art. 34 LRL**:

1. Corresponde en todo caso al Presidente de la Diputación:

   a) Dirigir el gobierno y la administración de la provincia.

   b) Representar a la Diputación.

   c) Convocar y presidir las sesiones del Pleno, salvo los supuestos previstos en la presente Ley y en la legislación electoral general, de la Junta de Gobierno y cualquier otro órgano de la Diputación, y decidir los empates con voto de calidad.

d) Dirigir, inspeccionar e impulsar los servicios y obras cuya titularidad o ejercicio corresponde a la Diputación Provincial.

e) Asegurar la gestión de los servicios propios de la Comunidad Autónoma cuya gestión ordinaria esté encomendada a la Diputación.

f) El desarrollo de la gestión económica de acuerdo con el Presupuesto aprobado, disponer gastos dentro de los límites de su competencia, concertar operaciones de crédito, con exclusión de las contempladas en el artículo 158.5 de la Ley 39/1988, de 28 de diciembre, Reguladora de las Haciendas Locales, siempre que aquellas estén previstas en el Presupuesto y su importe acumulado dentro de cada ejercicio económico no supere el 10 por 100 de sus recursos ordinarios, salvo las de tesorería que le corresponderán cuando el importe acumulado de las operaciones vivas en cada momento no supere el 15 por 100 de los ingresos corrientes liquidados en el ejercicio anterior; ordenar pagos y rendir cuentas; todo ello de conformidad con lo dispuesto en la Ley Reguladora de las Haciendas Locales (esta referencia al art. 158.5 hay que entenderla hecha al art. 177.5 del Texto Refundido de la Ley Reguladora de las Haciendas Locales, aprobado por el Real Decreto Legislativo 2/2004, de 5 de marzo, que ha derogado a la citada Ley 39/1988, de 28 de diciembre, que, como el antiguo art. 158.5, se refiere a los créditos extraordinarios y los suplementos de crédito).

g) Aprobar la oferta de empleo público de acuerdo con el Presupuesto y la plantilla aprobados por el Pleno, aprobar las bases de las pruebas para la selección del personal y para los concursos de provisión de puestos de trabajo y distribuir las retribuciones complementarias que no sean fijas y periódicas.

h) Desempeñar la jefatura superior de todo el personal, y acordar su nombramiento y sanciones, incluida la separación del servicio de los funcionarios de la Corporación y el despido del personal laboral, dando cuenta al Pleno, en estos dos últimos casos, en la primera sesión que celebre. Esta atribución se entenderá sin perjuicio de lo dispuesto en los artículos 99.1 y 3 de esta ley (esta referencia al art. 99 LRL ha quedado obsoleta, dado que fue derogado por la Ley 7/2007, de 12 de abril, del Estatuto Básico del Empleado Público, actualmente Real Decreto Legislativo 5/2015, de 30 de octubre, por el que se aprueba el texto refundido de la Ley del Estatuto Básico del Empleado Público).

i) El ejercicio de las acciones judiciales y administrativas y la defensa de la Diputación en las materias de su competencia, incluso cuando las hubiere delegado en otro órgano, y, en caso de urgencia, en materias de la competencia del Pleno, en este último supuesto dando cuenta al mismo en la primera sesión que celebre para su ratificación.

j) La iniciativa para proponer al Pleno la declaración de lesividad en materia de la competencia del Presidente.

k) (*Derogada*).

l) La aprobación de los proyectos de obras y de servicios cuando sea competente para su contratación o concesión y estén previstos en el Presupuesto.

m) (*Derogada*).

n) Ordenar la publicación y ejecución y hacer cumplir los acuerdos de la Diputación.

ñ) Las demás que expresamente les atribuyan las leyes.

o) El ejercicio de aquellas otras atribuciones que la legislación del Estado o de las Comunidades Autónomas asigne a la Diputación y no estén expresamente atribuidas a otros órganos.

2. El Presidente puede delegar el ejercicio de sus atribuciones, salvo la de convocar y presidir las sesiones del Pleno y de la Junta de Gobierno, decidir los empates con el voto de calidad, concertar operaciones de crédito, la jefatura superior de todo el personal, la separación del servicio de los funcionarios y el despido del personal laboral, y las enunciadas en los apartados a), i) y j) del número anterior.
3. Corresponde, asimismo, al Presidente el nombramiento de los Vicepresidentes.

Sabías que...

La cuestión de confianza se vincula a la aprobación o modificación de los Presupuestos anuales, el Reglamento Orgánico o el Plan Provincial de Cooperación a las obras y servicios de competencia municipal.

Actividad 5

¿Cómo es elegido el Presidente de la Diputación?

4.3. El Pleno de la Diputación

A) Composición

Según el **art. 33 LRL** y el art. 69 ROFRJEL, está integrado por todos los Diputados, y es presidido por su Presidente.

En cuanto al número de Diputados Provinciales, el art. 204 LOREG establece que se determina, según el número de residentes de cada Provincia, conforme al siguiente baremo:

- Hasta 500.000 residentes.......... 25 Diputados.
- De 500.001 a 1.000.000.............. 27 Diputados.
- De 1.000.001 a 3.500.000.......... 31 Diputados.
- De 3.500.001 en adelante......... 51 Diputados.

Los Diputados se repartirán entre los Partidos Judiciales de la correspondiente Provincia, mediante el sistema de asignar a cada Partido Judicial un Diputado y distribuir los restantes proporcionalmente a la población de los mismos, sin que, conforme a este art. 204,2.º, apartado b), pueda contar algún Partido Judicial con más de tres quintos del número total de Diputados Provinciales.

Los Diputados Provinciales serán elegidos por los Concejales electos de todos los Ayuntamientos del Partido Judicial, previa confección de las listas de partidos, coaliciones, federaciones y agrupaciones que hayan concurrido a las elecciones municipales. La Junta de Zona proclamará los Diputados electos y los suplentes (art. 206,2.º LOREG).

Finalmente, el mandato de los miembros de la Diputación Provincial durará 4 años, a cuyo término se renovará en su totalidad.

B) Atribuciones

Conforme al art. 33,2.º y 3.º LRL, corresponde en todo caso al Pleno:

a) La organización de la Diputación.

b) La aprobación de las ordenanzas.

c) La aprobación y modificación de los Presupuestos, la disposición de gastos dentro de los límites de su competencia y la aprobación provisional de las cuentas; todo ello de acuerdo con lo dispuesto el Texto Refundido de la Ley Reguladora de las Haciendas Locales.

d) La aprobación de los planes de carácter provincial.

e) El control y la fiscalización de los órganos de gobierno.

f) La aprobación de la plantilla de personal, la relación de puestos de trabajo, la fijación de la cuantía de las retribuciones complementarias fijas y periódicas de los funcionarios, y el número y régimen del personal eventual.

g) La alteración de la calificación jurídica de los bienes de dominio público.

h) El planteamiento de conflictos de competencias a otras Entidades locales y demás Administraciones públicas.

i) El ejercicio de acciones judiciales y administrativas y la defensa de la Corporación en materias de competencia plenaria.

j) La declaración de lesividad de los actos de la Diputación.

k) La concertación de las operaciones de crédito cuya cuantía acumulada en el ejercicio económico exceda del 10 por 100 de los recursos ordinarios, salvo las de tesorería, que le corresponderán cuando el importe acumulado de las operaciones vivas en cada momento supere el 15 por 100 de los ingresos corrientes liquidados en el ejercicio anterior, todo ello de conformidad con lo dispuesto en la Ley Reguladora de las Haciendas Locales.

l) *(Derogada)*.

m) La aprobación de los proyectos de obra y de servicios cuando sea competente para su contratación o concesión y cuando aún no estén previstos en los Presupuestos.

n) *(Derogada)*.

ñ) Aquellas atribuciones que deban corresponder al Pleno por exigir su aprobación una mayoría especial.

o) Las demás que expresamente le atribuyan las leyes.

Corresponde, igualmente, al Pleno la votación sobre la moción de censura al Presidente y sobre la cuestión de confianza planteada por el mismo, que serán públicas y se realizarán mediante llamamiento nominal en todo caso, y se rigen por lo dispuesto en la legislación electoral general, en los términos antes examinados (art. 33,3.º LRL).

Finalmente, con arreglo al número 4 de este artículo (añadido por la Ley 11/1999), el Pleno puede delegar el ejercicio de sus atribuciones en el Presidente y en la Comisión de Gobierno (debe decir Junta de Gobierno), salvo las enunciadas en el número 2, letras a), b), c), d), e), f), h) y ñ), y número 3 de este artículo.

Recuerda que...

El mandato de los miembros de la Diputación Provincial durará 4 años, a cuyo término se renovará en su totalidad.

4.4. La Junta de Gobierno

Conforme a los **arts. 35 LRL** (modificado, en su momento, parcialmente, por la Ley 11/1999, y redactado *ex novo* por la LMMGL) y 72 ROFRJEL, la Junta de Gobierno se integra por el Presidente y un número de Diputados no superior al tercio del número legal de los mismos, nombrados y separados libremente por aquel, dando cuenta al Pleno.

En cuanto a sus atribuciones, le corresponde:

a) La asistencia al Presidente en el ejercicio de sus atribuciones.

b) Las atribuciones que el Presidente le delegue o le atribuyan las Leyes.

4.5. Los Vicepresidentes

Según los arts. 35,4.º LRL y 66 ROFRJEL, serán libremente nombrados y cesados por el Presidente, de entre los miembros de la Junta de Gobierno.

Los nombramientos y los ceses se harán por resolución del Presidente, de la que dará cuenta al Pleno en la primera sesión que se celebre, notificándose, además, personalmente a los designados, y se publicarán en el Boletín Oficial de la Provincia, sin perjuicio de su efectividad desde el día siguiente al de la firma de la resolución por el Presidente, si en ella no se dispone otra cosa.

La condición de Vicepresidente se pierde, además de por el cese, por renuncia expresa manifestada por escrito y por pérdida de la condición de miembro de la Junta de Gobierno.

En cuanto a sus atribuciones, les corresponde sustituir en la totalidad de sus funciones y por el orden de su nombramiento al Presidente, en los casos de ausencia, enfermedad o impedimento que imposibilite a este para el ejercicio de sus atribuciones, así como desempeñar las funciones del Presidente en los supuestos de vacante en la Presidencia hasta que tome posesión el nuevo Presidente. También sustituirán al Presidente en las sesiones cuando deba abstenerse de intervenir con relación a algún punto concreto de las mismas.

En los supuestos de sustitución del Presidente por razones de ausencia o enfermedad, el Vicepresidente que asuma sus funciones no podrá revocar las delegaciones que hubiere otorgado el primero.

4.6. Órganos complementarios

Dentro de los mismos, hay que señalar, siguiendo los **arts. 119 a 133 ROFRJEL**:

A) Los Diputados Delegados

Ostentan alguna delegación especial del Presidente, con las atribuciones que se especifiquen en el Decreto de delegación. En el caso de que la delegación se refiera genéricamente a una materia o sector de actividad sin especificación de potestades, se entenderá que comprende todas aquellas facultades, derechos y deberes referidos a la materia delegada que correspondan al órgano que tiene asignadas originariamente las atribuciones, salvo las que no sean delegables.

Cesarán en su condición de tales por renuncia expresa por escrito ante la Presidencia, por revocación de la delegación y por pérdida de la condición de miembro de la Junta de Gobierno cuando la delegación se le confirió por ostentar este carácter.

B) Las Comisiones Informativas

Están integradas exclusivamente por miembros de la Corporación y son órganos sin atribuciones resolutorias, que tienen por función el estudio, informe o consulta de los asuntos que hayan de ser sometidos a la decisión del Pleno y de la Junta de Gobierno cuando esta actúe con competencias delegadas por el Pleno, salvo cuando hayan de adoptarse acuerdos declarados urgentes. Igualmente, informarán aquellos asuntos de la competencia propia de la Junta de Gobierno y del Presidente, que les sean sometidos a su conocimiento por expresa decisión de aquellos.

Pueden ser Permanentes y Especiales. Las primeras se constituyen con carácter general, distribuyendo entre ellas las materias que han de someterse al Pleno, procurándose, en lo posible, su correspondencia con el número y denominación de las grandes áreas en que se estructuren los servicios corporativos.

Las Especiales son constituidas por el Pleno para un asunto concreto, en consideración a sus características especiales de cualquier tipo. Estas Comisiones se extinguen automáticamente una vez que hayan dictaminado o informado sobre el asunto que constituye su objeto, salvo que el acuerdo plenario que las creó dispusiera otra cosa.

En el acuerdo de creación de unas y otras Comisiones Informativas se determinará su composición, teniendo en cuenta las siguientes reglas:

a) El Presidente de la Corporación es el Presidente nato de todas ellas, pudiendo delegar la presidencia efectiva en cualquier miembro de la Corporación, a propuesta de la propia Comisión, tras la correspondiente elección efectuada en su seno.

b) Cada Comisión estará integrada de forma que su composición se acomode a la proporcionalidad existente entre los distintos grupos políticos representados en la Corporación.

c) La adscripción concreta a cada Comisión de los miembros de la Corporación que deban formar parte de la misma en representación de cada grupo, se realizará mediante escrito del Portavoz del mismo dirigido al Presidente, y del que se dará cuenta al Pleno. Podrá designarse, de igual forma, un suplente por cada titular.

En cuanto a su funcionamiento, habrá que estar a los arts. 134 a 138 ROFRJEL.

Por lo demás, sus dictámenes tienen carácter preceptivo (salvo los supuestos de urgencia de que trata el art. 126) y no vinculante.

C) La Comisión Especial de Cuentas

De existencia preceptiva a tenor del **art. 116 LRL**, su constitución, composición e integración y funcionamiento se ajusta a lo señalado para las demás Comisiones Informativas.

Le corresponde el examen, estudio e informe de todas las cuentas, presupuestarias y extrapresupuestarias, que deba aprobar el Pleno de la Corporación.

A través del Reglamento Orgánico o mediante acuerdo adoptado por el Pleno de la Corporación, esta Comisión podrá actuar como Comisión Informativa Permanente para los asuntos relativos a economía y hacienda de la Entidad.

D) Los Consejos Sectoriales

Su finalidad será la de canalizar la participación de los ciudadanos y de sus asociaciones en los asuntos municipales, informando y, en su caso, proponiendo las iniciativas municipales relativas al sector de actividad al que corresponda cada Consejo. Su creación, composición, organización, ámbito de actuación y funcionamiento serán establecidos en el correspondiente acuerdo plenario. En cualquier caso, estará presidido por un miembro de la Corporación, nombrado y separado libremente por su Presidente, que actuará como enlace entre aquella y el Consejo.

Aunque el ROFRJEL los incluye entre los órganos complementarios de todas las Entidades Locales territoriales, desarrollarán más ampliamente sus funciones como órganos de este tipo en el ámbito municipal.

E) Los órganos desconcentrados y descentralizados para la gestión de los servicios

Creados por el Pleno de la Corporación, con personalidad jurídica propia los segundos, se establecen cuando así lo aconseje la necesidad de una mayor eficacia en la gestión, la complejidad de la misma, la agilización de los procedimientos, la expectativa de aumentar o mejorar la financiación o la conveniencia de obtener un mayor grado de participación ciudadana en la actividad de prestación de los servicios. Su número, en función del principio de economía organizativa, será el menos posible en atención a la correcta prestación de los servicios.

4.7. Conflictos de atribuciones entre órganos

Hemos de señalar, con los arts. 50 LRL y 222 ROFRJEL, que los conflictos de atribuciones que surjan entre órganos y Entidades dependientes de una misma Corporación Local se resolverán:

a) Por el Pleno, cuando se trate de conflictos que afecten a órganos colegiados o miembros de estos.

b) Por el Presidente de la Corporación, en el resto de los supuestos.

Recuerda que...

Las Comunidades Autónomas podrán establecer una organización provincial complementaria de la prevista en el ROFRJEL.

Actividad 6

Indica si la siguiente cuestión es verdadera o falsa:

La Junta de Gobierno se integra por el Presidente y un número de Diputados no superior al tercio del número legal de los mismos.

Verdadera ☐ Falsa ☐

5. Competencias provinciales

5.1. Concepto

Se entiende por competencia provincial el ámbito sectorial en que la Provincia puede actuar con arreglo a Derecho. Es, en definitiva, el conjunto de facultades atribuidas a la Provincia como Entidad Local.

5.2. Clases

Conforme al **art. 7 LRL** (redactado de nuevo por la Ley 27/2013, de 27 de diciembre, de racionalización y sostenibilidad de la Administración Local, que ha modificado sustancialmente la LRL –LRSAL, en las siguientes llamadas–):

1. Las competencias de las Entidades Locales son propias o atribuidas por delegación.
2. Las competencias propias de los Municipios, las Provincias, las Islas y demás Entidades Locales territoriales solo podrán ser determinadas por Ley y se ejercen en régimen de autonomía y bajo la propia responsabilidad, atendiendo siempre a la debida coordinación en su programación y ejecución con las demás Administraciones Públicas.
3. El Estado y las Comunidades Autónomas, en el ejercicio de sus respectivas competencias, podrán delegar en las Entidades Locales el ejercicio de sus competencias.

   Las competencias delegadas se ejercen en los términos establecidos en la disposición o en el acuerdo de delegación, según corresponda, con sujeción a las reglas establecidas en el artículo 27, y preverán técnicas de dirección y control de oportunidad y eficiencia.
4. Las Entidades Locales solo podrán ejercer competencias distintas de las propias y de las atribuidas por delegación cuando no se ponga en riesgo la sostenibilidad financiera del conjunto de la Hacienda municipal, de acuerdo con los requerimientos de la legislación de estabilidad presupuestaria y sostenibilidad financiera y no se incurra en un supuesto de ejecución simultánea del mismo servicio público con otra Administración Pública. A estos efectos, serán necesarios y vinculantes los informes previos de la Administración competente por razón de materia, en el que se

señale la inexistencia de duplicidades, y de la Administración que tenga atribuida la tutela financiera sobre la sostenibilidad financiera de las nuevas competencias.

En todo caso, el ejercicio de estas competencias deberá realizarse en los términos previstos en la legislación del Estado y de las Comunidades Autónomas.

Sin perjuicio de estos tipos de competencias, las Provincias podrán realizar la gestión ordinaria de servicios propios de la Administración Autonómica, de conformidad con los Estatutos de Autonomía y la legislación de las Comunidades Autónomas (art. 8 LRL). En este caso, las Diputaciones actuarán con sujeción plena a las instrucciones generales y particulares de las Comunidades (art. 37,1.º LRL).

Recuerda que...

Las competencias de las Entidades Locales son propias o atribuidas por delegación.

5.3. Competencias propias

Conforme al **art. 36 LRL** (redactado *ex novo* por la LRSAL):

1. Son competencias propias de la Diputación o entidad equivalente las que le atribuyan en este concepto las leyes del Estado y de las Comunidades Autónomas en los diferentes sectores de la acción pública y, en todo caso, las siguientes:
   a) La coordinación de los servicios municipales entre sí para la garantía de la prestación integral y adecuada a que se refiere el apartado a) del número 2 del artículo 31.
   b) La asistencia y cooperación jurídica, económica y técnica a los Municipios, especialmente los de menor capacidad económica y de gestión. En todo caso garantizará en los municipios de menos de 1.000 habitantes la prestación de los servicios de secretaría e intervención.
   c) La prestación de servicios públicos de carácter supramunicipal y, en su caso, supracomarcal y el fomento o, en su caso, coordinación de la prestación unificada de servicios de los municipios de su respectivo ámbito territorial. En particular, asumirá la prestación de los servicios de tratamiento de residuos en los municipios de menos de 5.000 habitantes, y de prevención y extinción de incendios en los de menos de 20.000 habitantes, cuando estos no procedan a su prestación.
   d) La cooperación en el fomento del desarrollo económico y social y en la planificación en el territorio provincial, de acuerdo con las competencias de las demás Administraciones Públicas en este ámbito.
   e) El ejercicio de funciones de coordinación en los casos previstos en el artículo 116 bis.
   f) Asistencia en la prestación de los servicios de gestión de la recaudación tributaria, en periodo voluntario y ejecutivo, y de servicios de apoyo a la gestión financiera de los municipios con población inferior a 20.000 habitantes.

g) La prestación de los servicios de administración electrónica y la contratación centralizada en los municipios con población inferior a 20.000 habitantes.

h) El seguimiento de los costes efectivos de los servicios prestados por los municipios de su provincia. Cuando la Diputación detecte que estos costes son superiores a los de los servicios coordinados o prestados por ella, ofrecerá a los municipios su colaboración para una gestión coordinada más eficiente de los servicios que permita reducir estos costes.

i) La coordinación mediante convenio, con la Comunidad Autónoma respectiva, de la prestación del servicio de mantenimiento y limpieza de los consultorios médicos en los municipios con población inferior a 5.000 habitantes.

2. A los efectos de lo dispuesto en las letras a), b) y c) del apartado anterior, la Diputación o entidad equivalente:

   a) Aprueba anualmente un plan provincial de cooperación a las obras y servicios de competencia municipal, en cuya elaboración deben participar los Municipios de la Provincia. El plan, que deberá contener una memoria justificativa de sus objetivos y de los criterios de distribución de los fondos, criterios que en todo caso han de ser objetivos y equitativos y entre los que estará el análisis de los costes efectivos de los servicios de los municipios, podrá financiarse con medios propios de la Diputación o entidad equivalente, las aportaciones municipales y las subvenciones que acuerden la Comunidad Autónoma y el Estado con cargo a sus respectivos presupuestos. Sin perjuicio de las competencias reconocidas en los Estatutos de Autonomía y de las anteriormente asumidas y ratificadas por estos, la Comunidad Autónoma asegura, en su territorio, la coordinación de los diversos planes provinciales, de acuerdo con lo previsto en el artículo 59 de esta Ley.

   Cuando la Diputación detecte que los costes efectivos de los servicios prestados por los municipios son superiores a los de los servicios coordinados o prestados por ella, incluirá en el plan provincial fórmulas de prestación unificada o supramunicipal para reducir sus costes efectivos.

   El Estado y la Comunidad Autónoma, en su caso, pueden sujetar sus subvenciones a determinados criterios y condiciones en su utilización o empleo y tendrán en cuenta el análisis de los costes efectivos de los servicios de los municipios.

   Finalmente, a esta materia, por lo demás, se refiere el Real Decreto 835/2003, de 27 de junio, por el que se regula la cooperación económica del Estado a las inversiones de las Entidades Locales, parcialmente modificado por el Real Decreto 1263/2005, de 21 de octubre.

   b) Asegura el acceso de la población de la Provincia al conjunto de los servicios mínimos de competencia municipal y a la mayor eficacia y economía en la prestación de estos mediante cualesquiera fórmulas de asistencia y cooperación municipal.

   Con esta finalidad, las Diputaciones o entidades equivalentes podrán otorgar subvenciones y ayudas con cargo a sus recursos propios para la realización y el mantenimiento de obras y servicios municipales, que se instrumentarán a través de planes especiales u otros instrumentos específicos.

c) Garantiza el desempeño de las funciones públicas necesarias en los Ayuntamientos y les presta apoyo en la selección y formación de su personal sin perjuicio de la actividad desarrollada en estas materias por la Administración del Estado y la de las Comunidades Autónomas.

d) Da soporte a los Ayuntamientos para la tramitación de procedimientos administrativos y realización de actividades materiales y de gestión, asumiéndolas cuando aquellos se las encomienden.

Sabías que...

La Ley 27/2013, de 27 de diciembre, de racionalización y sostenibilidad de la Administración Local, ha modificado sustancialmente la LRL en materia de competencias, tanto propias como delegadas, sobre todo en lo relativo a su alcance y contenido.

5.4. Conflictos de competencias

Para concluir, indiquemos, con los arts. 50,2.º LRL y 222,2.º ROFRJEL, que los conflictos de competencias planteados entre diferentes Entidades Locales serán resueltos por la Administración de la Comunidad Autónoma o por la Administración del Estado, previa audiencia de las Comunidades Autónomas afectadas, según se trate de Entidades pertenecientes a la misma o a distinta Comunidad, y sin perjuicio de la ulterior posibilidad de impugnar la resolución dictada ante la Jurisdicción Contencioso-Administrativa.

Recuerda que...

Las competencias delegadas se ejercen en los términos establecidos en la disposición o en el acuerdo de delegación, según corresponda, con sujeción a las reglas establecidas en el artículo 27, y preverán técnicas de dirección y control de oportunidad y eficiencia.

Solución a las actividades

Actividad 1.

Verdadera.

Actividad 2.

- La Provincia es una Entidad Local con **personalidad jurídica propia**, determinada por la agrupación de **Municipios** y **división territorial** para el cumplimiento de las actividades del Estado. Cualquier alteración de los **límites provinciales** habrá de ser aprobada por las Cortes Generales mediante **ley orgánica**.

Actividad 3.

Son Entidades Locales integradas por los Municipios de grandes aglomeraciones urbanas entre cuyos núcleos de población existan vinculaciones económicas y sociales que hagan necesaria la planificación conjunta y la coordinación de determinados servicios y obras. Su creación se efectúa por ley de la Asamblea Legislativa de la Comunidad Autónoma.

Actividad 4.

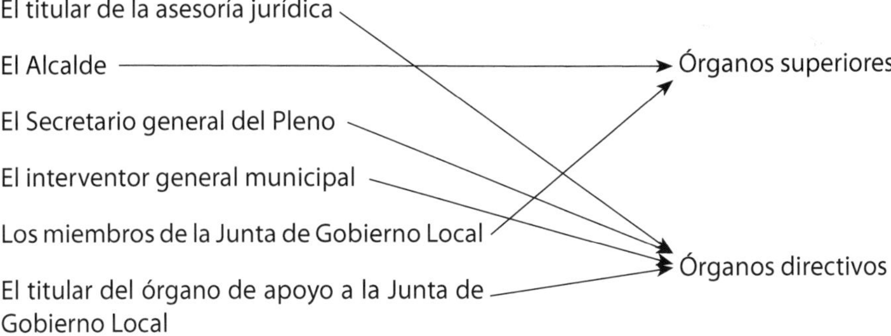

Actividad 5.

Por mayoría absoluta del número legal de Diputados en primera votación y por mayoría simple en la segunda.

Actividad 6.

Verdadera.

TEMA 3

El personal al servicio de las entidades locales. Los funcionarios públicos: clases. Selección. Situaciones administrativas. Provisión de puestos de trabajo. El personal laboral: Tipología y selección

Sigue nuestras **Técnicas de Memoria 360** y sácale el máximo rendimiento a tus horas de estudio.

Índice

1. El personal al servicio de las Entidades Locales. Concepto y clases

Para desarrollar su actividad, las Corporaciones Locales necesitan, evidentemente, el empleo de unos medios de tipo material (bienes, etc.) y unos medios de tipo personal. Estos últimos constituyen el conjunto de personas físicas a las que corresponde el cumplimiento de las funciones propias de los distintos órganos de la Administración Local, dentro de las cuales ocupan un lugar preferente los funcionarios públicos, junto a los que hay que citar el cada vez mayor número de contratados en régimen laboral, integrante de lo que la Ley 7/1985, de 2 de abril, Reguladora de las Bases del Régimen Local (LRL, en adelante) denomina «personal laboral», y el «personal eventual».

En síntesis, a la luz de la normativa vigente (art. 89 LRL), profundamente afectada por Ley 7/2007, de 12 de abril, del Estatuto Básico del Empleado Público (LEBEP, en otras citas), derogada por el Real Decreto Legislativo 5/2015, de 30 de octubre, por el que se aprueba el Texto Refundido del Estatuto Básico del Empleado Público (–TR-LEBEP, en las restantes citas–), podemos distinguir, en la actualidad, el siguiente personal al servicio de las Entidades Locales:

a) **Funcionarios de carrera**, es decir, los que, en virtud de nombramiento legal, desempeñen servicios de carácter permanente en una Entidad Local, figuren en las correspondientes plantillas y perciben sueldos o asignaciones fijas con cargo a las consignaciones de personal del Presupuesto de las Corporaciones (art. 130.2 del Texto Refundido de las disposiciones legales vigentes en materia de Régimen Local, aprobado por el Real Decreto Legislativo 781/1986, de 18 de abril –TR/86, en lo sucesivo–).

   El art. 9.1 TR-LEBEP, por su parte, señala que son funcionarios de carrera quienes, en virtud de nombramiento legal, están vinculados a una Administración Pública por una relación estatutaria regulada por el Derecho Administrativo para el desempeño de servicios profesionales retribuidos de carácter permanente.

   En todo caso, el ejercicio de las funciones que impliquen la participación directa o indirecta en el ejercicio de las potestades públicas o en la salvaguardia de los intereses generales del Estado y de las Administraciones Públicas corresponden exclusivamente a los funcionarios públicos, en los términos que en la ley de desarrollo de cada Administración Pública se establezca (art. 9.2 TR-LEBEP).

b) **Funcionarios interinos**, que, a tenor del art. 10 TR-LEBEP, son los que, por razones expresamente justificadas de necesidad y urgencia, son nombrados como tales con carácter temporal para el desempeño de funciones propias de funcionarios de carrera, cuando se dé alguna de las siguientes circunstancias:

   a) La existencia de plazas vacantes, cuando no sea posible su cobertura por funcionarios de carrera, por un máximo de tres años, en los términos previstos en el apartado 4 del artículo 10 TR-LEBEP.

b) La sustitución transitoria de los titulares, durante el tiempo estrictamente necesario.

c) La ejecución de programas de carácter temporal, que no podrán tener una duración superior a tres años, ampliable hasta doce meses más por las leyes de Función Pública que se dicten en desarrollo de este Estatuto.

d) El exceso o acumulación de tareas por plazo máximo de nueve meses, dentro de un periodo de dieciocho meses.

Los procedimientos de selección del personal funcionario interino serán públicos, rigiéndose en todo caso por los principios de igualdad, mérito, capacidad, publicidad y celeridad, y tendrán por finalidad la cobertura inmediata del puesto. El nombramiento derivado de estos procedimientos de selección en ningún caso dará lugar al reconocimiento de la condición de funcionario de carrera.

En todo caso, la Administración formalizará de oficio la finalización de la relación de interinidad por cualquiera de las siguientes causas, además de por las previstas en el artículo 63 TR-LEBEP, sin derecho a compensación alguna:

a) Por la cobertura reglada del puesto por personal funcionario de carrera a través de cualquiera de los procedimientos legalmente establecidos.

b) Por razones organizativas que den lugar a la supresión o a la amortización de los puestos asignados.

c) Por la finalización del plazo autorizado expresamente recogido en su nombramiento.

d) Por la finalización de la causa que dio lugar a su nombramiento.

En el supuesto de la existencia de plazas vacantes, cuando no sea posible su cobertura por funcionarios de carrera, por un máximo de tres años las plazas vacantes desempeñadas por personal funcionario interino deberán ser objeto de cobertura mediante cualquiera de los mecanismos de provisión o movilidad previstos en la normativa de cada Administración Pública.

No obstante, transcurridos tres años desde el nombramiento del personal funcionario interino se producirá el fin de la relación de interinidad, y la vacante solo podrá ser ocupada por personal funcionario de carrera, salvo que el correspondiente proceso selectivo quede desierto, en cuyo caso se podrá efectuar otro nombramiento de personal funcionario interino.

Excepcionalmente, el personal funcionario interino podrá permanecer en la plaza que ocupe temporalmente, siempre que se haya publicado la correspondiente convocatoria dentro del plazo de los tres años, a contar desde la fecha del nombramiento del funcionario interino y sea resuelta conforme a los plazos establecidos en el artículo 70 del TREBEP. En este supuesto podrá permanecer hasta la resolución de la convocatoria, sin que su cese dé lugar a compensación económica.

Al personal funcionario interino le será aplicable el régimen general del personal funcionario de carrera en cuanto sea adecuado a la naturaleza de su condición temporal y al carácter extraordinario y urgente de su nombramiento, salvo aquellos derechos inherentes a la condición de funcionario de carrera.

A los funcionarios interinos se refieren el art. 128 TR/86 y en la Disposición Adicional Primera del Real Decreto 896/1991, de 7 de junio, por el que se establecen las reglas básicas y los programas mínimos a que debe ajustarse el procedimiento de selección de los funcionarios de Administración Local (RD 896/91, en adelante), señalando que son las personas que se nombran interinamente en plazas vacantes de la Plantilla de funcionarios, hasta que se provean reglamentariamente o hasta que la Corporación considere que han cesado las razones de urgencia que motivaron su cobertura interina.

La Ley 20/2021, de 28 de diciembre, de medidas urgentes para la reducción de la temporalidad en el empleo público, además de modificar el artículo 10 del TRLEBEP,ha introducido en dicha norma una nueva Disposición adicional decimoséptima, relativa a las medidas dirigidas al control de la temporalidad en el empleo público, con el siguiente contenido:

1. Las Administraciones Públicas serán responsables del cumplimiento de las previsiones contenidas en la presente norma y, en especial, velarán por evitar cualquier tipo de irregularidad en la contratación laboral temporal y los nombramientos de personal funcionario interino.

   Asimismo, las Administraciones Públicas promoverán, en sus ámbitos respectivos, el desarrollo de criterios de actuación que permitan asegurar el cumplimiento de esta disposición, así como una actuación coordinada de los distintos órganos con competencia en materia de personal.

2. Las actuaciones irregulares en la presente materia darán lugar a la exigencia de las responsabilidades que procedan de conformidad con la normativa vigente en cada una de las Administraciones Públicas.

3. Todo acto, pacto, acuerdo o disposición reglamentaria, así como las medidas que se adopten en su cumplimiento o desarrollo, cuyo contenido directa o in-

directamente suponga el incumplimiento por parte de la Administración de los plazos máximos de permanencia como personal temporal será nulo de pleno derecho.

4. El incumplimiento del plazo máximo de permanencia dará lugar a una compensación económica para el personal funcionario interino afectado, que será equivalente a veinte días de sus retribuciones fijas por año de servicio, prorrateándose por meses los periodos de tiempo inferiores a un año, hasta un máximo de doce mensualidades. El derecho a esta compensación nacerá a partir de la fecha del cese efectivo y la cuantía estará referida exclusivamente al nombramiento del que traiga causa el incumplimiento. No habrá derecho a compensación en caso de que la finalización de la relación de servicio sea por causas disciplinarias ni por renuncia voluntaria.

5. En el caso del personal laboral temporal, el incumplimiento de los plazos máximos de permanencia dará derecho a percibir la compensación económica prevista en este apartado, sin perjuicio de la indemnización que pudiera corresponder por vulneración de la normativa laboral específica.

   Dicha compensación consistirá, en su caso, en la diferencia entre el máximo de veinte días de su salario fijo por año de servicio, con un máximo de doce mensualidades, y la indemnización que le correspondiera percibir por la extinción de su contrato, prorrateándose por meses los periodos de tiempo inferiores a un año. El derecho a esta compensación nacerá a partir de la fecha del cese efectivo, y la cuantía estará referida exclusivamente al contrato del que traiga causa el incumplimiento. En caso de que la citada indemnización fuere reconocida en vía judicial, se procederá a la compensación de cantidades.

   No habrá derecho a la compensación descrita en caso de que la finalización de la relación de servicio sea por despido disciplinario declarado procedente o por renuncia voluntaria.

c) **Contratados en régimen de Derecho Laboral (Personal Laboral)**, cuya característica fundamental, como luego se verá, es que no están sujetos al régimen estatutario de los funcionarios públicos, sino que se regulan por la legislación laboral común, contenida, básicamente, en el Texto Refundido de la Ley del Estatuto de los Trabajadores, aprobado por el Real Decreto Legislativo 2/2015, de 23 de octubre (TR-LET, en adelante), y demás legislación complementaria, dentro de la cual tienen especial importancia los Convenios Colectivos.

   No obstante, según modificación introducida en el TR-LEBEP por Real Decreto-ley 6/2019, de 1 de marzo, de medidas urgentes para garantía de la igualdad de trato y de oportunidades entre mujeres y hombres en el empleo y la ocupación, en materia de permisos de nacimiento, adopción, del progenitor diferente de la madre biológica y lactancia, el personal laboral al servicio de las Administraciones Públicas se regirá por lo previsto en el TR-LEBEP, no siendo de aplicación a este personal, por tanto, las previsiones del texto refundido de la Ley del Estatuto de los Trabajadores sobre las suspensiones de los contratos de trabajo que, en su caso, corresponderían por los mismos supuestos de hecho.

Sobre ellos, dispone el art. 11 TR-LEBEP que es personal laboral el que en virtud en virtud de contrato de trabajo formalizado por escrito, en cualquiera de las modalidades de contratación de personal previstas en la legislación laboral, presta servicios retribuidos por las Administraciones Públicas. En función de la duración del contrato este podrá ser fijo, por tiempo indefinido o temporal.

Las leyes de Función Pública que se dicten en desarrollo de este Estatuto establecerán los criterios para la determinación de los puestos de trabajo que pueden ser desempeñados por personal laboral, respetando en todo caso lo establecido en el artículo 9.2. TR-LEBEP.

Los procedimientos de selección del personal laboral serán públicos, rigiéndose en todo caso por los principios de igualdad, mérito y capacidad. En el caso del personal laboral temporal se regirá igualmente por el principio de celeridad, teniendo por finalidad atender razones expresamente justificadas de necesidad y urgencia.

d) **Personal Eventual**, que, conforme al art. 12 TR-LEBEP, es el que, en virtud de nombramiento y con carácter no permanente, solo realiza funciones expresamente calificadas como de confianza o asesoramiento especial, siendo retribuido con cargo a los créditos presupuestarios consignados para este fin.

   Las leyes de Función Pública que se dicten en desarrollo de este Estatuto determinarán los órganos de gobierno de las Administraciones Públicas que podrán disponer de este tipo de personal. El número máximo se establecerá por los respectivos órganos de gobierno. Este número y las condiciones retributivas serán públicos.

   El nombramiento y cese serán libres. El cese tendrá lugar, en todo caso, cuando se produzca el de la autoridad a la que se preste la función de confianza o asesoramiento.

   La condición de personal eventual no podrá constituir mérito para el acceso a la Función Pública o para la promoción interna.

   Al personal eventual le será aplicable, en lo que sea adecuado a la naturaleza de su condición, el régimen general de los funcionarios de carrera.

Junto a los anteriores, nos encontramos, también, con el personal directivo profesional, al que se refiere el art. 13 TR-LEBEP, a cuyo tenor el Gobierno y los Órganos de Gobierno de las Comunidades Autónomas podrán establecer, en desarrollo de este Estatuto, el régimen jurídico específico del personal directivo así como los criterios para determinar su condición, de acuerdo, entre otros, con los siguientes principios:

1. Es personal directivo el que desarrolla funciones directivas profesionales en las Administraciones Públicas, definidas como tales en las normas específicas de cada Administración.
2. Su designación atenderá a principios de mérito y capacidad y a criterios de idoneidad, y se llevará a cabo mediante procedimientos que garanticen la publicidad y concurrencia.

3. El personal directivo estará sujeto a evaluación con arreglo a los criterios de eficacia y eficiencia, responsabilidad por su gestión y control de resultados en relación con los objetivos que les hayan sido fijados.
4. La determinación de las condiciones de empleo del personal directivo no tendrá la consideración de materia objeto de negociación colectiva a los efectos de esta ley. Cuando el personal directivo reúna la condición de personal laboral estará sometido a la relación laboral de carácter especial de alta dirección.

Hecha esta introducción, pasamos a tratar de cada uno de estos tipos de personal por separado.

Recuerda que...

Actualmente, la Ley 7/2007, de 12 de abril, del Estatuto Básico del Empleado Público está derogada por el Real Decreto Legislativo 5/2015, de 30 de octubre, por el que se aprueba el Texto Refundido del Estatuto Básico del Empleado Público.

2. Funcionarios

2.1. Concepto y características

El art. 130.1 TR/86 dispone que «son funcionarios de la Administración Local las personas vinculadas a ella por una relación de servicios profesionales y retribuidos, regulada por el Derecho Administrativo».

De esta definición se deducen las características siguientes:

a) Vinculación permanente, por lo que no tendrán la condición de funcionarios quienes realicen servicios de carácter ocasional.

b) Profesionalidad.

c) Retribución con cargo a la Entidad Local.

d) Sometimiento de la relación funcionarial al Derecho Administrativo.

Por ello, no son funcionarios, entre otros, las autoridades locales, ni el personal sujeto a la legislación laboral, ni el personal eventual, ni el personal directivo profesional.

2.2. Clases

Hoy día, desechada la antigua distinción entre funcionarios de carrera y funcionarios de empleo, tras la Ley 30/1984, de 2 de agosto, de Medidas para la Reforma de la Fun-

ción Pública (LFP, en otras llamadas), la LRL y el TR/86, el concepto de funcionario debe circunscribirse al de carrera (pese a que el art. 104 LRL, equivocadamente a nuestro juicio, siga denominando funcionarios de empleo al Personal Eventual).

En definitiva, los funcionarios son, conforme al art. 130.2 TR/86, «los que, en virtud de nombramiento legal, desempeñen servicios de carácter permanente en una Entidad Local, figuren en las correspondientes plantillas y perciban sueldos o asignaciones fijas con cargo a las consignaciones de personal del Presupuesto de las Corporaciones».

De aquí, se derivan como notas características de estos funcionarios de carrera las siguientes:

a) Nombramiento legal, hecho por Autoridad competente (en particular, por lo que se refiere a esta Administración Local, los arts. 21.1.h, y 34.1.h, de la LRL, confieren la competencia del nombramiento del personal al servicio de los Ayuntamientos de régimen común y Diputaciones Provinciales a los Alcaldes y Presidentes, respectivamente. En cuanto a los Municipios de gran población, el nombramiento corresponde, asimismo, al Alcalde, en ejercicio de la superior dirección del personal al servicio de la Administración Municipal, conforme al art. 124.4.i, de dicha ley).

b) Desempeño de servicios de carácter permanente y, por tanto, no actividades temporales ni accidentales.

c) Los puestos de trabajo que desempeñan han de figurar en la Plantilla orgánica y en el Registro de Personal.

d) Reciben una retribución fija, y, precisamente, con cargo a los créditos presupuestarios de Personal.

A este tipo de funcionarios se reservan, entre otras, las funciones públicas que impliquen ejercicio de autoridad, algunas de las cuales (fe pública, asesoramiento legal preceptivo, control y fiscalización interna de la gestión económico-financiera y presupuestaria, y contabilidad, tesorería y recaudación) quedan, a su vez, reservadas a unos funcionarios cuyo sistema de selección comparten, como veremos, el Estado y las Corporaciones Locales, es decir, los funcionarios con habilitación de carácter nacional (según la denominación dada a esta Escala por la Ley 27/2013, de 27 de diciembre, de racionalización y sostenibilidad de la Administración Local –LRSAL, en otras citas– y por el art. 92 bis LRL), contenidas en el Real Decreto 128/2018, de 16 de marzo, por el que se regula el régimen jurídico de los funcionarios de Administración Local con habilitación de carácter nacional (RD 128/2018, en adelante) y en la Orden TFP/153/2021, de 16 de febrero, por la que se regula la valoración de los méritos generales del personal funcionario de Administración Local con habilitación de carácter nacional.

En concreto, sobre los funcionarios en general, el art. 92 LRL (redactado de nuevo por la LRSAL) señala que:

1. Los funcionarios al servicio de la Administración local se rigen, en lo no dispuesto en esta ley, por la Ley 7/2007, de 12 de abril, del Estatuto Básico del Empleado Público (en la actualidad, por el TR-LEBEP), por la restante legislación del Estado en materia de función pública, así como por la legislación de las Comunidades Autónomas, en los términos del artículo 149.1.18.ª de la Constitución.

2. Con carácter general, los puestos de trabajo en la Administración local y sus Organismos Autónomos serán desempeñados por personal funcionario.

3. Corresponde exclusivamente a los funcionarios de carrera al servicio de la Administración local el ejercicio de las funciones que impliquen la participación directa o indirecta en el ejercicio de las potestades públicas o en la salvaguardia de los intereses generales. Igualmente son funciones públicas, cuyo cumplimiento queda reservado a funcionarios de carrera, las que impliquen ejercicio de autoridad, y en general, aquellas que en desarrollo de la presente ley, se reserven a los funcionarios para la mejor garantía de la objetividad, imparcialidad e independencia en el ejercicio de la función.

Desde otro punto de vista, según la titulación que se exige para el ingreso, los funcionarios, a tenor del art. 76 TR-LEBEP, se integran en los siguientes Grupos de clasificación:

A) **Grupo A**, dividido en dos Subgrupos A1 y A2.

   Para el acceso a los cuerpos o escalas de este Grupo se exigirá estar en posesión del título universitario de Grado. En aquellos supuestos en los que la ley exija otro título universitario será este el que se tenga en cuenta.

   La clasificación de los cuerpos y escalas en cada Subgrupo estará en función del nivel de responsabilidad de las funciones a desempeñar y de las características de las pruebas de acceso.

B) **Grupo B**. Para el acceso a los cuerpos o escalas del Grupo B se exigirá estar en posesión del título de Técnico Superior.

C) **Grupo C**. Dividido en dos Subgrupos, C1 y C2, según la titulación exigida para el ingreso.

   C1: Título de Bachiller o Técnico.

   C2: Título de Graduado en Educación Secundaria Obligatoria.

Esta clasificación, no obstante está supeditada a la implantación de los nuevos títulos universitarios. De ahí que la Disposición Transitoria Tercera TR-LEBEP señale que, hasta tanto no se generalice la implantación de los nuevos títulos universitarios a que se refiere el artículo 76, para el acceso a la función pública seguirán siendo válidos los títulos universitarios oficiales vigentes a la entrada en vigor de este Estatuto.

Transitoriamente, los Grupos de clasificación existentes a la entrada en vigor de la LEBEP se integrarán en los Grupos de clasificación profesional de funcionarios previstos en el artículo 76, de acuerdo con las siguientes equivalencias:

- Grupo A: Subgrupo A1.
- Grupo B: Subgrupo A2.
- Grupo C: Subgrupo C1.
- Grupo D: Subgrupo C2.
- Grupo E: Agrupaciones Profesionales a que hace referencia la disposición adicional séptima.

Finalmente, los funcionarios del Subgrupo C1 que reúnan la titulación exigida podrán promocionar al Grupo A sin necesidad de pasar por el nuevo Grupo B, de acuerdo con lo establecido en el artículo 18 de este Estatuto.

En cuanto a los Grupos actuales antes aludidos son:

1. **Grupo A**: Título de Doctor, Licenciado, Ingeniero, Arquitecto o equivalente.
2. **Grupo B**: Título de Ingeniero Técnico, Diplomado Universitario (a lo que equipara la Disposición Transitoria Quinta LFP el haber superado tres cursos completos de licenciatura), Arquitecto Técnico, Formación Profesional de Tercer Grado o equivalente.
3. **Grupo C**: Título de Bachiller, Formación Profesional de Segundo Grado o equivalente.
4. **Grupo D**: Título de Graduado Escolar, Formación Profesional de Primer Grado o equivalente.
5. **Grupo E**: Certificado de Escolaridad.

Podemos decir que en la actualidad, la implantación de los nuevos títulos universitarios ya es generalizada, teniendo por tanto esta Disposición Transitoria Tercera poca aplicación en la actualidad, y aplicándose en todos los procesos selectivos los Grupos de clasificación recogidos en el artículo 76 TR-LEBEP.

Actividad 1

Indica si las siguientes cuestiones son verdaderas o falsas:

Los funcionarios del Subgrupo C1 que reúnan la titulación exigida, para promocionar al Grupo A necesitan pasar antes por el nuevo Grupo B:

Verdadera ☐ Falsa ☐

Se podrá acceder al Grupo B, si se tiene Formación Profesional de Tercer Grado o equivalente:

Verdadera ☐ Falsa ☐

Recuerda que...

Las notas características de un funcionario de carrera son:

- Es nombrado legalmente.
- Desempeña servicios de carácter permanente.
- Figura su puesto en la Plantilla Orgánica y en el Registro de Personal.
- Reciben una retribución fija, con cargo al presupuesto de Personal.

2.3. Selección de funcionarios

Conforme a los arts. 91 LRL y 128.1 TR/86, las Corporaciones Locales formularán y aprobarán pública y anualmente, dentro del plazo de un mes desde la aprobación de su Presupuesto, su Oferta de Empleo, ajustándose a los criterios fijados en la normativa básica estatal (en concreto, los señalados en el Real Decreto 352/1986, de 10 de febrero, de criterios de coordinación de la Oferta de Empleo Público de las Corporaciones Locales). La selección de todo el personal, sea funcionario o laboral, debe realizarse de acuerdo con la Oferta de Empleo Público, mediante convocatoria pública y a través del sistema de Concurso, Oposición o Concurso-Oposición libres en los que garanticen, en todo caso, los principios constitucionales de igualdad, mérito y capacidad, así como el de publicidad.

En cuanto a la competencia para aprobar la Oferta de Empleo Público, se ha atribuido al Alcalde o al Presidente de la Diputación, de acuerdo con el Presupuesto y la plantilla aprobados por el Pleno (arts. 21.1,g, y 34.1,g, LRL, modificados por la Ley 11/1999, de 21 de abril, de modificación de la Ley 7/1985, de 2 de abril, Reguladora de las Bases del Régimen Local, y otras medidas para el desarrollo del Gobierno Local, en materia de tráfico, circulación de vehículos a motor y seguridad vial y en materia de aguas), salvo en los Municipios de gran población, respecto de los que el art. 127.1,h) LRL, añadido por la Ley 57/2003, de 16 de diciembre, de Medidas para la Modernización del Gobierno Local (LMMGL, en otras llamadas), dispone que corresponde a la Junta de Gobierno Local "aprobar la relación de puestos de trabajo, las retribuciones del personal de acuerdo con el presupuesto aprobado por el Pleno, la oferta de empleo público, las bases de las convocatorias de selección y provisión de puestos de trabajo, el número y régimen del personal eventual, la separación del servicio de los funcionarios del Ayuntamiento, sin perjuicio de lo dispuesto en el artículo 99 de esta ley, el despido del personal laboral, el régimen disciplinario y las demás decisiones en materia de personal que no estén expresamente atribuidas a otro órgano".

En este contexto, el art. 133 TR/86, prescribe que «el procedimiento de selección de los funcionarios de Administración Local se ajustará a la legislación básica del Estado sobre Función Pública, y se establecerá teniendo en cuenta la conexión entre el tipo de pruebas a superar y la adecuación a los puestos de trabajo que se hayan de desempeñar, incluyendo a tal efecto las pruebas prácticas que sean precisas». Asimismo, el art. 134.1 señala que «las convocatorias serán siempre libres. No obstante, podrán reservarse para promoción interna hasta un máximo del 50 por 100 (actualmente, tras la reforma introducida en la LFP por la Ley 23/1988, de 28 de julio, de Modificación de la Ley de Medidas para la Reforma de la Función Pública, este límite porcentual se ha suprimido, por lo que podría elevarse al 100 por 100, siempre que, como ha declarado nuestra jurisprudencia, este porcentaje no alcance al total de las plazas, es decir, no podrán reservarse a promoción interna todas las plazas vacantes en la Corporación) de las plazas convocadas para funcionarios que reúnan la titulación y demás requisitos exigidos en la convocatoria».

Además, a tenor de la Disposición Adicional Vigésima Segunda de la LFP, insertada –con el carácter de base del régimen estatutario de los funcionarios públicos, es decir, dictada al amparo del artículo 149.1.18.ª CE–, por la Ley 42/1994, de 30 de diciembre, de Medidas fiscales, administrativas y de orden social, «el acceso a cuerpos o escalas del Grupo C podrá llevarse a cabo a través de la promoción interna desde cuerpos o escalas del grupo D del

área de actividad o funcional correspondiente, cuando estas existan, y se efectuará por el sistema de concurso-oposición, con valoración en la fase de concurso de los méritos relacionados con la carrera y los puestos desempeñados, el nivel de formación y la antigüedad. A estos efectos se requerirá la titulación establecida en el artículo 25 de esta ley (ya derogado) o una antigüedad de diez años en un cuerpo o escala del grupo D, o de cinco años y la superación de un curso específico de formación al que se accederá por criterios objetivos».

En este contexto, en relación con la promoción interna, ha de significarse que la Ley 63/2003, modificó profundamente el art. 22 LFP (luego derogado parcialmente por la también derogada LEBEP), en aras a facilitar esta promoción a Cuerpos y Escalas de funcionarios a otros funcionarios y al personal laboral.

Por su parte, el art. 100 LRL dispone que es de competencia de cada Corporación Local la selección de los funcionarios con la excepción de los funcionarios con habilitación de carácter nacional, correspondiendo, no obstante, a la Administración del Estado establecer reglamentariamente:

a) Las reglas básicas y los programas mínimos a que debe ajustarse el procedimiento de selección y formación de tales funcionarios. Este mandato se ha cumplido con el citado RD 896/91.

b) Los títulos académicos requeridos para tomar parte en las pruebas selectivas, así como los diplomas expedidos por el Instituto de Estudios de Administración Local (actualmente refundido en el Instituto Nacional de Administración Pública) o por los Institutos o Escuelas de Funcionarios establecidos por las Comunidades Autónomas, complementarios de los títulos académicos, que puedan exigirse para participar en las mismas.

Finalmente, las pruebas de selección y los concursos para la provisión de puestos de trabajo se regirán por las Bases que apruebe el Alcalde o Presidente de la Diputación, o la Junta de Gobierno Local (arts. 21.1,g, y 34.1,g, modificados por la Ley 11/1999, y art. 127.1,h, LRL). En las pruebas selectivas, el Tribunal u órgano similar elevará la correspondiente relación de aprobados a la Autoridad competente para hacer el nombramiento. Y los concursos para la provisión de puestos de trabajo serán resueltos motivadamente por el Presidente de la Corporación, previa propuesta del Tribunal u órgano similar designado al efecto, según el art. 102 LRL, y por la Junta de Gobierno Local en los Municipios de gran población, según el art. 127.1,h, LRL, que, a la par, en el segundo párrafo de esta letra h), dispone que la composición de los tribunales de oposiciones será predominantemente técnica, debiendo poseer todos sus miembros un nivel de titulación igual o superior al exigido para el ingreso en las plazas convocadas. Su presidente podrá ser nombrado entre los miembros de la Corporación o entre el personal al servicio de las Administraciones Públicas (esta previsión debe entenderse en el contexto del art. 60 TR-LEBEP, que impide al personal de elección o de designación política, a los funcionarios interinos y al personal eventual formar parte de los órganos de selección, y que señala que la pertenencia a los órganos de selección será siempre a título individual, no pudiendo ostentarse esta en representación o por cuenta de nadie).

En esta materia de selección habrá de estarse, básicamente, conforme al art. 134.2 TR/86, a las normas de este Texto Refundido y al RD 896/91; en lo no previsto en ellas, se aplicará la reglamentación que para el ingreso en la Función Pública establezca la respectiva Comunidad Autónoma y, supletoriamente, el Reglamento General de Ingreso del Personal al servicio de la Administración General del Estado y de Provisión de Puestos de Trabajo y Promoción Profesional de los Funcionarios Civiles de la Administración General del Estado, aprobado por el Real Decreto 364/1995, de 10 de marzo (RGI y PPT, en adelante), parcialmente derogado por el Real Decreto 2271/2004, de 3 de diciembre, por el que se regula el acceso al empleo público y la provisión de puestos de trabajo de las personas con discapacidad (RD 2271/2004, en otras citas), y parcialmente modificado por el Real Decreto 255/2006, de 3 de marzo.

Para concluir este apartado, y en relación con las ofertas de empleo, ha de hacerse notar que, a tenor del art. 59,1º TR-LEBEP, en las ofertas de empleo público se reservará un cupo **no inferior al siete por ciento** de las vacantes para ser cubiertas entre **personas con discapacidad**, considerando como tales las definidas en el apartado 2 del artículo 4 del texto refundido de la Ley General de derechos de las personas con discapacidad y de su inclusión social, aprobado por el Real Decreto Legislativo 1/2013, de 29 de noviembre, siempre que superen los procesos selectivos y acrediten su discapacidad y la compatibilidad con el desempeño de las tareas, de modo que progresivamente se alcance el dos por ciento de los efectivos totales en cada Administración Pública.

La reserva del mínimo del siete por ciento se realizará de manera que, al menos, el dos por ciento de las plazas ofertadas lo sea para ser cubiertas por personas que acrediten discapacidad intelectual y el resto de las plazas ofertadas lo sea para personas que acrediten cualquier otro tipo de discapacidad.

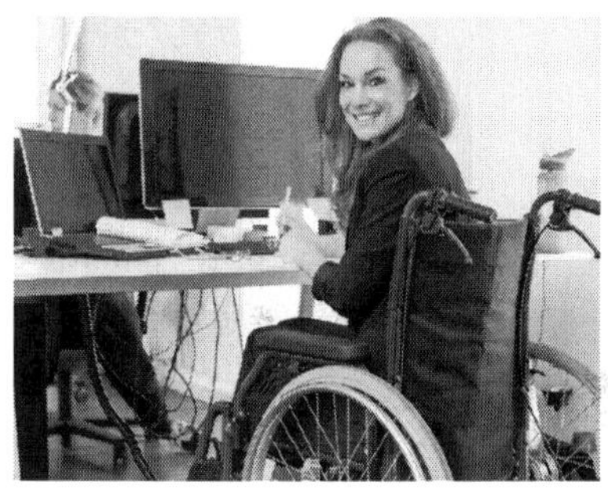

Cada Administración Pública adoptará las medidas precisas para establecer las adaptaciones y ajustes razonables de tiempos y medios en el proceso selectivo y, una vez superado dicho proceso, las adaptaciones en el puesto de trabajo a las necesidades de las personas con discapacidad.

Esta reserva del siete por ciento deberá efectuarse, asimismo, en las convocatorias de pruebas selectivas para acceso por promoción interna, distribuyéndose este cupo entre los distintos cuerpos, escalas o categorías y acumulándose las plazas reservadas que queden desiertas a las del turno ordinario de promoción interna (art. 5 del RD 2271/2004, de 3 de diciembre).

Por lo que se refiere al TR-LEBEP, dedica su art. 70 a la oferta de empleo público, disponiendo que:

1. Las necesidades de recursos humanos, con asignación presupuestaria, que deban proveerse mediante la incorporación de personal de nuevo ingreso serán objeto de la Oferta de empleo público, o a través de otro instrumento similar de gestión de la provisión de las necesidades de personal, lo que comportará la obligación de convocar los correspondientes procesos selectivos para las plazas comprometidas y hasta un diez por cien adicional, fijando el plazo máximo para la convocatoria de los mismos. En todo caso, la ejecución de la oferta de empleo público o instrumento similar deberá desarrollarse dentro del plazo improrrogable de tres años.

2. La Oferta de empleo público o instrumento similar, que se aprobará anualmente por los órganos de Gobierno de las Administraciones Públicas, deberá ser publicada en el Diario oficial correspondiente.
3. La Oferta de empleo público o instrumento similar podrá contener medidas derivadas de la planificación de recursos humanos.

2.4. Plantillas, Relaciones de Puestos de Trabajo y Registro de Personal

Conforme al art. 90 LRL (y 126 TR/86), corresponde a cada Corporación Local aprobar anualmente, a través del Presupuesto, la Plantilla, que deberá comprender todos los puestos de trabajo reservados a Funcionarios, Personal Laboral y Eventual. Las Plantillas deberán responder a los principios de racionalidad, economía y eficiencia, y establecerse de acuerdo con la ordenación general de la economía, sin que los gastos de personal puedan rebasar los límites que se fijen con carácter general.

Por su parte, el art. 126.2 TR/86 establece que las Plantillas podrán ser ampliadas en los siguientes supuestos:

a) Cuando el incremento del gasto quede compensado mediante la reducción de otras unidades o capítulos de gastos corrientes no ampliables.
b) Siempre que el incremento de las dotaciones sea consecuencia del establecimiento o ampliación de servicios de carácter obligatorio que resulten impuestos por disposiciones legales.

En cuanto a la modificación de las Plantillas durante la vigencia del Presupuesto, requerirá el cumplimiento de los trámites establecidos para la modificación de aquel (art. 126.3 TR/86).

En relación con esta materia, puede plantearse una abierta contradicción respecto al personal eventual en los Municipios de gran población, por cuanto debe figurar en la plantilla que se incorpora al Presupuesto anual y que es aprobado por el Pleno (arts. 90 y 123.1,h, LRL), pero, en estos Municipios, el art. 127.1,h,) LRL atribuye a la Junta de Gobierno Local la aprobación "del número y régimen del personal eventual", lo que es difícilmente conciliable con lo anterior, dado que sustrae al Pleno esta competencia que, al ser el órgano que aprueba el Presupuesto, debe corresponderle como señala explícitamente el citado art. 123.1,h,) LRL. A nuestro juicio, debe entenderse que se atribuye a la Junta de Gobierno Local la competencia para aprobar el número y régimen de este personal eventual, pero dentro de lo previamente acordado por el Pleno de la Corporación con motivo de la aprobación del Presupuesto anual, en el que se incorpora la plantilla de todo el personal.

Las Corporaciones Locales formarán la Relación de todos los Puestos de Trabajo existentes en su organización en los términos previstos en la legislación básica sobre Función Pública, disponiendo a estos efectos el art. 74 TR-LEBEP que "las Administraciones Públicas estructurarán su organización a través de relaciones de puestos de trabajo u otros instrumentos organizativos similares que comprenderán, al menos, la denominación de los puestos, los grupos de clasificación profesional, los cuerpos o escalas, en su caso, a que estén adscritos, los sistemas de provisión y las retribuciones complementarias. Dichos instrumentos serán públicos". Al efecto, en cuanto a las Relaciones de Puestos de Trabajo, habrá que estar, por el momento, a los criterios establecidos en la Orden de 2 de diciembre de 1988, sobre Relaciones de Puestos de Trabajo en la Administración del Estado, y, en cuanto a lo demás, al RGI y PPT citado.

Finalmente, las Corporaciones Locales constituirán Registros de Personal, coordinados con los de las demás Administraciones Públicas, según las normas aprobadas por el Gobierno (el Real Decreto 1405/1986, de 6 de junio, por el que se aprobó el Reglamento del Registro Central de Personal y las normas de coordinación con los de las restantes Administraciones Públicas). Los datos inscritos en tal Registro determinarán las nóminas, a efectos de la debida justificación de todas las retribuciones.

A los Registros se refiere el art. 71 TR-LEBEP, según el cual:

1. Cada Administración Pública constituirá un Registro en el que se inscribirán los datos relativos al personal contemplado en los artículos 2 y 5 del presente Estatuto y que tendrá en cuenta las peculiaridades de determinados colectivos.
2. Los Registros podrán disponer también de la información agregada sobre los restantes recursos humanos de su respectivo sector público.
3. Mediante convenio de Conferencia Sectorial se establecerán los contenidos mínimos comunes de los Registros de personal y los criterios que permitan el intercambio homogéneo de la información entre Administraciones, con respeto a lo establecido en la legislación de protección de datos de carácter personal.
4. Las Administraciones Públicas impulsarán la gestión integrada de recursos humanos.
5. Cuando las Entidades Locales no cuenten con la suficiente capacidad financiera o técnica, la Administración General del Estado y las Comunidades Autónomas cooperarán con aquellas a los efectos contemplados en este artículo.

Recuerda que...

Las Administraciones Públicas estructurarán su organización a través de relaciones de puestos de trabajo u otros instrumentos organizativos similares que comprenderán, al menos, la denominación de los puestos, los grupos de clasificación profesional, los cuerpos o escalas, en su caso, a que estén adscritos, los sistemas de provisión y las retribuciones complementarias. Dichos instrumentos serán públicos.

2.5. Organización

Hasta la entrada en vigor de la LRL y de la LEBEP, la organización de los funcionarios locales se ha realizado a través de los Cuerpos Nacionales de Administración Local y los Grupos de funcionarios de Administración General y Especial de las Entidades Locales. Hoy, hemos de referirnos, respectivamente, a la Escala de funcionarios con habilitación de carácter nacional y a las Escalas de Administración General y Especial.

2.5.1. Escala de funcionarios con habilitación de carácter nacional

A los funcionarios pertenecientes a esta Escala se refiere, como se expuso, el nuevo (ex LRSAL) art. 92 bis LRL, a cuyo tenor:

1. Son funciones públicas necesarias en todas las Corporaciones locales, cuya responsabilidad administrativa está reservada a funcionarios de administración local con habilitación de carácter nacional:

   a) La de Secretaría, comprensiva de la fe pública y el asesoramiento legal preceptivo.

   b) El control y la fiscalización interna de la gestión económico-financiera y presupuestaria, y la contabilidad, tesorería y recaudación.

   No obstante, en los municipios de gran población se tendrá en cuenta lo dispuesto en el Título X de la presente ley y en los municipios de Madrid y de Barcelona la regulación contenida en las Leyes 22/2006, de 4 de julio, de Capitalidad y de Régimen Especial de Madrid y 1/2006, de 13 de marzo, por la que se regula el Régimen Especial del municipio de Barcelona respectivamente.

2. La escala de funcionarios de administración local con habilitación de carácter nacional se subdivide en las siguientes subescalas:

   a) Secretaría, a la que corresponden las funciones contenidas en el apartado 1.a) anterior.

   b) Intervención-tesorería, a la que corresponden las funciones contenidas en el apartado 1.b).

   c) Secretaría-intervención a la que corresponden las funciones contenidas en los apartados 1.a) y 1.b.

3. Los funcionarios de las subescalas de Secretaría e Intervención-tesorería estarán integrados en una de estas dos categorías: entrada o superior.

4. El Gobierno, mediante Real Decreto, regulará las especialidades de la creación, clasificación y supresión de puestos reservados a funcionarios de administración local con habilitación de carácter nacional así como las que puedan corresponder a su régimen disciplinario y de situaciones administrativas.

5. La aprobación de la oferta de empleo público, selección, formación y habilitación de los funcionarios de administración local con habilitación de carácter nacional corresponde al Estado, a través del Ministerio de Hacienda y Función Pública (ac-

tualmente dividido en dos Ministerios,el Ministerio de Hacienda y el Ministerio para la Transformación Digital y de la Función Pública. Por tanto, la referencia se entiende hecha al Ministerio para la Transformación Digital y de la Función Pública, a tener en cuenta en las próximas citas), conforme a las bases y programas aprobados reglamentariamente.

6. El Gobierno, mediante Real Decreto, regulará las especialidades correspondientes de la forma de provisión de puestos reservados a funcionarios de administración local con habilitación de carácter nacional. En todo caso, el concurso será el sistema normal de provisión de puestos de trabajo. El ámbito territorial de los concursos será de carácter estatal.

   Los méritos generales, de preceptiva valoración, se determinarán por la Administración del Estado, y su puntuación alcanzará un mínimo del 80 % del total posible conforme al baremo correspondiente. Los méritos correspondientes a las especialidades de la Comunidad Autónoma se fijarán por cada una de ellas y su puntuación podrá alcanzar hasta un 15 % del total posible. Los méritos correspondientes a las especialidades de la Corporación local se fijarán por esta, y su puntuación alcanzará hasta un 5 % del total posible.

   Existirán dos concursos anuales: el concurso ordinario y el concurso unitario. El concurso unitario será convocado por la Administración del Estado. Las Corporaciones locales con puestos vacantes aprobarán las bases del concurso ordinario, de acuerdo con el modelo de convocatoria y bases comunes que se aprueben en el real decreto previsto en el apartado anterior, y efectuarán las convocatorias, remitiéndolas a la correspondiente Comunidad Autónoma para su publicación simultánea en los diarios oficiales.

   Excepcionalmente, los puestos de trabajo reservados a funcionarios de administración local con habilitación de carácter nacional podrán cubrirse por el sistema de libre designación, en los municipios incluidos en el ámbito subjetivo definido en los artículos 111 y 135 del texto refundido de la Ley Reguladora de Haciendas Locales, aprobado por el Real Decreto Legislativo 2/2004, de 5 de marzo, así como las Diputaciones Provinciales, Áreas Metropolitanas, Cabildos y Consejos Insulares y las ciudades con estatuto de autonomía de Ceuta y Melilla, entre funcionarios de la subescala y categoría correspondiente. Cuando se trate de puestos de trabajo que tengan asignadas las funciones contenidas en el apartado 1.b) de este artículo, será precisa la autorización expresa del órgano competente de la Administración General del Estado en materia de Haciendas locales.

   Igualmente, será necesario informe preceptivo previo del órgano competente de la Administración General del Estado en materia de Haciendas locales para el cese de aquellos funcionarios que tengan asignadas las funciones contenidas en el apartado 1.b) de este artículo y que hubieran sido nombrados por libre designación.

   En caso de cese de un puesto de libre designación, la Corporación local deberá asignar al funcionario cesado un puesto de trabajo de su mismo grupo de titulación.

7. Las Comunidades Autónomas efectuarán, de acuerdo con la normativa establecida por la Administración del Estado, los nombramientos provisionales de funcionarios con habilitación de carácter nacional, así como las comisiones de servicios, acumulaciones, nombramientos de personal interino y de personal accidental.
8. Los funcionarios deberán permanecer en cada puesto de trabajo, obtenido por concurso, un mínimo de dos años para poder participar en los concursos de provisión de puestos de trabajo o ser nombrados con carácter provisional en otro puesto de trabajo, salvo en el ámbito de una misma Entidad Local.

   Excepcionalmente, antes del transcurso de dicho plazo, se podrán efectuar nombramientos con carácter provisional por el Ministerio de Hacienda y Función Pública, siempre que existan razones y circunstancias que requieran la cobertura del puesto con carácter urgente por estos funcionarios, y la imposibilidad de efectuar un nombramiento provisional conforme a lo establecido en el párrafo anterior.

   Reglamentariamente se establecerán las circunstancias excepcionales que justifiquen la solicitud de un nombramiento provisional, debiendo tenerse en cuenta, en todo caso, el posible perjuicio o menoscabo que se generaría en la Entidad Local en la que se ocupe el puesto en el momento de la solicitud.
9. En el Ministerio de Hacienda y Función Pública, existirá un Registro de funcionarios de administración local con habilitación de carácter nacional integrado con las Comunidades Autónomas, donde se inscribirán y anotarán todos los actos que afecten a la vida administrativa de estos funcionarios.
10. Son órganos competentes para la incoación de expedientes disciplinarios a los funcionarios de administración local con habilitación de carácter nacional los siguientes:
    a) El órgano correspondiente de la Corporación donde el funcionario hubiera cometido los hechos que se le imputan, cuando pudieran ser constitutivos de falta leve.
    b) La Comunidad Autónoma respecto a funcionarios de corporaciones locales en su ámbito territorial, salvo cuando los hechos denunciados pudieran ser constitutivos de faltas muy graves tipificadas en la normativa básica estatal.
    c) El Ministerio de Hacienda y Función Pública cuando los hechos denunciados pudieran ser constitutivos de faltas muy graves, tipificadas en la normativa básica estatal.

    El órgano competente para acordar la incoación del expediente lo será también para nombrar instructor del mismo y decretar o alzar la suspensión provisional del expedientado, así como para instruir diligencias previas antes de decidir sobre tal incoación.

    La instrucción del expediente se efectuará por un funcionario de carrera de cualquiera de los Cuerpos o Escalas del Subgrupo A1 de titulación, incluida la Escala de Funcionarios con Habilitación de carácter nacional, que cuente con conocimientos en la materia a la que se refiera la infracción.

11. Son órganos competentes para la imposición de sanciones disciplinarias a los funcionarios de administración local con habilitación de carácter nacional los siguientes:

    a) El Ministro de Hacienda y Función Pública, cuando la sanción que recaiga sea por falta muy grave, tipificada en la normativa básica estatal.

    b) La Comunidad Autónoma, cuando se trate de imponer sanciones de suspensión de funciones y destitución, no comprendidas en el párrafo anterior.

    c) El órgano local competente, cuando se trate de imponer sanciones por faltas leves.

    La sanción impuesta se ejecutará en sus propios términos, aun cuando en el momento de la ejecución, el funcionario se encontrara ocupando un puesto distinto a aquel en el que se produjeron los hechos que dieron lugar a la sanción.

    La sanción de destitución implicará la pérdida del puesto de trabajo, con la prohibición de obtener destino en la misma Corporación en la que tuvo lugar la sanción, en el plazo que se fije, con el máximo de seis años, para las faltas muy graves, y de tres años para las faltas graves.

    La sanción de suspensión de funciones tendrá una duración máxima de seis años, para las faltas muy graves, y de tres años para las faltas graves.

Sobre estos funcionarios, habrá que estar a lo dispuesto en el Real Decreto 128/2018, de 16 de marzo, por el que se regula el régimen jurídico de los funcionarios de Administración Local con habilitación de carácter nacional, que en su artículo 7 dispone que en todas las Entidades Locales existirá un puesto de trabajo denominado Secretaría, al que corresponde la responsabilidad administrativa de las funciones de fe pública y asesoramiento legal preceptivo con el alcance y contenido previsto en este real decreto. Asimismo, el Secretario del Ayuntamiento y el Secretario General del Pleno en los municipios incluidos en el ámbito de aplicación del título X de la Ley 7/1985, de 2 de abril, reguladora de las Bases del Régimen Local y en los Cabildos Insulares Canarios, actuarán como delegados de la Junta Electoral de Zona, en los términos previstos en la Ley Orgánica 5/1985, de 19 de junio, del Régimen Electoral General.

El artículo 8 del RD 128/2018, clasifica las **Secretarías** del siguiente modo:

1. Los puestos de trabajo de Secretaría de las Entidades Locales serán clasificados por las Comunidades Autónomas, en alguna de las siguientes clases:

    a) Clase primera: Secretarías de Diputaciones Provinciales, Cabildos y Consejos Insulares, Ayuntamiento de capitales de provincia y Ayuntamiento de municipios con población superior a 20.000 habitantes.

    b) Clase segunda: Secretarías de Ayuntamiento de municipios cuya población está comprendida entre 5.001 y 20.000 habitantes, así como los de población inferior a 5.001 habitantes, cuyo presupuesto supere los 3.000.000 de euros.

    c) Clase tercera: Secretarías de Ayuntamiento de municipios de población inferior a 5.001 habitantes cuyo presupuesto no exceda los 3.000.000 de euros.

2. Las Secretarías de Comarcas, Áreas Metropolitanas, Mancomunidades de Municipios y otras Entidades Locales se clasificarán en alguna de las clases señaladas en el apartado anterior, por la Comunidad Autónoma, en base a sus características propias.

3. En los municipios donde exista población superior a la residente durante importantes temporadas del año o en las que concurran condiciones de centro de comarca o de localización de actividades o de acción urbanística superior a la normal u otras objetivas análogas, las Corporaciones Locales podrán solicitar a la Comunidad Autónoma, la clasificación del puesto de trabajo de Secretaría en clase distinta de la que correspondía según lo dispuesto en el apartado 1 de este artículo.

4. En los Municipios en los que se produzca una reducción de cargas administrativas, como consecuencia de la asunción de la gestión de determinados servicios, por parte de las Diputaciones Provinciales, Cabildos y Consejos Insulares, Mancomunidades u otras Entidades Locales supramunicipales, la Comunidad Autónoma podrá reclasificar el puesto en una clase inferior a la que le correspondería según lo dispuesto en el apartado 1 de este artículo.

En cuanto a la posibilidad de agrupar Secretarías, el artículo 9 del RD 128/2018, dispone:

1. Las Entidades Locales cuyo volumen de servicios o recursos sea insuficiente, podrán sostener en común y mediante agrupación el puesto de Secretaría, al que corresponderá la responsabilidad administrativa de las funciones propias del mismo en todas las Entidades agrupadas.

   El ámbito territorial de las agrupaciones para el mantenimiento en común del puesto de Secretaría es autonómico, sin perjuicio de los convenios o acuerdos que se puedan celebrar por las Comunidades Autónomas para constituir agrupaciones entre Entidades Locales de diferentes Comunidades Autónomas.

2. Corresponde a las Comunidades Autónomas, de acuerdo con sus normas propias, acordar la constitución y disolución de agrupaciones de Secretaría, a que se refiere el número anterior, dentro de su ámbito territorial.

   El procedimiento podrá iniciarse mediante acuerdo de las Entidades Locales interesadas o de oficio por la Comunidad Autónoma, dando audiencia en este caso a las Entidades afectadas, y requiriéndose en ambos informe previo de la Diputación, Cabildo, Consejo insular o ente supramunicipal correspondiente.

3. La regulación que establezcan las Comunidades Autónomas sobre procedimiento de constitución de las agrupaciones deberá tener en cuenta lo siguiente:

   a) Se requerirá informe previo de la Diputación, Cabildo o Consejo Insular correspondiente.

   b) Una vez aprobada la agrupación, se clasificará el puesto resultante por la Comunidad Autónoma, y se comunicará la resolución de clasificación correspondiente, al Ministerio de Hacienda y Función Pública.

Exenciones (artículo 10 RD 128/2018):

1. No obstante lo dispuesto en el artículo anterior, las Entidades Locales con población inferior a 500 habitantes y presupuesto inferior a 200.000 euros, podrán ser eximidas por la Comunidad Autónoma, previo informe de la Diputación Provincial, Cabildo o Consejo Insular, de la obligación de crear o mantener el puesto de trabajo de Secretaría, en el supuesto de que no fuese posible efectuar una agrupación con otras Entidades Locales para mantener dicho puesto.

   Las funciones atribuidas al puesto eximido serán ejercidas por los Servicios de Asistencia o mediante acumulación, de acuerdo con lo establecido en los artículos 16 y 50 de este real decreto.

2. Asimismo, y por igual procedimiento, las Mancomunidades de Municipios podrán ser eximidas de la obligación de crear o mantener puestos propios, reservados a funcionarios de Administración Local con habilitación de carácter nacional, cuando su volumen de servicios o recursos sea insuficiente para el mantenimiento de dichos puestos.

   En las Mancomunidades de Municipios eximidas las funciones reservadas se ejercerán por funcionarios de Administración Local con habilitación de carácter nacional, de alguno de los municipios que las integran o por los Servicios de Asistencia o mediante acumulación, de acuerdo con lo establecido en los artículos 16 y 50 de este real decreto, respectivamente.

3. A fin de garantizar el ejercicio de las funciones reservadas, en el expediente de exención se concretará el sistema elegido al efecto. Cuando desaparezcan las circunstancias que dieron lugar a que se eximiera un puesto de trabajo, la Entidad Local afectada deberá solicitar su revocación y proceder a la creación y clasificación del mismo.

Intervención (artículo 11 RD 128/2018):

1. En las Entidades Locales cuya Secretaría esté clasificada en clase primera o segunda, existirá un puesto de trabajo denominado Intervención, que tendrá atribuida la responsabilidad administrativa de las funciones enumeradas en el artículo 4 de este real decreto.

2. En las Entidades Locales, cuya Secretaría esté clasificada en clase tercera, las funciones propias de la Intervención formarán parte del contenido del puesto de trabajo de Secretaría, salvo que los municipios respectivos se agrupen a efectos de mantener en común el puesto de intervención.

También se contempla las **agrupaciones de Intervención**, en el artículo 12 RD 128/2018:

1. Aquellas Entidades Locales cuyas Secretarías estén clasificadas en segunda o tercera clase podrán agruparse entre sí para el sostenimiento en común de un puesto único de Intervención, al que corresponderá la responsabilidad administrativa de las funciones propias de este puesto de trabajo en todos los municipios agrupados.

El ámbito territorial de las agrupaciones para el mantenimiento en común del puesto de Intervención es autonómico, sin perjuicio de los convenios o acuerdos que se puedan llevar a cabo por las Comunidades Autónomas para constituir agrupaciones entre Entidades Locales de diferentes Comunidades Autónomas.

2. Corresponde a las Comunidades Autónomas, de acuerdo con su normativa propia, la agrupación de municipios a que se refiere el apartado anterior.

   El procedimiento podrá iniciarse mediante acuerdo de las Corporaciones Locales interesadas o de oficio por la Comunidad Autónoma, dando audiencia en este caso a las Corporaciones afectadas.

3. La regulación que establezcan las Comunidades Autónomas sobre procedimiento de constitución o disolución de las agrupaciones, deberá tener en cuenta lo siguiente:

   a) Se requerirá informe previo de la Diputación, Cabildo o Consejo Insular correspondiente.

   b) Una vez aprobada la agrupación, se clasificará el puesto resultante por la Comunidad Autónoma, y se comunicará la resolución correspondiente, al Ministerio de Hacienda y Función Pública.

En cuanto a la **clasificación de Intervenciones**, podemos destacar que los puestos de trabajo de Intervención en las Entidades Locales serán clasificados por las Comunidades Autónomas, en algunas de las siguientes clases:

1. Clase primera: Intervenciones de Entidades Locales cuya Secretaría se encuentre clasificada en clase primera.
2. Clase segunda: Intervenciones de Entidades Locales cuya Secretaría se encuentre clasificada en clase segunda y puestos de Intervención en régimen de agrupación.

Respecto a la **Tesorería**, recoge el artículo 14 del RD 128/2018 que:

1. En las Corporaciones Locales cuya Secretaría esté clasificada en primera o segunda clase, existirá un puesto de trabajo denominado Tesorería, al que corresponderá la responsabilidad administrativa de las funciones enumeradas en el artículo 5 de este real decreto.
2. Los puestos a que se refiere el apartado anterior estarán reservados a funcionarios de Administración Local con habilitación de carácter nacional de la subescala de Intervención-Tesorería.
3. Las Entidades Locales cuya Secretaría esté clasificada en clase 2.ª y 3.ª, podrán agruparse entre sí para el sostenimiento en común de un puesto único de Tesorería, al que corresponderá la responsabilidad administrativa de las funciones propias de este puesto de trabajo en todos los municipios agrupados.
4. Las Entidades Locales cuya Secretaría esté clasificada en clase 3.ª podrán agruparse entre sí para el sostenimiento en común de un puesto único de Tesorería, al que corresponderá la responsabilidad administrativa de las funciones propias de tesorería-recaudación en todos los municipios agrupados.

Este puesto está reservado a funcionarios de Administración Local con habilitación de carácter nacional, de la subescala de Secretaría-Intervención.

Será aplicable a estas agrupaciones la misma regulación establecida para las agrupaciones de Secretaría e Intervención, en los artículos 9 y 12 de este real decreto.

También contempla este Real Decreto la posibilidad de creación de **puestos de colaboración** recogiendo, en su artículo 15, lo siguiente:

1. Las Entidades Locales podrán crear otros puestos de trabajo que tengan atribuidas funciones de colaboración inmediata y auxilio a las de Secretaría, Intervención y Tesorería. Estos puestos de trabajo estarán reservados a funcionarios de Administración Local con habilitación de carácter nacional y ejercerán sus funciones bajo la dependencia funcional y jerárquica del titular de la Secretaría, Intervención o Tesorería, respectivamente.
2. A los citados puestos de colaboración, les corresponderán las funciones reservadas que, previa autorización del Alcalde o Presidente de la Corporación, les sean encomendadas por los titulares de los puestos reservados de Secretaría, Intervención y Tesorería.
3. Asimismo, les corresponderá la sustitución de los titulares de los puestos de Secretaría, Intervención y Tesorería, en los casos de vacante, ausencia, enfermedad o concurrencia de causa de abstención o recusación legal o reglamentaria de los mismos.

   La clasificación de estos puestos corresponderá a la Comunidad Autónoma, de acuerdo con los siguientes criterios:

   a) Se podrán crear puestos de colaboración a las funciones de secretaría e intervención-tesorería y recaudación, en las Entidades Locales cuyos puestos de Secretaría e Intervención estén clasificados en 1.ª o 2.ª clase, y puestos de colaboración a las funciones de secretaría-intervención, tesorería y recaudación en las Entidades Locales cuyo puesto de Secretaría esté clasificado en clase 3.ª.

   b) En las Entidades Locales cuyos puestos de Secretaría e Intervención estén clasificados en clase 1.ª, los puestos de colaboración a las funciones de secretaría podrán ser clasificados en 1.ª, 2.ª y 3.ª clase, y ser adscritos, respectivamente, a las subescalas de Secretaría, categoría superior, Secretaría, categoría de entrada y a la subescala de Secretaría-Intervención. Los puestos de colaboración a las funciones de intervención, podrán ser clasificados en 1.ª, 2.ª y 3.ª clase, y ser adscritos, respectivamente, a las subescalas de Intervención-Tesorería, categoría superior, Intervención-Tesorería, categoría de entrada y a la subescala de Secretaría-Intervención.

   c) En las Entidades Locales, cuyos puestos de Secretaría e Intervención estén clasificados en clase 2.ª, los puestos de colaboración a las funciones de secretaría podrán ser clasificados en 2.ª y 3.ª clase, y ser adscritos, respectivamente, a las subescalas de Secretaría, categoría de entrada, y a la subescala de Secretaría-Intervención.

      Los puestos de colaboración a las funciones de intervención, podrán ser clasificados en 2.ª y 3.ª clase, y ser adscritos, respectivamente, a las subescalas de Intervención-Tesorería, categoría de entrada y a la subescala de Secretaría-Intervención.

Los puestos de colaboración a las funciones de tesorería en las Entidades Locales cuyos puestos de Secretaría e Intervención estén clasificados en clases 1.ª o 2.ª, podrán ser desempeñados de forma indistinta por funcionarios de las subescalas de Intervención-Tesorería y Secretaría-Intervención.

d) En las Entidades Locales, cuyos puestos de Secretaría estén clasificados en clase 3.ª, los puestos de colaboración a las funciones de secretaría-intervención, tesorería y recaudación únicamente podrán ser clasificados en 3.ª clase, adscritos a la subescala de Secretaría-Intervención.

4. Si la Corporación suprime un puesto de colaboración cubierto con carácter definitivo, deberá garantizar al titular del mismo un puesto de trabajo de su grupo de titulación, adecuado a las funciones o tareas propias de su condición profesional, conforme al sistema de carrera profesional propio de cada Administración Pública, con las garantías inherentes de dicho sistema y cuya remuneración no sea inferior, en más de dos niveles, a la del puesto para el que fue designado.

   En dicho puesto se podrá permanecer hasta obtener otro, por los procedimientos establecidos en este real decreto.

Respecto a los **Servicios de asistencia**, dispone el artículo 16 del RD 128/2018, lo siguiente:

1. Las funciones reservadas a funcionarios de Administración Local con habilitación de carácter nacional, en Entidades Locales eximidas, serán ejercidas por las Diputaciones Provinciales, Cabildos, Consejos insulares o entes supramunicipales, o, en su caso, mediante acumulación de funciones o agrupación para sostenimiento en común del puesto reservado.

   Las Diputaciones Provinciales, Cabildos, Consejos insulares o entes supramunicipales incluirán, en sus relaciones de puestos de trabajo, los reservados a funcionarios de Administración Local con habilitación de carácter nacional necesarios para garantizar el cumplimiento de tales funciones. En todo caso garantizará en los municipios de menos de 1.000 habitantes la prestación de los servicios de secretaría e intervención y tesorería y recaudación.

   La garantía de la prestación de los servicios de secretaría e intervención y tesorería y recaudación en los municipios de menos de 1.000 habitantes, no implicará la supresión del puesto de Secretaría como reservado a funcionarios de Administración Local con habilitación de carácter nacional de la subescala de Secretaría-Intervención, en los municipios que tengan creado y clasificado dicho puesto.

2. La Comunidad Autónoma efectuará la clasificación de los citados puestos, a propuesta de las Entidades respectivas. Su provisión se ajustará a lo establecido en este real decreto.

3. De acuerdo con lo previsto en el artículo 40 de la Ley 7/1985, de 2 de abril, reguladora de las Bases del Régimen Local, corresponde a las Comunidades Autónomas uniprovinciales, asumir la prestación de los servicios de asistencia a que aluden los artículos 26.3 y 36.2.c) de dicha ley.

En este contexto, sobre la base del RD 128/2018, se puede distinguir, según su artículo 17, las siguiente **Subescalas y categorías:**

"1. La escala de funcionarios de Administración Local con habilitación de carácter nacional, se divide en las siguientes subescalas:

a) Secretaría.

b) Intervención-Tesorería.

c) Secretaría-Intervención.

2. Los funcionarios integrados en la subescala de Secretaría podrán ostentar, conforme a las reglas del presente real decreto, la categoría de entrada o la categoría superior.

3. Los funcionarios integrados en la subescala de Intervención-Tesorería podrán ostentar asimismo, conforme a las reglas del presente real decreto, la categoría de entrada o la categoría superior.

4. En la subescala de Secretaría-Intervención no existe diferenciación de categorías."

En cuanto a la **Titulación**, para el acceso a estas categorías, dispone el artículo 18 del RD 128/2018, lo siguiente:

1. Para participar en las pruebas selectivas deberán estar en posesión, o en condiciones de obtener el momento en que termine el plazo de presentación de instancias, de la titulación universitaria exigida para el ingreso en los Cuerpos o escalas clasificados en el subgrupo A1, de acuerdo con lo previsto en el texto refundido de la Ley del Estatuto Básico del Empleado Público, aprobado por Real Decreto Legislativo 5/2015, de 30 de octubre.
2. Los aspirantes con titulaciones obtenidas en el extranjero deberán acreditar que están en posesión de la correspondiente homologación del título. Este requisito no será de aplicación a los aspirantes que hubieran obtenido el reconocimiento de su cualificación profesional, en el ámbito de las profesiones reguladas, al amparo de las disposiciones de Derecho de la Unión Europea.
3. A efectos de lo establecido en el artículo 76 del texto refundido de la Ley del Estatuto Básico del Empleado Público, aprobado por Real Decreto Legislativo 5/2015, de 30 de octubre, las tres subescalas en que se estructura la escala de habilitación de carácter nacional se integran en el grupo A, subgrupo A1.

Respecto al **ingreso y selección**, habrá que estar a lo dispuesto en el artículo 19 del RD 128/2018, según el cuál.

1. Para el ingreso en la escala de funcionarios de Administración Local con habilitación de carácter nacional, en cualquiera de sus subescalas, se exigirá, en todo caso, la posesión de la nacionalidad española, al implicar los puestos de trabajo reservados a la misma una participación directa o indirecta en el ejercicio del poder público y en las funciones que tienen por objeto la salvaguarda de los intereses del Estado o de las Administraciones Públicas, de acuerdo con lo dispuesto en artículo 4 del Real

Decreto 543/2001, de 18 de mayo sobre acceso al empleo público de la Administración General del Estado y sus Organismos Públicos de nacionales de otros Estados a los que es de aplicación el derecho a la libre circulación de trabajadores.

2. El ingreso en las subescalas en que se estructura la habilitación de carácter nacional se llevará a cabo mediante el correspondiente proceso selectivo, conforme a las bases y programas aprobados por el Ministerio de Hacienda y Función Pública, que designará los tribunales calificadores, correspondiendo al Instituto Nacional de Administración Pública la gestión y ejecución de los procesos selectivos.

3. El acceso a la subescala de Secretaría-Intervención, a la subescala de Secretaría y a la subescala de Intervención-Tesorería se llevará a cabo mediante el correspondiente proceso selectivo que constará de dos fases:

   a) La primera fase consistirá en la superación de un sistema selectivo de oposición. Quienes superen esta primera fase serán nombrados funcionarios en prácticas.

   b) La segunda fase implicará la superación de un curso selectivo en el Instituto Nacional de Administración Pública o en Institutos o Escuelas de funcionarios de las Comunidades Autónomas, con las que este Instituto haya suscrito convenios al efecto.

      Quienes superen el curso selectivo, ingresarán en la subescala correspondiente, y serán nombrados por el Ministerio de Hacienda y Función Pública, funcionarios de carrera de administración local con habilitación de carácter nacional, de dicha subescala y/o categoría, publicándose los nombramientos en el «Boletín Oficial del Estado».

   El ingreso en las subescalas de Secretaría y de Intervención-Tesorería se efectuará en la categoría de entrada.

4. La promoción interna a la subescala de Secretaría y a la subescala de Intervención-Tesorería se llevará a cabo mediante la superación del correspondiente proceso selectivo.

Hemos de destacar también en esta materia la Orden TFP/153/2021, de 16 de febrero, por la que se regula la valoración de los méritos generales del personal funcionario de Administración Local con habilitación de carácter nacional.

También es posible el **acceso a categoría superior dentro de la misma subescala**, que se regula en el artículo 20 del RD 128/2018:

1. El acceso a la categoría superior, en las subescalas de Secretaría e Intervención-Tesorería, se acordará por el Ministerio de Hacienda y Función Pública, previa convocatoria pública abierta a todos aquellos funcionarios que posean la categoría de entrada de la subescala respectiva. El acceso a la categoría superior exigirá, en todo caso, tener al menos dos años de antigüedad de servicio activo en la categoría de entrada, computados a partir de la publicación del nombramiento en el «Boletín Oficial del Estado».

2. El acceso a la categoría superior se llevará a cabo mediante alguno de los siguientes procedimientos:

   a) Por concurso de méritos, entre funcionarios pertenecientes a la categoría de entrada, que se resolverá por aplicación del baremo de méritos generales, regulado en el artículo 32.1, párrafos a), b), c), d), e) y f) del RD 128/2018.

   b) Mediante la superación de pruebas de aptitud, cuya gestión podrá ser encomendada al Instituto Nacional de Administración Pública.

   El número de plazas a convocar mediante concurso de méritos o pruebas de aptitud se concretará en la correspondiente convocatoria.

3. Una vez sean nombrados funcionarios de la categoría superior, podrán ocupar puestos de dicha categoría, de conformidad con las previsiones establecidas en este real decreto.

   Con la toma de posesión en un puesto de la categoría superior, dejarán de pertenecer a la categoría de entrada.

   Asimismo, quienes estuvieran desempeñando un puesto reservado con carácter definitivo en la categoría de entrada, podrán permanecer en dicha categoría mientras continúen ocupando el citado puesto.

En cuanto a la **promoción interna a otras subescalas**, dispone el art. 21 del RD 128/2018, que:

1. Los funcionarios de la subescala de Secretaría-Intervención podrán promocionar a las subescalas de Secretaría y de Intervención-Tesorería mediante la superación de los correspondientes procesos selectivos.

   En las convocatorias podrá establecerse la exención de las pruebas encaminadas a acreditar los conocimientos ya exigidos para el acceso a la subescala de Secretaría-Intervención, pudiendo valorarse los cursos y programas de formación superados.

   Los funcionarios pertenecientes a la subescala de Secretaría-Intervención deberán, en todo caso, tener dos años de servicio activo en la subescala y poseer la titulación a que hace referencia el artículo 18 de este real decreto.

2. En las bases reguladoras de las pruebas selectivas que se convoquen se determinará la valoración, en la fase de concurso, de los servicios efectivos que los funcionarios pertenecientes a aquella subescala hubieran prestado en puestos de trabajo correspondientes a la misma.

3. Quienes hubieran accedido por promoción interna a otra subescala, y opten por permanecer en el puesto que ocupaban con carácter previo a dicha promoción, podrán continuar en el mismo puesto hasta que concursen a un puesto de la nueva subescala y categoría.

Los efectos correspondientes al ingreso en la nueva subescala, se producirán tras la toma de posesión en un puesto de la misma.

En cuanto al **desempeño del puesto de Secretaría**, el art. 24 del RD 128/2018, recoge que:

- Corresponde a los Secretarios de categoría superior el desempeño de los puestos de trabajo siguientes, correspondientes a la Clase Primera: Secretarías de Diputaciones Provinciales, Cabildos y Consejos Insulares, Ayuntamiento de capitales de provincia y Ayuntamiento de municipios con población superior a 20.000 habitantes.
- Corresponde a los Secretarios de categoría de entrada el desempeño de los puestos de trabajo correspondientes a la Clase Segunda: Secretarías de Ayuntamiento de municipios cuya población está comprendida entre 5.001 y 20.000 habitantes, así como los de población inferior a 5.001 habitantes, cuyo presupuesto supere los 3.000.000 de euros.
- Corresponde a los Secretarios-Interventores el desempeño de los puestos de trabajo correspondientes a la Clase Tercera: Secretarías de Ayuntamiento de municipios de población inferior a 5.001 habitantes cuyo presupuesto no exceda los 3.000.000 de euros.

En cuanto al **desempeño del puesto de Intervención**, el art. 25 del RD 128/2018, dispone que:

- Corresponde a los Interventores-Tesoreros de categoría superior el desempeño de los puestos de trabajo de Intervenciones de Entidades Locales cuya Secretaría se encuentre clasificada en clase primera.
- Corresponde a los Interventores-Tesoreros de categoría de entrada el desempeño de los puestos de trabajo de Intervenciones de Entidades Locales cuya Secretaría se encuentre clasificada en clase segunda y puestos de Intervención en régimen de agrupación.

En cuanto al **desempeño del puesto de Tesorería**, el art. 26 del RD 128/2018, recoge que:

- Corresponde a los Interventores-Tesoreros, cualquiera que sea su categoría, el desempeño de los puestos de trabajo que tengan asignadas las funciones de tesorería, cuando se trate de Corporaciones Locales cuya Secretaría esté clasificada en clase primera o segunda.
- Corresponde a los Secretarios-Interventores el desempeño, en su caso, del puesto de trabajo de Tesorería de las agrupaciones constituidas a tal efecto.

Recuerda que...

Los funcionarios locales se organizan en: Escala de funcionarios con habilitación de carácter nacional, la Escala de Administración General y Escala de Administración Especial de las Corporaciones Locales.

Actividad 2

Contesta a las siguientes preguntas:

1. **¿A quién corresponde regular las especialidades correspondientes de la forma de provisión de puestos reservados a funcionarios de administración local con habilitación de carácter nacional?**

2. **¿A qué Ministerio corresponde la aprobación de la oferta de empleo público, selección, formación y habilitación de los funcionarios de administración local con habilitación de carácter nacional?**

3. **Para acceder a la Subescala de Secretaría, ¿qué titulación se requiere?**

2.5.2. Escala de Administración General de las Entidades Locales

Corresponde a los funcionarios de esta Escala el desempeño de las funciones comunes al ejercicio de la actividad administrativa. Por ello, los puestos de trabajo predominantemente burocráticos habrán de ser desempeñados por funcionarios Técnicos, de Gestión, Administrativos o Auxiliares de Administración General (art. 169.1 TR/86, modificado por la Ley 53/2002, de 30 de diciembre, de Medidas Fiscales, Administrativas y del Orden Social).

La Administración del Estado fijará los criterios de población, clasificación de la Secretaría respectiva y demás que sirvan para la determinación de las Corporaciones en que puedan existir puestos de trabajo a desempeñar por funcionarios de cada una de las Subescalas de la Escala de Administración General.

En particular, pertenecerán a la Subescala Técnica de Administración General los funcionarios que realicen tareas de gestión, estudio y propuesta de carácter administrativo de nivel superior.

A la Subescala de Gestión de Administración General los funcionarios que realicen tareas de apoyo a las funciones de nivel superior.

A la Subescala Administrativa de Administración General, los funcionarios que realicen tareas administrativas, normalmente de trámite y colaboración.

A la Subescala Auxiliar de Administración General, los funcionarios que realicen tareas de mecanografía, taquigrafía, despacho de correspondencia, cálculo sencillo, manejo de máquinas, archivo de documentos y otros similares.

Y a la Subescala Subalterna de Administración General, los funcionarios que realicen tareas de vigilancia y custodia interior de oficinas, así como misiones de Conserje, Ujier, Portero u otras análogas en edificios y servicios de la Corporación. Estos puestos de trabajo podrán ser desempeñados por funcionarios de Servicios Especiales que, por edad u otras razones, tengan disminuida su capacidad para misiones de particular esfuerzo o penosidad, pero que conserven la requerida para las tareas de Subalterno (art. 169.1 TR/86).

En cuanto a su selección, se rige por el citado RD 896/91, aplicable a todos los funcionarios de la Administración Local, estableciéndose como sistema general de ingreso la oposición, y, cuando la naturaleza de las plazas o de las funciones a desempeñar lo aconseje, el de concurso-oposición o el de concurso.

En cualquier caso, se precisará estar en posesión del título de Licenciado en Derecho, en Ciencias Políticas, Económicas o Empresariales, Intendente Mercantil o Actuario, para ingresar en la Subescala Técnica; el de Bachiller, Formación Profesional de Segundo Grado, o equivalente, para la Subescala Administrativa; el de Graduado Escolar, Formación Profesional de Primer Grado o equivalente, para la Subescala Auxiliar, y el Certificado de Escolaridad, para la Subescala Subalterna (art. 169.2 TR/86).

Y podrá reservarse para promoción interna el 100 por 100 de las plazas convocadas, según lo antes señalado tras la promulgación de la Ley 23/1988, exigiéndose para poder participar en esta promoción una antigüedad de dos años de servicios en la Subescala de procedencia (Subgrupo inferior o Grupo de clasificación profesional, cuando se adecuen las Escalas y Subescalas al nuevo sistema del TR-LEBEP), conforme al art. 18 TR-LEBEP.

2.5.3. Escala de Administración Especial de las Entidades Locales

Forman parte de esta Escala los funcionarios que, sin desempeñar misiones de las definidas como propias de las Subescalas de Administración General, desempeñen al servicio de una Entidad Local «las funciones que constituyen el objeto peculiar de una carrera, profesión, arte u oficio» (art. 170.1 TR/86).

Esta Escala se divide en las Subescalas siguientes:

a) Técnica, a la que pertenecen los funcionarios que desarrollen tareas que son objeto de una carrera para cuyo ejercicio exigen las leyes estar en posesión de determinados títulos académicos o profesionales. En atención al carácter y nivel del título exigido, dichos funcionarios se dividen en Técnicos Superiores, Medios y Auxiliares, y, a su vez, cada clase podrá comprender distintas ramas y especialidades. Por lo demás, el ingreso en esta Subescala, como en las restantes Subescalas, se rige por las normas antes citadas, requiriéndose estar en posesión del título académico o profesional correspondiente a la clase o especialidad de que se trate.

b) De Servicios Especiales, a la que pertenecen los funcionarios que desarrollen tareas que requieran una aptitud específica, y para cuyo ejercicio no se exija, con carácter general, la posesión de títulos académicos o profesionales determinados.

Se comprenderán en esta Subescala, y sin perjuicio de las peculiaridades de cada Corporación, las siguientes clases:

1. Policía Local y sus Auxiliares, que ejercerá sus funciones de acuerdo con lo previsto en la Ley Orgánica 2/1986, de 13 de marzo, de Fuerzas y Cuerpos de Seguridad (LOFCS, en adelante) (art. 173, en relación con el art. 172 TR/86), disponiendo la Disposición Transitoria Cuarta TR/86, con carácter general, que, en tanto se aprueban las normas estatutarias de los Cuerpos de Policía Local, de acuerdo con lo dispuesto en la LRL y en la citada LOFCS (lo que se ha venido haciendo a través de diversas leyes de las Comunidades Autónomas, de Coordinación de las Policías Locales, a las que habrá que estar, por lo tanto, donde existan), serán de aplicación las siguientes normas:

   - La Policía Local solo existirá en los Municipios con población superior a 5.000 habitantes, salvo que el Ministerio de Hacienda y Función Pública, autorice su creación en los de censo inferior. Donde no existan, su misión se llevará a cabo por los Auxiliares de la Policía Local, que comprende el personal que desempeñe funciones de custodia y vigilancia de bienes, servicios e instalaciones, con la denominación de Guardas, Vigilantes, Agentes, Alguaciles o análogas.
   - Dentro de cada Municipio, la Policía se integrará en un Cuerpo único, aunque puedan existir especialidades de acuerdo con las necesidades. Bajo la superior autoridad y dependencia directa del Alcalde, el mando inmediato de la Policía Local corresponderá en cada Entidad al Jefe del Cuerpo.
   - Orgánicamente, la Policía Local estará integrada por una Escala Técnica o de Mando y otra Ejecutiva. En las Escala Técnica podrán existir los empleos de Inspector, Subinspector y Oficial, pero los dos primeros solo podrán crearse en los Municipios de más de 100.000 habitantes; en la Ejecutiva, los de Suboficial, Sargento, Cabo y Guardia.
   - El ingreso como Guardia de la Policía Local se hará por oposición, exigiéndose no exceder una determinada edad y acreditar las condiciones físicas que se determinen.
   - Los miembros de los Cuerpos de Policía Local, en el ejercicio de sus funciones, tendrán a todos los efectos legales el carácter de Agentes de la Autoridad.

En relación con la Policía Local, la Disposición Adicional Décima de la LRL establece que, "En el marco de lo dispuesto en las Leyes Orgánicas 6/1985, de 1 de julio, del Poder Judicial; 2/1986, de 13 de marzo, de Fuerzas y Cuerpos de Seguridad; 1/1992, de 21 de febrero, sobre Protección de las Seguridad Ciuda-

dana (derogada, con efectos de 1 de julio de 2015, por la Ley Orgánica 4/2015, de 30 de marzo, de protección de la seguridad ciudadana), y en las disposiciones legales reguladoras del régimen local, se potenciará la participación de los Cuerpos de Policía Local en el mantenimiento de la seguridad ciudadana, como policía de proximidad, así como en el ejercicio de las funciones de policía judicial, a cuyos efectos, por el Gobierno de la Nación, se promoverán las actuaciones necesarias para la elaboración de una norma que defina y concrete el ámbito material de dicha participación". De aquí que el art. 53,3.º LOFCS, establezca que en los Municipios de gran población puedan crearse, por el Pleno de la Corporación, Cuerpos de funcionarios (que se regirán por las normas del TR-LEBEP y las demás normas que se dicten en su desarrollo y aplicación) para el ejercicio exclusivo de las funciones previstas en la letra b) del apartado 1 de este art. 53 ("ordenar, señalizar y dirigir el tráfico en el casco urbano, de acuerdo con lo establecido en las normas de circulación), cuyos funcionarios no se integrarán en las Fuerzas y Cuerpos de Seguridad, pero que, en el ejercicio de estas funciones, tendrán la consideración de agentes de la autoridad, subordinados a los miembros de los respectivos Cuerpos de Policía Local.

2. Servicio de Extinción de Incendios, cuyo régimen, en tanto se aprueba el Estatuto específico de los Cuerpos de Bomberos, se acomodará a las siguientes reglas (Disposición Transitoria Quinta TR/86):
   - Cuando los puestos de trabajo correspondientes a dicho Servicio hayan de ser desempeñados por funcionarios a los que se exija estar en posesión de título superior universitario o de enseñanza media, podrán integrarse en la Subescala de Técnicos de Administración Especial.
   - Dentro del Personal del Servicio de Extinción de Incendios existirán las siguientes categorías: Oficiales, Suboficiales, Sargentos, Cabos y Bomberos.
3. Plazas de Cometidos Especiales, en las que se comprenderá al personal de las Bandas de Música y los restantes funcionarios que realicen tareas de carácter predominantemente no manual, no comprendidas en la Subescala Técnica de Administración Especial, en las diversas ramas o sectores de actuación de las Entidades Locales, subdividiéndolas en categorías, según el nivel de titulación exigido (art. 174 TR/86).
4. Personal de Oficios, que integrará a los funcionarios que realicen tareas de carácter predominantemente manual, en los diversos sectores de actuación de las Corporaciones Locales, referidas a un determinado arte, oficio o industria. Se clasificarán, dentro de cada oficio, industria o arte, en Encargado, Maestro, Oficial, Ayudante y Operario, según el grado de responsabilidad o de especialización, y siendo necesario, en todo caso, poseer la titulación exigida para el ingreso, conforme a lo dispuesto por la legislación básica de la Función Pública.

Para concluir este apartado, indiquemos que, según la Disposición Adicional Tercera del RD 896/91, la selección de los funcionarios de los Cuerpos de Policía Local y de Bomberos se regirá por lo establecido en este Real Decreto en cuanto no se oponga a sus normas específicas.

3. Personal eventual

Como se expuso, es el que, en virtud de nombramiento y con carácter no permanente, solo realiza funciones expresamente calificadas como de confianza o asesoramiento especial, siendo retribuido con cargo a los créditos presupuestarios consignados para este fin (art. 12.1 TR-LEBEP).

Respecto al mismo, el art. 104 LRL dispone que el número, características y retribuciones del Personal Eventual será determinado por el Pleno de cada Corporación, al comienzo de su mandato, sin que puedan modificarse estas determinaciones salvo con motivo de la aprobación del Presupuesto anual. En los Municipios de gran población esta competencia, como vimos, se ha atribuido a la Junta de Gobierno Local por el art. 127.1,h), LRL, pero debe entenderse que la ejerce dentro de lo previamente acordado por el Pleno de la Corporación con motivo de la aprobación del Presupuesto anual, en el que se incorpora la plantilla de todo el personal.

Su nombramiento y cese es libre y corresponde al Alcalde o al Presidente de la Entidad Local correspondiente, cesando automáticamente en todo caso cuando se produzca el cese o expire el mandato de la Autoridad a la que preste su función de confianza o asesoramiento. En los Municipios de gran población esta atribución se atribuye, por exclusión, a la Junta de Gobierno Local, en virtud de la cláusula residual contenida en el último inciso del párrafo primero de la letra h), del art. 127.1 LRL, al atribuirle a dicha Junta "las demás decisiones en materia de personal que no estén expresamente atribuidas a otro órgano" (ni en las atribuciones del Alcalde ni en las del Pleno se recoge esta competencia).

Su nombramiento, el régimen de sus retribuciones y su dedicación se publicarán en el Boletín Oficial de la Provincia y, en su caso, en el propio de la Corporación.

En este contexto, el art. 104 bis LRL, sobre este personal eventual, prescribe que:

1. Las dotaciones de puestos de trabajo cuya cobertura corresponda a personal eventual en los Ayuntamientos deberán ajustarse a los siguientes límites y normas:

    a) Los Municipios de población entre 2.000 a 5.000 habitantes podrán excepcionalmente contar con un puesto de trabajo cuya cobertura corresponda a personal eventual cuando no haya miembros de la corporación local con dedicación exclusiva.

    b) Los Ayuntamientos de Municipios con población superior a 5.000 y no superior a 10.000 habitantes podrán incluir en sus plantillas puestos de trabajo de personal eventual por un número que no podrá exceder de uno.

    c) Los Ayuntamientos de Municipios con población superior a 10.000 y no superior a 20.000 habitantes podrán incluir en sus plantillas puestos de trabajo de personal eventual por un número que no podrá exceder de dos.

    d) Los Ayuntamientos de Municipios con población superior a 20.000 y no superior a 50.000 habitantes podrán incluir en sus plantillas puestos de trabajo de personal eventual por un número que no podrá exceder de siete.

e) Los Ayuntamientos de Municipios con población superior a 50.000 y no superior a 75.000 habitantes podrán incluir en sus plantillas puestos de trabajo de personal eventual por un número que no podrá exceder de la mitad de concejales de la Corporación local.

f) Los Ayuntamientos de Municipios con población superior a 75.000 y no superior a 500.000 habitantes podrán incluir en sus plantillas puestos de trabajo de personal eventual por un número que no podrá exceder del número de concejales de la Corporación local.

g) Los Ayuntamientos de Municipios con población superior a 500.000 habitantes podrán incluir en sus plantillas puestos de trabajo de personal eventual por un número que no podrá exceder al 0,7 % del número total de puestos de trabajo de la plantilla de las respectivas Entidades Locales, considerando, a estos efectos, los entes que tengan la consideración de Administración pública en el marco del Sistema Europeo de Cuentas.

2. El número de puestos de trabajo cuya cobertura corresponda a personal eventual en las Diputaciones provinciales será el mismo que el del tramo correspondiente a la Corporación del Municipio más poblado de su Provincia. En el caso de los Consejos y Cabildos insulares, no podrá exceder de lo que resulte de aplicar el siguiente criterio: en las islas con más de 800.000 habitantes, se reduce en 2 respecto al número actual de miembros de cabildo, y, en las de menos de 800.000 habitantes, el 60 % de los cargos electos en cada Cabildo o Consejo Insular.

3. El resto de Entidades Locales o de sus organismos dependientes no podrán incluir en sus respectivas plantillas, puestos de trabajo cuya cobertura corresponda a personal eventual.

4. El personal eventual al que se refieren los apartados anteriores tendrá que asignarse siempre a los servicios generales de las Entidades Locales en cuya plantilla aparezca consignado. Solo excepcionalmente podrán asignarse, con carácter funcional, a otros de los servicios o departamentos de la estructura propia de la Entidad Local, si así lo reflejare expresamente su reglamento orgánico.

5. Las Corporaciones locales publicarán semestralmente en su sede electrónica y en el Boletín Oficial de la Provincia o, en su caso, de la Comunidad Autónoma uniprovincial el número de los puestos de trabajo reservados a personal eventual.

6. El Presidente de la Entidad Local informará al Pleno con carácter trimestral del cumplimiento de lo previsto en este artículo.

Finalmente, el art. 176 TR/86 dispone que los puestos de trabajo reservados a este tipo de personal deban figurar en la Plantilla de personal de la Corporación. Podrán ser desempeñados por Personal Eventual determinados puestos de trabajo de carácter directivo, incluidos en la Relación de Puestos de Trabajo de la Corporación. En estos supuestos, el Personal Eventual deberá reunir las condiciones específicas que se exijan a los funcionarios que puedan desempeñar dichos puestos. Finalmente, en ningún caso el desempeño de un puesto de trabajo reservado a Personal Eventual constituirá mérito para el acceso a la Función Pública o a la promoción interna.

4. El personal directivo profesional

El art. 13 TR-LEBEP introdujo como novedad dentro del personal al servicio de las Administraciones Públicas al que denomina como "personal directivo profesional", prescribiéndose que el Gobierno y los Órganos de Gobierno de las Comunidades Autónomas podrán establecer, en desarrollo de este Estatuto, el régimen jurídico específico del personal directivo así como los criterios para determinar su condición, de acuerdo, entre otros, con los siguientes principios:

1. Es personal directivo el que desarrolla funciones directivas profesionales en las Administraciones Públicas, definidas como tales en las normas específicas de cada Administración.
2. Su designación atenderá a principios de mérito y capacidad y a criterios de idoneidad, y se llevará a cabo mediante procedimientos que garanticen la publicidad y concurrencia.
3. El personal directivo estará sujeto a evaluación con arreglo a los criterios de eficacia y eficiencia, responsabilidad por su gestión y control de resultados en relación con los objetivos que les hayan sido fijados.
4. La determinación de las condiciones de empleo del personal directivo no tendrá la consideración de materia objeto de negociación colectiva a los efectos de esta ley. Cuando el personal directivo reúna la condición de personal laboral estará sometido a la relación laboral de carácter especial de alta dirección.

Una figura similar a estos órganos directivos es la establecida para los Ayuntamientos de Municipios de gran población en el art. 130 LRL, que confiere el carácter de órganos directivos a los coordinadores generales de cada área o concejalía, a los directores generales u órganos similares que culminen la organización administrativa dentro de cada una de las grandes áreas o concejalías, al titular del órgano de apoyo a la Junta de Gobierno Local y al concejal-secretario de la misma, al titular de la asesoría jurídica, al Secretario general del Pleno, al interventor general municipal, al titular del órgano de gestión tributaria en su caso y a los titulares de los máximos órganos de dirección de los organismos autónomos y de las entidades públicas empresariales locales, de conformidad con lo establecido en el artículo 85 bis, párrafo b).

En cuanto al nombramiento de los coordinadores generales y de los directores generales, atendiendo a criterios de competencia profesional y experiencia, deberá efectuarse entre funcionarios de carrera del Estado, de las Comunidades Autónomas, de las Entidades Locales o con habilitación de carácter nacional que pertenezcan a cuerpos o escalas clasificados en el subgrupo A1, salvo que el Reglamento Orgánico Municipal permita que, en atención a las características específicas de las funciones de tales órganos directivos, su titular no reúna dicha condición de funcionario.

Los órganos directivos, por lo demás, quedan sometidos al régimen de incompatibilidades establecido en la Ley 53/1984, de 26 de diciembre, de Incompatibilidades del personal al servicio de las Administraciones públicas, y en otras normas estatales o autonómicas que resulten de aplicación.

Como puede observarse la LRL, al prever estos órganos directivos en algunos Municipios, se decanta, con carácter general, por los funcionarios, incluyendo dentro de los órganos directivos a los funcionarios con habilitación de carácter nacional. El TR-LEBEP, por su parte, va más lejos, dejando a las leyes de Función Pública del Estado y de las Comunidades Autónomas la determinación de su régimen jurídico.

5. Situaciones administrativas

5.1. Introducción

A tenor del art. 85 TR-LEBEP, los funcionarios de carrera se hallarán en alguna de las siguientes situaciones:

a) Servicio activo.

b) Servicios especiales.

c) Servicio en otras Administraciones Públicas.

d) Excedencia.

e) Suspensión de funciones.

Las leyes de Función Pública que se dicten en desarrollo de este Estatuto podrán regular otras situaciones administrativas de los funcionarios de carrera, en los supuestos, en las condiciones y con los efectos que en las mismas se determinen, cuando concurra, entre otras, alguna de las circunstancias siguientes:

a) Cuando por razones organizativas, de reestructuración interna o exceso de personal, resulte una imposibilidad transitoria de asignar un puesto de trabajo o la conveniencia de incentivar la cesación en el servicio activo.

b) Cuando los funcionarios accedan, bien por promoción interna o por otros sistemas de acceso, a otros cuerpos o escalas y no les corresponda quedar en alguna de las situaciones previstas en este Estatuto, y cuando pasen a prestar servicios en organismos o entidades del sector público en régimen distinto al de funcionario de carrera.

Dicha regulación, según la situación administrativa de que se trate, podrá conllevar garantías de índole retributiva o imponer derechos u obligaciones en relación con el reingreso al servicio activo.

Recuerda que...

Los funcionarios de carrera se pueden encontrar en alguna de las siguientes situaciones administrativas: servicio activo; servicios especiales; servicio en otras Administraciones Públicas; excedencia o suspensión de funciones.

5.2. Servicio activo

Con arreglo al art. 86 TR-LEBEP, se hallarán en situación de servicio activo quienes, conforme a la normativa de función pública dictada en desarrollo del presente Estatuto, presten servicios en su condición de funcionarios públicos cualquiera que sea la Administración u Organismo Público o entidad en el que se encuentren destinados y no les corresponda quedar en otra situación.

Los funcionarios de carrera en situación de servicio activo gozan de todos los derechos inherentes a su condición de funcionarios y quedan sujetos a los deberes y responsabilidades derivados de la misma. Se regirán por las normas de este Estatuto y por la normativa de función pública de la Administración Pública en que presten servicios.

5.3. Servicios especiales

Los funcionarios de carrera serán declarados en situación de servicios especiales (art. 87 TR-LEBEP):

a) Cuando sean designados miembros del Gobierno o de los órganos de gobierno de las Comunidades Autónomas y Ciudades de Ceuta y Melilla, miembros de las Instituciones de la Unión Europea o de las Organizaciones Internacionales, o sean nombrados altos cargos de las citadas Administraciones Públicas o Instituciones.

b) Cuando sean autorizados para realizar una misión por periodo determinado superior a seis meses en Organismos Internacionales, Gobiernos o Entidades Públicas extranjeras o en programas de cooperación internacional.

c) Cuando sean nombrados para desempeñar puestos o cargos en Organismos Públicos o entidades, dependientes o vinculados a las Administraciones Públicas que, de conformidad con lo que establezca la respectiva Administración Pública, estén asimilados en su rango administrativo a altos cargos.

d) Cuando sean adscritos a los servicios del Tribunal Constitucional o del Defensor del Pueblo o destinados al Tribunal de Cuentas en los términos previstos en el artículo 93.3 de la ley 7/1988, de 5 de abril, de Funcionamiento del tribunal de Cuentas.

e) Cuando accedan a la condición de Diputado o Senador de las Cortes Generales o miembros de las Asambleas Legislativas de las Comunidades Autónomas si perciben retribuciones periódicas por la realización de la función. Aquellos que pierdan dicha condición por disolución de las correspondientes Cámaras o terminación del mandato de las mismas podrán permanecer en la situación de servicios especiales hasta su nueva constitución.

f) Cuando se desempeñen cargos electivos retribuidos y de dedicación exclusiva en las Asambleas de las Ciudades de Ceuta y Melilla y en las Entidades Locales, cuando se desempeñen responsabilidades de órganos superiores y directivos municipales y cuando se desempeñen responsabilidades de miembros de los órganos locales para el conocimiento y la resolución de las reclamaciones económico-administrativas.

g) Cuando sean designados para formar parte del Consejo General del Poder Judicial o de los Consejos de Justicia de las Comunidades Autónomas.

h) Cuando sean elegidos o designados para formar parte de los Órganos Constitucionales o de los Órganos Estatutarios de las Comunidades Autónomas u otros cuya elección corresponda al Congreso de los Diputados, al Senado o a las Asambleas Legislativas de las Comunidades Autónomas.

i) Cuando sean designados como personal eventual por ocupar puestos de trabajo con funciones expresamente calificadas como de confianza o asesoramiento político y no opten por permanecer en la situación de servicio activo.

j) Cuando adquieran la condición de funcionarios al servicio de organizaciones internacionales.

k) Cuando sean designados asesores de los grupos parlamentarios de las Cortes Generales o de las Asambleas Legislativas de las Comunidades Autónomas.

l) Cuando sean activados como reservistas voluntarios para prestar servicios en las Fuerzas Armadas.

Quienes se encuentren en situación de servicios especiales percibirán las retribuciones del puesto o cargo que desempeñen y no las que les correspondan como funcionarios de carrera, sin perjuicio del derecho a percibir los trienios que tengan reconocidos en cada momento. El tiempo que permanezcan en tal situación se les computará a efectos de ascensos, reconocimiento de trienios, promoción interna y derechos en el régimen de Seguridad Social que les sea de aplicación. No será de aplicación a los funcionarios públicos que, habiendo ingresado al servicio de las instituciones Comunitarias Europeas, o al de Entidades y Organismos asimilados, ejerciten el derecho de transferencia establecido en el estatuto de los Funcionarios de las Comunidades Europeas.

Quienes se encuentren en situación de servicios especiales tendrán derecho, al menos, a reingresar al servicio activo en la misma localidad, en las condiciones y con las retribuciones correspondientes a la categoría, nivel o escalón de la carrera consolidados, de acuerdo con el sistema de carrera administrativa vigente en la Administración Pública a la que pertenezcan. Tendrán, asimismo, los derechos que cada Administración Pública pueda establecer en función del cargo que haya originado el pase a la mencionada situación. En este sentido, las Administraciones Públicas velarán para que no haya menoscabo en el derecho a la carrera profesional de los funcionarios públicos que hayan sido nombrados altos cargos, miembros del Poder Judicial o de otros órganos constitucionales o estatutarios o que hayan sido elegidos Alcaldes, retribuidos y con dedicación exclusiva, Presidentes de Diputaciones o de Cabildos o Consejos Insulares, Diputados o Senadores de las Cortes Generales y miembros de las Asambleas Legislativas de las Comunidades Autónomas. Como mínimo, estos funcionarios recibirán el mismo tratamiento en la consolidación del grado y conjunto de complementos que el que se establezca para quienes hayan sido Directores Generales y otros cargos superiores de la correspondiente Administración Pública.

La declaración de esta situación procederá en todo caso, en los supuestos que se determinen en el presente Estatuto y en las leyes de Función Pública que se dicten en desarrollo del mismo.

5.4. Servicio en otras Administraciones Públicas

Según el art. 88 TR-LEBEP, los funcionarios de carrera que, en virtud de los procesos de transferencias o por los procedimientos de provisión de puestos de trabajo, obtengan destino en una Administración Pública distinta, serán declarados en la situación de servicio en otras Administraciones Públicas. Se mantendrán en esa situación en el caso de que por disposición legal de la Administración a la que acceden se integren como personal propio de esta.

Los funcionarios transferidos a las Comunidades Autónomas se integran plenamente en la organización de la Función Pública de las mismas, hallándose en la situación de servicio activo en la Función Pública de la Comunidad Autónoma en la que se integran.

Las Comunidades Autónomas al proceder a esta integración de los funcionarios transferidos como funcionarios propios, respetarán el Grupo o Subgrupo del cuerpo o escala de procedencia, así como los derechos económicos inherentes a la posición en la carrera que tuviesen reconocido.

Los funcionarios transferidos mantienen todos sus derechos en la Administración Pública de origen como si se hallaran en servicio activo de acuerdo con lo establecido en los respectivos Estatutos de Autonomía.

Se reconoce la igualdad entre todos los funcionarios propios de las Comunidades Autónomas con independencia de su Administración de procedencia.

Los funcionarios de carrera en la situación de servicio en otras Administraciones Públicas que se encuentren en dicha situación por haber obtenido un puesto de trabajo mediante los sistemas de provisión previstos en este Estatuto, se rigen por la legislación de la Administración en la que estén destinados de forma efectiva y conservan su condición de funcionario de la Administración de origen y el derecho a participar en las convocatorias para la provisión de puestos de trabajo que se efectúen por esta última. El tiempo de servicio en la Administración Pública en la que estén destinados se les computará como de servicio activo en su cuerpo o escala de origen.

Los funcionarios que reingresen al servicio activo en la Administración de origen, procedentes de la situación de servicio en otras Administraciones Públicas, obtendrán el reconocimiento profesional de los progresos alcanzados en el sistema de carrera profesional y sus efectos sobre la posición retributiva conforme al procedimiento previsto en los Convenios de Conferencia Sectorial y demás instrumentos de colaboración que establecen medidas de movilidad interadministrativa, previstos en el artículo 84 del presente Estatuto. En defecto de tales Convenios o instrumentos de colaboración, el reconocimiento se realizará por la Administración Pública en la que se produzca el reingreso.

5.5. Excedencia

Dispone el artículo 89 TR-LEBEP, que la excedencia de los funcionarios de carrera podrá adoptar las siguientes modalidades:

a) Excedencia voluntaria por interés particular.

b) Excedencia voluntaria por agrupación familiar.

c) Excedencia por cuidado de familiares.

d) Excedencia por razón de violencia de género o de violencia sexual.

e) Excedencia por razón de violencia terrorista.

Los funcionarios de carrera podrán obtener la excedencia voluntaria por interés particular cuando hayan prestado servicios efectivos en cualquiera de las Administraciones Públicas durante un periodo mínimo de cinco años inmediatamente anteriores.

No obstante, las leyes de Función Pública que se dicten en desarrollo del presente Estatuto podrán establecer una duración menor del periodo de prestación de servicios exigido para que el funcionario de carrera pueda solicitar la excedencia y se determinarán los periodos mínimos de permanencia en la misma.

La concesión de excedencia voluntaria por interés particular quedará subordinada a las necesidades del servicio debidamente motivadas. No podrá declararse cuando al funcionario público se le instruya expediente disciplinario.

Procederá declarar de oficio la excedencia voluntaria por interés particular cuando finalizada la causa que determinó el pase a una situación distinta a la de servicio activo, se incumpla la obligación de solicitar el reingreso al servicio activo en el plazo en que se determine reglamentariamente.

Quienes se encuentren en situación de excedencia por interés particular no devengarán retribuciones, ni les será computable el tiempo que permanezcan en tal situación a efectos de ascensos, trienios y derechos en el régimen de Seguridad Social que les sea de aplicación.

Podrá concederse la excedencia voluntaria por agrupación familiar sin el requisito de haber prestado servicios efectivos en cualquiera de las Administraciones Públicas durante el periodo establecido a los funcionarios cuyo cónyuge resida en otra localidad por haber obtenido y estar desempeñando un puesto de trabajo de carácter definitivo como funcionario de carrera o como laboral fijo en cualquiera de las Administraciones Públicas, organismos públicos y entidades de derecho público dependientes o vinculados a ellas, en los Órganos Constitucionales o del Poder Judicial y órganos similares de las comunidades autónomas, así como en la Unión Europea o en organizaciones internacionales.

Quienes se encuentren en situación de excedencia voluntaria por agrupación familiar no devengarán retribuciones, ni les será computable el tiempo que permanezcan en tal situación a efectos de ascensos, trienios y derechos en el régimen de Seguridad Social que les sea de aplicación.

Los funcionarios de carrera tendrán derecho a un período de excedencia de duración no superior a tres años para atender al cuidado de cada hijo, tanto cuando lo sea por naturaleza como por adopción, o de cada menor sujeto a guarda con fines de adopción o acogimiento permanente, a contar desde la fecha de nacimiento o, en su caso, de la resolución judicial o administrativa.

También tendrán derecho a un período de excedencia de duración no superior a tres años, para atender al cuidado de un familiar que se encuentre a su cargo, hasta el segundo grado inclusive de consanguinidad o afinidad que por razones de edad, accidente, enfermedad o discapacidad no pueda valerse por sí mismo y no desempeñe actividad retribuida.

El período de excedencia será único por cada sujeto causante. Cuando un nuevo sujeto causante diera origen a una nueva excedencia, el inicio del período de la misma pondrá fin al que se viniera disfrutando.

En el caso de que dos funcionarios generasen el derecho a disfrutarla por el mismo sujeto causante, la Administración podrá limitar su ejercicio simultáneo por razones justificadas relacionadas con el funcionamiento de los servicios.

El tiempo de permanencia en esta situación será computable a efectos de trienios, carrera y derechos en el régimen de Seguridad Social que sea de aplicación. El puesto de trabajo desempeñado se reservará, al menos, durante dos años. Transcurrido este periodo, dicha reserva lo será a un puesto en la misma localidad y de igual retribución.

Los funcionarios en esta situación podrán participar en los cursos de formación que convoque la Administración.

Las funcionarias víctimas de violencia de género o de violencia sexual, para hacer efectiva su protección o su derecho a la asistencia social integral, tendrán derecho a solicitar la situación de excedencia sin tener que haber prestado un tiempo mínimo de servicios previos y sin que sea exigible plazo de permanencia en la misma.

Durante los seis primeros meses tendrán derecho a la reserva del puesto de trabajo que desempeñarán, siendo computable dicho período a efectos de antigüedad, carrera y derechos del régimen de Seguridad Social que sea de aplicación.

Cuando las actuaciones judiciales lo exigieran se podrá prorrogar este periodo por tres meses, con un máximo de dieciocho, con idénticos efectos a los señalados anteriormente, a fin de garantizar la efectividad del derecho de protección de la víctima.

Durante los dos primeros meses de esta excedencia la funcionaria tendrá derecho a percibir las retribuciones íntegras y, en su caso, las prestaciones familiares por hijo a cargo.

Los funcionarios que hayan sufrido daños físicos o psíquicos como consecuencia de la actividad terrorista, así como los amenazados en los términos del artículo 5 de la Ley 29/2011, de 22 de septiembre, de Reconocimiento y Protección Integral a las Víctimas del Terrorismo, previo reconocimiento del Ministerio del Interior o de sentencia judicial firme, tendrán derecho a disfrutar de un periodo de excedencia en las mismas condiciones que las víctimas de violencia de género o de violencia sexual.

Dicha excedencia será autorizada y mantenida en el tiempo en tanto que resulte necesaria para la protección y asistencia social integral de la persona a la que se concede, ya sea por razón de las secuelas provocadas por la acción terrorista, ya sea por la amenaza a la que se encuentra sometida, en los términos previstos reglamentariamente.

5.6. Suspensión

A la misma se refiere el art. 90 TR-LEBEP, a cuyo tenor:

1. El funcionario declarado en la situación de suspensión quedará privado durante el tiempo de permanencia en la misma del ejercicio de sus funciones y de todos los derechos inherentes a la condición. La suspensión determinará la pérdida del puesto de trabajo cuando exceda de seis meses.

2. La suspensión firme se impondrá en virtud de sentencia dictada en causa criminal o en virtud de sanción disciplinaria. La suspensión firme por sanción disciplinaria no podrá exceder de seis años.

3. El funcionario declarado en la situación de suspensión de funciones no podrá prestar servicios en ninguna Administración Pública ni en los Organismos públicos, Agencias, o Entidades de derecho público dependientes o vinculadas a ellas durante el tiempo de cumplimiento de la pena o sanción.

4. Podrá acordarse la suspensión de funciones con carácter provisional con ocasión de la tramitación de un procedimiento judicial o expediente disciplinario, en los términos establecidos en este Estatuto.

5.7. Reingreso al servicio activo

Conforme al art. 91 TR-LEBEP, reglamentariamente se regularán los plazos, procedimientos y condiciones, según las situaciones administrativas de procedencia, para solicitar el reingreso al servicio activo de los funcionarios de carrera, con respeto al derecho a la reserva del puesto de trabajo en los casos en que proceda conforme al presente Estatuto.

5.8. Situaciones del personal laboral

Según el art. 92 TR-LEBEP, el personal laboral se regirá por el Estatuto de los Trabajadores y por los Convenios Colectivos que les sean de aplicación.

Los convenios colectivos podrán determinar la aplicación de este capítulo al personal incluido en su ámbito de aplicación en lo que resulte compatible con el Estatuto de los Trabajadores.

Sabías que...

Según el Boletín Estadístico del Personal al servicio de Las Administraciones Públicas, de enero de 2024 el número total de efectivos de las Administraciones Públicas a enero de 2024 era de 2.968.522, valor muy similar al de enero de 2023, con 2.966.987 efectivos. El sector público del Estado, así como el de Comunidades Autónomas, aumentan brevemente, mientras que en el caso de la Administración Local hay un ligero descenso del 4%.

6. Provisión de puestos de trabajo

El art. 101 LRL (redactado *ex novo* por la Ley 55/1999, de 29 de diciembre, de Medidas fiscales, administrativas y del orden social) establece, al respecto, que los puestos de trabajo vacantes que deban ser cubiertos por los Funcionarios sin Habilitación de carácter Nacional se proveerán en convocatoria pública por los procedimientos de concurso de méritos o de libre designación, de acuerdo con las normas que regulen estos procedimientos en todas las Administraciones Públicas.

En dichas convocatorias de provisión de puestos de trabajo, además de la participación de los funcionarios propios de la entidad convocante, podrán participar los funcionarios que pertenezcan a cualquiera de las Administraciones Públicas, quedando en este caso supeditada la participación a lo que al respecto establezcan las Relaciones de Puestos de Trabajo.

Al efecto, los arts. 78 a 84 TR-LEBEP tratan de la provisión de puestos de trabajo y movilidad, disponiendo el primero de ellos que las Administraciones Públicas proveerán los puestos de trabajo mediante procedimientos basados en los principios de igualdad, mérito, capacidad y publicidad.

La provisión de puestos de trabajo en cada Administración Pública se llevará a cabo por los procedimientos de concurso y de libre designación con convocatoria pública.

Las leyes de Función Pública que se dicten en desarrollo del presente Estatuto podrán establecer otros procedimientos de provisión en los supuestos de movilidad a que se refiere el artículo 81.2 (traslado de funcionarios por necesidades de servicio o funcionales), permutas entre puestos de trabajo, movilidad por motivos de salud o rehabilitación del funcionario, reingreso al servicio activo, cese o remoción en los puestos de trabajo y supresión de los mismos.

Actividad 3

Rellena los huecos con las palabras que faltan:

- La provisión de puestos de trabajo en cada Administración Pública se llevará a cabo por los procedimientos de ________. y de ________. con convocatoria pública ________.
- La reserva para discapacitados será como mínimo del ________ por ciento.

Sabías que...

El número de empleados públicos lleva creciendo de forma casi ininterrumpida desde hace dos años, lo que refleja un evidente **cambio de tendencia** que, incluso, se está acelerando. La EPA muestra que la ocupación en el sector público crece a un ritmo anual del 2,5%, ya muy cerca del 3% al que avanza el empleo en el sector privado.

7. El personal laboral: tipología y selección

7.1. Introducción

Tradicionalmente, la existencia de Personal Laboral contratado por las Entidades Locales se previó como de carácter temporal y excepcional, convirtiéndose, a lo largo del tiempo, en una realidad definitiva, consagrada ya por la legislación vigente.

En este contexto, por Orden de 15 de octubre de 1963, se aprobó la Instrucción Primera de la Ley 108/1963, de 20 de julio, que, ante la realidad de la existencia de la llamada «Plantilla Laboral» (que las Entidades Locales habían establecido a espaldas de los preceptos reglamentarios), vino a poner un poco de orden en tan singular situación, convalidando y regularizando esta situación anormal, sometiendo la aprobación de los cuadros laborales de trabajo a la Dirección General de Administración Local, convirtiéndose, una vez aprobados, en auténticas Plantillas Laborales, paralelas a las Plantillas de Funcionarios existentes en dichas Entidades Locales.

Actualmente, al margen de las menciones normativas a los contratos laborales temporales, está plenamente admitida la existencia de este Personal Laboral, viniendo consagrada en el TR-LEBEP, LRL (art. 89), TR/86, y demás normativa de desarrollo.

7.2. Características de su régimen jurídico

7.2.1. Regulación jurídica

Como se expuso, este personal se regula fundamentalmente por la legislación laboral común (art. 177.2 TR/86), contenida en el TR-LET y demás legislación complementaria, dentro de la que debe citarse la Ley 36/2011, de 10 de octubre, reguladora de la jurisdicción laboral, debiendo destacarse la importancia de su regulación a través de sus Convenios Colectivos, que se constituyen en una fuente del Derecho de carácter paccional, donde se plasma, en esencia, su régimen de derechos y obligaciones, de selección (dentro de los postulados legales, que veremos), retribuciones, etc.

Junto a esta legislación, hay que tener en cuenta también la regulación contenida en el TR-LEBEP, en cuyo artículo 7, tras la modificación introducida en el mismo por Real Decreto-ley 6/2019, de 1 de marzo, de medidas urgentes para garantía de la igualdad de trato y de oportunidades entre mujeres y hombres en el empleo y la ocupación, dispone que el personal laboral al servicio de las Administraciones Públicas se rige, además de por la legislación laboral y por las demás normas convencionalmente aplicables, por los preceptos de este Estatuto que así lo dispongan. No obstante, en materia de permisos de nacimiento, adopción, del progenitor diferente de la madre biológica y lactancia, el personal laboral al servicio de las Administraciones Públicas se regirá por lo previsto en el presente Estatuto, no siendo de aplicación a este personal, por tanto, las previsiones del texto refundido de la Ley del Estatuto de los Trabajadores sobre las suspensiones de los contratos de trabajo que, en su caso, corresponderían por los mismos supuestos de hecho.

7.2.2. Jurisdicción competente

Como consecuencia de esta regulación jurídica, la Jurisdicción competente en esta materia no es la Contencioso-Administrativa, sino la Ordinaria, en su especialidad Laboral, es decir (según la nueva organización prevista en la Ley Orgánica 6/1985, de 1 de julio, del Poder Judicial), los Juzgados de lo Social y las Salas de lo Social de los Tribunales Superiores de Justicia de las Comunidades Autónomas, de la Audiencia Nacional y del Tribunal Supremo.

7.2.3. Clases

Dentro de este personal, por razón de la fijeza de su vinculación a la Entidad de que se trate, podemos distinguir entre los contratados indefinidamente (Personal Laboral propiamente dicho) y los contratados temporalmente (art. 177.2 TR/86).

En cuanto a los segundos, al margen de las modalidades reconocidas en el TR-LET, las Entidades Locales pueden acudir a los mecanismos incentivados de contratación temporal, recogidos en la legislación de desarrollo del mismo.

7.2.4. Selección

Abstracción hecha del personal de carácter no permanente (contratados temporalmente), respecto del cual la normativa señalada fija los mecanismos a seguir, el personal contratado indefinidamente «se selecciona por la propia Corporación ateniéndose, en todo caso, a lo dispuesto en el art. 91 y con el máximo respeto al principio de igualdad de oportunidades de cuantos reúnan los requisitos exigidos» (art. 103 LRL).

En esta materia, rigen la normativa y principios examinados al tratar de los funcionarios, estableciendo la Disposición Adicional Segunda del RD 896/91 que el Presidente de la Corporación convocará los procesos selectivos para el acceso a las plazas vacantes que deban cubrirse con personal laboral fijo de nuevo ingreso.

La selección de este personal se hará por concurso, concurso-oposición u oposición libre, teniendo en cuenta las condiciones que requiera la naturaleza de los puestos de trabajo a desempeñar de conformidad con las bases aprobadas por el Presidente de la Corporación y respetando siempre los sistemas de promoción profesional, rigiéndose todo ello por sus reglamentaciones específicas o convenios colectivos en vigor.

En los supuestos de concurso o concurso-oposición se especificarán los méritos, su correspondiente valoración, así como los medios de acreditación de los mismos.

Recuerda que...

La selección del personal laboral en las Corporaciones Locales se hará por concurso, concurso-oposición u oposición libre.

7.2.5. Contratación y cese

La contratación de este personal corresponde al Alcalde o al Presidente de la Diputación Provincial (arts. 41.14,c y 61.12,c, ROFRJEL, respectivamente), a quien compete, también, la asignación del mismo a los distintos puestos de trabajo de carácter laboral previstos en las Relaciones de Puestos de Trabajo aprobadas por la Corporación, de acuerdo con la legislación laboral.

Asimismo, le compete a estos órganos premiar y sancionar a este personal, bien entendido que, en el caso de sanción de despido, debe darse cuenta al Pleno en la primera sesión que celebre del Decreto de despido expedido por el Alcalde o Presidente de la Diputación (arts. 21.1,h, y 34.1,h, LRL, modificados por la Ley 11/1999). En el caso de los Municipios de gran población, el despido del personal laboral se atribuye a la Junta de Gobierno Local (art. 127.1,h, LRL).

Solución a las actividades

Actividad 1.

- Falsa.
- Verdadera.

Actividad 2.

1. Al Gobierno, mediante Real Decreto
2. Al Ministerio para la Transformación Digital y de la Función Pública.
3. Licenciado en Derecho, Licenciado en Ciencias Políticas y de la Administración, y Licenciado en Sociología

Actividad 3.

- La provisión de puestos de trabajo en cada Administración Pública se llevará a cabo por los procedimientos de **concurso** y de **libre designación** con convocatoria **pública**.
- La reserva para discapacitados será como mínimo del **siete** por ciento.

TEMA 4

La Ley del Procedimiento Administrativo Común de las Administraciones Públicas. Los derechos de las personas en sus relaciones con las Administraciones Públicas. Derechos del interesado en el procedimiento administrativo. Normativa vigente en materia de igualdad de género

¿Conoces tu **curva del recuerdo**? Con Técnicas de Memoria 360 te explicamos cómo organizar los repasos.

Índice

1. La Ley del Procedimiento Administrativo Común de las Administraciones Públicas

1.1. Introducción

Como viene a señalar el Preámbulo de la **Ley 39/2015, de 1 de octubre, del Procedimiento Administrativo Común de las Administraciones Públicas (LPACAP, en adelante)**, el procedimiento administrativo puede considerarse como un instrumento preventivo en la protección de los derechos ciudadanos, al tratarse de la expresión clara de que la Administración Pública actúa con sometimiento pleno a la ley y al Derecho, como prescribe el art. 103 de nuestra vigente Constitución, de 27 de diciembre de 1978 (CE, en lo sucesivo), según el cual "la Administración Pública sirve con objetividad los intereses generales y actúa de acuerdo con los principios de eficacia, jerarquía, descentralización, desconcentración y coordinación, con sometimiento pleno a la ley y al Derecho".

En este contexto, ante la inseguridad jurídica generada en ocasiones por la existencia de procedimientos administrativos demasiados complejos, se ha abordado la reforma de la legislación existente, con el fin de "ordenar y clarificar cómo se organizan y relacionan las Administraciones tanto externamente, con los ciudadanos y empresas, como internamente con el resto de Administraciones e instituciones del Estado", articulándose "en dos ejes fundamentales: las relaciones *ad extra* y *ad intra* de las Administraciones Públicas", a través, respectivamente, de la LPACAP y de la Ley 40/2015, de 1 de octubre, de Régimen Jurídico del Sector Público (LRJSP, en otras citas).

La LPACAP, en este sentido, establece "una regulación completa y sistemática de las relaciones *ad extra* entre las Administraciones y los administrados, tanto en lo referente al ejercicio de la potestad de autotutela y en cuya virtud se dictan actos administrativos que inciden directamente en la esfera jurídica de los interesados, como en lo relativo al ejercicio de la potestad reglamentaria y la iniciativa legislativa" , quedando reunido en "un cuerpo legislativo único la regulación de las relaciones *ad extra* de las Administraciones con los ciudadanos como ley administrativa de referencia que se ha de complementar con todo lo previsto en la normativa presupuestaria respecto de las actuaciones de las Administraciones Públicas, destacando especialmente lo previsto en la Ley Orgánica 2/2012, de 27 de abril, de Estabilidad Presupuestaria y Sostenibilidad Financiera; la Ley 47/2003, de 26 de noviembre, General Presupuestaria, y la Ley de Presupuestos Generales del Estado".

La LPACAP parte de las previsiones del mencionado art. 103 CE, así como del art. 105 CE, cuyos apartados a) y b) señalan que la ley regulará "la audiencia de los ciudadanos, directamente o a través de las organizaciones y asociaciones reconocidas por la ley, en el procedimiento de elaboración de las disposiciones administrativas que le afecten" y "el procedimiento a través del cual deben producirse los actos administrativos, garantizando, cuando proceda, la audiencia del interesado", y regula (la LPACAP) "los derechos y garantías mínimas que corresponden a todos los ciudadanos respecto de la actividad administrativa, tanto en su vertiente del ejercicio de la potestad de autotutela, como de la potestad reglamentaria e iniciativa legislativa".

El procedimiento administrativo viene a conceptuarlo la LPACAP como "el conjunto ordenado de trámites y actuaciones formalmente realizadas, según el cauce legalmente previsto, para dictar un acto administrativo o expresar la voluntad de la Administración", y es común como consecuencia "de su aplicación a todas las Administraciones Públicas y respecto a todas sus actuaciones", sin agotar "las competencias estatales y autonómicas para establecer especialidades *ratione materiae* o para concretar ciertos extremos (por ejemplo, el órgano competente para resolver), de donde ser deriva que, como ha reconocido el Tribunal Constitucional, las Comunidades Autónomas puedan dictar "las normas de procedimiento necesarias para la aplicación de su Derecho sustantivo, siempre que se respeten las reglas que, por ser competencia exclusiva del Estado, integran el concepto de Procedimiento Administrativo Común con carácter básico".

Tras hacer la LPACAP una referencia a las principales normas que sobre procedimiento administrativo se han venido promulgando (Ley de Procedimiento Administrativo de 17 de julio de 1958; Ley 30/1992, de 26 de noviembre, de Régimen Jurídico de las Administraciones Públicas y del Procedimiento Administrativo Común –LRJAP y PAC, en otras llamadas–, y Ley 4/1999, de 13 de enero, de modificación de la anterior), sin olvidar la Ley 11/2007, de 22 de junio, de acceso electrónico de los ciudadanos a los Servicios Públicos, señala que "en el entorno actual, la tramitación electrónica no puede ser todavía una forma especial de gestión de los procedimientos sino que debe constituir la actuación habitual de las Administraciones". Por ello, la LPACAP clarifica e integra el contenido de la LRJAP y PAC y de la citada Ley 11/2007, de 22 de junio, y profundiza en la agilización de los procedimientos con un pleno funcionamiento electrónico, lo "revertirá en un mejor cumplimiento de los principios constitucionales de eficacia y seguridad jurídica que deben regir la actuación de las Administraciones Públicas".

Enfatiza este Preámbulo la necesidad de contar "con una nueva regulación que, terminando con la dispersión normativa existente, refuerce la participación ciudadana, la seguridad jurídica y la revisión del ordenamiento. Con estos objetivos, se establecen por primera vez en una ley las bases con arreglo a las cuales se ha de desenvolver la iniciativa legislativa y la potestad reglamentaria de las Administraciones Públicas con el objeto de asegurar su ejercicio de acuerdo con los principios de buena regulación, garantizar de modo adecuado la audiencia y participación de los ciudadanos en la elaboración de las normas y lograr la predictibilidad y evaluación pública del ordenamiento, como corolario imprescindible del derecho constitucional a la seguridad jurídica", lo que es crucial "en un Estado territorialmente descentralizado en el que coexisten tres niveles de Administración territorial que proyectan su actividad normativa sobre espacios subjetivos y geográficos en muchas ocasiones coincidentes".

El Preámbulo de la LPACAP, acto seguido, incide en las principales novedades que contiene, siguiendo el contenido de sus 133 artículos, distribuidos en un Título Preliminar y seis títulos numerados, nueve disposiciones adicionales, cinco disposiciones transitorias, una disposición derogatoria y siete disposiciones finales.

Sabías que...

Como señala el Preámbulo de la Ley 39/2015, influyeron en su creación dos estudios: el informe que fue elaborado por la Comisión para la Reforma de las Administraciones Públicas en junio de 2013 partía del convencimiento de que una economía competitiva exige unas Administraciones Públicas eficientes, transparentes y ágiles. Y en esta misma línea, el Programa nacional de reformas de España para 2014 recogía expresamente la aprobación de nuevas leyes administrativas como una de las medidas a impulsar para racionalizar la actuación de las instituciones y entidades del poder ejecutivo, mejorar la eficiencia en el uso de los recursos públicos y aumentar su productividad.

1.2. Consideraciones generales

1.2.1. Disposiciones generales

El Título Preliminar, sobre disposiciones generales, tras abordar el ámbito objetivo y subjetivo de aplicación, incluye como **innovación** en el objeto de la Ley, con carácter básico, los **principios que informan el ejercicio de la iniciativa legislativa y la potestad reglamentaria de las Administraciones**.

Asimismo, impone una **reserva de Ley para el establecimiento de trámites adicionales o distintos** de los contemplados en la misma, sin perjuicio de respetar los ya recogidos en leyes especiales vigentes. Al efecto el apartado 2 de la Disposición Adicional Primera de la LPACAP, señala las actuaciones y procedimientos que se regirán por su normativa específica y supletoriamente por la LPACAP (en materia tributaria, de Seguridad Social, entre otras).

1.2.2. Interesados en el procedimiento

El Título I, respecto a los interesados en el procedimiento, regula las especialidades de la **capacidad de obrar** en el ámbito del Derecho Administrativo, que extiende por primera vez a los grupos de afectados, las uniones y entidades sin personalidad jurídica y los patrimonios independientes o autónomos cuando la Ley así lo declare expresamente.

En materia de **representación**, "se incluyen **nuevos medios para acreditarla** en el ámbito exclusivo de las Administraciones Públicas, como son el **apoderamiento *apud acta*, presencial o electrónico, o la acreditación de su inscripción en el registro electrónico de apoderamientos de la Administración Pública u Organismo competente**. Igualmente, se dispone la obligación de cada Administración Pública de contar con un registro electrónico de apoderamientos, pudiendo las Administraciones territoriales adherirse al del Estado, en aplicación del principio de eficiencia, reconocido en el artículo 7 de la Ley Orgánica 2/2012, de 27 de abril, de Estabilidad Presupuestaria y Sostenibilidad Financiera".

"Por otro lado, este título dedica parte de su articulado a una de las novedades más importantes de la Ley: la **separación entre identificación y firma electrónica** y la simplificación de los medios para acreditar una u otra, de modo que, con carácter general, solo será necesaria la primera, y se exigirá la segunda cuando deba acreditarse la voluntad y consentimiento del interesado. Se establece, con carácter básico, un conjunto mínimo de categorías de medios de identificación y firma a utilizar por todas las Administraciones". En su Capítulo II, dedicado a la identificación y firma de los interesados en el procedimiento administrativo, se han introducido importantes reformas, como consecuencia de las medidas urgentes adoptadas por razones de seguridad pública en materia de administración digital, contratación del sector público y telecomunicaciones adoptadas por Real Decreto Ley 14/2019, de 31 de octubre.

Actividad 1

Indica si las siguientes cuestiones son verdaderas o falsas:

- **El apoderamiento *apud acta* puede ser presencial o electrónico.**

  Verdadera ☐ Falsa ☐

- **Cada Administración Pública ha de contar con un registro electrónico de apoderamientos, sin que puedan las Administraciones territoriales adherirse al del Estado.**

  Verdadera ☐ Falsa ☐

- **Solo se exigirá la firma electrónica cuando deba acreditarse la voluntad y consentimiento del interesado.**

  Verdadera ☐ Falsa ☐

1.2.3. Actividad de las Administraciones Públicas

El Título II, dividido en dos Capítulos, trata de las normas generales de actuación, señalando en el primero de ellos, como novedad, los **sujetos obligados a relacionarse electrónicamente con las Administraciones Públicas**, y obligando a **todas las Administraciones Públicas** a "contar con **un registro electrónico general, o**, en su caso, **adherirse al de la Administración General del Estado** (sobre lo que trata la Disposición Adicional Segunda de la ley, como se estudiará). Estos registros estarán asistidos a su vez por la actual red de oficinas en materia de registros, que pasarán a denominarse oficinas de asistencia en materia de registros (a las que se refiere la Disposición Adicional Cuarta de la ley), y que permitirán a los interesados, en el caso que así lo deseen, presentar sus solicitudes en papel, las cuales se convertirán a formato electrónico".

En materia de Archivos, como novedad, se obliga a cada Administración Pública a "mantener un **archivo electrónico único** (compatible con los diversos sistemas y redes de archivos, singularmente con el Archivo Histórico Nacional) de los documentos que correspondan a procedimientos finalizados, así como la obligación de que estos expedientes sean conservados en un formato que permita garantizar la autenticidad, integridad y conservación del documento".

Incide este Título sobre el **régimen de validez y eficacia de las copias**, sobre lo que se clarifica y simplifica el régimen actualmente vigente, y establece con carácter general la obligación de las Administraciones Públicas de no requerir documentos ya aportados por los interesados, elaborados por las Administraciones Públicas o documentos originales, salvo las excepciones contempladas en la ley, por lo que el interesado podrá presentar con carácter general copias de documentos, ya sean digitalizadas por el propio interesado o presentadas en soporte papel.

Por último, obliga a las Administraciones Públicas a "contar con un **registro** u otro sistema equivalente que permita dejar constancia de los **funcionarios habilitados para la realización de copias auténticas**, de forma que se garantice que las mismas han sido expedidas adecuadamente, y en el que, si así decide organizarlo cada Administración, podrán constar también conjuntamente los funcionarios dedicados a asistir a los interesados en el uso de medios electrónicos".

En el Capítulo II de este Título, dedicado a los **términos y plazos**, como principal novedad sobre el régimen vigente, se introduce (en el art. 30) el **cómputo de plazos por horas y** la **declaración de los sábados como días inhábiles**.

1.2.4. Actos administrativos

El Título III, mantiene en líneas generales el régimen de los actos administrativos, en cuanto a sus requisitos, eficacia, nulidad y anulabilidad, e introduce importantes novedades "en materia de **notificaciones electrónicas**, que serán **preferentes** y se realizarán en la sede electrónica o en la dirección electrónica habilitada única, según corresponda. Asimismo, se incrementa la seguridad jurídica de los interesados estableciendo nuevas medidas que garanticen el conocimiento de la puesta a disposición de las notificaciones como: el envío de avisos de notificación, siempre que esto sea posible, a los dispositivos electrónicos y/o a la dirección de correo electrónico que el interesado haya comunicado, así como el acceso a sus notificaciones a través del Punto de Acceso General Electrónico de la Administración que funcionará como un portal de entrada", sin que pueda olvidarse la notificación por medio de anuncio publicado en el Boletín Oficial del Estado, a que se refiere la Disposición Adicional Tercera de la ley, como se estudiará.

En esta materia, debe destacarse la previsión del **apartado 2 del art. 42 LPACAP**, que difiere favorablemente del antiguo párrafo segundo del apartado 2 del art. 59 de la LRJAP y PAC, en el sentido de que, **además de incorporar lo relativo a la edad de mayor de 14 años, señala cómo ha de efectuarse el segundo intento de notificación y el margen de diferencia entre una y otra notificación**, al prescribir que "en caso de que el primer intento de notificación se haya realizado antes de las quince horas, el segundo intento deberá realizarse después de las quince horas y viceversa, dejando en todo caso al menos un margen de diferencia de tres horas entre ambos intentos de notificación". De esta forma, salva la desafortunada interpretación dada por la Sala Tercera del Tribunal Supremo, en Sentencia de 28 de octubre de 2004 (BOE núm. 311, de 27 de diciembre de 2004), que fijó como doctrina legal "que, a efecto de dar cumplimiento al artículo 59.2 de la Ley 30/1992, de 26 de noviembre, reformada por la Ley 4/1999, de 13 de enero, la expresión en una hora distinta determina la validez de cualquier notificación que guarde una diferencia de al menos sesenta minutos a la hora en que se practicó el primer intento de notificación".

1.2.5. Disposiciones sobre el procedimiento administrativo común

El Título IV trata sobre las disposiciones sobre el **procedimiento administrativo común, integrando como especialidades** del mismo **los** anteriores **procedimientos especiales sobre potestad sancionadora y responsabilidad patrimonial de la Administración**, lo que a nuestro juicio genera una dispersión innecesaria y contraproducente dadas las materias a que se refiere, singularmente la sancionadora, que podían haberse incorporado a esta LPACAP como procedimientos especiales, singularmente considerados, al margen de los principios generales de los mismos (que se han recogido en los arts. 25 a 31, respecto a la potestad sancionadora, y 32 a 37, sobre la responsabilidad patrimonial, de la LRJSP).

En línea con los objetivos de la ley, se incorpora en este Título el **uso generalizado y obligatorio de medios electrónicos**, así como la regulación del **expediente administrativo** estableciendo su **formato electrónico** y los documentos que deben integrarlo.

Debe destacarse, como novedad, la **tramitación simplificada del procedimiento administrativo común**, a la que se refiere el art. 96 de la ley en el que se establece su ámbito objetivo de aplicación, el plazo máximo de resolución que será de treinta días y los trámites de que constará.

1.2.6. Revisión de actos en vía administrativa

El Título V se dedica a la revisión de los actos en vía administrativa, con una regulación similar a la de la LRJAP y PAC, introduciendo como novedades la **posibilidad de suspensión del plazo para resolver hasta que recaiga pronunciamiento judicial**, cuando una Administración deba resolver una **pluralidad de recursos administrativos que traigan causa de un mismo acto administrativo y se hubiera interpuesto un recurso judicial** contra una resolución administrativa o contra el correspondiente acto presunto desestimatorio.

Asimismo, la **supresión de las reclamaciones previas a la vía civil y laboral**.

Recuerda que...

La LPACAP suprime la obligatoriedad de reclamaciones previas a la vía civil y laboral.

1.2.7. Iniciativa legislativa y potestad normativa de las Administraciones Públicas

El Título VI, por último, trata de estas materias, recogiendo los principios a los que ha de ajustarse su ejercicio, pudiendo destacarse:

a) El incremento de la **participación de los ciudadanos en el procedimiento de elaboración de normas**, debiendo recabarse, "con carácter previo a la elaboración de la norma, la opinión de ciudadanos y empresas acerca de los problemas que se pretenden solucionar con la iniciativa, la necesidad y oportunidad de su aprobación, los objetivos de la norma y las posibles soluciones alternativas regulatorias y no regulatorias".

b) La **planificación normativa** *ex ante*, a cuyos efectos "todas las Administraciones divulgarán un **Plan Anual Normativo** en el que se recogerán todas las propuestas con rango de ley o de reglamento que vayan a ser elevadas para su aprobación el año siguiente".

c) La **evaluación** *ex post*, junto con el deber de revisar de forma continua la adaptación de la normativa a los principios de buena regulación, imponiéndose "la obligación de evaluar periódicamente la aplicación de las normas en vigor, con el objeto de comprobar si han cumplido los objetivos perseguidos y si el coste y cargas derivados de ellas estaba justificado y adecuadamente valorado".

1.3. Estructura

La LPACAP consta de 133 artículos, distribuidos en Título Preliminar, seis Títulos numerados, nueve Disposiciones Adicionales, cinco Disposiciones Transitorias, una Disposición Derogatoria y siete Disposiciones Finales.

En concreto, los Títulos están dedicados a la regulación de lo siguiente:

a) Título Preliminar: Disposiciones generales.

b) Título I: De los interesados en el procedimiento.

c) Título II: De la actividad de las Administraciones Públicas.

d) Título III: De los actos administrativos.

e) Título IV: De las disposiciones sobre el procedimiento administrativo común.

f) Título V: De la revisión de los actos en vía administrativa.

g) Título VI: De la iniciativa legislativa y de la potestad para dictar reglamentos y otras disposiciones.

Actividad 2

Indica si la siguiente cuestión es verdadera o falsa:

El Título III de la LPACAP trata los actos administrativos:

Verdadera ☐ Falsa ☐

1.4. Objeto y ámbito de aplicación

1.4.1. Objeto

Según su art. 1, la LPACAP, "tiene por objeto regular los requisitos de validez y eficacia de los actos administrativos, el procedimiento administrativo común a todas las Administraciones Públicas, incluyendo el sancionador y el de reclamación de responsabilidad de las Administraciones Públicas, así como los principios a los que se ha de ajustar el ejercicio de la iniciativa legislativa y la potestad reglamentaria.

Solo mediante ley, cuando resulte eficaz, proporcionado y necesario para la consecución de los fines propios del procedimiento, y de manera motivada, podrán incluirse trámites adicionales o distintos a los contemplados en esta ley. Reglamentariamente podrán establecerse especialidades del procedimiento referidas a los órganos competentes, plazos propios del concreto procedimiento por razón de la materia, formas de iniciación y terminación, publicación e informes a recabar".

1.4.2. Ámbito de aplicación

El art. 2 LPACAP se refiere al ámbito subjetivo de aplicación, prescribiendo que:

1. La presente ley se aplica al sector público, que comprende:

    a) La Administración General del Estado (sobre la que incide especialmente la Ley 40/2015, de 1 de octubre, de Régimen Jurídico del Sector Público –LRJSP, en otras citas–, de la que se trata en otros lugares de este Libro).

    b) Las Administraciones de las Comunidades Autónomas (debiendo estarse a lo dispuesto en sus respectivos Estatutos de Autonomía y su legislación de desarrollo).

    c) Las Entidades que integran la Administración Local (respecto de la cual ha de tenerse en cuenta, con carácter básico la Ley 7/1985, de 2 de abril, reguladora de las Bases del Régimen Local –LRL, en lo sucesivo–).

    d) El sector público institucional (del que trata la citada LRJSP).

2. El sector público institucional se integra por:

   a) Cualesquiera organismos públicos y entidades de derecho público vinculados o dependientes de las Administraciones Públicas.

   b) Las entidades de derecho privado vinculadas o dependientes de las Administraciones Públicas, que quedarán sujetas a lo dispuesto en las normas de esta ley que específicamente se refieran a las mismas, y en todo caso, cuando ejerzan potestades administrativas.

   c) Las Universidades públicas, que se regirán por su normativa específica y supletoriamente por las previsiones de esta ley (sobre lo que habrá que estar, con carácter general, a lo dispuesto por la Ley Orgánica 2/2023, de 22 de marzo, del Sistema Universitario).

3. Tienen la consideración de Administraciones Públicas la Administración General del Estado, las Administraciones de las Comunidades Autónomas, las Entidades que integran la Administración Local, así como los organismos públicos y entidades de derecho público previstos en la letra a) del apartado 2 anterior.

4. Las Corporaciones de Derecho Público se regirán por su normativa específica en el ejercicio de las funciones públicas que les hayan sido atribuidas por ley o delegadas por una Administración Pública, y supletoriamente por la presente ley.

1.5. Régimen transitorio, derogatorio y entrada en vigor

1.5.1. Régimen transitorio

Las cinco Disposiciones Transitorias de la LPACAP se refieren a:

a) El **archivo de documentos** (Disposición Transitoria Primera), disponiéndose que:

   1. El archivo de los documentos correspondientes a procedimientos administrativos ya iniciados antes de la entrada en vigor de la presente ley, se regirán por lo dispuesto en la normativa anterior.

2. Siempre que sea posible, los documentos en papel asociados a procedimientos administrativos finalizados antes de la entrada en vigor de esta ley, deberán digitalizarse de acuerdo con los requisitos establecidos en la normativa reguladora aplicable.

b) El **Registro electrónico y archivo electrónico único** (Disposición Transitoria Segunda), prescribiéndose que mientras no entren en vigor las previsiones relativas al registro electrónico y el archivo electrónico único, en el ámbito de la Administración General del Estado se aplicarán las siguientes reglas:

1. Durante el primer año, tras la entrada en vigor de la ley, podrán mantenerse los registros y archivos existentes en el momento de la entrada en vigor de esta ley.
2. Durante el segundo año, tras la entrada en vigor de la ley, se dispondrá como máximo, de un registro electrónico y un archivo electrónico por cada Ministerio, así como de un registro electrónico por cada Organismo público.

c) El **régimen transitorio de los procedimientos** (Disposición Transitoria Tercera), señalándose que:

1. A los procedimientos ya iniciados antes de la entrada en vigor de la ley no les será de aplicación la misma, rigiéndose por la normativa anterior.
2. Los procedimientos de revisión de oficio iniciados después de la entrada en vigor de la presente ley se sustanciarán por las normas establecidas en esta.
3. Los actos y resoluciones dictados con posterioridad a la entrada en vigor de esta ley se regirán, en cuanto al régimen de recursos, por las disposiciones de la misma.
4. Los actos y resoluciones pendientes de ejecución a la entrada en vigor de esta ley se regirán para su ejecución por la normativa vigente cuando se dictaron.
5. A falta de previsiones expresas establecidas en las correspondientes disposiciones legales y reglamentarias, las cuestiones de Derecho transitorio que se susciten en materia de procedimiento administrativo se resolverán de acuerdo con los principios establecidos en los apartados anteriores.

d) El **régimen transitorio de los archivos, registros y punto de acceso general** (Disposición Transitoria Cuarta), sobre lo que se establece que, mientras no entren en vigor las previsiones relativas al registro electrónico de apoderamientos, registro electrónico, punto de acceso general electrónico de la Administración y archivo único electrónico, las Administraciones Públicas mantendrán los mismos canales, medios o sistemas electrónicos vigentes relativos a dichas materias, que permitan garantizar el derecho de las personas a relacionarse electrónicamente con las Administraciones.

e) Los **procedimientos de responsabilidad patrimonial derivados de la declaración de inconstitucionalidad de una norma o su carácter contrario al Derecho de la Unión Europea** (Disposición Transitoria Quinta), disponiéndose que los procedimientos administrativos de responsabilidad patrimonial derivados de la declaración de inconstitucionalidad de una norma o su carácter contrario al Derecho de la Unión Europea iniciados con anterioridad a la entrada en vigor de esta ley, se resolverán de acuerdo con la normativa vigente en el momento de su iniciación.

1.5.2. Régimen derogatorio

Según la Disposición Derogatoria Única:

1. Quedan derogadas todas las normas de igual o inferior rango en lo que contradigan o se opongan a lo dispuesto en la presente ley.
2. Quedan derogadas expresamente las siguientes disposiciones:
   a) Ley 30/1992, de 26 de noviembre, de Régimen Jurídico de las Administraciones Públicas y del Procedimiento Administrativo Común.
   b) Ley 11/2007, de 22 de junio, de acceso electrónico de los ciudadanos a los Servicios Públicos.
   c) Los artículos 4 a 7 de la Ley 2/2011, de 4 de marzo, de Economía Sostenible.
   d) Real Decreto 429/1993, de 26 de marzo, por el que se aprueba el Reglamento de los procedimientos de las Administraciones Públicas en materia de responsabilidad patrimonial.
   e) Real Decreto 1398/1993, de 4 de agosto, por el que se aprueba el Reglamento del Procedimiento para el Ejercicio de la Potestad Sancionadora.
   f) Real Decreto 772/1999, de 7 de mayo, por el que se regula la presentación de solicitudes, escritos y comunicaciones ante la Administración General del Estado, la expedición de copias de documentos y devolución de originales y el régimen de las oficinas de registro.
   g) Los artículos 2.3, 10, 13, 14, 15, 16, 26, 27, 28, 29.1.a), 29.1.d), 31, 32, 33, 35, 36, 39, 48, 50, los apartados 1, 2 y 4 de la disposición adicional primera, la disposición adicional tercera, la disposición transitoria primera, la disposición transitoria segunda, la disposición transitoria tercera y la disposición transitoria cuarta del Real Decreto 1671/2009, de 6 de noviembre, (que ha sido derogado en su totalidad por Real Decreto 203/2021, de 30 de marzo, por el que se aprueba el Reglamento de actuación y funcionamiento del sector público por medios electrónicos, que está en vigor desde el 2 de abril de 2021).

   Hasta que, de acuerdo con lo dispuesto en la disposición final séptima, produzcan efectos las previsiones relativas al registro electrónico de apoderamientos, registro electrónico, punto de acceso general electrónico de la Administración y archivo único electrónico, se mantendrán en vigor los artículos de las normas previstas en las letras a), b) y g) relativos a las materias mencionadas.
3. Las referencias contenidas en normas vigentes a las disposiciones que se derogan expresamente deberán entenderse efectuadas a las disposiciones de esta ley que regulan la misma materia que aquellas.

1.5.3. Entrada en vigor

La Disposición Final Séptima, modificada por Ley 10/2021, de 9 de julio, de trabajo a distancia, prescribe que la LPACAP entrará en vigor al año de su publicación en el "Boletín Oficial del Estado", es decir, que entró en vigor el 2 de octubre de 2016.

No obstante, las previsiones relativas al registro electrónico de apoderamientos, registro electrónico, registro de empleados públicos habilitados, punto de acceso general electrónico de la Administración y archivo único electrónico produjeron efectos a partir del día 2 de abril de 2021.

2. Los derechos de las personas en sus relaciones con las Administraciones Públicas. Derechos del interesado en el procedimiento administrativo

2.1. Derechos de las personas en sus relaciones con las Administraciones Públicas

2.1.1. Introducción

Al tratar de los derechos del Administrado, debe partirse de los derechos reconocidos en la Constitución, que puede hacer valer ante la Administración.

En un escalón normativo inferior, la LPACAP y demás normas aplicables al procedimiento administrativo y a las relaciones entre la Administración y el Administrado, reconocen una serie de derechos, a lo largo de su articulado.

El **art. 13 LPACAP** se refiere a los derechos de las personas en sus relaciones con las Administraciones Públicas, disociándose de esta forma, con buen criterio, de los derechos de los interesados en el procedimiento administrativo (a los que se refiere el art. 53 LPACAP), y señala que quienes, de conformidad con el artículo 3, tienen capacidad de obrar ante las Administraciones Públicas, son titulares, en sus relaciones con ellas, de los siguientes derechos:

a) A comunicarse con las Administraciones Públicas a través de un Punto de Acceso General electrónico de la Administración (sobre lo que el art. 53.1,a, de esta LPACAP dispone que quienes se relacionen con las Administraciones Públicas a través de medios electrónicos, tendrán derecho a consultar la información a la que se refiere el párrafo anterior –respecto a conocer en, cualquier momento, el estado de tramitación de los procedimientos en los que sea interesado, entre otros extremos–, en el Punto de Acceso General electrónico de la Administración que funcionará como un portal de acceso. Se entenderá cumplida la obligación de la Administración de facilitar copias de los documentos contenidos en los procedimientos mediante la puesta a

disposición de las mismas en el Punto de Acceso General electrónico de la Administración competente o en las sedes electrónicas que correspondan. En cuanto a este Punto de Acceso, debe estarse a lo dispuesto en la Orden HAP/1949/2014, de 13 de octubre, por la que se regula el Punto de Acceso General de la Administración General del Estado y se crea su sede electrónica, y la Orden TFP/303/2019, de 12 de marzo, por la que se crean las Subsedes Electrónicas del Portal Funciona y del Portal de la Transparencia, como sedes electrónicas derivadas de la Sede Electrónica del Punto de Acceso General de la Administración General del Estado, debiendo tenerse también en cuenta las previsiones de la Disposición Transitoria Cuarta y la Disposición Final Séptima de esta LPACAP).

b) A ser asistidos en el uso de medios electrónicos en sus relaciones con las Administraciones Públicas.

c) A utilizar las lenguas oficiales en el territorio de su Comunidad Autónoma, de acuerdo con lo previsto en esta ley y en el resto del ordenamiento jurídico (sobre lo que trata el art. 15, que luego se estudiará, debiendo tenerse en cuenta la Carta Europea de las Lenguas Regionales o Minoritarias, aprobada por el Consejo de Europa en Estrasburgo el 5 de noviembre de 1992, ratificada por España a través de Instrumento de ratificación de 2 de febrero de 2001, así como el Real Decreto 905/2007, de 6 de julio, por el que se crean el Consejo de las Lenguas Oficiales en la Administración General del Estado y la Oficina para las Lenguas Oficiales).

d) Al acceso a la información pública, archivos y registros, de acuerdo con lo previsto en la Ley 19/2013, de 9 de diciembre, de transparencia, acceso a la información pública y buen gobierno y el resto del Ordenamiento Jurídico. Este Derecho se ha consagrado en el art. 105,b CE, que señala que la ley regulará «el acceso de los ciudadanos a los archivos y registros administrativos, salvo en lo que afecte a la seguridad y defensa del Estado, la averiguación de los delitos y la intimidad de las personas».

e) A ser tratados con respeto y deferencia por las autoridades y empleados públicos, que habrán de facilitarles el ejercicio de sus derechos y el cumplimiento de sus obligaciones (al efecto, el art. 54.1 del Texto Refundido de la Ley del Estatuto Básico del Empleado Público, aprobado por el Real Decreto Legislativo 5/2015, de 30 de octubre, prescribe que los empleados públicos «tratarán con atención y respeto a los ciudadanos, a sus superiores y a los restantes empleados públicos». A su vez, el art. 95.2,b) de este Estatuto recoge entre las faltas muy graves «toda actuación que suponga discriminación por razón de origen racial o étnico, religión o convicciones, discapacidad, edad u orientación sexual, lengua, opinión, lugar de nacimiento o vecindad, sexo o cualquier otra condición o circunstancia personal o social, así como el acoso por razón de origen racial o étnico, religión o convicciones, discapacidad, edad u orientación sexual y el acoso moral, sexual y por razón de sexo»).

f) A exigir las responsabilidades de las Administraciones Públicas y autoridades, cuando así corresponda legalmente (la responsabilidad patrimonial de las Administraciones Públicas se regula por los arts. 32 a 35 de la Ley 40/2015, de 1 de octubre, de Régimen Jurídico del Sector Público –LRJSP, en sucesivas llamadas–, así como por los arts. 1.1., 24.1., 35.1,h), 61.4, 62.3, 65, 67, 81, 82.5, 86.5, 91, 92, 96.4

y 114.1,e), y las Disposiciones Transitoria Quinta y Derogatoria Única.2,d) de esta LPACAP. Por su parte, la responsabilidad de las autoridades y personal al servicio de las Administraciones Públicas se regula por los arts. 36 y 37 de la citada LRJSP).

g) A la obtención y utilización de los medios de identificación y firma electrónica contemplados en esta ley.

h) A la protección de datos de carácter personal, y en particular a la seguridad y confidencialidad de los datos que figuren en los ficheros, sistemas y aplicaciones de las Administraciones Públicas (sobre lo que debe estarse a lo dispuesto en la Ley Orgánica 3/2018, de 5 de diciembre, de Protección de Datos Personales y garantía de los derechos digitales).

i) Cualesquiera otros que les reconozcan la Constitución (por ejemplo, en los arts. 14 a 52) y las leyes (entre otros, el art. 19 de esta LPACAP, sobre el derecho a no comparecer ante la Administración Pública, salvo que se exija por ley formal, o el art. 75.3 de la misma, sobre la compatibilidad con sus obligaciones laborales o profesionales cuando se requiera la intervención de un interesado en los actos de instrucción de un procedimiento).

Estos derechos se entienden sin perjuicio de los reconocidos en el artículo 53 referidos a los interesados en el procedimiento administrativo (de los que tratamos en otro apartado).

Actividad 3

Rellena el hueco con las palabras que faltan:

Entre los derechos del administrado se encuentra el del acceso a la información pública, archivos y registros, de acuerdo con lo previsto en la ______, de transparencia, acceso a la información pública y buen gobierno y el resto del Ordenamiento Jurídico.

2.1.2. Derecho y obligación de relacionarse electrónicamente con las Administraciones Públicas

A tenor del **art. 14 LPACAP**:

1. Las personas físicas podrán elegir en todo momento si se comunican con las Administraciones Públicas para el ejercicio de sus derechos y obligaciones a través de medios electrónicos o no, salvo que estén obligadas a relacionarse a través de medios electrónicos con las Administraciones Públicas. El medio elegido por la persona para comunicarse con las Administraciones Públicas podrá ser modificado por aquella en cualquier momento.

2. En todo caso, estarán obligados a relacionarse a través de medios electrónicos con las Administraciones Públicas para la realización de cualquier trámite de un procedimiento administrativo, al menos, los siguientes sujetos:

    a) Las personas jurídicas.

    b) Las entidades sin personalidad jurídica.

    c) Quienes ejerzan una actividad profesional para la que se requiera colegiación obligatoria, para los trámites y actuaciones que realicen con las Administraciones Públicas en ejercicio de dicha actividad profesional. En todo caso, dentro de este colectivo se entenderán incluidos los notarios y registradores de la propiedad y mercantiles.

    d) Quienes representen a un interesado que esté obligado a relacionarse electrónicamente con la Administración.

    e) Los empleados de las Administraciones Públicas para los trámites y actuaciones que realicen con ellas por razón de su condición de empleado público, en la forma en que se determine reglamentariamente por cada Administración.

3. Reglamentariamente, las Administraciones podrán establecer la obligación de relacionarse con ellas a través de medios electrónicos para determinados procedimientos y para ciertos colectivos de personas físicas que por razón de su capacidad económica, técnica, dedicación profesional u otros motivos quede acreditado que tienen acceso y disponibilidad de los medios electrónicos necesarios.

En relación con este artículo, hemos de destacar el desarrollo que de la ley 39/2015 realiza el Real Decreto 203/2021, de 30 de marzo, por el que se aprueba el Reglamento de actuación y funcionamiento del sector público por medios electrónicos. Como indica en su artículo primero, este Reglamento tiene por objeto el desarrollo de la Ley 39/2015, de 1 de octubre, del Procedimiento Administrativo Común de las Administraciones Públicas, y de la Ley 40/2015, de 1 de octubre, de Régimen Jurídico del Sector Público, en lo referido a la actuación y el funcionamiento electrónico del sector público.

2.1.3. Lengua de los procedimientos

Sobre la lengua de los procedimientos, prescribe el **art. 15 LPACAP** que:

1. La lengua de los procedimientos tramitados por la Administración General del Estado será el castellano. No obstante lo anterior, los interesados que se dirijan a los órganos de la Administración General del Estado con sede en el territorio de una Comunidad Autónoma podrán utilizar también la lengua que sea cooficial en ella.

    En este caso, el procedimiento se tramitará en la lengua elegida por el interesado. Si concurrieran varios interesados en el procedimiento, y existiera discrepancia en cuanto a la lengua, el procedimiento se tramitará en castellano, si bien los documentos o testimonios que requieran los interesados se expedirán en la lengua elegida por los mismos.

2. En los procedimientos tramitados por las Administraciones de las Comunidades Autónomas y de las Entidades Locales, el uso de la lengua se ajustará a lo previsto en la legislación autonómica correspondiente.

3. La Administración Pública instructora deberá traducir al castellano los documentos, expedientes o partes de los mismos que deban surtir efecto fuera del territorio de la Comunidad Autónoma y los documentos dirigidos a los interesados que así lo soliciten expresamente. Si debieran surtir efectos en el territorio de una Comunidad Autónoma donde sea cooficial esa misma lengua distinta del castellano, no será precisa su traducción.

2.1.4. Registros

Sobre los Registros (respecto de los cuales han de tenerse en cuenta la Disposición Transitoria Cuarta y la Disposición Final Séptima de esta LPACAP), dispone el **art. 16 LPACAP** que:

1. Cada Administración dispondrá de un Registro Electrónico General, en el que se hará el correspondiente asiento de todo documento que sea presentado o que se reciba en cualquier órgano administrativo, Organismo público o Entidad vinculado o dependiente a estos. También se podrán anotar en el mismo, la salida de los documentos oficiales dirigidos a otros órganos o particulares.

   Los Organismos públicos vinculados o dependientes de cada Administración podrán disponer de su propio registro electrónico plenamente interoperable e interconectado con el Registro Electrónico General de la Administración de la que depende.

   El Registro Electrónico General de cada Administración funcionará como un portal que facilitará el acceso a los registros electrónicos de cada Organismo. Tanto el Registro Electrónico General de cada Administración como los registros electrónicos de cada Organismo cumplirán con las garantías y medidas de seguridad previstas en la legislación en materia de protección de datos de carácter personal.

   Las disposiciones de creación de los registros electrónicos se publicarán en el diario oficial correspondiente y su texto íntegro deberá estar disponible para consulta en la sede electrónica de acceso al registro. En todo caso, las disposiciones de creación de registros electrónicos especificarán el órgano o unidad responsable de su gestión, así como la fecha y hora oficial y los días declarados como inhábiles.

   En la sede electrónica de acceso a cada registro figurará la relación actualizada de trámites que pueden iniciarse en el mismo.

2. Los asientos se anotarán respetando el orden temporal de recepción o salida de los documentos, e indicarán la fecha del día en que se produzcan. Concluido el trámite de registro, los documentos serán cursados sin dilación a sus destinatarios y a las unidades administrativas correspondientes desde el registro en que hubieran sido recibidas.

3. El registro electrónico de cada Administración u Organismo garantizará la constancia, en cada asiento que se practique, de un número, epígrafe expresivo de su naturaleza, fecha y hora de su presentación, identificación del interesado, órgano administrativo remitente, si procede, y persona u órgano administrativo al que se envía, y, en su caso, referencia al contenido del documento que se registra. Para ello, se emitirá automáticamente un recibo consistente en una copia autenticada del documento de que se trate, incluyendo la fecha y hora de presentación y el número de entrada de registro, así como un recibo acreditativo de otros documentos que, en su caso, lo acompañen, que garantice la integridad y el no repudio de los mismos.
4. Los documentos que los interesados dirijan a los órganos de las Administraciones Públicas podrán presentarse:

   a) En el registro electrónico de la Administración u Organismo al que se dirijan, así como en los restantes registros electrónicos de cualquiera de los sujetos a los que se refiere el artículo 2.1.

   b) En las oficinas de Correos, en la forma que reglamentariamente se establezca.

   c) En las representaciones diplomáticas u oficinas consulares de España en el extranjero.

   d) En las oficinas de asistencia en materia de registros (sobre las que la Disposición Adicional Cuarta de esta LPACAP, prescribe que «las Administraciones Públicas deberán mantener permanentemente actualizado en la correspondiente sede electrónica un directorio geográfico que permita al interesado identificar la oficina de asistencia en materia de registros más próxima a su domicilio»).

   e) En cualquier otro que establezcan las disposiciones vigentes.

   Los registros electrónicos de todas y cada una de las Administraciones, deberán ser plenamente interoperables, de modo que se garantice su compatibilidad informática e interconexión, así como la transmisión telemática de los asientos registrales y de los documentos que se presenten en cualquiera de los registros.
5. Los documentos presentados de manera presencial ante las Administraciones Públicas, deberán ser digitalizados, de acuerdo con lo previsto en el artículo 27 y demás normativa aplicable, por la oficina de asistencia en materia de registros en la que hayan sido presentados para su incorporación al expediente administrativo electrónico, devolviéndose los originales al interesado, sin perjuicio de aquellos supuestos en que la norma determine la custodia por la Administración de los documentos presentados o resulte obligatoria la presentación de objetos o de documentos en un soporte específico no susceptibles de digitalización.

   Reglamentariamente, las Administraciones podrán establecer la obligación de presentar determinados documentos por medios electrónicos para ciertos procedimientos y colectivos de personas físicas que, por razón de su capacidad económica, técnica, dedicación profesional u otros motivos quede acreditado que tienen acceso y disponibilidad de los medios electrónicos necesarios.

6. Podrán hacerse efectivos mediante transferencia dirigida a la oficina pública correspondiente cualesquiera cantidades que haya que satisfacer en el momento de la presentación de documentos a las Administraciones Públicas, sin perjuicio de la posibilidad de su abono por otros medios.
7. Las Administraciones Públicas deberán hacer pública y mantener actualizada una relación de las oficinas en las que se prestará asistencia para la presentación electrónica de documentos.
8. No se tendrán por presentados en el registro aquellos documentos e información cuyo régimen especial establezca otra forma de presentación.

En relación con lo dispuesto en este artículo 16 LPACAP, se ha dictado la Orden PCM/1382/2021, de 9 de diciembre, por la que se regula el Registro Electrónico General en el ámbito de la Administración General del Estado y que tiene por objeto fijar los requisitos y condiciones del funcionamiento del Registro Electrónico General de la Administración General del Estado.

Recuerda que...

Cada Administración dispondrá de un Registro Electrónico General, en el que se hará el correspondiente asiento de todo documento que sea presentado o que se reciba en cualquier órgano administrativo, Organismo público o Entidad vinculado o dependiente de estos.

2.1.5. Archivo de documentos

El **art. 17 LPACAP** (respecto del cual han de tenerse en cuenta, también, la Disposición Transitoria Cuarta y la Disposición Final Séptima de esta LPACAP), establece que:

1. Cada Administración deberá mantener un archivo electrónico único de los documentos electrónicos que correspondan a procedimientos finalizados, en los términos establecidos en la normativa reguladora aplicable.
2. Los documentos electrónicos deberán conservarse en un formato que permita garantizar la autenticidad, integridad y conservación del documento, así como su consulta con independencia del tiempo transcurrido desde su emisión. Se asegurará en todo caso la posibilidad de trasladar los datos a otros formatos y soportes que garanticen el acceso desde diferentes aplicaciones. La eliminación de dichos documentos deberá ser autorizada de acuerdo a lo dispuesto en la normativa aplicable.
3. Los medios o soportes en que se almacenen documentos, deberán contar con medidas de seguridad, de acuerdo con lo previsto en el Esquema Nacional de Seguridad, que garanticen la integridad, autenticidad, confidencialidad, calidad, pro-

tección y conservación de los documentos almacenados. En particular, asegurarán la identificación de los usuarios y el control de accesos, así como el cumplimiento de las garantías previstas en la legislación de protección de datos.

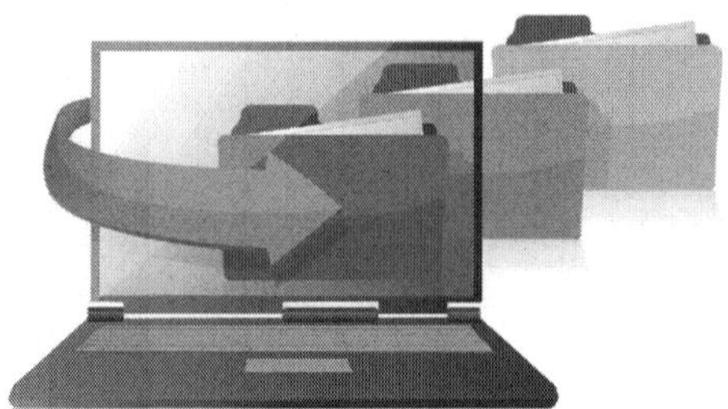

Recuerda que...

Las personas físicas podrán elegir en todo momento si se comunican con las Administraciones Públicas para el ejercicio de sus derechos y obligaciones a través de medios electrónicos o no, salvo que estén obligadas a relacionarse a través de medios electrónicos con las Administraciones Públicas.

2.1.6. Colaboración de las personas

El **art. 18 LPACAP** se refiere a la colaboración de las personas, señalando que:

1. Las personas colaborarán con la Administración en los términos previstos en la ley que en cada caso resulte aplicable, y a falta de previsión expresa, facilitarán a la Administración los informes, inspecciones y otros actos de investigación que requieran para el ejercicio de sus competencias, salvo que la revelación de la información solicitada por la Administración atentara contra el honor, la intimidad personal o familiar o supusieran la comunicación de datos confidenciales de terceros de los que tengan conocimiento por la prestación de servicios profesionales de diagnóstico, asesoramiento o defensa, sin perjuicio de lo dispuesto en la legislación en materia de blanqueo de capitales y financiación de actividades terroristas.

2. Los interesados en un procedimiento que conozcan datos que permitan identificar a otros interesados que no hayan comparecido en él tienen el deber de proporcionárselos a la Administración actuante.

3. Cuando las inspecciones requieran la entrada en el domicilio del afectado o en los restantes lugares que requieran autorización del titular, se estará a lo dispuesto en el artículo 100.

2.1.7. Comparecencia de las personas

El **art. 19 LPACAP**, por su parte, prescribe, en relación con la comparecencia de las personas ante las oficinas públicas, que:

1. La comparecencia de las personas ante las oficinas públicas, ya sea presencialmente o por medios electrónicos, solo será obligatoria cuando así esté previsto en una norma con rango de ley (es decir, no basta con que una norma reglamentaria la exija por sí misma).
2. En los casos en que proceda la comparecencia, la correspondiente citación hará constar expresamente el lugar, fecha, hora, los medios disponibles y objeto de la comparecencia, así como los efectos de no atenderla.
3. Las Administraciones Públicas entregarán al interesado certificación acreditativa de la comparecencia cuando así lo solicite.

2.1.8. Responsabilidad de la tramitación

Sobre la responsabilidad de la tramitación, dispone el **art. 20 LPACAP** que:

1. Los titulares de las unidades administrativas y el personal al servicio de las Administraciones Públicas que tuviesen a su cargo la resolución o el despacho de los asuntos, serán responsables directos de su tramitación y adoptarán las medidas oportunas para remover los obstáculos que impidan, dificulten o retrasen el ejercicio pleno de los derechos de los interesados o el respeto a sus intereses legítimos, disponiendo lo necesario para evitar y eliminar toda anormalidad en la tramitación de procedimientos.
2. Los interesados podrán solicitar la exigencia de esa responsabilidad a la Administración Pública de que dependa el personal afectado.

2.1.9. Emisión de documentos por las Administraciones Públicas

A tenor del **art. 26 LPACAP**:

1. Se entiende por documentos públicos administrativos los válidamente emitidos por los órganos de las Administraciones Públicas. Las Administraciones Públicas emitirán los documentos administrativos por escrito, a través de medios electrónicos, a menos que su naturaleza exija otra forma más adecuada de expresión y constancia.
2. Para ser considerados válidos, los documentos electrónicos administrativos deberán:
    a) Contener información de cualquier naturaleza archivada en un soporte electrónico según un formato determinado susceptible de identificación y tratamiento diferenciado.
    b) Disponer de los datos de identificación que permitan su individualización, sin perjuicio de su posible incorporación a un expediente electrónico.
    c) Incorporar una referencia temporal del momento en que han sido emitidos.

d) Incorporar los metadatos mínimos exigidos.

e) Incorporar las firmas electrónicas que correspondan de acuerdo con lo previsto en la normativa aplicable.

Se considerarán válidos los documentos electrónicos, que cumpliendo estos requisitos, sean trasladados a un tercero a través de medios electrónicos.

3. No requerirán de firma electrónica, los documentos electrónicos emitidos por las Administraciones Públicas que se publiquen con carácter meramente informativo, así como aquellos que no formen parte de un expediente administrativo. En todo caso, será necesario identificar el origen de estos documentos.

2.1.10. Validez y eficacia de las copias realizadas por las Administraciones Públicas

Según el **art. 27 LPACAP**:

1. Cada Administración Pública determinará los órganos que tengan atribuidas las competencias de expedición de copias auténticas de los documentos públicos administrativos o privados.

   Las copias auténticas de documentos privados surten únicamente efectos administrativos. Las copias auténticas realizadas por una Administración Pública tendrán validez en las restantes Administraciones.

   A estos efectos, la Administración General del Estado, las Comunidades Autónomas y las Entidades Locales podrán realizar copias auténticas mediante funcionario habilitado o mediante actuación administrativa automatizada.

   Se deberá mantener actualizado un registro, u otro sistema equivalente, donde constarán los funcionarios habilitados para la expedición de copias auténticas que deberán ser plenamente interoperables y estar interconectados con los de las restantes Administraciones Públicas, a los efectos de comprobar la validez de la citada habilitación. En este registro o sistema equivalente constarán, al menos, los funcionarios que presten servicios en las oficinas de asistencia en materia de registros.

2. Tendrán la consideración de copia auténtica de un documento público administrativo o privado las realizadas, cualquiera que sea su soporte, por los órganos competentes de las Administraciones Públicas en las que quede garantizada la identidad del órgano que ha realizado la copia y su contenido.

   Las copias auténticas tendrán la misma validez y eficacia que los documentos originales.

3. Para garantizar la identidad y contenido de las copias electrónicas o en papel, y por tanto su carácter de copias auténticas, las Administraciones Públicas deberán ajustarse a lo previsto en el Esquema Nacional de Interoperabilidad sobre el que debe tenerse en cuenta el Real Decreto 4/2010, de 8 de enero, por el que se regula el Esquema Nacional de Interoperabilidad en el ámbito de la Administración Electrónica, modificado por Real Decreto 203/2021, de 30 de marzo, por el que

se aprueba el Reglamento de actuación y funcionamiento del sector público por medios electrónicos, el Esquema Nacional de Seguridad y sus normas técnicas de desarrollo, así como a las siguientes reglas:

a) Las copias electrónicas de un documento electrónico original o de una copia electrónica auténtica, con o sin cambio de formato, deberán incluir los metadatos que acrediten su condición de copia y que se visualicen al consultar el documento.

b) Las copias electrónicas de documentos en soporte papel o en otro soporte no electrónico susceptible de digitalización, requerirán que el documento haya sido digitalizado y deberán incluir los metadatos que acrediten su condición de copia y que se visualicen al consultar el documento.

   Se entiende por digitalización, el proceso tecnológico que permite convertir un documento en soporte papel o en otro soporte no electrónico en un fichero electrónico que contiene la imagen codificada, fiel e íntegra del documento.

c) Las copias en soporte papel de documentos electrónicos requerirán que en las mismas figure la condición de copia y contendrán un código generado electrónicamente u otro sistema de verificación, que permitirá contrastar la autenticidad de la copia mediante el acceso a los archivos electrónicos del órgano u Organismo público emisor.

d) Las copias en soporte papel de documentos originales emitidos en dicho soporte se proporcionarán mediante una copia auténtica en papel del documento electrónico que se encuentre en poder de la Administración o bien mediante una puesta de manifiesto electrónica conteniendo copia auténtica del documento original.

   A estos efectos, las Administraciones harán públicos, a través de la sede electrónica correspondiente, los códigos seguros de verificación u otro sistema de verificación utilizado.

4. Los interesados podrán solicitar, en cualquier momento, la expedición de copias auténticas de los documentos públicos administrativos que hayan sido válidamente emitidos por las Administraciones Públicas. La solicitud se dirigirá al órgano que emitió el documento original, debiendo expedirse, salvo las excepciones derivadas de la aplicación de la Ley 19/2013, de 9 de diciembre, en el plazo de quince días a contar desde la recepción de la solicitud en el registro electrónico de la Administración u Organismo competente.

   Asimismo, las Administraciones Públicas estarán obligadas a expedir copias auténticas electrónicas de cualquier documento en papel que presenten los interesados y que se vaya a incorporar a un expediente administrativo.

5. Cuando las Administraciones Públicas expidan copias auténticas electrónicas, deberá quedar expresamente así indicado en el documento de la copia.

6. La expedición de copias auténticas de documentos públicos notariales, registrales y judiciales, así como de los diarios oficiales, se regirá por su legislación específica.

2.1.11. Documentos aportados por los interesados al procedimiento administrativo

Por último, el **art. 28 LPACAP**, prescribe que:

1. Los interesados deberán aportar al procedimiento administrativo los datos y documentos exigidos por las Administraciones Públicas de acuerdo con lo dispuesto en la normativa aplicable. Asimismo, los interesados podrán aportar cualquier otro documento que estimen conveniente.

Actividad 4

Indica si las siguientes cuestiones son verdaderas o falsas:

- **Las copias auténticas de documentos privados surten únicamente efectos administrativos.**

  Verdadera ☐ Falsa ☐

- **Las copias auténticas realizadas por una Administración Pública tendrán validez en las restantes Administraciones.**

  Verdadera ☐ Falsa ☐

2. Los interesados tienen derecho a no aportar documentos que ya se encuentren en poder de la Administración actuante o hayan sido elaborados por cualquier otra Administración. La administración actuante podrá consultar o recabar dichos documentos salvo que el interesado se opusiera a ello. No cabrá la oposición cuando la aportación del documento se exigiera en el marco del ejercicio de potestades sancionadoras o de inspección.

   Las Administraciones Públicas deberán recabar los documentos electrónicamente a través de sus redes corporativas o mediante consulta a las plataformas de intermediación de datos u otros sistemas electrónicos habilitados al efecto.

   Cuando se trate de informes preceptivos ya elaborados por un órgano administrativo distinto al que tramita el procedimiento, estos deberán ser remitidos en el plazo de diez días a contar desde su solicitud. Cumplido este plazo, se informará al interesado de que puede aportar este informe o esperar a su remisión por el órgano competente.

3. Las Administraciones no exigirán a los interesados la presentación de documentos originales, salvo que, con carácter excepcional, la normativa reguladora aplicable establezca lo contrario.

   Asimismo, las Administraciones Públicas no requerirán a los interesados datos o documentos no exigidos por la normativa reguladora aplicable o que hayan sido aportados anteriormente por el interesado a cualquier Administración. A estos efectos, el interesado deberá indicar en qué momento y ante qué órgano administrativo presentó los citados documentos, debiendo las Administraciones Públicas recabarlos electrónicamente a través de sus redes corporativas o de una consulta a las plataformas de intermediación de datos u otros sistemas electrónicos habilitados al efecto, salvo que conste en el procedimiento la oposición expresa del interesado o la ley especial aplicable requiera su consentimiento expreso. Excepcionalmente, si las Administraciones Públicas no pudieran recabar los citados documentos, podrán solicitar nuevamente al interesado su aportación.

4. Cuando con carácter excepcional, y de acuerdo con lo previsto en esta ley, la Administración solicitara al interesado la presentación de un documento original y este estuviera en formato papel, el interesado deberá obtener una copia auténtica, según los requisitos establecidos en el artículo 27, con carácter previo a su presentación electrónica. La copia electrónica resultante reflejará expresamente esta circunstancia.
5. Excepcionalmente, cuando la relevancia del documento en el procedimiento lo exija o existan dudas derivadas de la calidad de la copia, las Administraciones podrán solicitar de manera motivada el cotejo de las copias aportadas por el interesado, para lo que podrán requerir la exhibición del documento o de la información original.
6. Las copias que aporten los interesados al procedimiento administrativo tendrán eficacia, exclusivamente en el ámbito de la actividad de las Administraciones Públicas.
7. Los interesados se responsabilizarán de la veracidad de los documentos que presenten.

Recuerda que...

Los interesados se responsabilizarán de la veracidad de los documentos que presenten.

2.2. Derechos del interesado en el procedimiento administrativo

Según el **art. 53 LPACAP**:

1. Además del resto de derechos previstos en esta ley, los interesados en un procedimiento administrativo, tienen los siguientes derechos:
   a) A conocer, en cualquier momento, el estado de la tramitación de los procedimientos en los que tengan la condición de interesados; el sentido del silencio administrativo que corresponda, en caso de que la Administración no dicte ni notifique resolución expresa en plazo; el órgano competente para su instrucción, en su caso, y resolución; y los actos de trámite dictados. Asimismo, también tendrán derecho a acceder y a obtener copia de los documentos con-

tenidos en los citados procedimientos (sobre lo que habrá que tener en cuenta las previsiones del art. 27 de esta LPACAP, sobre validez y eficacia de las copias realizadas por las Administraciones Públicas, antes examinado).

Quienes se relacionen con las Administraciones Públicas a través de medios electrónicos, tendrán derecho a consultar la información a la que se refiere el párrafo anterior, en el Punto de Acceso General electrónico de la Administración que funcionará como un portal de acceso. Se entenderá cumplida la obligación de la Administración de facilitar copias de los documentos contenidos en los procedimientos mediante la puesta a disposición de las mismas en el Punto de Acceso General electrónico de la Administración competente o en las sedes electrónicas que correspondan.

b) A identificar a las autoridades y al personal al servicio de las Administraciones Públicas bajo cuya responsabilidad se tramiten los procedimientos.

c) A no presentar documentos originales salvo que, de manera excepcional, la normativa reguladora aplicable establezca lo contrario. En caso de que, excepcionalmente, deban presentar un documento original, tendrán derecho a obtener una copia autenticada de este.

d) A no presentar datos y documentos no exigidos por las normas aplicables al procedimiento de que se trate, que ya se encuentren en poder de las Administraciones Públicas o que hayan sido elaborados por estas.

e) A formular alegaciones, utilizar los medios de defensa admitidos por el Ordenamiento Jurídico, y a aportar documentos en cualquier fase del procedimiento anterior al trámite de audiencia, que deberán ser tenidos en cuenta por el órgano competente al redactar la propuesta de resolución (debiendo estarse a lo dispuesto en el art. 76 de esta LPACAP).

f) A obtener información y orientación acerca de los requisitos jurídicos o técnicos que las disposiciones vigentes impongan a los proyectos, actuaciones o solicitudes que se propongan realizar (sobre lo que debe tenerse en cuenta el Real Decreto 208/1996, de 9 de febrero, por el que se regulan los servicios de información administrativa y atención al ciudadano).

g) A actuar asistidos de asesor cuando lo consideren conveniente en defensa de sus intereses.

h) A cumplir las obligaciones de pago a través de los medios electrónicos previstos en el artículo 98.2.

i) Cualesquiera otros que les reconozcan la Constitución (por ejemplo, en los arts. 14 a 52) y las leyes (entre otros, el art. 19 de esta LPACAP, sobre el derecho a no comparecer ante la Administración Pública, salvo que se exija por ley formal, o el art. 75.3 de la misma, sobre la compatibilidad con sus obligaciones laborales o profesionales cuando se requiera la intervención de un interesado en los actos de instrucción de un procedimiento).

2. Además de los derechos previstos en el apartado anterior, en el caso de procedimientos administrativos de naturaleza sancionadora (respecto de los cuales debe estarse

a lo dispuesto en los arts. 60.2, 61.3, 62.4, 63 y 64 de esta ley, y en los arts. 25 a 31, inclusive, de la LRJSP), los presuntos responsables tendrán los siguientes derechos:

a) A ser notificado de los hechos que se le imputen, de las infracciones que tales hechos puedan constituir y de las sanciones que, en su caso, se les pudieran imponer, así como de la identidad del instructor, de la autoridad competente para imponer la sanción y de la norma que atribuya tal competencia.

b) A la presunción de no existencia de responsabilidad administrativa mientras no se demuestre lo contrario.

3. Normativa vigente en materia de igualdad de género

La igualdad de género se define como *la igualdad de derechos, responsabilidades y oportunidades de las mujeres y los hombres, y las niñas y los niños*. La igualdad no significa que las mujeres y los hombres sean lo mismo, sino que los derechos, las responsabilidades y las oportunidades no dependen del sexo con el que nacieron. La igualdad de género supone que se tengan en cuenta los intereses, las necesidades y las prioridades tanto de las mujeres como de los hombres, reconociéndose la diversidad de los diferentes grupos de mujeres y de hombres.

La igualdad entre mujeres y hombres es un principio jurídico universal reconocido en diversos textos internacionales sobre derechos humanos, entre los que destacan:

- La Convención sobre la eliminación de todas las formas de discriminación contra la mujer, aprobada por la Asamblea General de Naciones Unidas en diciembre de 1979 y ratificada por España en 1983.
- Conferencias mundiales monográficas, como la de Nairobi de 1985 y Beijing de 1995.

La igualdad es un principio fundamental de la Unión Europea. La LO 3/2007 se apoya fundamentalmente en:

- Desde la entrada en vigor del Tratado de Ámsterdam (el 1 de mayo de 1999), la igualdad entre mujeres y hombres y la eliminación de las desigualdades entre unas y otros son un objetivo que debe integrarse en todas las políticas y acciones de la Unión y de sus miembros.
- Directiva 2002/73/CE, de reforma de la Directiva 76/207/CEE, relativa a la aplicación del principio de igualdad de trato entre hombres y mujeres en lo que se refiere al acceso al empleo, a la formación y a la promoción profesionales, y a las condiciones de trabajo.
- La Directiva 2004/113/CE, sobre aplicación del principio de igualdad de trato entre hombres y mujeres en el acceso a bienes y servicios y su suministro.

Básicamente, hay dos artículos en la Constitución Española que se refieren directamente al principio de igualdad:

- Artículo 14: *Los españoles son iguales ante la ley, sin que pueda prevalecer discriminación alguna por razón de nacimiento, raza,* ***sexo****, religión, opinión o cualquier otra condición o circunstancia personal o social.*

- Artículo 9.2: *Corresponde a los poderes públicos promover las condiciones para que la libertad y la igualdad del individuo y de los grupos en que se integra sean reales y efectivas; remover los obstáculos que impidan o dificulten su plenitud y facilitar la participación de todos los ciudadanos en la vida política, económica, cultural y social.*

Ante la necesidad de una acción normativa dirigida a combatir todas las manifestaciones aún subsistentes de discriminación, directa o indirecta, por razón de sexo y a promover la igualdad real entre mujeres y hombres, con remoción de los obstáculos y estereotipos sociales que impiden realizarla, se aprobó la **Ley Orgánica 3/2007, de 22 de marzo, para la Igualdad Efectiva de Mujeres y Hombres**.

La mayor novedad de esta ley radica en la prevención de las conductas discriminatorias (violencia de género, discriminación salarial, discriminación en las pensiones de viudedad, mayor desempleo femenino, escasa presencia de las mujeres en puestos de responsabilidad...) y en la previsión de políticas activas para hacer efectivo el principio de igualdad.

3.1. Objeto y ámbito de aplicación

Las mujeres y los hombres son iguales en dignidad humana, e iguales en derechos y deberes. La LO 3/2007 tiene por objeto hacer efectivo el derecho de igualdad de trato y de oportunidades entre mujeres y hombres, en particular mediante la eliminación de la discriminación de la mujer, sea cual fuere su circunstancia o condición, en cualesquiera de los ámbitos de la vida y, singularmente, en las esferas política, civil, laboral, económica, social y cultural para, en el desarrollo de los artículos 9.2 y 14 de la Constitución, alcanzar una sociedad más democrática, más justa y más solidaria.

Para conseguirlo, la LO 3/2007:

- Establece principios de actuación de los Poderes Públicos.
- Regula derechos y deberes de las personas físicas y jurídicas, tanto públicas como privadas.
- Prevé medidas destinadas a eliminar y corregir en los sectores público y privado, toda forma de discriminación por razón de sexo.

Todas las personas gozarán de los derechos derivados del principio de igualdad de trato y de la prohibición de discriminación por razón de sexo.

Las obligaciones establecidas en la LO 3/2007 son de aplicación a toda persona, física o jurídica, que se encuentre o actúe en territorio español, cualquiera que fuese su nacionalidad, domicilio o residencia.

3.2. El principio de igualdad de trato entre mujeres y hombres (arts. 3, 4 y 5)

El principio de igualdad de trato entre mujeres y hombres supone la ausencia de toda discriminación, directa o indirecta, por razón de sexo, y especialmente, las derivadas de:

- La maternidad.
- La asunción de obligaciones familiares.
- El estado civil.

El principio de igualdad de trato y de oportunidades entre mujeres y hombres es un ***principio informador del ordenamiento jurídico*** y, como tal, se integrará y observará en la interpretación y aplicación de las normas jurídicas.

El principio de igualdad de trato y de oportunidades entre mujeres y hombres, aplicable en el ámbito del empleo privado y en el del empleo público, **se garantizará**, en los términos previsto en la normativa aplicable:

- En el acceso al empleo; incluso al trabajo por cuenta propia.
- En la formación profesional.
- En la promoción profesional.
- En las condiciones de trabajo; incluidas las retributivas y las de despido.
- En la afiliación y participación en las organizaciones sindicales y empresariales, o en cualquier organización cuyos miembros ejerzan una profesión concreta; incluidas las prestaciones concedidas por las mismas.

3.3. Discriminación (arts. 6, 8 y 9)

Se considera **discriminación directa** por razón de sexo la situación en que se encuentra una persona que sea, haya sido o pudiera ser tratada, en atención a su sexo, de manera menos favorable que otra en situación comparable.

Constituye discriminación directa por razón de sexo todo trato desfavorable a las mujeres relacionado con el embarazo o la maternidad.

Se considera **discriminación indirecta** por razón de sexo la situación en que una disposición, criterio o práctica aparentemente neutros pone a personas de un sexo en desventaja particular con respecto a personas del otro, salvo que dicha disposición, criterio o práctica puedan justificarse objetivamente en atención a una finalidad legítima y que los medios para alcanzar dicha finalidad sean necesarios y adecuados.

En cualquier caso, toda orden de discriminar, directa o indirectamente, por razón de sexo, se considerará discriminatoria.

Se considerará discriminación por razón de sexo cualquier trato adverso o efecto negativo que se produzca en una persona como consecuencia de la presentación por su parte de queja, reclamación, denuncia, demanda o recurso, de cualquier tipo, destinados a impedir su discriminación y a exigir el cumplimiento efectivo del principio de igualdad de trato entre mujeres y hombres.

Recuerda que...

Se considera, a tenor de la Ley Orgánica 3/2007, de 22 de marzo, para la Igualdad Efectiva de Mujeres y Hombres, **discriminación directa por razón de sexo** a la situación en que se encuentra una persona que sea, haya sido o pudiera ser tratada, en atención a su sexo, de manera menos favorable que otra en situación comparable.

3.4. Acoso sexual y acoso por razón de sexo (art. 7)

A efectos de la LO 3/2007, se considera ***acoso sexual*** cualquier comportamiento, verbal o físico, de naturaleza sexual que tenga el propósito o produzca el efecto de atentar contra la dignidad de una persona, en particular cuando se crea un entorno intimidatorio, degradante u ofensivo.

Constituye ***acoso por razón de sexo*** cualquier comportamiento realizado en función del sexo de una persona, con el propósito o el efecto de atentar contra su dignidad y de crear un entorno intimidatorio, degradante u ofensivo.

En todo caso, el acoso sexual y el acoso por razón de sexo, se consideran discriminatorios.

El condicionamiento de un derecho o de una expectativa de derecho a la aceptación de una situación constitutiva de acoso sexual o de acoso por razón de sexo se considerará también acto de discriminación por razón de sexo.

3.5. Consecuencias jurídicas de las conductas discriminatorias (art.10)

A este respecto, el artículo 10 de la LO 3/2007 indica que *los actos y las cláusulas de los negocios jurídicos que constituyan o causen discriminación por razón de sexo se considerarán nulos y sin efecto, y darán lugar a responsabilidad a través de un sistema de* ***reparaciones o indemnizaciones*** *que sean reales, efectivas y proporcionadas al perjuicio sufrido, así como, en su caso, a través de un sistema eficaz y disuasorio de* ***sanciones*** *que prevenga la realización de conductas discriminatorias.*

3.6. Tutela judicial efectiva y prueba (arts. 12 y 13)

El artículo 53.2 de la Constitución, establece que cualquier ciudadano podrá recabar la ***tutela*** de las libertades y derechos reconocidos en el artículo 14 y la Sección 1.ª del Capítulo Segundo ante los Tribunales ordinarios por un procedimiento basado en los principios de preferencia y sumariedad y, en su caso, a través del recurso de amparo ante el Tribunal Constitucional.

De acuerdo con lo anterior, cualquier persona podrá recabar de los tribunales la tutela del derecho a la igualdad entre mujeres y hombres, incluso tras la terminación de la relación en la que supuestamente se ha producido la discriminación.

La capacidad y la legitimación para intervenir en los procesos, civiles, sociales y contencioso-administrativos que versen sobre la defensa de este derecho corresponden a las ***personas físicas y jurídicas con interés legítimo***, determinadas en las leyes reguladoras de estos procesos.

La ***persona acosada*** será la única legitimada en los litigios sobre acoso sexual y acoso por razón de sexo.

De acuerdo con las leyes procesales, en aquellos procedimientos en los que las alegaciones de la parte actora se fundamenten en actuaciones discriminatorias, por razón de sexo, corresponderá a la ***persona demandada*** probar la ausencia de discriminación en las medidas adoptadas y su proporcionalidad (esto no será aplicable a los procesos penales).

A los efectos de lo dispuesto en el párrafo anterior, el órgano judicial, a instancia de parte, podrá recabar, si lo estimase útil y pertinente, ***informe o dictamen*** de los organismos públicos competentes.

3.7. Acciones positivas

Los Poderes Públicos podrán adoptar medidas específicas a favor de las mujeres para corregir situaciones patentes de desigualdad de hecho respecto de los hombres.

Tales medidas, que serán aplicables en tanto subsistan dichas situaciones, habrán de ser razonables y proporcionadas en relación con el objetivo perseguido en cada caso.

3.8. Principios generales

Los principios generales de la LO 3/2007 vienen recogidos en el capítulo I del Título II de la misma. Pasamos a referirlos a continuación.

3.8.1. Criterios generales (art. 14)

El artículo 14 de la LO 3/2007 indica cuáles serán los criterios generales de actuación de los Poderes Públicos para el cumplimiento de los fines de esta ley. Tales criterios son:

1. El ***compromiso*** con la efectividad del derecho constitucional de igualdad entre mujeres y hombres.

2. La ***integración*** del principio de igualdad de trato y de oportunidades en el conjunto de las políticas económica, laboral, social, cultural y artística, con el fin de evitar la segregación laboral y eliminar las diferencias retributivas, así como potenciar el crecimiento del empresariado femenino en todos los ámbitos que abarque el conjunto de políticas y el valor del trabajo de las mujeres, incluido el doméstico.
3. La ***colaboración y cooperación*** entre las distintas Administraciones públicas en la aplicación del principio de igualdad de trato y de oportunidades.
4. La ***participación equilibrada*** de mujeres y hombres en las candidaturas electorales y en la toma de decisiones.
5. La adopción de las medidas necesarias para la ***erradicación*** de la violencia de género, la violencia familiar y todas las formas de acoso sexual y acoso por razón de sexo.
6. La consideración de las singulares dificultades en que se encuentran las mujeres de colectivos de ***especial vulnerabilidad*** como son las que pertenecen a minorías, las mujeres migrantes, las niñas, las mujeres con discapacidad, las mujeres mayores, las mujeres viudas y las mujeres víctimas de violencia de género, para las cuales los poderes públicos podrán adoptar, igualmente, medidas de acción positiva.
7. La ***protección de la maternidad***, con especial atención a la asunción por la sociedad de los efectos derivados del embarazo, parto y lactancia.
8. El establecimiento de medidas que aseguren la ***conciliación del trabajo y de la vida personal y familiar*** de las mujeres y los hombres, así como el fomento de la ***corresponsabilidad*** en las labores domésticas y en la atención a la familia.
9. El fomento de instrumentos de colaboración entre las distintas Administraciones públicas y los ***agentes sociales, las asociaciones de mujeres y otras entidades privadas***.
10. El fomento de la efectividad del principio de igualdad entre mujeres y hombres en las ***relaciones entre particulares***.
11. La implantación de un ***lenguaje no sexista*** en el ámbito administrativo y su fomento en la totalidad de las relaciones sociales, culturales y artísticas.
12. Todos los puntos considerados en este artículo se promoverán e integrarán de igual manera en la ***política española de cooperación internacional para el desarrollo***.

3.8.2. Transversalidad del principio de igualdad de trato entre mujeres y hombres (art. 15)

El principio de igualdad de trato y oportunidades entre mujeres y hombres informará, con ***carácter transversal***, la actuación de todos los Poderes Públicos.

Las Administraciones públicas lo integrarán, de forma activa, en:

- La adopción y ejecución de sus disposiciones normativas.
- La definición y presupuestación de políticas públicas en todos los ámbitos.
- El desarrollo conjunto de todas sus actividades.

3.8.3. Nombramientos realizados por los Poderes Públicos (art. 16)

Los Poderes Públicos procurarán atender al principio de presencia equilibrada de mujeres y hombres en los nombramientos y designaciones de los cargos de responsabilidad que les correspondan.

3.8.4. Planes e Informes (arts. 17, 18 y 19)

La LO 3/2007, en su artículo 17, encarga al Gobierno la aprobación periódica de un ***Plan Estratégico de Igualdad de Oportunidades*** en aquellas materias que sean competencia del Estado, que incluya medidas para alcanzar el objetivo de igualdad entre mujeres y hombres y eliminar la discriminación por razón de sexo.

Por su parte, el artículo 18 exige al Gobierno la elaboración de un ***informe periódico*** –del que dará cuenta a las Cortes Generales– sobre el conjunto de sus actuaciones en relación con la efectividad del principio de igualdad entre mujeres y hombres. Reglamentariamente se determinarán los términos en que se elaborarán estos informes.

El artículo 19, establece que todos aquellos proyectos de disposiciones de carácter general y los planes de especial relevancia económica, social, cultural y artística que se sometan a la aprobación del Consejo de Ministros, deberán incorporar un ***informe sobre su impacto por razón de género***.

3.8.5. Estadísticas y estudios (art. 20)

El artículo 20 de la LO 3/2007 establece una serie de medidas obligatorias a las que se someterán los estudios y estadísticas que elaboren los poderes públicos. Estas medidas tienen como objeto hacer efectivas las disposiciones de la propia ley y que se garantice la integración de modo efectivo de la perspectiva de género en su actividad ordinaria.

Estas medidas son:

a) Incluir sistemáticamente la variable de sexo en las estadísticas, encuestas y recogida de datos que lleven a cabo.

b) Establecer e incluir en las operaciones estadísticas nuevos indicadores que posibiliten un mejor conocimiento de las diferencias en los valores, roles, situaciones, condiciones, aspiraciones y necesidades de mujeres y hombres, su manifestación e interacción en la realidad que se vaya a analizar.

c) Diseñar e introducir los indicadores y mecanismos necesarios que permitan el conocimiento de la incidencia de otras variables cuya concurrencia resulta generadora de situaciones de discriminación múltiple en los diferentes ámbitos de intervención.

d) Realizar muestras lo suficientemente amplias como para que las diversas variables incluidas puedan ser explotadas y analizadas en función de la variable de sexo.

e) Explotar los datos de que disponen de modo que se puedan conocer las diferentes situaciones, condiciones, aspiraciones y necesidades de mujeres y hombres en los diferentes ámbitos de intervención.

f) Revisar y, en su caso, adecuar las definiciones estadísticas existentes con objeto de contribuir al reconocimiento y valoración del trabajo de las mujeres y evitar la estereotipación negativa de determinados colectivos de mujeres.

Las medidas citadas son de obligado cumplimiento, solo se podrá justificar el incumplimiento de alguna de ellas de manera excepcional y mediante informe motivado y aprobado por el órgano competente.

3.8.6. Colaboración entre las Administraciones Públicas (arts. 21 y 22)

La Administración General del Estado y las Administraciones de las Comunidades Autónomas cooperarán para integrar el derecho de igualdad entre mujeres y hombres en el ejercicio de sus respectivas competencias y, en especial, en sus actuaciones de planificación. En el seno de la Conferencia Sectorial de la Mujer podrán adoptarse planes y programas conjuntos de actuación con esta finalidad.

Las Entidades Locales integrarán el derecho de igualdad en el ejercicio de sus competencias y colaborarán, a tal efecto, con el resto de las Administraciones públicas.

Con el fin de avanzar hacia un reparto equitativo de los tiempos entre mujeres y hombres, las corporaciones locales podrán establecer ***Planes Municipales de organización del tiempo de la ciudad***. Sin perjuicio de las competencias de las Comunidades Autónomas, el Estado podrá prestar asistencia técnica para la elaboración de estos planes.

3.9. Normativa de la Comunidad Autónoma de Igualdad de Género: la Ley 12/2007, de 26 de noviembre, para la Promoción de la Igualdad de Género en Andalucía

3.9.1. Objeto y principios generales

El objeto de la Ley 12/2007, según su artículo 1, es **hacer efectivo el derecho de igualdad de trato y oportunidades entre mujeres y hombres** para, en el desarrollo de los artículos 9.2 y 14 de la Constitución y 15 y 38 del Estatuto de Autonomía para Andalucía, seguir avanzando hacia una sociedad más democrática, más justa y más solidaria.

Según el artículo 4, para la consecución del objeto de esta ley, serán **principios generales** de actuación de los poderes públicos de Andalucía, en el marco de sus competencias:

1. La ***igualdad de trato*** entre mujeres y hombres, que supone la ausencia de toda discriminación, directa o indirecta, por razón de sexo, en los ámbitos económico, político, social, laboral, cultural y educativo, en particular, en lo que se refiere al empleo, a la formación profesional y a las condiciones de trabajo.

2. La adopción de las medidas necesarias para la ***eliminación de la discriminación*** y especialmente, aquellas que incidan en la creciente feminización de la pobreza.

3. El ***reconocimiento de la maternidad***, biológica o no biológica, ***como un valor social***, evitando los efectos negativos en los derechos de las mujeres y la consideración de la paternidad en un contexto familiar y social de corresponsabilidad, de acuerdo con los nuevos modelos de familia.

4. El ***fomento de la corresponsabilidad***, a través del reparto equilibrado entre mujeres y hombres de las responsabilidades familiares, de las tareas domésticas y del cuidado de las personas en situación de dependencia.

5. La adopción de las medidas específicas necesarias destinadas a ***eliminar las desigualdades de hecho por razón de sexo*** que pudieran existir en los diferentes ámbitos.

6. La ***especial protección*** del derecho a la igualdad de trato ***de aquellas mujeres o colectivos de mujeres*** que se encuentren ***en riesgo de*** padecer múltiples situaciones de ***discriminación***.

7. La ***promoción del acceso a los recursos de*** todo tipo a ***las mujeres*** que viven ***en el medio rural*** y su participación plena, igualitaria y efectiva en la economía y en la sociedad.

8. El fomento de la ***participación o composición equilibrada*** de mujeres y hombres en los distintos órganos de representación y de toma de decisiones, así como en las candidaturas a las elecciones al Parlamento de Andalucía.

9. El impulso de las relaciones entre las distintas Administraciones, instituciones y agentes sociales sustentadas en los principios de ***colaboración, coordinación y cooperación***, para garantizar la igualdad entre mujeres y hombres.

10. La adopción de las medidas necesarias para ***eliminar el uso sexista del lenguaje***, y garantizar y promover la utilización de una ***imagen de las mujeres y los hombres, fundamentada en la igualdad de sexos***, en todos los ámbitos de la vida pública y privada.

11. La adopción de las medidas necesarias para permitir la ***compatibilidad efectiva entre responsabilidades laborales, familiares y personales*** de las mujeres y los hombres en Andalucía.

12. El impulso de la efectividad del principio de ***igualdad en las relaciones entre particulares***.

13. La incorporación del principio de ***igualdad de género*** y la coeducación ***en el sistema educativo***.

14. La adopción de medidas que aseguren la ***igualdad*** entre hombres y mujeres ***en*** lo que se refiere al ***acceso al empleo,*** a la ***formación, promoción profesional, igualdad salarial y*** a las ***condiciones de trabajo***.

3.9.2. Ámbito de aplicación

El artículo 2, señala que esta Ley 12/2007 será de aplicación en todo el ámbito territorial de la Comunidad Autónoma de Andalucía.

En particular, en los términos establecidos en la propia ley, será de aplicación:

a) A la Administración de la Junta de Andalucía y sus organismos autónomos, a las empresas de la Junta de Andalucía, a los consorcios, fundaciones y demás entidades con personalidad jurídica propia en los que sea mayoritaria la representación directa de la Junta de Andalucía.

b) A las entidades que integran la Administración local, sus organismos autónomos, consorcios, fundaciones y demás entidades con personalidad jurídica propia en los que sea mayoritaria la representación directa de dichas entidades.

c) Al sistema universitario andaluz.

Igualmente, será de aplicación a las personas físicas y jurídicas, en los términos establecidos en la propia ley 12/2007.

3.9.3. Conceptos generales

A) En relación a la igualdad de género, el artículo 3 de la Ley 12/2007 define los siguientes conceptos:

- **Discriminación directa por razón de sexo**: la situación en que se encuentra una persona que sea, haya sido o pudiera ser tratada, en atención a su sexo, de manera menos favorable que otra en situación equiparable.

- **Discriminación indirecta por razón de sexo**: la situación en que la aplicación de una disposición, criterio o práctica aparentemente neutros pone a las personas de un sexo en desventaja particular con respecto a las personas del otro, salvo que la aplicación de dicha disposición, criterio o práctica pueda justificarse objetivamente en atención a una finalidad legítima y que los medios para alcanzar dicha finalidad sean necesarios y adecuados.

- **Representación equilibrada**: aquella situación que garantice la presencia de mujeres y hombres de forma que, en el conjunto de personas a que se refiera cada sexo ni supere el sesenta por ciento ni sea menos del cuarenta por ciento.

- **Discriminación por razón de sexo**: el condicionamiento de un derecho o de una expectativa de derecho a la aceptación de una situación constitutiva de acoso sexual o de acoso por razón de sexo se considerará acto de discriminación por razón de sexo.

Tendrá la misma consideración cualquier tipo de acoso.

- **Transversalidad**: el instrumento para integrar la perspectiva de género en el ejercicio de las competencias de las distintas políticas y acciones públicas, desde la consideración sistemática de la igualdad de género.

- **Acoso sexual**: el *comportamiento de tipo verbal, no verbal o físico de índole sexual realizado por el hombre contra la mujer, que tenga como objeto o produzca el efecto de atentar contra su dignidad, o crear un entorno intimidatorio, hostil, degradante, humillante u ofensivo, cualquiera que sea el ámbito en el que se produzca, incluido el laboral.*
- **Acoso por razón de sexo**: el referido a comportamientos que tengan como causa o estén vinculados con su condición de mujer y tengan como propósito o produzcan el efecto de atentar contra la dignidad de las mujeres y crear un entorno intimidatorio, hostil, degradante, humillante u ofensivo, cualquiera que sea el ámbito en el que se produzca, incluido el laboral.
- **Lenguaje sexista:** se entiende por lenguaje sexista el uso discriminatorio del lenguaje que se hace por razón de sexo.
- **Interseccionalidad:** situación de discriminación múltiple en que una mujer padece formas agravadas y específicas de discriminación por razón de clase, etnia, religión, orientación o identidad sexual, o discapacidad.

B) Del Pacto Andaluz por la Igualdad de Género extraemos los siguientes conceptos

- **Empoderamiento de las mujeres**: entendido, por un lado, como el aumento de la participación de las mujeres en los procesos de toma de decisiones y acceso al poder; y por otro, como la toma de conciencia del poder que individual y colectivamente ostentan las mujeres y que tiene que ver con la recuperación de la propia dignidad de las mujeres como personas.
- **Corresponsabilidad**: es la distribución equilibrada dentro del hogar de las tareas domésticas, su organización y el cuidado, la educación y el afecto de personas dependientes, con el fin de distribuir justamente los tiempos de vida de mujeres y hombres. Es compartir en igualdad no solo las tareas domésticas sino también las responsabilidades familiares y los espacios sociales y políticos.

C) Definiciones facilitadas por la OIT (Organización Internacional del Trabajo)

- **Acción positiva**: se entiende por acción afirmativa (o positiva) aquellas medidas especiales de carácter temporal destinadas a corregir los efectos de prácticas discriminatorias pasadas, con objeto de establecer de hecho la igualdad de oportunidades y de trato entre las mujeres y los hombres.
- **Brecha de género**: diferencia que existe en cualquier esfera entre las mujeres y los hombres en cuanto a nivel de participación, acceso a los recursos, derechos, poder e influencia, remuneración y beneficios.
- **Igualdad de género**: la igualdad de género o igualdad entre hombres y mujeres entraña el concepto de que todos los seres humanos, somos libres de desarrollar nuestra capacidad personal y nuestra capacidad de decidir, prescindiendo de las limitaciones impuestas por los estereotipos, los rígidos roles de género y los prejuicios. La igualdad de género supone que los distintos comportamientos, aspira-

ciones y necesidades del hombre y de la mujer se consideran, valoran y favorecen por igual. No significa que las personas de uno y otro sexo tengan que ser iguales, sino que sus derechos, responsabilidades y oportunidades no dependerán de que hayan nacido mujer o varón.

- **Segregación ocupacional por razón de género**: situación en la que las mujeres y los hombres aparecen concentrados en diferentes tipos de trabajos y en diferentes niveles de actividad y empleo, y en la que las mujeres se ven confinadas a una gama de ocupaciones más acotada que los hombres (segregación horizontal) y a tareas de nivel inferior (segregación vertical).
- **Techo de cristal**: obstáculos artificiales e invisibles creados por la actitud y los prejuicios de una organización, que impiden a las mujeres alcanzar puestos superiores, ejecutivos o directivos.

D) Otros conceptos

- **Igualdad de oportunidades**: es la situación en la que las mujeres y los hombres tienen iguales oportunidades para realizarse intelectual, física y emocionalmente, pudiendo alcanzar las metas que establecen para su vida desarrollando sus capacidades potenciales sin distinción de género, clase, sexo, edad, religión y etnia.
- **Análisis o enfoque de género**: forma de observar la realidad con base en las variables "sexo" y "género" y sus manifestaciones en un contexto geográfico, étnico e histórico determinado. Permite visualizar y reconocer la existencia de relaciones de jerarquía y desigualdad entre hombres y mujeres expresadas en opresión, injusticia, subordinación y discriminación mayoritariamente hacia las mujeres. Este análisis no debe limitarse al papel de las mujeres en la sociedad, sino que implica necesariamente estudiar formas de organización y funcionamiento de las sociedades basándose en las relaciones sociales dadas entre mujeres y hombres, debiendo identificar: trabajo productivo y reproductivo, acceso y control de beneficios, limitaciones y oportunidades y la capacidad de organización de mujeres y hombres para promover la igualdad.
- **Estereotipos**: son las imágenes convencionales o ideas preconcebidas sobre personas y grupos sociales que generan un conjunto de significados, de modos de ver y de entender el mundo. Los ***estereotipos de género o estereotipos sexuales***, reflejan las creencias populares sobre las actividades, roles, rasgos y características o atribuciones que caracterizan y distinguen a los hombres y a las mujeres.
- **Accesibilidad**: la posibilidad de participación utilización y beneficio de los recursos.

  La posición de subordinación de las mujeres en relación con los hombres, define un tipo de acceso y control limitado (y a veces, inexistente) a los recursos y las oportunidades. Esta situación ha sido utilizada como un elemento de análisis de género.
- **Androcentrismo**: organización del mundo, sus estructuras económicas y socioculturales, a partir de la imagen del hombre, percibido fundamentalmente como lo "masculino".

- **Discriminación**: el término discriminación comprende:
  a) Cualquier distinción, exclusión o preferencia basada en motivos de raza, color, sexo, religión, opinión política, ascendencia nacional u origen social que tenga por efecto anular o alterar la igualdad de oportunidades o de trato en el empleo y la ocupación.
  b) Cualquier otra distinción, exclusión o preferencia que tenga por efecto anular o alterar la igualdad de oportunidades o de trato en el empleo u ocupación que podrá ser especificada por el Miembro interesado previa consulta con las organizaciones representativas de empleadores y de trabajadores, cuando dichas organizaciones existan, y con otros organismos apropiados.

  Las distinciones, exclusiones o preferencias basadas en las calificaciones exigidas para un empleo determinado no serán consideradas como discriminación.
- **Indicadores de género**: un ***indicador*** es una medida, un número, un hecho, una opinión o una percepción que señala una situación o condición específica y que mide cambios en esa situación o condición a través del tiempo. Los indicadores son siempre una representación de un determinado fenómeno, pudiendo mostrar total o parcialmente una realidad. Los ***indicadores de género*** tienen la función especial de señalar los cambios sociales en términos de relaciones de género a lo largo del tiempo. Su utilidad se centra en la habilidad de señalar la situación relativa de mujeres y hombres y los cambios producidos entre las mujeres y los hombres en distintos momentos del tiempo.
- **Lenguaje sexista**: lenguaje que, por su forma, es decir, las palabras escogidas o el modo de estructurarlas, resultan discriminatorios por razón de sexo.

3.9.4. La integración de la transversalidad en la Junta de Andalucía

Los poderes públicos de la Comunidad Autónoma de Andalucía tienen la obligación de adoptar las medidas necesarias para promover la igualdad de derechos de las mujeres y de los hombres.

Para ello, deben ejercitar las competencias que les corresponden desde una perspectiva de género, formulando y desarrollando una política global de protección de los derechos de las mujeres.

La Ley 12/2007, de 26 de noviembre, para la Promoción de la Igualdad de Género en Andalucía tiene como objetivo principal garantizar la vinculación de los poderes públicos en todos los ámbitos, en el cumplimiento de la transversalidad como instrumento imprescindible para el ejercicio de las competencias autonómicas en clave de género.

Se entiende por **transversalidad** el instrumento para integrar la perspectiva de género en el ejercicio de las competencias de las distintas políticas y acciones públicas, desde la consideración sistemática de la igualdad de género.

La transversalidad o *mainstreaming*, como hemos visto, es el término acuñado en la Conferencia Internacional de la Mujer celebrada en Pekín (Beijing) en 1995, que alude a la necesidad de que los poderes públicos se impliquen de forma integral para incorporar la dimensión de género en todas sus actuaciones.

El artículo 5 de la Ley 12/2007 determina que *los poderes públicos potenciarán que la perspectiva de la igualdad de género esté presente en la elaboración, ejecución y seguimiento de las disposiciones normativas, de las políticas en todos los ámbitos de actuación, considerando sistemáticamente las prioridades y necesidades propias de las mujeres y de los hombres, teniendo en cuenta su incidencia en la situación específica de unas y otros, al objeto de adaptarlas para eliminar los efectos discriminatorios y fomentar la igualdad de género.*

Integrar la perspectiva de género supone incorporar al análisis, diseño y evaluación de las políticas públicas, las diferentes posiciones ocupadas por las mujeres y los hombres que producen desequilibrios de género.

El Título I de la citada Ley 12/2007, recoge, en su Capítulo I, las acciones para garantizar la integración de la perspectiva de género en las políticas públicas:

- El informe de evaluación de impacto de género.
- Los presupuestos públicos con enfoque de género.
- El Plan estratégico para la Igualdad de Mujeres y Hombres.
- El lenguaje no sexista e imagen pública.
- Las estadísticas e investigaciones con perspectiva de género.

3.9.4.1. Evaluación de impacto de género

Los poderes públicos de Andalucía incorporarán la evaluación del impacto de género en el desarrollo de sus competencias, para garantizar la integración del principio de igualdad entre hombres y mujeres.

Todos los proyectos de ley, disposiciones reglamentarias y planes que apruebe el Consejo de Gobierno incorporarán, de forma efectiva, el objetivo de la igualdad por razón de género. A tal fin, en el proceso de tramitación de los proyectos de ley, de decretos legislativos y disposiciones reglamentarias, deberá emitirse por parte de quien reglamentariamente corresponda, un informe de evaluación del impacto de género del contenido de estas, que quedará integrado en el impacto por razón de género incluido en la Memoria de Análisis de Impacto Normativo (en adelante MAIN).

Dicho informe de evaluación de impacto de género irá acompañado de indicadores pertinentes en género, mecanismos y medidas dirigidas a paliar y neutralizar los posibles impactos negativos que se detecten sobre las mujeres y los hombres, así como a reducir o eliminar las diferencias encontradas, promoviendo de esta forma la igualdad entre los sexos.

3.9.4.2. Plan estratégico para la Igualdad de Mujeres y Hombres

La Ley 12/2007 para la Promoción de la Igualdad de Género en Andalucía, establece los fundamentos jurídicos para avanzar hacia la efectiva igualdad entre mujeres y hombres en todos los ámbitos de la vida social, económica, cultural y política.

Su aplicación requiere de un Plan Estratégico que concrete los objetivos, ámbitos y medidas de actuación en los que los poderes públicos han de centrar sus acciones así como la coordinación entre los distintos niveles de las Administraciones Públicas (estatal, autonómica y local) y los distintos estamentos sociales.

El artículo 7 de la citada Ley 12/2007, establece la obligatoriedad de aprobar un Plan estratégico para la Igualdad de Mujeres y Hombres, el cual se aprobará cada cuatro años a partir del año siguiente al de entrada en vigor de la Ley 12/2007 por el Consejo de Gobierno, a propuesta de la Consejería competente en materia de igualdad, e incluirá medidas para alcanzar el objetivo de la igualdad entre mujeres y hombres y para eliminar la discriminación por razón de sexo.

3.9.4.3. Enfoque de Género en el Presupuesto

Según el artículo 8 de la Ley 12/2007 *(tras la modificación efectuada por el Decreto-ley 3/2024, de 6 de febrero, por el que se adoptan medidas de simplificación y racionalización administrativa para la mejora de las relaciones de los ciudadanos con la Administración de la Junta de Andalucía y el impulso de la actividad económica en Andalucía)*:

El Presupuesto de la Comunidad Autónoma de Andalucía será un elemento activo en la consecución de forma efectiva del objetivo de la igualdad entre mujeres y hombres; a tal fin, la Consejería competente en materia de presupuestos, en coordinación con el conjunto de las Consejerías, con participación del Instituto Andaluz de la Mujer, emitirá el informe de evaluación de impacto de género sobre el proyecto de Ley del Presupuesto de la Comunidad Autónoma de cada ejercicio.

3.9.4.4. Estadísticas e investigaciones con perspectiva de género

El artículo 10 de la Ley 12/2007 indica que los poderes públicos de Andalucía, para garantizar de modo efectivo la integración de la perspectiva de género en su ámbito de actuación, deberán:

a) Incluir sistemáticamente la variable sexo en las estadísticas, encuestas y recogida de datos que realicen.

b) Incorporar indicadores de género en las operaciones estadísticas que posibiliten un mejor conocimiento de las diferencias en los valores, roles, situaciones, condiciones, aspiraciones y necesidades de mujeres y hombres, su manifestación e interacción en la realidad que se vaya a analizar.

c) Analizar los resultados desde la dimensión de género.

d) Analizar y cuantificar el valor de los cuidados.

Asimismo, realizarán análisis e investigaciones sobre la situación de desigualdad por razón de sexo y difundirán sus resultados. Especialmente, contemplarán la situación y necesidades de las mujeres en el medio rural, y de aquellos colectivos de mujeres sobre los que influyen diversos factores de discriminación.

El Instituto de Estadística y Cartografía de Andalucía, como organismo coordinador de la ejecución de la actividad estadística y cartográfica de los órganos y entidades del Sistema Estadístico y Cartográfico de Andalucía, publicará anualmente un informe síntesis que recoja las principales estadísticas de Andalucía desde una perspectiva de género.

Los diferentes observatorios de la Administración de la Junta de Andalucía y otros órganos colegiados que tengan entre sus fines el análisis e investigación en su ámbito de competencias publicarán un informe anual que recoja sus principales estadísticas desde una perspectiva de género.

3.9.5. Promoción de la Igualdad de Género por la Junta de Andalucía

Atendiendo al capítulo II del título I de la Ley 12/2007, podemos observar tres medidas que debe aplicar la Junta de Andalucía para promocionar la igualdad de género:

- Representación equilibrada de los órganos directivos y colegiados.
- Establecimiento de condiciones especiales en relación con la ejecución de los contratos que celebre.
- Incorporación a las bases reguladoras de las subvenciones públicas de la valoración de actuaciones de efectiva consecución, por parte de las entidades solicitantes, de la igualdad de género.

3.9.5.1. Representación equilibrada de los órganos directivos y colegiados

El artículo 11 de la Ley 12/2007 establece que:

Se garantizará la representación equilibrada de hombres y mujeres en el nombramiento de titulares de **órganos directivos** de la Administración de la Junta de Andalucía cuya designación corresponda al Consejo de Gobierno.

El artículo 3.3 de la misma Ley 12/2007, concretaba que se entiende por representación equilibrada aquella situación que garantice la presencia de mujeres y hombres de forma que, en el conjunto de personas a que se refiera cada sexo ni supere el sesenta por ciento ni sea menos del cuarenta por ciento.

En la composición de los **órganos colegiados** de la Administración de la Junta de Andalucía deberá respetarse la representación equilibrada de mujeres y hombres.

En la composición de los órganos colegiados de la Administración de la Junta de Andalucía deberá respetarse la representación equilibrada de mujeres y hombres, incluyendo en el cómputo a aquellas personas que formen parte de los mismos en función del cargo específico que desempeñen. Este mismo criterio de representación se observará en la modificación o renovación de dichos órganos. A tal efecto, cada organización, institución o entidad a la que corresponda la designación o propuesta facilitará la composición de género que permita la representación equilibrada.

Sin perjuicio de otras medidas que se consideren oportunas, las normas que regulen los jurados creados para la concesión de cualquier tipo de premio promovido o subvencionado por las Administraciones públicas de Andalucía establecerán las mismas reglas de representación equilibrada definidas para los órganos colegiados en el párrafo anterior.

Los estatutos de los colegios profesionales de Andalucía deberán establecer las medidas adecuadas para asegurar que en los órganos de dirección a los que se refiere el artículo 32 de la Ley 10/2003, de 6 de noviembre, reguladora de los Colegios Profesionales de Andalucía, así como en todos aquellos órganos colegiados que se deban constituir con carácter preceptivo, se garantice la representación equilibrada de mujeres y hombres.

Las corporaciones de derecho público de Andalucía deberán establecer los mecanismos adecuados para asegurar la representación equilibrada de mujeres y hombres en sus órganos de dirección.

Las federaciones deportivas de Andalucía deberán establecer las medidas adecuadas para que en sus órganos colegiados se garantice la representación equilibrada de mujeres y hombres.

Las entidades anteriores deberán adaptar su denominación a un uso no sexista del lenguaje.

3.9.5.2. Contratación pública

La contratación pública se convierte también en un instrumento para la transversalidad, por cuanto este mecanismo puede servir para extender –en la lógica de la transversalidad– los fines de la Administración Pública a las empresas y entidades con las que se relaciona.

El artículo 12 de la Ley 12/2007 señala que la Administración de la Junta de Andalucía, a través de sus órganos de contratación, establecerá condiciones especiales en relación con la ejecución de los contratos que celebren, con el fin de promover la igualdad entre mujeres y hombres, especialmente en el ámbito laboral, siempre dentro del marco proporcionado por la normativa vigente.

En su apartado 2, el citado artículo 12 establece que los órganos de contratación de la Administración de la Junta de Andalucía señalarán, en los pliegos de cláusulas administrativas particulares, la **preferencia de la adjudicación de los contratos** para las proposiciones presentadas por aquellas empresas que, en el momento de acreditar su solvencia técnica, tengan la marca de excelencia o desarrollen medidas destinadas a lograr la igualdad de oportunidades, cuenten con protocolo de acoso sexual y por razón de sexo, así como que las medidas de igualdad aplicadas permanezcan en el tiempo y mantengan la efectividad, de acuerdo con las condiciones que reglamentariamente se establezcan. Todo ello, sin perjuicio de lo establecido en las normas reguladoras de los contratos del sector público.

3.9.5.3. Ayudas y subvenciones

El artículo 13 de la Ley 12/2007, al referirse a la promoción de la igualdad de género por la Junta de Andalucía a través de las ayudas y subvenciones, señala lo siguiente:

La Administración de la Junta de Andalucía incorporará a las bases reguladoras de las subvenciones públicas la valoración de actuaciones de efectiva consecución de la igualdad de género por parte de las entidades solicitantes, salvo en aquellos casos en que, por la naturaleza de la subvención o de las entidades solicitantes, esté justificada su no incorporación.

La Administración de la Junta de Andalucía no formalizará contratos ni subvencionará, bonificará o prestará ayudas públicas a aquellas personas físicas o jurídicas condenadas por alentar o tolerar prácticas laborales consideradas discriminatorias por la legislación vigente, durante un plazo de cinco años desde la fecha de la condena por sentencia firme.

Tampoco podrán acceder a ningún tipo de ayudas que conceda la Administración de la Junta de Andalucía y sus agencias aquellas personas físicas o jurídicas que, mediante resolución administrativa firme, sean objeto de las sanciones accesorias previstas en la letra a) de los apartados 2 y 3 del artículo 80.

A tal efecto, los solicitantes deberán presentar, junto con la solicitud de la ayuda, una declaración responsable del hecho de no haber sido objeto de sanciones administrativas firmes ni de sentencias firmes condenatorias, en los plazos establecidos en la Ley 12/2007.

La Administración de la Junta de Andalucía establecerá medidas concretas de vigilancia del cumplimiento del principio de igualdad en el ámbito laboral para aquellas personas físicas o jurídicas con las que contrate, que subvencione, bonifique o a las que preste ayudas públicas.

3.9.6. Igualdad en el Sector Público

El artículo 22 de la Ley 12/2007 destaca como un **objetivo prioritario** de la actuación de la Administración de la Junta de Andalucía la ***igualdad de oportunidades en el empleo***.

A tal efecto, se llevarán a cabo políticas de fomento del empleo y actividad empresarial que impulsen la presencia de mujeres y hombres en el mercado de trabajo con un empleo de calidad, y una mejor ***conciliación de la vida laboral, familiar y personal***.

La Administración de la Junta de Andalucía desarrollará las ***medidas de acción positiva*** destinadas a garantizar la igualdad de oportunidades y la superación de las situaciones de ***segregación profesional***, tanto vertical como horizontal, así como las que supongan desigualdades retributivas.

El artículo 33 de la Ley 12/2007, en relación con la igualdad en el empleo, encomienda a la Administración de la Junta de Andalucía la adopción de las medidas necesarias para una protección eficaz frente al acoso sexual y el acoso por razón de sexo, tanto en el ámbito de la Administración Pública como en el de las empresas privadas.

Vamos a analizar más detalladamente algunos términos aquí utilizados con la ayuda del *Glosario de términos relacionados con la transversalidad de género* editado por la Secretaría Técnica del Proyecto Equal "En Clave de Culturas":

A) La **igualdad de oportunidades entre mujeres y hombres** se fundamenta en el principio de igualdad y se refiere a la necesidad de corrección de las desigualdades existentes entre hombres y mujeres en nuestras sociedades. Constituye la garantía de ausencia de cualquier barrera discriminatoria de naturaleza sexista en las vías de participación económica, política y social de las mujeres.

B) La **conciliación de la vida laboral y personal** significa construir una carrera profesional satisfactoria, aprovechar las oportunidades culturales y de ocio, ejercer un papel activo en la sociedad, tener una vida plena, equilibrada y sin discriminación.

   La ambigüedad conceptual del término "conciliación" no puede resolverse mediante simples retoques terminológicos. El contenido de este concepto es fruto del sistema de razonamiento que apliquemos al acercarnos a él; no debemos olvidar el verdadero espacio donde se sitúa esta problemática: la igualdad de oportunidades entre mujeres y hombres.

C) La **acción positiva** es una ampliación de la noción de Igualdad de Oportunidades y ausencia de discriminación. Se trata de la aplicación de políticas, planes, programas y acciones diseñados y encaminados a combatir los efectos de la discriminación hacia personas o grupos desfavorecidos. Su finalidad es corregir las consecuencias de la discriminación, habilitando a la persona o colectivo perjudicado para robustecerse, afirmarse y competir en pie de igualdad con el colectivo favorecido o alcanzar la equiparación de inmediato.

   También son llamadas acciones afirmativas, y en la actualidad se perciben como un mecanismo de cambio social que beneficiará a ambos sexos.

D) La **discriminación laboral** consiste en toda distinción, exclusión o preferencia de trato que, ocurrida con motivo o con ocasión de una relación de trabajo, se base en un criterio de raza, color, sexo, religión, sindicación, opinión política o cualquier otro que se considere irracional o injustificado, y que tenga por efecto alterar o anular la igualdad de trato en el empleo y la ocupación.

E) La **segregación vertical** consiste en la concentración de mujeres u de hombres en grados y niveles específicos de responsabilidad, puestos de trabajo o cargos. Se habla de segregación vertical cuando al mismo nivel de formación y experiencia laboral se opta por la candidatura masculina para los puestos de jefatura y dirección.

F) La **segregación horizontal** consiste en la concentración del número de mujeres y/o de hombres en sectores y empleos específicos. Es lo que conocemos por "trabajos típicamente femeninos" (secretarias, enfermeras, maestras, etc.) y "trabajos típicamente masculinos" (mecánicos, conductores, etc.).

G) El **acoso sexual**, según la OIT, se trata de un comportamiento de naturaleza sexual (física o verbal), que surge en las relaciones laborales y que, no siendo deseado por la víctima, es percibido por esta como un condicionante hostil para su trabajo, convirtiéndolo en algo humillante. Es una forma de discriminación por razón de género y la mayoría de sus víctimas son mujeres. El problema guarda relación con la asignación de roles y afecta seriamente a la situación de las mujeres en el mercado de trabajo.

3.9.6.1. Empleo en el sector público andaluz

En relación al empleo en el sector público andaluz, el artículo 31 de la Ley 12/2007 señala las tres medidas siguientes:

- Los **temarios** para la celebración de pruebas selectivas de acceso al empleo público en la Administración de la Junta de Andalucía deberán incluir materias relativas a la normativa sobre igualdad y violencia de género.
- Para que la igualdad de oportunidades entre mujeres y hombres sea integrada en el desarrollo de la actividad pública, la Administración de la Junta de Andalucía garantizará la **formación** de su personal sobre igualdad y violencia de género y se integrará la perspectiva de género de manera transversal en los contenidos de la formación.
- Las ofertas públicas de empleo de la Administración de la Junta de Andalucía deberán ir acompañadas de **la evaluación del impacto por razón de género que se incluirá en la MAIN**.
- Previa negociación de acuerdo con la normativa aplicable y sin perjuicio de otras medidas que se consideren adecuadas, las normas que regulen los procesos selectivos de acceso, provisión y promoción en el empleo público en la Administración de la Junta de Andalucía, sus agencias y demás entidades instrumentales podrán disponer que las bases de la convocatoria, en caso de empate en la calificación final, establezcan, como criterio de desempate, la prioridad de las personas del sexo cuya presencia en el cuerpo, escala o categoría profesional correspondiente sea inferior al cuarenta por ciento en el momento de la aprobación de la oferta de empleo público.

3.9.6.2. Planes de igualdad en la Administración Pública

El artículo 32 de la Ley 12/2007 obliga a la Administración de la Junta de Andalucía, sus agencias y demás entidades instrumentales a elaborar **cada cuatro años** planes de igualdad en el empleo.

En estos planes se establecerán los objetivos a alcanzar en materia de igualdad de trato y de oportunidades en el empleo público, así como las estrategias y medidas a adoptar para su consecución, incluyendo las medidas para la conciliación de la vida laboral con la familiar y personal, con medidas específicas sobre diversidad familiar y personal.

Los planes de igualdad serán evaluados y establecerán medidas correctoras, en su caso, cada cuatro años.

3.9.7. Otras medidas para la integración de la transversalidad en la Junta de Andalucía

A lo largo del texto de la Ley 12/2007, de 26 de noviembre, para la promoción de la igualdad de género en Andalucía, podemos encontrar más alusiones expresas al enfoque y la perspectiva de género, además de las ya tratadas en los apartados anteriores, instando a los poderes públicos de Andalucía a integrar la perspectiva de género. Así:

- El artículo 43.1 encomienda a los poderes públicos de Andalucía integrar la perspectiva de género en el **desarrollo de las políticas de bienestar social**. En este sentido, se establecerán programas específicos para mujeres mayores, mujeres con discapacidad, en riesgo de exclusión social, o dirigidos a mujeres en situación de especial vulnerabilidad.
- El artículo 46.1 encomienda también a los poderes públicos de Andalucía, en el marco de garantías para la inclusión social, desarrollar acciones dirigidas a quienes se encuentren en situación de especial vulnerabilidad, estableciendo estrategias que contemplen el enfoque de género en **las políticas de intervención,** especialmente en las relativas al acceso al empleo y a la formación.
- El artículo 50, por su parte, encomienda a los poderes públicos de Andalucía integrar la perspectiva de género **en el diseño de las políticas y los planes en materia de vivienda**, desarrollando programas y actuaciones específicas para distintos grupos sociales y modelos de familia.

  Asimismo, los poderes públicos de Andalucía, en coordinación y colaboración con las entidades locales en el territorio andaluz, tendrán en cuenta la perspectiva de género **en el diseño de las ciudades, en las políticas urbanas, y en la definición y ejecución de los planeamientos urbanísticos**.
- El artículo 52.1 encomienda a los poderes públicos de Andalucía integrar la perspectiva de género **en las actuaciones de desarrollo rural**, garantizando que estas intervenciones contemplen las necesidades de las mujeres, permitan su plena participación con equidad en los procesos de desarrollo rural y contribuyan a una igualdad real de oportunidades entre mujeres y hombres.

3.9.8. Otras normas andaluzas sobre la Igualdad de Género

- Ley 10/1988, de 29 de diciembre, de Presupuesto de la Comunidad Autónoma de Andalucía para el año 1989 (en su artículo 30, crea el Instituto Andaluz de la Mujer).
- Orden de 24 de noviembre de 1992, conjunta de la Consejería de Gobernación y de la Consejería de Asuntos Sociales de la Junta de Andalucía, sobre la eliminación del lenguaje sexista en los textos y documentos administrativos.
- Orden conjunta de 19 de febrero de 1993, de las Consejerías de la Presidencia y de Asuntos Sociales, por la que se dictan normas para el cumplimiento del principio de no discriminación por razón de sexo en la información y divulgación de la acción institucional de la Junta de Andalucía.
- Decreto 72/2003, de 18 de marzo, de Medidas de Impulso de la Sociedad del Conocimiento en Andalucía.
- Ley 18/2003, de 29 de diciembre de 2003, por la que se aprueban medidas fiscales y administrativas *(en el Capítulo VIII se aprobó la obligatoriedad del informe de evaluación de impacto de género en los proyectos de ley y reglamentos y planes aprobados por el Consejo de Gobierno y la incorporación del enfoque de género en los presupuestos de la Comunidad).*
- Instrucción de 16 de marzo de 2005, de la Comisión General de Viceconsejeros para evitar un uso sexista del lenguaje en las disposiciones de carácter general de la Junta de Andalucía.
- Ley 6/2005, de 8 de abril, Reguladora de la Actividad Publicitaria de las Administraciones Públicas de Andalucía.
- Decreto 437/2008, de 2 de septiembre, por el que se crea la Comisión Interdepartamental para la Igualdad de Mujeres y Hombres.
- Acuerdo de 19 de enero de 2010, del Consejo de Gobierno, por el que se aprueba el I Plan Estratégico para la Igualdad de Mujeres y Hombres en Andalucía 2010-2013.
- Decreto 275/2010, de 27 de abril, por el que se regulan las Unidades de Igualdad de Género en la Administración de la Junta de Andalucía.
- Decreto 440/2010, de 14 de diciembre, por el que se regula la elaboración del Informe Periódico, relativo a la efectividad del principio de igualdad entre mujeres y hombres en el ámbito competencial de la Administración de la Junta de Andalucía.
- Resolución de 27 de diciembre 2010, del Instituto Andaluz de Administración Pública, por la que se regula el procedimiento para la homologación de acciones formativas organizadas por promotores de la Administración de la Junta de Andalucía.
- Decreto 154/2011, de 10 de mayo, por el que se regula el Consejo Andaluz de Participación de las Mujeres.
- Decreto 17/2012, de 7 de febrero, por el que se regula la elaboración del Informe de Evaluación del Impacto de Género.

- Decreto 115/2015, de 24 de marzo, por el que se modifica el Decreto 154/2011, de 10 de mayo, por el que se regula el Consejo Andaluz de Participación de las Mujeres.
- Acuerdo de 16 de febrero de 2016, del Consejo de Gobierno, por el que se aprueba el II Plan Estratégico de Igualdad de Género en Educación 2016-2021.
- Acuerdo de 9 de octubre de 2018, del Consejo de Gobierno, por el que se aprueba la formulación del I Plan de acción contra la desigualdad salarial entre mujeres y hombres en Andalucía.
- Resolución de 3 de marzo de 2020, que actualiza el Protocolo de prevención y actuación en los casos de acoso laboral, sexual y por razón de sexo u otra discriminación, de la Administración de la Junta de Andalucía.
- Acuerdo de 13 de octubre de 2020, del Consejo de Gobierno, por el que se aprueba la formulación del Plan integral de sensibilización y prevención contra la violencia de género en Andalucía 2021-2025.
- Decreto 96/2021, de 23 de febrero, de creación de la Ventanilla única para la atención a las víctimas de violencia de género.
- Decreto 1/2022, de 11 de enero, por el que se crea la "Marca Andaluza de Excelencia en Igualdad" y se establecen los criterios para su obtención, control de la ejecución y renovación.
- Decreto 99/2022, de 7 de junio, por el que se regulan las funciones, composición y funcionamiento de los Centros Municipales de Información a la Mujer para la cofinanciación de su creación y mantenimiento.
- Acuerdo de 24 de octubre de 2023, del Consejo de Gobierno, por el que se ratifica el I Plan de Igualdad de la Administración General de la Junta de Andalucía 2023-2027, aprobado por la Comisión Negociadora del citado Plan en fecha 6 de julio de 2023.
- Decreto-ley 9/2023, de 21 de noviembre, por el que se modifica la Ley 13/2007, de 26 de noviembre, de medidas de prevención y protección integral contra la violencia de género y se regula la prestación económica a los hijos e hijas menores de edad de mujeres víctimas mortales como consecuencia de violencia de género en la Comunidad Autónoma de Andalucía.

Solución a las actividades

Actividad 1.

- Verdadera.
- Falsa.
- Verdadera.

Actividad 2.

Verdadera.

Actividad 3.

Entre los derechos del administrado se encuentra el del acceso a la información pública, archivos y registros, de acuerdo con lo previsto en la **Ley 19/2013, de 9 de diciembre**, de transparencia, acceso a la información pública y buen gobierno y el resto del Ordenamiento Jurídico.

Actividad 4.

- Verdadera.
- Verdadera.

BLOQUE II

TEMA 1

Aspectos Generales de la Geriatría y Gerontología: envejecimiento fisiológico y patológico

¿Sabes cómo retener más información en tu **memoria**? Con las Técnicas de Memoria 360 te explicamos todos los detalles.

Índice

1. Concepto de ancianidad

Si por envejecimiento tomamos la definición del Diccionario de la Lengua Española: «acción y efecto de envejecer»; y como tal «hacer vieja a una persona», la ciencia y la técnica médicas con la prolongación de la vida están haciendo posible el envejecimiento. Corresponde entonces a las ciencias sociales equilibrar ese avance biológico con el bienestar social.

En los últimos años, varias son las circunstancias propulsoras de la gran expansión de la Geriatría (es una rama de la medicina que estudia, previene, diagnostica y trata las **enfermedades** de las personas adultas mayores) y de la **Gerontología**: medicina y cuidados de la edad senil, de la senectud, de la vejez o de la ancianidad (estudio de la salud, la psicología y la integración social y económica de las personas que se encuentran en la vejez).

En esta expansión hay que tener en cuenta la conjunción de diversos factores:

1. Un **factor demográfico,** consecuencia del progresivo envejecimiento de la población y, por tanto, mayor proporción de gerontes (ancianos). El número de ancianos crece en todos los países desarrollados y cada vez lo son con edades más elevadas, con un mayor nivel de salud y cultura, y con una mayor consecuencia de sus derechos en este terreno. Podemos añadir que, al llegar a los 65 años, la esperanza de vida de un individuo en España se sitúa alrededor de 10-18 años más. Esto es tenido en cuenta por políticos, sanitarios, sociólogos, psicólogos, trabajadores sociales, etc., que cada vez incluyen más en sus programas de actuación aspectos relativos a la problemática del anciano.

Sabías que...

La esperanza de vida al nacer en España en 2022 es de 87 años en mujeres y 81,8 años en hombres, según el INE.

2. Un **factor social**: la situación del geronte en el seno de la sociedad occidental contemporánea, a causa de ciertas normas culturales y legales, es poco grata para él, nociva para su salud mental y hasta francamente morbígena.

3. Un **factor médico**: preocupación clínica por el geronte, que ha cristalizado en una nueva especialidad de la Medicina: la Geriatría y Gerontología Médicas.

4 Un **factor epidemiológico**: aumento de la frecuencia absoluta de enfermedades en el anciano.

5. Un **factor terapéutico**: comprobación de que un porcentaje considerable de trastornos psíquicos son mejorables con medicación.

6. Un **factor economicista**: la vejez es la etapa de la vida en la que más patologías se presentan y en la que mayor gasto se origina. El envejecimiento de la población gravita sobre la estructura social que lo soporta, suponiendo una carga familiar y social. El gasto que genera el anciano está condicionado por las decisiones médicas en el terreno político, económico y social. Bastaría recordar el volumen económico que todos los países deben dedicar a pensiones y el derivado del consumo de medicamentos, o la necesidad de aportar recursos sanitarios y sociales a los ancianos incapacitados o con problemas de recuperación.

2. Etapas del envejecimiento

La vejez propiamente dicha o **madurez tardía** se caracteriza por una serie de alteraciones biológicas, parenquimatosas (atrofia de órganos y tejidos, infiltración grasa, etc.), glandulares y desórdenes funcionales.

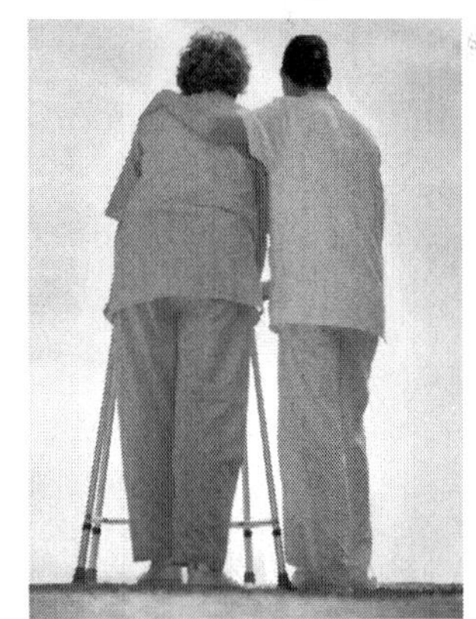

La **senectud** posee biológicamente límites convencionales que la separan de la vejez, por una parte, y de la decrepitud senil, por otra. Se caracteriza por la falta de alteraciones parenquimatosas y glandulares. Se trata, en realidad, de la persistencia de la vejez con sus atributos, sin llegar, por tanto al marasmo senil.

La **decrepitud senil**, caquexia senil o marasmo senil, no es propiamente una etapa de la vida. Se trata generalmente en ella de afecciones caracterizadas o latentes, como neoplasias, procesos degenerativos, secuelas de enfermedades, etc., acaecidas en otras etapas de la vida.

3. Concepto de edad en geriatría

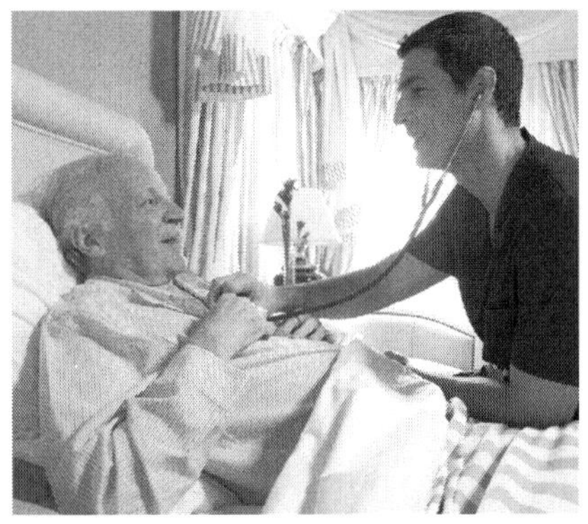

No todos envejecemos de igual forma, ni en cuanto a la morfología ni en cuanto a la función se refiere, de forma que podemos clasificar la edad según tres conceptos distintos:

- **Edad cronológica**. Es la determinada en función del tiempo transcurrido desde el nacimiento; se refiere al tiempo de vida de las personas y es lo que se considera de forma legal en nuestra sociedad: mayoría de edad, derecho al voto, jubilación.

- **Edad biológica o fisiológica**. Corresponde al estado funcional de los órganos de nuestro cuerpo comparados con patrones estándar establecidos para cada edad o grupos de edad. No es siempre concordante con la edad cronológica. Para cuantificarla se utilizan medidas antropométricas tales como el índice de masa corporal, función renal, capacidad vital, etc.
- **Edad funcional**. Expresa la capacidad de mantener los roles personales y la integración social del individuo en la comunidad, para lo que se precisa conservar razonables cotas de capacidades físicas. Para la medida de la edad funcional se utilizan distintas escalas de evaluación, que es lo que constituye el pilar de la valoración geriátrica.
- La **edad psicológica**. Es la determinada por los rasgos psicológicos de cada grupo de edad. Es uno de los más importantes puesto que una persona es mayor si se siente mayor.

4. Indicadores de envejecimiento

Existen varios indicadores del envejecimiento en una población, siendo los más utilizados las pirámides de Burgdofer, el índice de Sundbarg y el coeficiente de renovación:

Pirámides de Burgdofer: una pirámide es la representación gráfica de una población que se forma por cohortes (grupos de edades) y habitualmente representa la población por edad, sexo, estado civil, etc. Compara los porcentajes de población en los grupos de 6-15 y de 45-65 años. Si el primero es mayor que el segundo, la población es joven. Si son aproximadamente iguales, es madura, y si es menor, la población es vieja. En sí misma es un diagnóstico demográfico y sirve para cimentar previsiones de futuro poblacional, con repercusiones sociales, económicas, sanitarias, etc. La pirámide de Bulgdofer sitúa en el eje de ordenadas (eje de la «X») los grupos de edades y en el de abscisas (eje de la «Y») el número total de habitantes. Se obtienen, según la población, hasta tres tipos de pirámides:

1. **Triangular**. Es una población joven, con una base amplia (jóvenes) y un vértice escaso (ancianos).

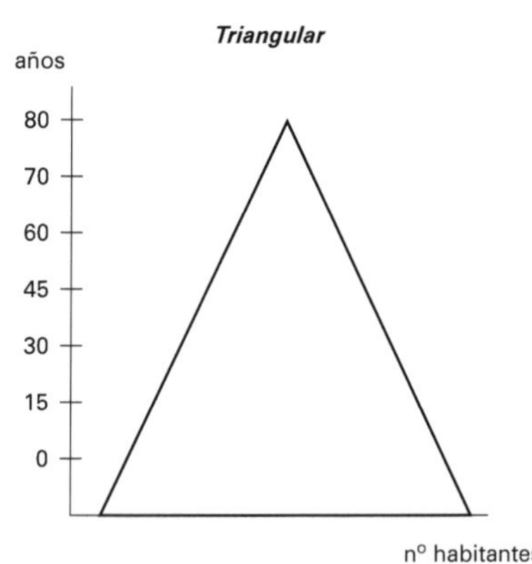

2. **Ojival**. Población madura, en países con desplazamiento hacia las edades medias y no excesiva proporción de ancianos.

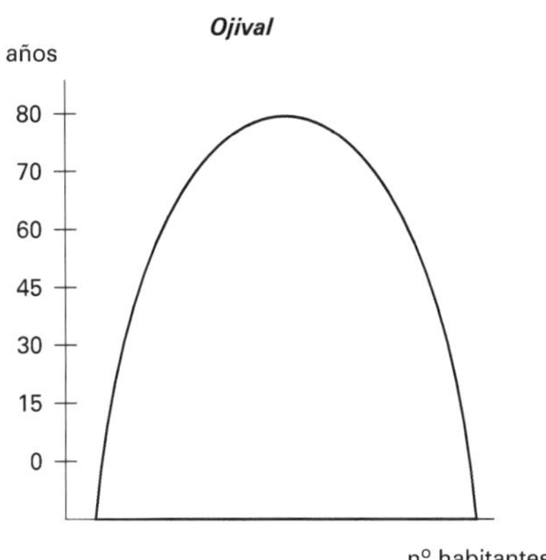

3. **Ánfora.** Población vieja con más ancianos que jóvenes.

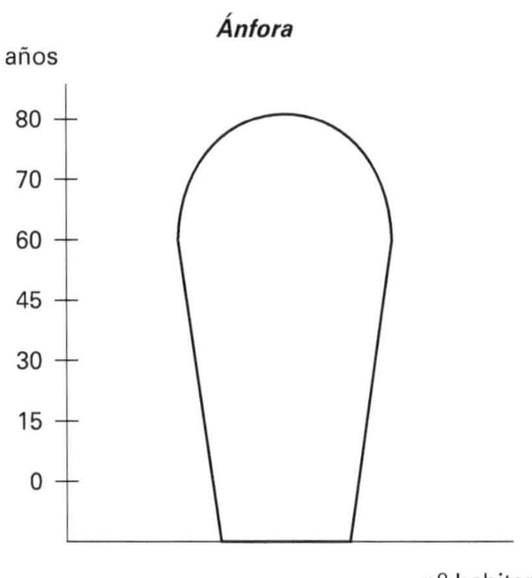

Índice de Sundbarg: toma el grupo de población de 15 a 50 años como el 100% y relaciona con él los muy jóvenes (de 1 a 15 años) y los mayores (más de 50 años). De esta forma clasifica a la población en: población progresiva (población joven), población estacionaria y población regresiva (población envejecida).

El índice más usado, por su comodidad, es el porcentaje, es decir, la proporción de personas de más de 65 años con respecto al total de la población. Atendiendo a este índice los países se clasifican en: **jóvenes (**índice menor de 8%), **transición** (índice entre 8% y 11%) y **envejecidos** (índice mayor del 11%).

El **coeficiente de renovación** o índice de envejecimiento mide la relación entre la población joven y la anciana, basándose en la fórmula de personas mayores de 65 años y más años dividido por la población de 0 a 14 años.

Índice de Friz: representa la proporción de población en el grupo 0-19 años en relación a la de 30-49 años, que se toma como base 100. Si este índice es mayor de 160, la población se considera joven o progresiva, si se halla entre 60 y 160, madura, y si es menor de 60, vieja o regresiva.

Actividad 1

¿Qué edad está definida por el envejecimiento de sus órganos y tejidos?

- ☐ a) Cronológica.
- ☐ b) Fisiológica.
- ☐ c) Psíquica.

4.1. Datos demográficos

Los primeros síntomas de envejecimiento demográfico se inician en los años 50, con una disimetría favorable a las mujeres, con un número muy elevado de viudas. Los nuevos métodos de producción demandan nuevas generaciones más preparadas para el manejo del equipamiento tecnológico; como consecuencia se adelanta la edad de jubilación creando una mayor pasividad en los grupos de edad avanzada. Esto plantea políticas preventivas de cara a mantener el ejercicio y el interés social del anciano. La ancianidad es el poder gris, los políticos en elecciones incluyen en sus programas las demandas de la 3ª edad.

El núcleo familiar se reduce al mínimo. La incorporación de la mujer al trabajo remunerado hace que desaparezca la figura de «cuidadora domiciliaria» del ama de casa, generando una mayor necesidad de dispositivos de cuidados no familiares. El desarrollo urbano ha generado una ciudad sin espacios físicos dispuestos para el ocio o la convivencia de las personas de mayor edad. Esta situación ha fomentado la aparición de una nueva filosofía de cuidados del anciano que ha dado en llamarse «asistencia geriátrica».

4.2. Asistencia geriátrica

Conviene comenzar definiendo lo que entendemos por «asistencia geriátrica». Sería, de acuerdo con el Libro Blanco sobre *El médico y la tercera edad,* un «conjunto de niveles de atención que, desde una óptica sanitaria y social, debe garantizar la calidad de vida de los ancianos habitantes de un área sectorizada, proporcionando respuestas adecuadas a las diferentes situaciones de enfermedad o de dificultad social que aquellos presenten».

Su **objetivo prioritario** es el conseguir que el anciano permanezca, o se reintegre, a su domicilio habitual en suficientes condiciones de bienestar y seguridad.

Una asistencia geriátrica bien concebida presuSpone la adopción de medidas globales que contemplen aspectos amplios y dispersos. Aspectos que incluyen puntos de vista tan variados como un nivel adecuado de pensiones, unos servicios sociales lo más completos posibles, pensando en las necesidades reales del colectivo anciano al que van dirigidos, o unas medidas sanitarias que contribuyan a prevenir enfermedades, faciliten la asistencia integral del anciano cuando estas se presenten y tengan en cuenta las patologías crónicas e incapacitantes a efectos de servicios específicos de recuperación, residencias asistidas, etc.

La organización general de la asistencia geriátrica debe ser integral, es decir, preventiva, asistencial, rehabilitadora y social. En cada sector cabe considerar, a efectos expositivos, una atención ambulatoria o extrahospitalaria, cuya respuesta sea ofertada por el «primer nivel» de asistencia (Atención Primaria), una atención hospitalaria cuyo «segundo nivel» correspondería a los hospitales generales y una atención en hospitales geriátricos y residencias gerontológicas asistidas, correspondientes al «nivel terciario».

Todos estos niveles asistenciales deben mantener una coordinación permanente entre sí, especialmente entre aquellos ubicados en un mismo sector. En todo caso, debe tenerse en cuenta que el objetivo básico es el mantenimiento del anciano en su propio domicilio en buenas condiciones, tanto de salud como funcionales, físicas, psíquicas y ambientales.

Debe tenerse una concepción «centrífuga», considerando prioritario que «todo lo que pueda atenderse fuera del hospital no tiene por qué serlo dentro». Con ello se reducen ingresos y se fuerza la relación con los Centros de Atención Primaria, los Hospitales de Apoyo y los Servicios Sociales de la propia área asistencial. La atención extrahospitalaria es siempre más barata y, sobre todo, desde el punto de vista conceptual y humano, el anciano no debe organizar su vida en torno al hospital, sino buscar su inserción en áreas sociales que le sean más próximas y con menor carga negativa que la que supone un hospital.

Para una asistencia geriátrica idónea han de elaborarse:

1. Programas de promoción de salud, donde cobran gran relieve los de prevención y de educación de las personas mayores.
2. Programas de diversificación de servicios asistenciales, con especial importancia en la jerarquización de niveles asistenciales.

En cuanto a los dispositivos asistenciales, hay que diferenciar:

A) Dispositivos de carácter social o de apoyo a la convivencia

Los dispositivos de carácter social o de apoyo a la convivencia son: **instituciones cerradas** (asilos -válidos, inválidos.), **instituciones abiertas** (clubes, centros de día, etc.) y **dispositivos de apoyo domiciliario** (ayuda a domicilio).

B) Dispositivos de carácter sanitario

1. Dispositivos geriátricos de primer nivel

Correspondería a los Servicios de Atención Primaria. Las principales funciones del sector primario de atención son: sectorización de la población en Áreas Sanitarias, coordinación de todos los dispositivos, incidencia en las actividades de promoción, prevención y rehabilitación e incidencia en el desarrollo de actividades dirigidas a la integridad de la asistencia al enfermo, específicamente salud mental y ambiental.

Este dispositivo de primer nivel se realizaría en los Centros de Salud de Atención Primaria mediante la elaboración de programas específicos para el seguimiento de enfermos ancianos con patología crónica.

Las principales causas de **consulta extrahospitalaria** en los ancianos son: artrosis, reumatismo, enfermedades degenerativas, cardiovasculares, respiratorias y consumo de fármacos.

Las **causas de alta hospitalaria** en mayores de 65 años son: enfermedades del aparato cardiocirculatorio (18%), enfermedades del aparato digestivo (11 %), tumores (9 %), enfermedades del aparato respiratorio (6%) y fracturas (6 %).

2. Dispositivos geriátricos de segundo nivel

Una de estas unidades puede ser el *Hospital de día geriátrico*. Puede estar ubicado en el Centro de Atención Primaria o en hospitales de media o larga estancia. En todo caso, se trata de un centro de funcionamiento diurno, sin camas de hospitalización, dinámico en sus prestaciones y destinado a completar la recuperación psíquica, física y social del paciente anciano. Sirve como puente entre la asistencia hospitalaria y la domiciliaria, es decir, intermedio entre el sector terciario y el primario. Los tipos de ancianos que se reciben más comúnmente son:

- Aquellos que necesitan recuperación física o simplemente mantenimiento (accidentes cerebrovasculares, fracturas de reciente intervención quirúrgica, etc.).
- Los que requieren recuperación o mantenimiento físico especializado (parkinsonianos, amputados, diabéticos, etc.).
- Ancianos que requieren recuperación o soporte psicológico, siempre que no caigan en la psiquiatría propiamente dicha.

- Los que necesitan afianzamiento y recuperación de actividades básicas o instrumentales, pérdidas durante su enfermedad y estancia hospitalaria (vestirse, comer u otras actividades de su vida diaria).
- Ancianos que necesitan cuidados sanitarios que no pueden ser prestados en su domicilio y que no justifican su ingreso.

3. Dispositivos geriátricos de tercer nivel

Correspondería a los hospitales de cuidados continuados. Las **funciones** de estos hospitales son: Asistencial (hospitalización, consultas externas, hospitalización domiciliaria...), docencia (dirigida principalmente a enfermería y médicos residentes de Geriatría) e investigación.

Los **objetivos** serían:

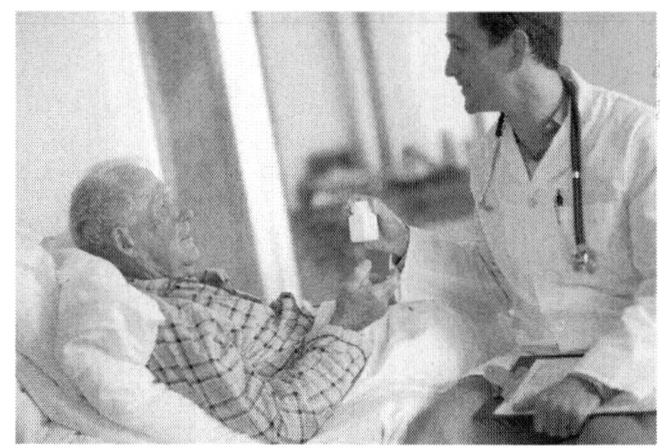

1. Evaluar y diagnosticar los problemas de salud del paciente desde el punto de vista clínico, funcional y social.
2. Establecer cuidados tendentes al tratamiento, recuperación funcional, readaptación a las incapacidades y reinserción social. Promover la reinserción social.
3. Establecer cuidados paliativos al paciente con mal pronóstico.

Actividad 2

Indica si las siguientes cuestiones son verdaderas o falsas:

- **La Geriatría es la disciplina que estudia el envejecimiento desde una perspectiva biológica, psicológica y social.**

  Verdadera ☐ Falsa ☐

- **La edad biológica y la edad cronológica siempre coinciden en una persona.**

  Verdadera ☐ Falsa ☐

5. Fundamentos de la atención al anciano

La atención geriátrica presenta un nivel de complejidad cada vez más alto debido lógicamente a los factores demográficos y epidemiológicos de sobras conocidos por todos. Pero quizás, en la actualidad, uno de los problemas que aumentan esta complejidad es el desarrollo y la práctica de modelos asistenciales más modernos y encaminados a ser mejor vividos por los profesionales y los propios ancianos.

Objetivos de la atención en el cuidado de los ancianos

Para atender adecuadamente a las necesidades de los ancianos es preciso establecer tres objetivos básicos:

1. La atención ha de basarse en la concepción integral del individuo anciano, como hombre adulto, con una historia de vida, sea cual fuere su situación en el proceso salud/enfermedad. El anciano tiene derecho a salvaguardar su autonomía en cualquier situación, a mantener su dignidad y a participar en las decisiones que le afecten para poder mantener y/o mejorar su calidad de vida.
2. El cuidado de los ancianos debe basarse en los siguientes objetivos:
   - Identificar las características individuales y colectivas de los ancianos, valorando íntegramente a la persona. La consideración de su pasado, sus problemas presentes y sus proyectos y posibilidades vitales contribuyen en la comprensión y respeto de sus demandas y en la adecuación de la atención y de los cuidados que se le presten.
   - Facilitar la participación del anciano en la toma de decisiones. Esta participación deberá orientarse hacia el mantenimiento de su autonomía y la aceptación de sus limitaciones y dependencia o del soporte preciso para superar sus pérdidas, mediante una adecuada información, interrelación y educación sanitaria, contribuyendo así a racionalizar e individualizar las demandas de cuidados.
   - Planificar y ejecutar las actividades relacionadas con el cuidado integral, acorde con los valores propios de la persona anciana, y colaborar con la población anciana en todo aquello que contribuya a mejorar la calidad de vida.
3. Los profesionales que atienden a los ancianos deben tener una visión dinámica del proceso de envejecimiento; solo así serán capaces de considerarlo como una nueva etapa de la vida de los individuos, contribuyendo a facilitar la adaptación progresiva de los ancianos a los cambios que en esta se producen. Considerar este proceso como algo uniforme en toda la especie significa no entender ni comprender el concepto de hombre como ser único, individual e irrepetible. Estereotipar a los ancianos constituye un serio problema que todavía hoy se da en los profesionales y repercute en la atención y cuidado de los mismos.

La concepción que los profesionales tengan de su propia vejez, su capacidad para adaptarse a los cambios de su proceso vital, sus conocimientos y su experiencia en la relación con el anciano contribuirán a que sean capaces de prestar atención y cuidados de calidad para resolver las necesidades de salud de las personas ancianas desde la prevención, tratamiento y rehabilitación. El mantenimiento de la salud y el bienestar es uno de los factores contribuyentes en la mejora de calidad de vida y básicos en el funcionamiento con respecto a la resolución de las actividades de la vida diaria.

Cuando la atención dirigida a los ancianos se fundamenta en todos estos elementos anteriores, la atención pasa a tener en cuenta al anciano, para fomentar su autonomía en lugar de "hacerse cargo" por su grado de "dependencia/autonomía". A este modo de plantear la atención en los ancianos le denominamos acto geriátrico que es aquel que tiene en cuenta a la persona anciana, sus valores, historia, condiciones, etc., orientado a fomentar la toma de sus propias decisiones para favorecer el uso de sus capacidades.

La **metodología del acto geriátrico** pasa por:

- Valorar la situación de las necesidades de la persona, sobre todo lo referido a las actividades de la vida diaria (AVD) de la forma más real posible.
- Para identificar mejor el nivel de la situación proponer al paciente su realización y observar.
- Intentar no marcar la "hora" de realización ni el tiempo, dejar al anciano que siga su ritmo.
- No querer la perfección, es mejor una imperfección realizada por uno mismo que la perfección de los demás.
- Pensar en la autorrealización del anciano y dejar que haga todo lo que pueda, aunque emplee en ello todo el tiempo.
- No proponer objetivos demasiado ambiciosos, se debe pasar de un nivel al inmediato superior, así se consigue más fácilmente.
- Pensar que, a veces, evitar un mayor deterioro en una situación ya es de por sí un gran éxito.
- Actuar siempre con respeto y sensibilidad.

Actividad 3

¿Cuál es el principal objetivo de la asistencia geriátrica?

- ☐ a) Proporcionar medicamentos específicos a los ancianos.
- ☐ b) Conseguir que el anciano permanezca en su domicilio en condiciones de bienestar y seguridad.
- ☐ c) Garantizar el ingreso hospitalario de los ancianos para mejor atención.

6. Atención integral

La atención a los ancianos debe ser una atención integral, pues se debe atender a la persona en todos sus aspectos: físico, social, psicológico y relacional. Por ello no se debe olvidar que habrá dos grandes áreas que influirán en dicha atención: la sanitaria y la social; ambas deben proporcionar al individuo el mayor grado de salud y la mejor calidad de vida posible. De ahí que las políticas de atención al anciano planteen hoy no solo la asistencia social y la sanitaria por separado sino que en según qué problemática presente el anciano existan los recursos de ámbito sociosanitario que pueden dar una atención más rápida y coordinada al problema o problemas planteados por el anciano.

7. Conceptos en las diferentes situaciones de salud-enfermedad en el anciano

Como ya se ha comentado, los problemas médicos se incrementan con la edad, así como la tendencia de los procesos a la cronicidad, la incapacidad y la dependencia; al mismo tiempo, las condiciones psíquicas y sociales en que se encuentran estos pacientes son probablemente más desfavorables. En esta situación es importante identificar y aplicar criterios de selección y determinación de riesgo a aquellas personas ancianas que son susceptibles de sufrir determinadas patologías para, por un lado, prevenir posibles procesos patológicos y, por otro, actuar evitando las complicaciones derivadas de los ya instaurados.

Los conceptos que desarrollaremos a continuación intentan establecer diferencias sutiles entre diversos grados de probabilidad de sufrir una determinada enfermedad, o bien que determinan las probabilidades de riesgo de enfermar en los ancianos.

Anciano sano

Aquel sujeto mayor de 65 años, que no padece patología, ni presenta ningún grado de problemática funcional, mental o social.

Anciano enfermo

Aquel anciano sano con una enfermedad aguda; se comportaría de forma similar a un paciente adulto enfermo. Suelen ser personas que acuden a consulta o ingresan en los hospitales por un proceso único, usualmente no presentan otras enfermedades importantes, así como tampoco problemas mentales o sociales.

Anciano frágil

Toda persona que cumple una o más de las siguientes características:

- Edad superior a los 80 años.
- Vive solo.
- Pérdida reciente de su pareja (menos de 1 año).
- Patología crónica invalidante: accidente cerebrovascular, cardiopatía isquémica, enfermedad de Parkinson, obstrucción crónica al flujo aéreo, artrosis o enfermedad osteoarticular avanzada y déficit auditivo o visual importantes.
- Caídas.
- Polifarmacia.
- Ingreso hospitalario durante el último año.
- Demencia, depresión u otro deterioro cognitivo.
- Deficiencia económica.
- Insuficiente apoyo social.

Paciente geriátrico

Aquel paciente de edad avanzada con una o varias enfermedades de base crónicas y evolucionadas, en el que ya existe discapacidad de forma evidente. Este tipo de paciente manifiesta dependencia para las actividades básicas de la vida diaria, precisa ayuda de otros y frecuentemente suele presentar alteración mental y problemática social.

8. Clasificación de envejecimiento

El envejecimiento a nivel fisiológico puede dividirse en:

- **Envejecimiento primario**: es inevitable, se da el daño corporal que empieza a una edad temprana y continua con el paso de los años; podría decirse que es cuando empezamos a notar que nuestro cuerpo cambia, aparecen las arrugas, piel débil, entre otros.
- **Envejecimiento secundario**: sucede por causa de enfermedades que tengamos o que aparezcan es el deterioro permanente que nos dejan estos padecimientos sufridos.

En la actualidad los científicos sociales que se especializan en el estudio del envejecimiento se refieren a tres grupos de adultos mayores: el "viejo joven", el "viejo viejo" y el "viejo de edad avanzada":

- **Viejo -joven**: 65-74 años aproximadamente son personas animadas, activas y demuestran vigorosidad.

- **Viejos- viejos**: 75-84 años aproximadamente mantienen el estilo de vida anterior pero no con el mismo ritmo si no en un proceso más lento.
- **Viejo de edad avanzada**: 85 años en adelante son personas viejas más propensas a caerse, fracturarse algún hueso o a las enfermedades, les cuesta más organizar el itinerario de su día.

Una clasificación más significativa se basa en la edad funcional: qué tan bien funciona la persona en un ambiente físico y social en comparación con otras personas de la misma edad cronológica.

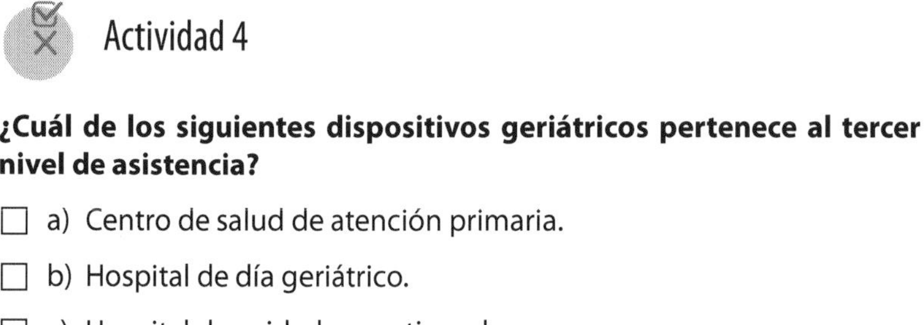

Actividad 4

¿Cuál de los siguientes dispositivos geriátricos pertenece al tercer nivel de asistencia?

- ☐ a) Centro de salud de atención primaria.
- ☐ b) Hospital de día geriátrico.
- ☐ c) Hospital de cuidados continuados.

Solución a las actividades

Actividad 1.

- ☐ a) Cronológica.
- ☑ b) Fisiológica.
- ☐ c) Psíquica.

Actividad 2.

- Verdadera.
- Falsa.

Actividad 3.

- ☐ a) Proporcionar medicamentos específicos a los ancianos.
- ☑ b) Conseguir que el anciano permanezca en su domicilio en condiciones de bienestar y seguridad.
- ☐ c) Garantizar el ingreso hospitalario de los ancianos para mejor atención.

Actividad 4.

- ☐ a) Centro de salud de atención primaria.
- ☐ b) Hospital de día geriátrico.
- ☑ c) Hospital de cuidados continuados.

TEMA 2

Cambios fisiológicos y psicosociales en el envejecimiento

Convierte tu memoria en súper **memoria** con nuestros consejos, recursos y Técnicas de Memoria 360.

Índice

1. Cambios fisiológicos y psicosociales en el envejecimiento

1.1. Modificaciones fisiológicas en el anciano

Las modificaciones fisiológicas típicas del envejecimiento incluyen:

- **Modificaciones de nariz, garganta y lengua**. Se produce una disminución de los sentidos del gusto (se pierde la capacidad de detección de sabores salados más que de los dulces) y del olfato, y existe una pérdida de centros neuronales primarios. Como consecuencia de esto se originan, con gran frecuencia, intoxicaciones por la ingestión de alimentos en mal estado, la pérdida de apetito o anorexia con la consiguiente disminución de peso y la aparición de manías alimenticias.
- **Modificaciones de la piel**. En la ancianidad la piel se va volviendo descolorida, delgada, arrugada, seca y frágil, debido a una atrofia de las glándulas sebáceas, lo que conlleva una disminución de grasa corporal. También tiene lugar un aumento del grosor y la fragilidad de los vasos sanguíneos. La elastina pierde sus características elásticas, el colágeno se hace más rígido dando lugar a las arrugas y a la flojedad de la piel, además hay pérdida de grasa subcutánea, por ello, la piel del anciano es muy susceptible de sufrir úlceras por presión.
- **Modificaciones musculares y esqueléticas**. La columna vertebral experimenta modificaciones anatómicas por la compresión de los discos y cuerpos vertebrales, lo que da lugar a una estatura disminuida y a una disminución del raquis (disminución de la talla de hasta 10-15 cm en algunos casos). También aparece en el anciano una posición encorvada debido a una atrofia de estructuras esqueléticas de sostén y modificaciones en la conformación del tórax, ya que se reduce la anchura de los hombros y se osifican los cartílagos costales. Con el envejecimiento aparece también pérdida de masa ósea, desmineralización, debilidad muscular y descenso en el número de fibras musculares, rigidez articular y acumulación de grasa en abdomen y caderas.

  La osteoporosis es la pérdida paulatina de calcio en los huesos, que se acelera en los primeros 5 años de la menopausia por el déficit de estrógenos. En el inicio de la enfermedad no se produce ningún síntoma y, a medida que esta progresa, hay una tendencia a sufrir fracturas lo que conlleva a una posible disminución de la estatura.
- **Modificaciones de la boca y dentadura.** El epitelio bucal aumenta su grosor y se hace más susceptible a cualquier irritación. Disminución de la producción de saliva. Son frecuentes las varices bucales de la lengua y las caries dentales, que dan lugar a la caída de los dientes. Hay un desgaste del esmalte y dentina y un aumento del cemento. También es frecuente la atrofia gingival y mandibular.
- **Modificaciones cardiovasculares:**
  * *Con respecto al corazón:* experimenta una disminución de peso y de volumen, se produce una atrofia de sus fibras musculares, aparece una rigidez de las válvulas cardíacas, hay un aumento de grasa subepicárdica...

* *Con respecto a la arteria aorta:* pierde elasticidad, adquiere un mayor perímetro, espesor, volumen, peso y longitud.
* *Con respecto a las arterias:* se produce un alargamiento de las mismas, aparece una dilatación arterial, su recorrido se hace tortuoso, experimentan una gran rigidez…
* *Con respecto a las venas:* se produce esclerosis (aumento de tejido conjuntivo), hay una disminución de fibras elásticas y musculares y aparece una tendencia a la dilatación.
* *Con respecto a las modificaciones funcionales cardiovasculares:* hay un aumento del gasto cardíaco, hay una disminución de la fuerza de contracción, se produce un alargamiento de la duración de la sístole y la diástole y del tiempo entre ambas y tiene lugar una modificación de la tensión arterial.

- **Modificaciones respiratorias:**

El pulmón disminuye su volumen de peso y su consistencia y los bronquios manifiestan una dilatación con adelgazamiento de su pared. Hay una dilatación de las cavidades alveolares, una disminución del espesor de la pared alveolar y capilares sanguíneos. Las arterias pulmonares se ven engrosadas y endurecidas.

La *caja torácica* presenta: alteraciones óseas de cartílagos y de músculos, rigidez de las articulaciones, degeneración de los discos intervertebrales…

Con respecto a las modificaciones funcionales respiratorias: hay un aumento de la frecuencia respiratoria, una disminución de la capacidad vital y pulmonar total, el volumen residual es mayor y hay una disminución del volumen respiratorio y de la difusión alveolo-capilar.

- **Modificaciones digestivas:**

* A nivel del esófago, y por alteración de sus fibras musculares, se produce una dilatación del mismo y una alteración en sus ondas peristálticas, con lo que se enlentece el paso de los alimentos por el mismo.
* También el estómago sufre un enlentecimiento en sus movimientos y una hipotonía. Además, la mucosa se hace atrófica disminuyendo la producción de ácido gástrico (tanto libre como total), pepsina y otras sustancias necesarias para realizar la digestión.
* El intestino delgado también va a sufrir las consecuencias del envejecimiento por modificaciones de su capa mucosa, su motilidad y en el flujo sanguíneo. Asimismo, la secreción de fermentos pancreáticos disminuye. Por todo ello se va a producir una peor digestión y absorción de las grasas, y una perturbación en la absorción del hierro, calcio, vitamina B_{12} y ácido fólico, pudiendo provocar cuadros de avitaminosis.

- El intestino grueso sufre hipotonía, lo que dará lugar a cierto estreñimiento. Los esfínteres anales también se vuelven hipotónicos, por lo que el control de los mismos también va a ser deficiente.

- **Modificaciones urinarias:**

  * El riñón experimenta una pérdida de volumen (25 y 40 %), disminuyendo también el número de glomérulos y nefronas. Pérdida de peso y aumento progresivo de grasa per e intrarrenal. Hay una disminución del flujo plasmático.

  * Se produce también una reducción de filtrado glomerular y de la capacidad de excreción y reabsorción en los túbulos renales. La vejiga se vuelve hipotónica por reducción de la elasticidad de su tejido. El músculo vesical se fibrosa. En el epitelio vesical se producen trastornos que, junto con la disminución de la capacidad contráctil del músculo detrusor, aumentan el riesgo de infección.

- **Modificaciones en el sistema nervioso:**

  El peso del cerebro se reduce aproximadamente un 11% entre los 45 y los 85 años (peso normal 1.400 g a los 20 años). Pese a que se pierden hasta 100.000 neuronas diarias, no hay pruebas de que esta pérdida de peso sea a costa de ellas, pudiendo serlo por la merma de líquido extracelular.

  La corteza cerebral se estrecha, y los ventrículos aumentan de tamaño, y se pierden neuronas en todos los niveles del cerebro, como cerebelo, médula espinal, etc. Las neuronas sufren degeneración de su estructura así como pérdida de determinadas terminaciones.

  El cerebro utiliza durante toda su vida la misma cantidad de oxígeno, pero en la vejez aumenta el consumo de determinadas sustancias y es más rico en pigmentos de hierro.

  La conducción en los nervios periféricos se enlentece y el «tacto fino» y el «dolor» se perciben con mayor dificultad. El temblor senil, rápido y fino, tiene también origen en este proceso. Las denominadas «placas seniles» se observan tanto en cerebros senescentes como en cerebros aquejados de demencia presenil. Dichas placas aparecen sobre todo a nivel de la corteza cerebral y son sustancias que se acumulan y tienen un origen oscuro, no se ha demostrado que influyan en la aparición de procesos patológicos cerebrales.

  Con gran frecuencia se aprecia una importante esclerosis de los vasos sanguíneos de la base cerebral, que son estrechos y frágiles, tortuosos e inelásticos.

  Según algunas teorías, pese a la pérdida progresiva de neuronas, no se pierde capacidad intelectual, dado que esta pérdida es suplida por la proliferación de uniones entre las neuronas. Según esto, el deterioro intelectual de algunos ancianos no se debería a procesos naturales de envejecimiento sino a procesos exclusivamente patológicos.

  Existe dificultades para regular la temperatura a nivel hipotalámico por lo que los hace más susceptibles a la pérdida de líquidos y a la desnutrición.

Desde el punto de vista psicológico, existen dos tipos de ancianos: los *bien adaptados* (saben llevar bien su condición y mantienen, al menos parcialmente, su independencia aunque aceptan bien la ayuda) y los *mal adaptados* (caracterizados bien por ser irritables o auto- despreciativos).

Tanto en unos como en otros el comportamiento suele ser la prolongación del carácter que han tenido siempre.

- **Modificaciones visuales y auditivas:**

  * Aparece una disminución de la agudeza visual, de la acomodación y de la visión nocturna. Disminuye el campo periférico de visión. Tienen lugar trastornos lagrimales, cataratas, degeneración macular, glaucoma, retinopatía diabética y desprendimiento de retina.

  * Aparece una disminución en la percepción de las frecuencias altas, en primer lugar, y después en la percepción absoluta de los ruidos ambientales, lo cual ocasiona retraimiento y aislamiento social. Pérdida conductiva de la audición por presencia de fluidos y tapones de cera. Al realizar la valoración se debe descartar la presencia de cerumen.

1.2. Modificaciones psicológicas en el anciano

El descenso de las funciones intelectuales en los ancianos no guarda una relación directa con la edad cronológica, sino que más bien va ligado a la aparición de enfermedades que producen un cierto deterioro de la capacidad intelectual. La pérdida de **memoria** reciente tiene un efecto negativo a nivel psíquico y le preocupa de manera especial. Suele lamentarse a menudo de ello. Parece que aquellas personas dotadas de más recursos intelectuales, estarían en mejor disposición para vivir su vejez. Cuantos más sean los recursos humanos propios, mejores serán las condiciones de vida. El nivel cultural es un recurso humano de primera magnitud.

Es frecuente una disminución de la **autoestima** del anciano, relacionada sobre todo con el abandono de la vida laboral activa, disminución de las condiciones socio–económicas, muerte del otro miembro de la pareja, etc. Es esta una etapa en la que el anciano se siente solo, sin actividad laboral, poco integrado en la vida social y familiar e incluso inútil.

Esto influye en su estado general de manera negativa. Aparece desinterés por las cosas, pesimismo, falta de integración y desadaptación. Los mecanismos de respuesta del anciano ante la situación de vejez, son diferentes en función de su personalidad, vivencias acumuladas y recursos personales. Puede desarrollar mecanismos: de **separación** (alejamiento del mundo que le rodea), de **integración** (aceptando el envejecimiento con cierta resignación) y de **actividad;** el anciano reacciona ante el sentimiento de inutilidad. Busca alternativas y actividades provechosas para él y para la sociedad que le ayudan a sentirse útil y potencian su autoestima.

Actividad 1

Relaciona el nombre con la significación de los términos relacionados con la ancianidad:

Anciano sano	Aquel sujeto mayor de 80 años,que vive solo, y ha perdido a su pareja recientemente.
Anciano frágil	Aquel sujeto mayor de 65 años, que no padece patología, ni presenta ningún grado de problemática funcional, mental o social.
Paciente geriátrico	Aquel paciente de edad avanzada con una o varias enfermedades de base crónicas y evolucionadas, en el que ya existe discapacidad de forma evidente.

1.3. Modificaciones sociales

El modelo cultural predominante en nuestra sociedad determina y diferencia claramente el papel de hombres y mujeres en lo relativo a la organización y distribución de tareas y responsabilidades, en el ámbito familiar y social. Esta asignación de roles por razones de género, sufre una transformación lenta e importante, en busca de un nuevo modelo de organización familiar y social que garantice la igualdad de oportunidades para ambos sexos. Este fenómeno se nutre fundamentalmente por los movimientos surgidos en las últimas décadas en pro de la igualdad de oportunidades.

La crisis de la jubilación está relacionada con el papel que culturalmente ha desempeñado el hombre a nivel familiar y social. Con la jubilación se pierde la responsabilidad familiar, el poder adquisitivo disminuye y se desarrolla un sentimiento de pérdida del prestigio social. La jubilación supone el aislamiento social en muchos casos, ya que el trabajador pierde a su grupo de relación laboral cotidiano, incluso a parte de sus amistades, y tiene que pasar a un nuevo estado que supone una reestructuración de su vida. Si bien es cierto que cada persona tiene distintas vivencias de la jubilación, para muchos supone el comienzo de su final, sufriendo una crisis o conflicto personal.

Aparecen, por tanto, problemas que afectan a los aspectos físicos, psíquicos, familiares y sociales. Para bastantes menos representa la etapa en que pueden dedicarse a realizar sus sueños. Para estos no supone ningún tipo de trauma.

El anciano necesita afecto y sentimientos de pertenecer a la familia. La fatiga producida por cuidar y vigilar al anciano, casi siempre llevando a cabo horarios estrictos, agotan en poco tiempo los recursos físicos y emocionales para encontrarse en el centro de la situación.

Es posible que el anciano muestre pruebas de la tensión familiar, a través de quejas múltiples, angustias y fatiga. Es típica la lamentación del anciano por querer depender menos de su entorno familiar, y esto se manifiesta con agitación, voz estridente, mirada huidiza y retorcimientos de manos.

Al mismo tiempo el anciano puede experimentar cansancio o fatiga que se traduce en no poder dormir durante la noche y mostrando abatimiento, irritabilidad, ojeras y suspiros frecuentes. También puede experimentar signos y síntomas de deterioro de la relación con la persona que lo cuida. Estos **signos** y **síntomas** que puede manifestar el anciano son:

- **El aislamiento**. La infelicidad y la impotencia del anciano en cuanto a las relaciones con el familiar que lo cuida se traduce en el aislamiento. Es típico que el anciano muestre una posición fetal y que nunca inicie una conversación.

- **Alteraciones de las funciones cognoscitivas**. Se pueden producir en el anciano regresiones en la capacidad cognoscitiva y daño creciente de la memoria a corto plazo. También puede observarse una disminución del pensamiento y de la capacidad para decidir.

- **Miedo**. Entre los signos de miedo o temor manifestados en el anciano se incluye: el rechazo hacia el familiar que lo cuida, expresión de temor en el rostro cuando el cuidador se acerca, conducta insinuante y pasividad poco habitual.

- **Hostilidad**. Normalmente el anciano manifiesta hostilidad en forma de agresiones verbales. Entre los factores de riesgo para los problemas en la vida diaria del anciano destacan: escasez de recursos económicos, obstáculos ambientales, problemas de salud, abuso de sustancias (medicamentos) y disminución de recursos comunitarios.

2. Valoración geriátrica integral

La enfermera y doctora **Marjory Warren**, desde una Unidad de Larga Estancia en el Reino Unido, inicia los primeros estudios sobre la valoración geriátrica al comprobar que muchos ancianos no habían recibido una valoración adecuada. Sin duda, los diferentes problemas que presenta el anciano, en la mayor parte de las ocasiones interconexionados y complejos, hacen que la valoración del anciano tenga en cuenta no solo la esfera clínica sino también todos los aspectos "biopsicosociales" que rodean a la persona.

Marjory Warren

La valoración geriátrica integral es la piedra angular de la geriatría y a través de este método de valoración seremos

capaces de indagar en profundidad sobre las necesidades del anciano lo que favorece la implementación de una terapéutica y de unos cuidados más ajustados a las carencias reales presentes en cada anciano.

Distintos autores definen la valoración geriátrica integral como un proceso diagnóstico, estructurado, dinámico, multidimensional (a nivel físico, funcional, psíquico y socioambiental) e interprofesional que nos permite identificar las capacidades del mayor, los problemas y las necesidades en los ámbitos clínico, funcional, mental y socioambiental de la persona mayor.

En la valoración física se realizará un análisis de los aspectos clínicos habituales pero incorporando las repercusiones que el proceso de envejecimiento tiene sobre la clínica. En la valoración psicológica alcanza al campo cognitivo y al afectivo. Y también se tendrán en cuenta la valoración de todos aquellos aspectos sociales, ambientales y económicos que puedan repercutir sobre la satisfacción de necesidades del mayor.

La situación funcional del anciano, su capacidad de vivir de forma independiente, vendrá determinada por los resultados de las limitaciones en cada uno de los campos físico, psicológico y social, aunque deberemos de valorarla igualmente.

La valoración geriátrica integral nos permite identificar los recursos que mantiene la persona mayor, las posibilidades de mejora, nos da información sobre qué servicios necesita y cuáles son las necesidades que presenta. Elementos que nos favorecen el desarrollo de un plan de cuidados que debe de caracterizarse por ser dinámico, progresivo, coordinado y continuado que satisface las necesidades de la persona mayor y de sus cuidadores.

La idealidad en la valoración geriátrica integral es la concurrencia de distintos profesionales, de diferentes disciplinas, con capacidad para aportar en las reuniones multidisciplinares su conocimiento específico en cada una de las áreas a valorar para poder acercarnos lo mejor posible a la figura de la persona que se está valorando.

Las grandes diferencias presentes en la valoración geriátrica integral frente a la valoración médica habitual son: la multidisciplinariedad, la utilización de escalas cuantitativas, su interés por el anciano frágil y los problemas complejos del mayor, y la preocupación por el estado funcional y la calidad de vida de la persona mayor.

Especialmente se beneficiará de la valoración geriátrica integral el anciano frágil donde obtendremos un mayor beneficio y eficacia.

En el desarrollo de toda valoración geriátrica debemos de tener presente el ambiente en el que se desenvuelve la entrevista con el anciano. Así, debemos de cuidar el trato y las formas (de usted hasta que no nos diga lo contrario), el lenguaje (claro, despacio, vocalizando y adaptado a su nivel cultural), teniendo presente la comunicación no verbal, buscando un ambiente adecuado (sin ruido, luminoso y con temperatura adecuada), respetando su tiempo para hablar y favoreciendo la utilización de las ayudas técnicas que utilice (audífono, gafas, dentadura…).

2.1. Objetivos y ventajas de la valoración geriátrica integral

Los **objetivos** y las **ventajas** que obtenemos tras la utilización de la valoración geriátrica integral quedan reflejados en los siguientes puntos:

- Mejora la exactitud diagnóstica y la identificación de enfermedades o problemas que fácilmente no se han detectado con la valoración médica tradicional.
- La propia mejora en la exactitud diagnóstica nos permitirá definir unos objetivos terapéuticos y de cuidados más claros y racionales, acordes con los déficit o necesidades del anciano.
- Nos permite analizar las posibles interacciones existentes entre los problemas detectados en los distintos niveles de la valoración (física, funcional, psíquica y social).
- Identificar la situación de partida del paciente lo que nos permitirá tanto predecir su evolución como advertir los cambios que se presenten a lo largo del tiempo.
- Conocer los recursos del paciente y su entorno social, familiar y ambiental.
- Asignar los servicios, ayudas técnicas y sobre todo incorporar al paciente a los programas que más se ajustan a sus necesidades. A la par estaremos optimizando la utilización de servicios y de los recursos del centro.
- Establecer un escenario adecuado para el anciano con el fin de evitar la institucionalización y cuando esta se produce valorar la ubicación más adecuada.

Para el desarrollo de la valoración geriátrica integral se utilizan generalmente escalas que en definitiva deben de ser instrumentos sencillos que nos permitan una valoración exhaustiva y rápida. **Su uso nos proporciona**:

- Una información objetiva y reproducible, de fácil transmisión a otros profesionales.
- Son más eficaces que el juicio clínico en la detección del deterioro o la incapacidad cuando estos se presentan de forma austera.
- La cuantificación del grado de incapacidad o deterioro nos facilita la toma de decisión, la elección de las intervenciones a practicar y nos ayuda en el seguimiento del paciente.
- Nos permiten valorar la calidad de los cuidados desarrollados.
- Un uso adecuado en la clínica, en la investigación y en la gestión sociosanitaria.

En conjunto los **beneficios** detectables tras la realización de la valoración geriátrica son:

- Reduce la prescripción de fármacos, la institucionalización, el uso de los hospitales de agudos, de acudir a los servicios de urgencias hospitalarias y el coste de los cuidados.
- Mejora de la exactitud diagnóstica, de la ubicación del paciente, del estado funcional y de la situación afectiva y cognitiva.
- Aumenta la permanencia en el domicilio y prolonga la supervivencia.

2.2. Valoración clínica

A la hora de realizar la valoración clínica de una persona anciana debemos de tener en cuenta dos elementos clave que se presentan en las personas de edad avanzada:

a) Los cambios asociados al proceso normal de envejecimiento:

Aunque el proceso de envejecimiento se presenta de forma desigual en las distintas personas, es una realidad la pérdida de funcionalidad de los distintos sistemas y órganos y que no serán detectables hasta que la pérdida es suficientemente importante.

Pues bien, en muchas ocasiones se confunden estas pérdidas fruto del proceso de envejecimiento y que se corresponden con un envejecimiento fisiológico con procesos patológicos a los que se les instaura erróneamente una terapéutica.

b) La presentación atípica de la enfermedad:

Algunos autores reflejan que cualquier enfermedad en el mayor puede presentarse de forma atípica o inespecífica, en ocasiones aparece la confusión mental, las caídas, la incontinencia, etc.

En otras ocasiones aparece una reactivación de los signos y síntomas de enfermedades crónicas que presentan.

El infarto agudo de miocardio puede presentarse sin dolor, las neumonías sin fiebre y los tumores pueden ser silentes o con fiebres de origen desconocido; los anteriores son algunos de los ejemplos más frecuentes en el mayor.

En la valoración clínica es necesario realizar una valoración de los diagnósticos previos y de la historia farmacológica, tanto referida a consumo de fármacos como a alergias, sensibilidades, intolerancias e interacciones que haya sufrido. La prudencia en esta valoración es fruto de la confusión que muchas veces está presente entre los cambios asociados al proceso normal de envejecimiento y los procesos patológicos, al igual que los cuadros inespecíficos de presentación de la enfermedad. Debemos diferenciar siempre el envejecimiento en salud del envejecimiento con patologías.

Generalmente después de una exploración general del anciano suelen identificarse un mayor número de alteraciones si lo comparamos con los adultos y el tiempo de exploración es más elevado.

La realización de una recogida de datos sobre su historia dietética es muy interesante especialmente cuando estamos hablando de un cambio del medio de atención (p.ej.: ingreso en una residencia) puesto que nos dará información sobre gustos, costumbres, horarios, etc.

Si desglosamos los elementos que forman parte de la valoración clínica debemos detenernos en los siguientes:

- *Anamnesis*:

  Los déficit sensoriales, de comprensión, de expresión, cognitivos, etc., dificultan la entrevista clínica en la persona anciana. Cuando sea necesario se recurrirá a la colaboración de un familiar, especialmente el cuidador principal, que nos trasladará información sobre síntomas, consumo de fármacos, alimentación, etc.

  Disponer de los informes clínicos previos nos facilitará el análisis de los antecedentes que presente el mayor.

- *Antecedentes personales*:

  Las enfermedades sufridas a lo largo de la vida, algunas poco frecuentes en la actualidad, las intervenciones quirúrgicas, el consumo de determinados fármacos, entre otras, pueden estar detrás de alteraciones constatables en la vejez.

- *Historia farmacológica*:

  El consumo de fármacos en el mayor tiene gran importancia por el elevado riesgo de iatrogenia (3-5 veces más que el adulto), por la presentación de efectos secundarios y por la degradación, hepática o renal, de los principios activos que los componen.

  El grupo de fármacos de especial vigilancia por las repercusiones derivadas de su consumo son: diuréticos, antihipertensivos, digitálicos, antidepresivos, neurolépticos y sedantes.

- *Información sobre la enfermedad actual*:

  Ya hemos hecho referencia a la forma atípica que en muchas ocasiones se presenta la enfermedad en el mayor por lo que debemos tenerlo en cuenta a la hora de valorar la enfermedad actual del mayor.

- *Exploración por aparatos y sistemas*:

  Nos facilita la identificación de problemas y nos alerta de la polipatología.

- *La exploración física*:

  La exploración física del mayor es más minuciosa que la del adulto y en ocasiones está condicionada por la no colaboración del anciano debido a distintas patologías.

  Recogeremos información sobre las constantes vitales (temperatura, tensión arterial, frecuencia cardiaca y respiratoria), el dolor, su aspecto general, el aseo, si es portador de sondajes, si utiliza algún dispositivo para la incontinencia, etc.

- *Las pruebas complementarias*:

  Habitualmente se suele realizar un sistemático de sangre, bioquímica, ionograma, un sedimento en orina y pruebas de la función tiroidea. También se realiza un electrocardiograma y en ocasiones una radiografía de tórax y una prueba de Mantoux.

2.3. Valoración funcional

La valoración funcional nos da información sobre las capacidades físicas de las personas mayores para realizar con autonomía e independencia las actividades habituales del día a día que le permiten mantener su bienestar y calidad de vida en el medio que les rodea. Entendiendo por función la realización de las actividades de la vida diaria, las cuales se dividen en actividades básicas de la vida diaria (autocuidado: lavarse, alimentarse, vestirse, deambular...), actividades instrumentales de la vida diaria (Independencia en la comunidad: cocinar, realizar la compra, manejo del dinero...) y actividades avanzadas de la vida diaria (empleo del tiempo libre, ejercicio, contactos sociales...).

La OMS estima que la valoración funcional es la mejor forma de medir la salud de los mayores, ya que función y enfermedad van a estar relacionadas. Así podemos afirmar que:

- La prevalencia de enfermedades y la pérdida funcional aumenta con la edad.
- El deterioro o incremento en la pérdida de una función puede deberse a un proceso mórbido.
- La pérdida funcional no es consustancial al envejecimiento.
- Tampoco la suma de enfermedades genera *per se* incapacidad funcional.
- Tanto las enfermedades agudas como la hospitalización frecuentemente son responsables de una pérdida funcional en el mayor.

Entre las utilidades de realizar la valoración funcional está: identificar áreas de incapacidad, adecua necesidades y tipo de cuidados, nos determina el tipo de rehabilitación que precisa, establece pronósticos, planifica cuidados, determinar la adjudicación de recursos, evalúa la eficacia y eficiencia de las intervenciones, determina la evolución del mayor, etc.

Cuando se evalúa la función de una persona mayor se analiza tanto la acción como si precisa ayuda para realizarla, considerando al individuo independiente o dependiente para dicha función. Dependiendo del instrumento de medida podemos encontramos con variaciones a la hora de precisar el nivel de ayuda o supervisión permitido. Es importante familiarizarse con el instrumento, puesto que en unas escalas el uso de un bastón es un signo de dependencia para la deambulación mientras que en otras no.

Recuerda que...

La mejor forma de medir la salud del anciano es en términos de función física, siendo el mejor indicador para identificar la aparición de una enfermedad, como así dice la OMS.

La valoración funcional es aconsejable realizarla a todas las personas mayores de 75 años independientemente del medio asistencial donde se encuentren; preferentemente se realizará una vez al año, y a los menores de esta edad al menos cuando:

- Precisan de hospitalización.
- Realizan su primer contacto con el sistema sociosanitario.
- Es un anciano frágil o de riesgo.
- Ante cambios que perduran en el tiempo.

1. Valoración de las actividades de la vida diaria

Los instrumentos más utilizados son:

A) Escala de la incapacidad física de la Cruz Roja

La escala de la incapacidad física de la Cruz Roja es una escala simple y fácil de utilizar que clasifica la capacidad de autocuidado del mayor en seis grados (de 0 a 5) desde la máxima independencia (0) a la máxima dependencia (5). Presenta una alta sensibilidad y especificidad.

ESCALA DE INCAPACIDAD FÍSICA DE LA CRUZ ROJA	
Grado 0	Se vale por sí mismo y anda con normalidad
Grado 1	Realiza suficientemente las actividades de la vida diaria. Deambula con alguna dificultad. Continencia normal.
Grado 2	Cierta dificultad en las actividades de la vida diaria, que le obligan a valerse de ayuda. Deambula con bastón u otro medio de apoyo. Continencia normal o rara incontinencia.
Grado 3	Grave dificultad en bastantes actividades de la vida diaria. Deambula con dificultad, ayudado al menos por una persona. Incontinencia ocasional.
Grado 4	Necesita ayuda para casi cualquier actividad de la vida diaria. Deambula con mucha dificultad, ayudado por al menos dos personas Incontinencia habitual.
Grado 5	Inmovilidad en cama o sillón. Necesita cuidados de enfermería constantes. Incontinencia total.

B) Índice de Barthel

El índice de Barthel consta de diez ítems que miden la dependencia o independencia y la continencia de esfínteres. La máxima independencia tiene una puntuación de 100 y la máxima dependencia de 0.

Este índice puede ayudarnos a valorar la evolución del paciente en las actividades de la vida diaria en conjunto o en parcelas concretas.

Una puntuación mayor de 60 indica una dependencia leve o independencia; entre 40-50 una dependencia moderada; entre 20 y 40 una dependencia severa y menor de 20 una dependencia total.

Además de valorar el estado funcional y sus variaciones nos permite predecir la mortalidad y nos ayuda a la elección de ubicación más adecuada al alta hospitalaria.

ÍNDICE DE BARTHEL	
COMER:	
(10)	Independiente. Capaz de comer por sí solo y en un tiempo razonable. La comida puede ser cocinada y servida por otra persona.
(5)	Necesita ayuda. Para cortar la carne o el pan, extender la mantequilla, etc., pero es capaz de comer solo.
(0)	Dependiente. Necesita ser alimentado por otra persona.
LAVARSE (BAÑARSE):	
(5)	Independiente. Capaz de lavarse entero. Incluye entrar y salir del baño. Puede realizarlo todo sin estar una persona presente.
(0)	Dependiente. Necesita alguna ayuda o supervisión.
VESTIRSE:	
(10)	Independiente. Capaz de ponerse y quitarse la ropa sin ayuda.
(5)	Necesita ayuda. Realiza solo al menos la mitad de las tareas en un tiempo razonable.
(0)	Dependiente.
ARREGLARSE:	
(5)	Independiente. Realiza todas las actividades personales sin ninguna ayuda. Los complementos necesarios pueden ser provistos por otra persona.
(0)	Dependiente. Necesita alguna ayuda.
DEPOSICIÓN:	
(10)	Continente. Ningún episodio de incontinencia.
(5)	Accidente ocasional. Menos de una vez por semana o necesita ayuda para enemas y supositorios.
(0)	Incontinente.
MICCIÓN (Valorar la semana previa):	
(10)	Continente. Ningún episodio de incontinencia. Capaz de usar cualquier dispositivo por sí solo.
(5)	Accidente ocasional. Máximo un episodio de incontinencia en 24 horas. Incluye necesitar ayuda en la manipulación de sondas y otros dispositivos.
(0)	Incontinente.
USAR EL RETRETE:	
(10)	Independiente. Entra y sale solo y no necesita ningún tipo de ayuda por parte de otra persona.
(5)	Necesita ayuda. Capaz de manejarse con pequeña ayuda: es capaz de usar el cuarto de baño. Puede limpiarse solo.
(0)	Dependiente. Incapaz de manejarse sin ayuda mayor.
TRASLADO AL SILLÓN/CAMA:	
(15)	Independiente. No precisa ayuda.
(10)	Mínima ayuda. Incluye supervisión verbal o pequeña ayuda física.
(5)	Gran ayuda. Precisa la ayuda de una persona fuerte o entrenada.
(0)	Dependiente. Necesita grúa o alzamiento por dos personas. Incapaz de permanecer sentado.

DEAMBULACIÓN:	
(15)	Independiente. Puede andar 50 m, o su equivalente en casa, sin ayuda o supervisión de otra persona. Puede usar ayudas instrumentales (bastón, muleta), excepto andador. Si utiliza prótesis, debe ser capaz de ponérsela y quitársela solo.
(10)	Necesita ayuda. Necesita supervisión o una pequeña ayuda física por parte de otra persona. Precisa utilizar andador.
(5)	Independiente (en silla de ruedas) en 50 m. No requiere ayuda o supervisión.
(0)	Dependiente.
SUBIR / BAJAR ESCALERAS:	
(10)	Independiente. Capaz de subir y bajar un piso sin la ayuda ni supervisión de otra persona.
(5)	Necesita ayuda. Precisa ayuda o supervisión.
(0)	Dependiente. Incapaz de salvar escalones

Puntuaciones:

1- Independiente: 100 puntos (95 si permanece en silla de ruedas).

2- Dependiente leve: >60 puntos.

3- Dependiente moderado: 40-55 puntos.

4- Dependiente grave: 20-35 puntos.

Dependiente total: <20 puntos.

2. Índice de Katz de las actividades de la vida diaria

El índice de Katz es una escala fácil y rápida de utilizar, evalúa seis actividades básicas de la vida diaria en términos de independencia/dependencia y posteriormente traslada los resultados a un índice alfabético jerarquizado (A, B, C, D, E, F y G) en niveles de independencia (A máxima independencia y G máxima dependencia).

Índice de KATZ de independencia de las actividades de la vida diaria
A. Independiente en alimentación, continencia, movilidad, uso del retrete, vestirse y bañarse.
B. Independiente para todas las funciones anteriores excepto una.
C. Independiente para todas excepto bañarse y otra función adicional.
D. Independiente para todas excepto bañarse, vestirse y otra función adicional.
E. Independiente para todas excepto bañarse, vestirse, uso del retrete y otra función adicional.
F. Independiente para todas excepto bañarse, vestirse, uso del retrete, movilidad y otra función adicional.
G. Dependiente en las seis funciones.
H. Dependiente en al menos dos funciones, pero no clasificable como C, D, E o F.

Independiente significa sin supervisión, dirección o ayuda personal activa, con las excepciones que se indican más abajo. Se basan en el estado actual y no en la capacidad de hacerlas. Se considera que un paciente que se niega a realizar una función no hace esa función, aunque se le considere capaz.
Bañarse (con esponja, ducha o bañera): Independiente: necesita ayuda para lavarse una sola parte (como la espalda o una extremidad incapacitada) o se baña completamente sin ayuda. Dependiente: necesita ayuda para lavarse más de una parte del cuerpo, para salir o entrar en la bañera, o no se lava solo.
Vestirse: Independiente: coge la ropa solo, se la pone, se pone adornos y abrigos y usa cremalleras (se excluye el atarse los zapatos). Dependiente: no se viste solo o permanece vestido parcialmente.
Usar el retrete: Independiente: accede al retrete, entra y sale de él, se limpia los órganos excretores y se arregla la ropa (puede usar o no soportes mecánicos). Dependiente: usa orinal o cuña o precisa ayuda para acceder al retrete y utilizarlo.
Movilidad: Independiente: entra y sale de la cama y se sienta y levanta de la silla solo (puede usar o no soportes mecánicos). Dependiente: precisa de ayuda para utilizar la cama y/o la silla; no realiza uno o más desplazamientos.
Continencia: Independiente: control completo de micción y defecación. Dependiente: incontinencia urinaria o fecal parcial o total.
Alimentación: Independiente: lleva la comida desde el plato o su equivalente a la boca (se excluyen cortar la carne y untar la mantequilla o similar). Dependiente: precisa ayuda para la acción de alimentarse, o necesita de alimentación enteral o parenteral.

3. Valoración de las actividades instrumentales de la vida diaria

La principal escala para valorar las actividades instrumentales de la vida diaria es el *Índice de Lawton (Escala del Centro Geriátrico de Filadelfia de Lawton).*

El índice de Lawton detecta las primeras señales de deterioro del anciano, puesto que dirige sus esfuerzos a valorar la independencia en la realización de tareas domésticas tales como usar el teléfono, ir de compras, hacer la comida, cuidar la casa, lavar la ropa, utilizar transportes, controlar la medicación y la capacidad para manejar el dinero.

Consta de ocho ítems sobre los que puntúa entre 1 (independiente) y 0 (dependiente).

Mide capacidades y muestra un elevado coeficiente de reproductividad (0,94).

ÍNDICE DE LAWTON	
ACTIVIDADES INSTRUMENTALES DE LA VIDA DIARIA	**PUNTOS**
A. CAPACIDAD PARA USAR EL TELÉFONO:	
- Utiliza el teléfono por iniciativa propia	1
- Es capaz de marcar bien algunos números familiares	1
- Es capaz de contestar al teléfono, pero no de marcar	1
- No es capaz de usar el teléfono	0
B. HACER COMPRAS:	
- Realiza todas las compras necesarias independientemente	1
- Realiza independientemente pequeñas compras	0
- Necesita ir acompañado para hacer cualquier compra	0
- Totalmente incapaz de comprar	0
C. PREPARACIÓN DE LA COMIDA:	
- Organiza, prepara y sirve las comidas por sí solo adecuadamente	1
- Prepara adecuadamente las comidas si se le proporcionan los ingredientes	0
- Prepara, calienta y sirve las comidas, pero no sigue una dieta adecuada	0
- Necesita que le preparen y sirvan las comidas	0
D. CUIDADO DE LA CASA:	
- Mantiene la casa solo o con ayuda ocasional (para trabajos pesados)	1
- Realiza tareas ligeras, como lavar los platos o hacer las camas	1
- Realiza tareas ligeras, pero no puede mantener un adecuado nivel de limpieza	1
- Necesita ayuda en todas las labores de la casa	1
- No participa en ninguna labor de la casa	0
E. LAVADO DE LA ROPA:	
- Lava por sí solo toda su ropa	1
- Lava por sí solo pequeñas prendas	1
- Todo el lavado de ropa debe ser realizado por otro	0
F. USO DE MEDIOS DE TRANSPORTE:	
- Viaja solo en transporte público o conduce su propio coche	1
- Es capaz de coger un taxi, pero no usa otro medio de transporte	1
- Viaja en transporte público cuando va acompañado por otra persona	1
- Solo utiliza el taxi o el automóvil con ayuda de otros	0
- No viaja	0
G. RESPONSABILIDAD RESPECTO A SU MEDICACIÓN:	
- Es capaz de tomar su medicación a la hora y con la dosis correcta	1
- Toma su medicación si la dosis le es preparada previamente	0
- No es capaz de administrarse su medicación	0
H. MANEJO DE SUS ASUNTOS ECONÓMICOS:	
- Se encarga de sus asuntos económicos por sí solo	1
- Realiza las compras de cada día, pero necesita ayuda en las grandes compras, bancos...	1
- Incapaz de manejar dinero	0

Máxima dependencia 0 puntos   Independencia total 8 puntos

4. Valoración de la movilidad

La **Escala de Tinetti** es el instrumento más utilizado para valorar la movilidad de un individuo a través de la marcha y el equilibrio. Su principal finalidad es la prevención de caídas.

La escala de Tinetti consta de dos partes:

- La primera evalúa el equilibrio sentado, las funciones de levantarse y sentarse y el equilibrio de pie.
- La segunda analiza la marcha, pasando por diferentes aspectos del paso y del caminar.

La puntuación máxima para la prueba del equilibrio es 16 y para la de la marcha 12, de modo que la total es 28. Cuanto mayor es la puntuación final, mejor la funcionalidad del paciente y menor el riesgo de que pueda sufrir una caída, considerándose que por debajo de los 19 puntos hay un claro riesgo de caída que aumenta según desciende la puntuación.

2.4. Valoración mental

La primacía que la valoración física del paciente ha tenido durante largos periodos de la historia más reciente ha hecho que los registros psicosociales (mental y social) quedasen relegados a meros datos secundarios en los que tan solo se profundizaría cuando se precisaban valoraciones más exhaustivas. Hoy en día podemos afirmar que la valoración psicosocial es una parte más de la valoración integral del paciente y creemos que ocupa un espacio importante si pretendemos proporcionar unos cuidados holísticos al individuo.

La valoración psicosocial no es algo puntual en el tiempo, aunque sus datos se refieren a un momento determinado, sino que se realizará de forma continua y dinámica, desde el primer contacto con el paciente y mientras se mantenga la relación profesional-paciente.

La valoración psicosocial se imbrica en todo el proceso valorativo, puesto que un profesional experimentado aprovechará la valoración física y funcional para incorporar dimensiones de aquella y más tarde profundizar en aquellos aspectos más concretos de la valoración psicosocial.

Las esferas donde hará hincapié la valoración psicosocial será en la mental y en la social. Respecto a la primera, valoración mental, evaluaremos la función cognitiva, la función afectiva-emocional y la conductual. Si bien, tendremos que tener en cuenta a la hora de la recogida de información de las peculiaridades derivadas de la edad (tener presente el proceso de envejecimiento, la fuente principal de apoyo...).

Aunque el diagnóstico debe ser fundamentalmente clínico existe un grupo considerable de instrumentos o escalas sobre los que debemos valorar su validez, fiabilidad y el tiempo de aplicación, que nos aportarán una ayuda importante, tanto para la detección como para la medición de forma rápida, sistemática y reproducible, del deterioro en los distintos niveles y que durante los últimos años su utilización ha ido en aumento aunque de manera heterogénea.

La valoración mental es una parcela importante de la valoración geriátrica integral siendo necesario detenernos en el análisis de tres grandes áreas: la valoración cognitiva, la valoración afectiva y la valoración perceptiva.

1. Valoración cognitiva

La valoración cognitiva va dirigida a identificar y evaluar alteraciones en la capacidad de realizar funciones intelectuales (pensar, comunicar, orientarse, percibir...), de forma que nos aporte información de interés respecto a su capacidad para desarrollar sus actividades cotidianas, incluido el trabajo, así como su capacidad de autocuidado.

Los procesos caracterizados por deterioro cognitivo independientemente de la edad a la que aparecen no son fisiológicos por lo que nos hablan de un estado de enfermedad que habrá que valorar y abordar.

Actividad 2

Indica si las siguientes cuestiones son verdaderas o falsas:

- **La piel del anciano pierde elasticidad debido a la disminución de colágeno y elastina.**

  Verdadera ☐ Falsa ☐

- **La valoración geriátrica integral solo se centra en el estado físico del anciano.**

  Verdadera ☐ Falsa ☐

A) Short Portable Mental Status Questionnaire de Pfeiffer (SPMSQ):

Esta prueba es un instrumento de administración rápida, sencilla y que no precisa de preparación especial, muy útil especialmente en Atención Primaria y en Residencias y nos reporta información sobre distintas áreas cognitivas (memoria y orientación).

Consta de 10 ítems, el noveno se ha tenido que adaptar en alguna de las traducciones (pide nombre completo y segundo apellido), especialmente útil para personas mayores, invidentes y analfabetos, aunque se corrige el resultado en función del grado de instrucción (un error más en caso de bajo nivel educativo y un error menos en caso de estudios superiores).

La interpretación de los resultados se realiza contabilizando los errores en los 10 ítems del test. De 0 a 2 se considera normal; de 3 a 4 deterioro intelectual leve; de 5 a 7 deterioro intelectual moderado y de 8 a 10, deterioro severo. El punto de corte para la demencia se establece en 5 errores.

SHORT PORTABLE MENTAL STATUS QUESTIONNAIRE DE PFEIFFER (SPMSQ)	
Pregunta a realizar	**Errores**
¿Qué fecha es hoy? (día, mes y año)	
¿Qué día de la semana es hoy?	
¿Dónde estamos ahora? (lugar o edificio)	
¿Cuál es su número de teléfono? (si no tuviese teléfono, preguntar cuál es su dirección)	
¿Qué edad tiene?	
¿Cuándo nació? (día, mes y año)	
¿Cómo se llama el Presidente del Gobierno?	
¿Cómo se llama el anterior Presidente del Gobierno?	
¿Cuál es el primer apellido de su madre?	
Reste de tres en tres desde veinte	
Total:	

Se adjudica un punto por cada error, considerando patológico un total de 5 o más puntos, y permitiéndose un error de más en caso de no haber recibido el paciente estudios primarios o un error de menos si ha recibido estudios superiores.

B) Test del reloj de Shulman:

Se caracteriza por pedir al paciente que marque una hora determinada en la circunferencia de un reloj dibujado, evalúa las habilidades visoespaciales y visoconstructivas. La presencia de errores en el dibujo bien por omisión, rotaciones, distorsiones, perseveraciones, errores en la colocación, sustituciones y adiciones nos indican un deterioro cognitivo. Existen cinco grados de errores y los resultados suelen correlacionarse con el test de Folstein.

Es de fácil uso y muy práctico en Atención Primaria y Residencias para la detección de deterioro cognitivo.

TEST DEL RELOJ DE SHULMAN
Hay que pedir al paciente que dibuje un reloj, y que lo haga en las siguientes fases:
1. "Dibuje primero la esfera, redonda y grande"
2. "Ahora coloque dentro de ella los números correspondientes a las horas del reloj, cada uno en su sitio"
3. "Dibuje ahora las manecillas del reloj, marcando las once y diez"
La puntuación se lleva a cabo como sigue: – Si coloca el número 12 en su sitio, tres puntos – Dos puntos más si ha escrito 12 números exactamente – Otros dos puntos si dibuja dos manecillas exactamente – Y dos puntos más si marca la hora exacta
El resultado se considera normal si el paciente obtiene un mínimo de 7 puntos

C) Mini Mental State Examination de Folstein (MMSE)

El Mini Mental State Examination de Folstein es de los tests más conocidos y utilizados para el cribaje de demencias y para el seguimiento de su evolución. Se puede implementar en un corto espacio de tiempo (5-10 minutos) y nos permite explorar y puntuar la orientación, la memoria inmediata, la atención y el cálculo, el recuerdo diferido y el lenguaje y construcción.

La puntuación máxima es de 30 puntos y es indicativo de deterioro cognitivo cuando es inferior a 24 puntos.

D) Mini Examen Cognoscitivo de Lobo (MEC)

El Mini Examen Cognoscitivo de Lobo es una versión adaptada y validada en España del Mini Mental State Examination de Folstein, validado en castellano y ampliado y adaptado a las características de la población española.

Los apartados de los que consta evalúan:

- **La orientación**: siguiendo las indicaciones del test en relación con el tiempo y el espacio, le daremos un punto a cada respuesta correcta.
- **La fijación**: ha de repetir claramente cada palabra en un segundo; le daremos tantos puntos como palabras repita correctamente en el primer intento. Insistiremos en lo que recuerda, pues después en el test le volveremos a preguntar sobre estas palabras.
- **La concentración y el cálculo**: si vemos que no entiende la pregunta, podemos reformular la misma de otra forma, como: "si tiene 30 euros y me da 3 euros, ¿cuántas le quedan?", dando un punto por cada respuesta correcta (independientemente de que el resultado anterior sea incorrecto).

  En cuanto al segundo ejercicio, le repetiremos los dígitos de forma lenta (uno cada segundo) hasta que los aprenda correctamente. Entonces le pediremos que nos los repita en orden inverso y por cada acierto (en el orden que le corresponda) le daremos un punto.
- **La memoria**: le daremos tiempo para recordar y un punto por cada palabra recordada. Sin ningún tipo de ayuda.
- **El lenguaje y la construcción**: seguiremos las instrucciones del test.

Actividad 3

Indica que condición o valoración del anciano mide estos índices o escalas:

- Escala de Barthel:______________________________
- Escala de Lawton: ______________________________
- Escala de Tinetti:______________________________

2. Valoración afectiva

Una adecuada valoración afectiva/emocional nos permitirá detectar y cuantificar posibles trastornos en el estado de ánimo o área afectiva, teniendo relevancia clínica procesos como la depresión y la ansiedad. Dichas alteraciones repercutirán directamente en la independencia del paciente y en la realización de los autocuidados, así como en la colaboración con los profesionales de la salud, pudiendo ser responsables a la larga de un deterioro cognitivo.

3. Valoración perceptiva

La valoración perceptiva y conductual nos transmite información acerca de los hábitos de vida (ejercicio físico, consumo de tabaco y alcohol, la jubilación, el duelo...), la autopercepción (percepción del problema de salud, actitudes frente a los profesionales, cumplimiento terapéutico) y la capacidad de afrontamiento (aceptación de los problemas de salud, cambios conductuales, recursos de afrontamiento).

A) Escala de depresión geriátrica de Yesavage (GDS)

Consta de 30 ítems orientados a la búsqueda de sintomatología psiquiátrica y la calidad de vida. Puede ser autorrealizado huyendo de las manifestaciones somáticas, pues son difíciles de distinguir en la vejez de otras enfermedades físicas.

Se puede realizar en 10-20 minutos; no es necesario un entrenamiento previo. Los valores normales están por debajo de 11 puntos. Es la escala más recomendable en la población anciana para el *screening* de la depresión.

B) Escala de ansiedad y depresión de Golberg

Ha sido concebida para la detección de la depresión y ansiedad en Atención Primaria y es recomendable su uso en personas mayores. Es un instrumento sencillo, breve y de fácil manejo, presenta 9 ítems con respuesta sí/no en cada una de ellas. En las dos subescalas en las que está dividida (depresión y ansiedad) existen un punto de corte en la cuarta pregunta y si, en las preguntas previas, muestra tres o más respuestas positivas se continúa con las otras cinco.

C) Rating Scale para Depresión de Hamilton

Esta escala nos proporciona una medida del estado depresivo del paciente, consta de 17 preguntas con distinta gradación de gravedad (unas de 0 a 2 y otras de 0 a 4). No se utiliza para diagnosticar la depresión pero nos permite estratificar la gravedad de la misma en base a la significancia clínica y el sensible a las variaciones existentes en el mismo paciente (p.ej.: cuando toma medicación antidepresiva).

La puntuación de 18 es la que nos marca el punto de corte ante una depresión moderada.

Actividad 4

¿Cuál de las siguientes escalas se utiliza para valorar la independencia en las actividades básicas de la vida diaria?

- ☐ a) Escala de Lawton.
- ☐ b) Escala de Barthel.
- ☐ c) Escala de Tinetti.

2.5. Valoración social

La otra gran parte de la valoración psicosocial, y que tiene peso propio, es la valoración social, encargada de mostrarnos qué tipo de relación existe entre el paciente y su entorno o estructura social próxima, teniendo en cuenta que esta constituye un elemento determinante para la instauración de los cuidados de larga duración, así como un indicador de la posible evolución clínica y funcional del paciente y del riesgo de institucionalización.

Los elementos que juegan un papel importante en el ámbito social son: las *relaciones sociales* (familia, vecinos, amigos, asociaciones...) donde tendrá importancia tanto la cantidad como la calidad de las mismas, su ausencia está relacionada con una mayor morbimortalidad y dependencia. Las *actividades sociales* que realiza o que haya podido dejar de realizar por la enfermedad, yendo desde el trabajo actual hasta los planes de futuro, y pasando por los hobbies u otro tipo de actividades. Los *recursos sociales* de los que dispone, donde incluiremos la vivienda, el dinero, las barreras arquitectónicas, el entorno y los recursos públicos y privados a los que puede acceder. El *soporte social* que constituye el conjunto de ayudas (económicas, afectivas o de apoyo físico) que le son prestadas al paciente por otras personas o entidades.

Las escalas de valoración social tienen un uso menos frecuente debido a su extensión y complejidad. La **escala social de Gijón** y la **escala OARS** son dos muestras de escalas de valoración social muy utilizadas en el ámbito del mayor. La escala OARS es el instrumento mejor conocido y nos proporciona información sobre la estructura familiar, los patrones de amistad y de visitas sociales, y la disponibilidad de cuidador. Los parámetros de evaluación van desde los excelentes recursos sociales del individuo (6 puntos) hasta las relaciones sociales totalmente deterioradas (0 puntos).

Profesionales sanitarios y trabajadores sociales deben trabajar coordinados para potenciar la óptima utilización de los recursos sociosanitarios existentes. Debemos hacer una mención especial al papel primordial que desempeña la red de cuidadores informales o no profesionales (familia, vecinos...) en la atención directa de la persona dependiente en su domicilio. La familia, en la mayor parte de ocasiones, se convierte en dispensadora principal de los cuidados permitiendo de esta forma mantener en el domicilio a la persona dependiente. Tampoco hemos de olvidar ese conjunto de grupos de apoyo, grupos de au-

toayuda o ayuda mutua y asociaciones que van a favorecer los cuidados de larga duración y servir de instrumento para potenciar la formación de los cuidadores así como ayudar a que mantengan su propia salud y evitar que se conviertan en "pacientes ocultos".

Escala de recursos sociales (OARS) (Escala de evaluación)	
Recursos sociales excelentes	Las relaciones sociales son muy satisfactorias y amplias; al menos una persona le cuidaría indefinidamente.
Buenos recursos sociales	Las relaciones sociales son satisfactorias y adecuadas y al menos una persona le cuidaría indefinidamente, o las relaciones sociales son muy satisfactorias y amplias, y solo se podría obtener ayuda a corto plazo.
Levemente incapacitado socialmente	Las relaciones sociales son insatisfactorias, de mala calidad y escasas, pero al menos una persona le cuidaría indefinidamente, o las relaciones sociales son satisfactorias y adecuadas, y solo se podría obtener ayuda a corto plazo.
Moderadamente incapacitado socialmente	Las relaciones sociales son insatisfactorias, de mala calidad y escasas y solo se podría obtener ayuda a corto plazo, o las relaciones sociales son al menos satisfactorias o adecuadas, pero solo se conseguirá ayuda de vez en cuando.
Gravemente incapacitado socialmente	Las relaciones sociales son insatisfactorias, de mala calidad y escasas, y solo se conseguirá ayuda de vez en cuando, o las relaciones sociales son al menos satisfactorias y adecuadas, pero no se conseguirá ayuda de vez en cuando.
Totalmente incapacitado socialmente	Las relaciones sociales son insatisfactorias de mala calidad y escasas, y no se conseguiría ayuda de vez en cuando.

Actividad 5

¿Qué escala mide el riesgo de caídas en los ancianos?

- ☐ a) Escala de Lawton.
- ☐ b) Escala de Barthel.
- ☐ c) Escala de Tinetti.

Solución a las actividades

Actividad 1.

Anciano sano	Aquel sujeto mayor de 80 años,que vive solo, y ha perdido a su pareja recientemente.
Anciano frágil	Aquel sujeto mayor de 65 años, que no padece patología, ni presenta ningún grado de problemática funcional, mental o social.
Paciente geriátrico →	Aquel sujeto de edad avanzada con una o varias enfermedades de base crónicas y evolucionadas, en el que ya existe discapacidad de forma evidente.

Actividad 2.

- Verdadera.
- Falsa.

Actividad 3.

- **Escala de Barthel:** ABVD.
- **Escala de Lawton:** AIVD.
- **Escala de Tinetti:** Movilidad.

Actividad 4.

- ☐ a) Escala de Lawton.
- ☑ b) Escala de Barthel.
- ☐ c) Escala de Tinetti.

Actividad 5.

- ☐ a) Escala de Lawton.
- ☐ b) Escala de Barthel.
- ☑ c) Escala de Tinetti.

TEMA 3

Residencia asistida de ancianos. Reglamento de Régimen Interior de la Residencia Asistida de la Diputación de Almería. El papel de la familia en la residencia

Rentabiliza tu **esfuerzo** con los recursos del Curso Online MAD360.

Índice

1. Residencia asistida de ancianos

Una residencia asistida de ancianos es un centro especializado en la atención integral de personas mayores que, debido a su estado de salud o nivel de dependencia, requieren apoyo en su vida diaria. Estos centros proporcionan alojamiento, cuidados médicos y asistencia en actividades básicas e instrumentales de la vida diaria con el objetivo de garantizar el bienestar de los residentes.

Características de las Residencias Asistidas de Ancianos

Las residencias asistidas se distinguen por varios aspectos clave que garantizan la atención y el cuidado de las personas mayores:

1. **Alojamiento adaptado**: las instalaciones están diseñadas para ser accesibles, seguras y confortables, con habitaciones individuales o compartidas, baños adaptados y zonas comunes para la socialización.
2. **Asistencia sanitaria y cuidados de enfermería**: se proporciona supervisión médica regular, administración de medicamentos, control de patologías crónicas y atención a necesidades específicas de salud.
3. **Atención a la dependencia**: personal cualificado, como auxiliares de enfermería y gerocultores, ayudan a los residentes en la higiene personal, la movilidad, la alimentación y otras actividades esenciales.
4. **Actividades de estimulación y ocio**: se organizan talleres, ejercicios físicos, actividades recreativas y programas de terapia ocupacional para fomentar la autonomía y el bienestar emocional de los mayores.

5. **Alimentación equilibrada**: se ofrece un plan de alimentación adaptado a las necesidades nutricionales de cada residente, supervisado por profesionales de la salud.
6. **Apoyo emocional y psicológico**: se brinda acompañamiento para afrontar la soledad, la ansiedad y otros desafíos emocionales asociados al envejecimiento y la institucionalización.

7. **Coordinación con servicios externos**: en algunos casos, las residencias trabajan en colaboración con hospitales, servicios de teleasistencia y unidades de atención domiciliaria para garantizar un seguimiento integral del estado de salud del residente.

Actividad 1

¿Cuál de las siguientes afirmaciones describe mejor la función de una residencia asistida de ancianos?

- ☐ a) Es un centro donde las personas mayores viven de forma independiente sin recibir asistencia.
- ☐ b) Es un centro que ofrece alojamiento y cuidados médicos solo en casos de emergencias.
- ☐ c) Es un centro especializado que brinda atención integral a personas mayores con necesidades de apoyo en su vida diaria.
- ☐ d) Es un lugar donde los ancianos realizan actividades recreativas sin recibir otro tipo de atención.

2. Reglamento de Régimen Interior de la Residencia Asistida de la Diputación de Almería

2.1. Introducción

El Pleno de la Corporación de la Diputación de Almería (Área de Bienestar Social, Igualdad y Familia y Servicio Jurídico y Administrativo de Bienestar Social, Igualdad y Familia) aprobó en sesión ordinaria el **Reglamento de Régimen Interior de la Residencia Asistida de la Diputación de Almería** el 2 de diciembre de 2022.

Dicho reglamento se desarrolla a lo largo de un preámbulo, 48 artículos repartidos en 9 títulos, una disposición derogatoria única y dos disposiciones finales. Su **finalidad** es recoger las normas que regulan el funcionamiento y dinámica de la Residencia Asistida de Mayores (RAM) de la Excma. Diputación Provincial de Almería para que se conozcan y se apliquen y para garantizar una correcta prestación del servicio.

Documento de interés

Texto íntegro del Reglamento de Régimen Interior de la Residencia Asistida de la Diputación de Almería

https://www.dipalme.org/Servicios/Tablon/anexos.nsf/B946B050CCF1F9C8C12589C7002937A5/$file/Regamento%20RA.pdf

El centro residencial de la Residencia Asistida de Mayores se encuentra en la Cañada de San Urbano, Carretera del Mamí s/n, de la localidad de Almería. Es un centro de carácter social y sociosanitario que ofrece alojamiento, convivencia y atención integral, de forma temporal o permanente, y que tiene una función sustitutoria del hogar familiar para personas mayores en situación de dependencia.

2.2. Usuarios: derechos y deberes

Este centro residencial acoge a personas dependientes a las que en sus Programas Individuales de Atención se les haya determinado el Servicio de Atención Residencial como modalidad de intervención más adecuada a sus necesidades.

2.2.1. Derechos de los usuarios

Los usuarios tienen derecho a:

- Ejercer su libertad individual para ingresar, permanecer y salir del centro, a excepción de las personas con limitaciones establecidas en la legislación (menores de edad, personas con capacidad modificada judicialmente e imputadas en medidas judiciales de internamiento).
- Ejercer libremente sus derechos y libertades respetando la libertad y los derechos de las otras personas.
- Recibir información de manera comprensible e individualizada sobre el reglamento interno del centro, conocer los derechos y deberes que les incumben y conocer el coste de los servicios que reciben y, en su caso, la contraprestación que les corresponde satisfacer como usuarios de los mismos.
- Recibir una atención personalizada de acuerdo con sus necesidades específicas y a recibir atención general a todas las demás necesidades personales para conseguir un desarrollo personal adecuado y una vida plena.
- Personalizar su espacio privado en el centro respetando el reglamento de régimen interno.
- Participar en cuestiones relacionadas con el funcionamiento del centro que les afecten individual o colectivamente, así como a asociarse para favorecer tal participación.
- La intimidad y privacidad en las acciones de la vida cotidiana y en sus relaciones personales.
- Comunicar y recibir libremente información por cualquier medio de difusión y al secreto de sus comunicaciones, salvo resolución judicial o administrativa que lo suspenda.

- El reconocimiento como domicilio, a todos los efectos, del establecimiento residencial donde vivan.
- Mantener relación con el entorno familiar y social.
- La libertad ideológica, sexual y religiosa, pero respetando el funcionamiento normal del establecimiento y la libertad de las demás personas.
- Obtener facilidades para hacer la declaración de voluntades anticipadas.
- No ser sometidos a ningún tipo de inmovilización o restricción de la capacidad física o intelectual por medios mecánicos o farmacológicos sin prescripción y supervisión facultativa, salvo que exista peligro inminente para la seguridad física de la persona o de otras.

2.2.2. Deberes de los usuarios

Los usuarios de servicios sociales de Andalucía tienen las siguientes obligaciones (artículo 12 de la Ley de Servicios Sociales de Andalucía):

- Conocer y cumplir las normas que rigen el funcionamiento del centro, requisitos, condiciones y procedimientos establecidos para la obtención y el uso y disfrute de las prestaciones y servicios, haciendo un uso responsable de los mismos.
- Facilitar a la administración pública información veraz de los datos personales, convivenciales, familiares, económicos y patrimoniales necesarios, y presentar los documentos fidedignos que sean imprescindibles para valorar y atender su situación, salvo que estos obren en poder de la administración que los requiere, y autorizar su obtención cuando exista convenio entre las administraciones.
- Colaborar en el cumplimiento del correspondiente proyecto de intervención social y participar activamente en el proceso de mejora, autonomía e inserción social establecidos.
- Comunicar los cambios que se produzcan en su situación personal y familiar que puedan afectar al proceso de inserción social o a las prestaciones solicitadas o recibidas.
- Contribuir a la financiación del coste de los servicios recibidos, cuando así lo establezca la normativa aplicable, en función de la capacidad económica del usuario y, en su caso, de la unidad de convivencia.
- Destinar la prestación recibida a la finalidad para la que se ha concedido y llevar a efecto las contraprestaciones y obligaciones que en cada caso se establezcan.
- Devolver las prestaciones económicas y materiales recibidas indebidamente o no aplicadas al objeto de las mismas.
- Comparecer ante la administración si así lo requiere el órgano que tramita, o haya otorgado, una prestación o servicio.

- Mantener una conducta basada en el respeto, la no discriminación y la colaboración para facilitar la convivencia en el centro en el que se les presten servicios sociales, así como la resolución de los problemas.
- Respetar la dignidad y los derechos del personal que presta los servicios que reciben y atender sus indicaciones.
- Utilizar con responsabilidad y cuidar las instalaciones y bienes muebles de los centros en los que se les presten servicios sociales.
- Firmar el contrato social pertinente con la entidad que presta el servicio.

Actividad 2

Indica si la siguiente cuestión es verdadera o falsa:

La residencia no puede reconocerse como domicilio legal del residente.

Verdadera ☐ Falsa ☐

2.3. Obligaciones de la entidad titular del centro residencial

Las obligaciones de la entidad titular del centro son las que establece la legislación que se aplica a la actividad que realiza. Destaca la siguiente:

- Ley 9/2016, de 27 de diciembre, de Servicios Sociales de Andalucía.
- Ley 6/1999, de 7 de julio, de Atención y Protección a las Personas Mayores.
- Ley 4/2017, de 25 de septiembre, de los Derechos y la Atención a las Personas con Discapacidad en Andalucía.
- Ley 39/2006, de 14 de diciembre, de Promoción de la Autonomía Personal y Atención a las personas en situación de dependencia.

En el ámbito de los Servicios Sociales se debe tener en cuenta la **Ley de Servicios Sociales de Andalucía**, especialmente las obligaciones legales.

Documento de interés

Andalucía, igualdad de oportunidades por derecho.

https://www.juntadeandalucia.es/export/drupaljda/revista_lss_0.pdf

2.4. Ingresos y bajas de los usuarios

2.4.1. Requisitos para ingresar en el centro

- Tener reconocida la situación de dependencia y prescrito en el Programa Individual de Atención el servicio de atención residencial o de centro de día o de noche.
- No precisar, en el momento del ingreso, atención sanitaria continuada en régimen de hospitalización.
- Manifestar la voluntad de acceder a la plaza. Ninguna persona podrá ser ingresada sin su consentimiento, salvo que sea suplida su capacidad por tutor legal. En los casos de incapacidad presunta o declarada, en los que no sea posible tal consentimiento, se requerirá la autorización judicial para el ingreso.
- Cumplimentar el documento contractual de ingreso.
- Presentar la siguiente documentación:
    * Documento Nacional de Identidad o, en su caso, tarjeta de residente.
    * Copia de la sentencia de incapacitación en la que conste la persona nombrada tutor/a o auto judicial de internamiento involuntario, en los casos en que así proceda.
    * Tarjeta Sanitaria de la Seguridad Social u otro documento acreditativo de la cobertura de la asistencia sanitaria.
    * Seguro de decesos, en su caso.
    * Resolución de la Delegación Territorial de la Consejería competente en materia de Servicios Sociales en la que se determine el ingreso.

2.4.2. Incorporación al centro

La incorporación al centro debe realizarse en los plazos que determine la resolución del Programa Individual de Atención de la persona en situación de dependencia, salvo causa de fuerza mayor debidamente acreditada que impida dicha incorporación.

La persona interesada o, en su caso, quien ostente su representación o guarda, deberá suscribir el documento de aceptación expresa de las normas reguladoras de la organización y funcionamiento del centro y de sus derechos y obligaciones, así como la declaración de que el ingreso en el centro residencial se efectúa con carácter voluntario o, en su caso, acompañar la correspondiente autorización judicial. Cuando por razones de urgencia fuera necesario el internamiento involuntario inmediato, la persona responsable del centro residencial debe dar cuenta inmediatamente de ello al órgano jurisdiccional competente para que se proceda a la ratificación de dicha medida en los términos previstos en la legislación procesal.

Cuando no se produzca la incorporación de la persona interesada, se declarará declinado el derecho de acceso, manteniéndose en dicha situación hasta que se produzca, en su caso, la revisión del Programa Individual de Atención.

2.4.3. Período de adaptación

Al acceder a una plaza por primera vez, los usuarios tienen un período de adaptación al centro de cuatro meses. En el caso de no superarlo, la Comisión Técnica del centro elaborará una propuesta razonada a la Delegación Territorial de la Consejería con competencia en servicios sociales para trasladar al usuario a otro centro de la misma tipología.

El período de adaptación no es aplicable en caso de traslado posterior a otro centro.

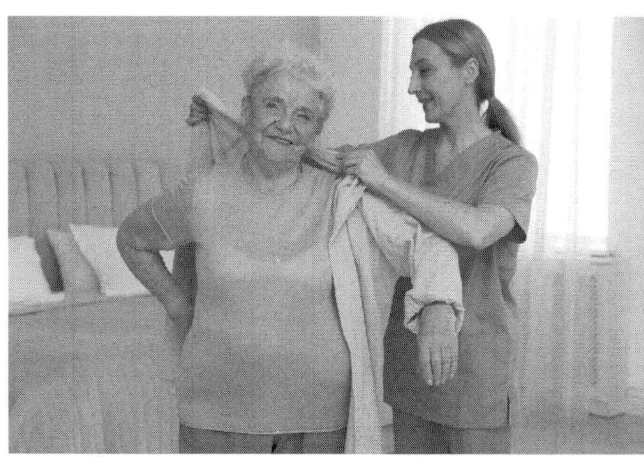

2.4.4. El expediente individual

El expediente de cada persona contendrá, además de los documentos citados anteriormente en el apartado de requisitos de ingreso, los siguientes:

- Datos identificativos: nombre y apellidos, DNI/NIE, lugar y fecha de nacimiento, Documento de la Seguridad Social y teléfono de contacto.
- Datos de los familiares y de la persona de referencia que conste en el documento contractual y/o del representante legal (nombre y apellidos, DNI/NIE, dirección, parentesco y teléfono de contacto).
- Fecha y motivo del ingreso.
- Historia social.
- Historia psicológica, en su caso.
- Historia clínica, con especificación de visitas o consultas facultativas efectuadas, nombre y cargo que ocupa quien hace el reconocimiento, fecha, motivo, diagnóstico, enfermedades padecidas o que estén en curso, tratamiento y otras indicaciones.
- Contactos del usuario con familiares, persona de referencia o representante legal (motivo, frecuencia y reacción ante los mismos).
- Contactos mantenidos por los responsables del centro residencial con familiares, persona de referencia y/o responsables legales (motivos, frecuencia, fecha de los mismos y observaciones).
- Programación individual de desarrollo integral (biopsicosocial) ajustada a la edad y características de la persona y evaluación continuada de la misma.

2.4.5. Reserva de plaza

Los usuarios de los centros residenciales y de los centros de día y de noche tienen derecho a que se les reserva su plaza en los siguientes casos:

- Ausencia por hospitalización.
- Ausencia voluntaria que no exceda de treinta días naturales al año. Debe comunicarse a la Dirección del centro con, al menos, cuarenta y ocho horas de antelación y ésta debe emitir autorización. No se computan las ausencias de fines de semana siempre que se comuniquen a la Dirección con la antelación señalada.

Mientras exista el derecho de reserva de plaza, se mantiene la obligación de los usuarios de financiar el servicio.

2.4.6. Motivos de baja

Se produce baja en los centros residenciales y en los centros de día en los siguientes casos:

- Cuando, tras revisar el Programa Individual de Atención, se le asigne al usuario otro servicio o prestación económica o se modifique el servicio asignado en otro centro de otro tipo.
- Por extinción del servicio por:
  * Fallecimiento.
  * Renuncia voluntaria y por escrito del usuario o de su representante legal.
  * Por impago durante más de dos meses.
  * Por ausencia voluntaria de más de treinta días naturales al año o por ausencias injustificadas continuadas de más de diez días o discontinuas por más de treinta días. La ausencia es injustificada cuando no se haya autorizado o, en el caso de los fines de semana, cuando no se haya comunicado con la antelación exigida.
  * Falseamiento, ocultación o negativa reiterada a facilitar los datos que se le requieran o deba suministrar a la administración.
  * Incumplimientos muy graves de los deberes y normas de convivencia que impongan la legislación vigente y las normas de régimen interior del centro.
- Por traslado definitivo.

2.4.7. Traslados de centro

Aun manteniéndose la misma situación de dependencia y modalidad de intervención, los usuarios pueden ser trasladados de centro por alguna de las siguientes circunstancias:

- Mayor proximidad geográfica del centro al lugar de residencia del usuario o de su entorno familiar o de convivencia.
- Existencia de un centro más idóneo.
- No superar el periodo de adaptación.
- Perjuicio efectivo o peligro cierto que afecte a la vida o integridad física o psíquica del usuario o del resto de personas del centro.

Actividad 3

Rellena los huecos con las palabras que faltan:

Los usuarios tienen derecho a la reserva de plaza en casos como ________ o ausencias voluntarias de hasta ________ días naturales al año. La baja del usuario puede producirse por diferentes motivos, como el ________ del servicio, el impago de más de ________ meses, la ausencia injustificada de más de ________ días o por incumplimientos muy graves de las normas de convivencia.

2.5. Reglas de funcionamiento

Los centros residenciales deben garantizar la atención integral de los usuarios y para ello cuentan con una **cartera de servicios general y específica** que debe adecuarse a las necesidades de las personas atendidas en situación de dependencia según su grado y nivel, de acuerdo con lo establecido en su Programa Individual de Atención. Así mismo, la entidad titular de la residencia se compromete a disponer de un **sistema de gestión de calidad**.

2.5.1. Alojamiento

A) Habitaciones

Con respecto a las habitaciones de los usuarios y su uso debemos tener en cuenta:

- A cada usuario se le asigna una habitación y, si fuera el caso, la posibilidad de un cambio de la misma. En el caso de cambio de habitación, se llevará a cabo mediante acuerdo entre las partes o por criterios asistenciales, que se dictaminan por el equipo de profesionales del centro. En este caso, se notificará al usuario, a su representante legal o familiar responsable con un preaviso de tres días, salvo motivos de urgencia.
- En la habitación se pueden tener objetos personales (cuadros, fotos, etc.), pero siempre teniendo en cuenta las normas establecidas por la Dirección del centro.
- Para usar electrodomésticos (TV, radio, etc.) en la habitación es necesario el permiso de Dirección y respetar las horas de descanso, especialmente de 22:00 a 8:00 horas.
- Las condiciones de protección y seguridad deben prevalecer, por ello, se prohíbe la instalación de mecanismos de cierre de puertas y ventanas por parte de los usuarios, así como la colocación de muebles u objetos que obstaculicen la entrada o la salida de las habitaciones, o que supongan peligro para ellos o terceras personas.
- La limpieza de las habitaciones se realiza estando vacías para garantizar una higiene adecuada. Los usuarios deben facilitar la labor, salvo cuando, por razones de salud, deban permanecer en la habitación.

- Dentro de las habitaciones no tendrán alimentos que puedan descomponerse, producir malos olores, deteriorar el mobiliario, o que, por su número o volumen, impidan las tareas de limpieza.
- Se prohíbe almacenar cualquier producto farmacéutico.
- No se puede fumar en las habitaciones.
- No están permitidos los objetos peligrosos. Quedarán en depósito en la Dirección del centro.
- En caso de conflicto entre los usuarios de una misma habitación, se procederá, previa decisión del equipo de profesionales del centro, al cambio de habitación.

B) Vestuario personal, objetos de valor y enseres personales

El día del ingreso, cada usuario llevará sus enseres personales debidamente identificados, según determine el centro, para garantizar su uso exclusivo.

Los usuarios, sus representantes legales o las familias deben facilitar el vestuario que se solicite y el centro garantizará el lavado y planchado de la ropa. También podrá ofrecer servicio de tintorería, que se facturará aparte.

Los usuarios deben hacer inventario de sus objetos personales y bienes muebles que lleven consigo en el momento del ingreso en el centro, ya que el centro residencial solo se hará responsable de aquellas pertenencias que hayan sido previamente inventariadas y depositadas. Dichas pertenencias podrán ser retiradas en cualquier momento por su propietario mediante expedición del correspondiente recibo por el centro, así como en el momento de la extinción del contrato por el usuario, su representante legal o persona que se especifique en el contrato.

En caso de fallecimiento, las pertenencias personales y otros bienes deben ser retirados en el plazo de una semana por la persona que se especifique en el contrato.

En el caso de que un usuario encuentre un objeto que no le pertenezca, debe entregarlo a la Dirección del centro para que sea devuelto a su propietario.

Por último, en el caso de que un residente abandone provisional o definitivamente su habitación, ningún familiar u otra persona ajena al personal del centro podrá entrar en ella, ni podrá disponer los objetos que se encuentren en la misma, salvo que acredite tener autorización para ello. La Dirección tomará las medidas oportunas para retirar y disponer los efectos personales que queden en la habitación, según convenga en cada caso.

C) Servicio de comedor

Los horarios fijados para el servicio de comedor por la Dirección del centro deben cumplirse con rigurosidad para evitar trastornos en la prestación del servicio.

Los usuarios contarán con desayuno, almuerzo, merienda y cena y se les garantizará una alimentación equilibrada.

La carta mensual de los menús se supervisará para garantizar el aporte dietético y calórico adecuado de los residentes. Dicha carta de menús se expondrá en el tablón de anuncios del centro y estará a disposición de los familiares.

Los usuarios que lo necesiten, por prescripción médica, contarán con menú adecuado a sus necesidades.

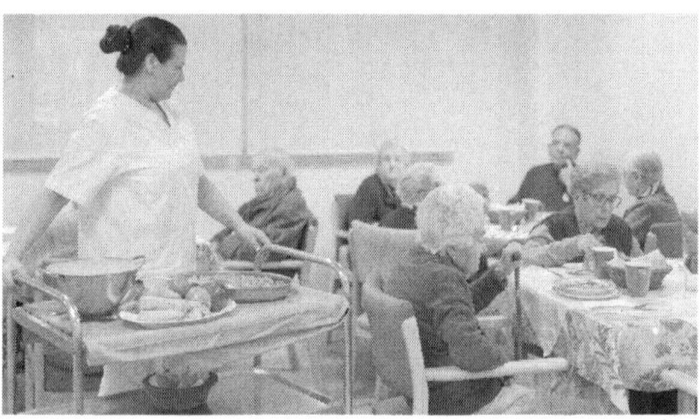

2.5.2. Medidas higiénico-sanitarias y atención social

A) Seguimiento y atención sanitaria

Todos los usuarios tienen garantizado el seguimiento sanitario y los cuidados que precisen por parte de profesionales cualificados y el centro mantendrá actualizadas las historias clínicas de los residentes.

Cuando sea necesario, los usuarios serán trasladados a los centros hospitalarios que correspondan acompañados por algún familiar, persona de referencia o representante legal. Excepcionalmente, podrán ir acompañados por personal del centro o persona ajena, que será remunerada por el usuario. En el caso de tener que quedar ingresado, es la familia, la persona de referencia y/o su representante, la encargada de su atención.

La Dirección del centro puede adoptar decisiones urgentes por motivos de salud del usuario, avisando lo antes posible a los familiares. El centro también puede adoptar medidas excepcionales cuando algún residente presente un desequilibrio psíquico-emocional que ponga en riesgo su salud y seguridad o la de los demás de forma transitoria o permanente. Para llevar a cabo estas medidas son necesarios:

- Autorización o información expresa de la familia.
- Informe médico previo en el que se describa la patología que presenta, los síntomas que provocan un riesgo para la salud y seguridad de la persona o la de las demás, y la recomendación de la adopción de dichas medidas excepcionales.

El centro contará con material sanitario para primeros auxilios y emergencias sanitarias, que estará tutelado por personas responsables. En el centro solo se administrarán los medicamentos prescritos por los profesionales correspondientes. Los residentes, sus representantes legales o sus familiares no pueden alterar la prescripción de medicamentos o alimentación.

Está prohibido fumar en el centro, excepto en los lugares habilitados para ello.

B) Atención social y cultural

Los usuarios recibirán información, asesoramiento y ayuda para trámites administrativos, así como apoyo para adaptarse al centro y a la convivencia. También se les facilitará información y participación en actividades socioculturales y recreativas, tanto dentro del centro como fuera, fomentando su colaboración en las tareas de programación y desarrollo.

El centro favorecerá las actividades de voluntariado social, tanto por las personas residentes como del entorno, y el asociacionismo.

Igualmente, el centro propiciará la relación entre los usuarios y sus familiares, facilitando la integración. También informará a los familiares directos o representantes legales de la situación en la que el usuario se encuentra y mantendrá actualizada la historia social de cada residente.

C) Aseo e higiene personal

Cada usuario tiene garantizado el aseo personal diario y el que ocasionalmente pueda necesitar cuando las circunstancias lo exijan y la persona no pueda llevarlo a cabo por sí misma.

La ropa interior se cambiará a diario y, al menos semanalmente, la ropa de cama, la lencería, toallas y ropa de comedor y, en todo caso, cuando las circunstancias lo requieran.

D) Mantenimiento e higiene del centro

Especial atención se prestará a la conservación y reparación del mobiliario, instalaciones y maquinaria del centro y a la limpieza general y permanente del edificio y sus dependencias, especialmente las de uso más intenso, así como su desinfección. La desinsectación y desratización serán anuales, o cuantas veces lo exijan las circunstancias, por empresas debidamente acreditadas.

La vajilla y la cubertería se lavará después de su uso, así como otros instrumentos de uso común. Se procurará que servilletas, toallas de manos en lavabos colectivos, etc. sean de material desechable.

E) Otros servicios

El centro puede poner a disposición de los usuarios, previo pago, una serie de servicios adicionales como, por ejemplo, podología, peluquería, cafetería, etc., así como cualquier otro que se considere necesario.

En caso de fallecimiento de un usuario, el centro facilitará sala de velatorio, corriendo a cargo de la familia los trámites y gastos de traslado y entierro y el abono de los gastos o facturas pendientes de pago en el momento del fallecimiento. Cuando corresponda, el centro asumirá los trámites y/o gastos en el caso de usuarios sin familia.

Actividad 4

Según el reglamento, ¿quién es responsable de la atención de un usuario cuando queda ingresado en un hospital?

- ☐ a) El personal del centro residencial.
- ☐ b) La familia, la persona de referencia o su representante legal.
- ☐ c) Un profesional sanitario externo contratado por el centro.
- ☐ d) Un voluntario asignado por la residencia.

2.5.3. Visitas, salidas y comunicación con el exterior

A) Salidas del centro

Los usuarios pueden salir del centro solos o acompañados siempre que sus condiciones físicas y/o psíquicas lo permitan. En cualquier caso, deben notificarlo por escrito.

Los familiares, persona de referencia o representantes legales pueden acompañar a los residentes en sus salidas tras comunicarlo expresamente al centro. En este caso, ellos serán los responsables del residente si se produce algún daño o perjuicio por accidente o percance fuera del centro.

B) Ausencia temporal de la persona usuaria

En caso de que los usuarios, con motivo de circunstancias familiares u otras causas debidamente justificadas, deban ausentarse del centro temporalmente, comunicarán la ausencia a la Dirección del centro lo antes posible, así como los datos necesarios para contactar con ellos.

C) Visitas

Los residentes pueden recibir visitas en las dependencias destinadas para ello en los días y en los horarios establecidos.

Las visitas podrán acceder a las habitaciones, previa autorización del centro, pero salvaguardando la intimidad de las personas con las que se comparte habitación, así como el desarrollo normal del funcionamiento del centro.

En el caso de personas con un alto grado de dependencia (compartan o no habitación), la Dirección puede establecer normas particulares y facilitar el acceso a familiares o personas que lo soliciten para acompañar al residente por la noche cuando las circunstancias lo aconsejen, estableciendo normas particulares para ello.

Está terminantemente prohibido introducir alimentos, bebidas alcohólicas, medicamentos, etc., por parte de los familiares sin la autorización de la Dirección del centro.

D) Comunicación con el exterior

Los usuarios pueden tener acceso a las comunicaciones, que se ubicarán en un lugar que permita la intimidad. Asimismo, dispondrán, si fuera necesario, de ayuda personal para hacer llamadas. El coste de las llamadas correrá a cargo de los usuarios.

E) Horarios del centro

El centro permanece abierto todos los días del año. Se recomienda puntualidad tanto a los usuarios como a los visitantes para garantizar un mejor funcionamiento.

Los horarios son los siguientes:

- **Apertura**: 7:30 horas.
- **Cierre**: 23:00 horas.
- **Salidas**: de 7:30 a 23:00 horas.
- **Horario de comidas** (invierno y verano).
    * **Desayuno**: 9:30 horas.
    * **Almuerzo**: 13:30 horas.
    * **Merienda**: 17:00 horas.
    * **Cena**: 20:00 horas.
- **Horario de visitas**.
    * **Mañanas**: de 11:30 a 13:00 horas.
    * **Tardes**: de 15:15 a 16:30 horas y de 18:00 a 19:15 horas.
- **Horarios de la cafetería**.
    * **De septiembre a mayo**: de lunes a viernes de 8:30 a 18:30 horas.
    * **De junio a agosto**: de lunes a viernes de 8:30 a 19:30 horas.
    * **Festivos, sábados y domingos**: de 10:00 a 14:00 horas.

2.5.4. Relaciones con el personal, sugerencias y reclamaciones

A) Relaciones con el personal

Para conseguir un buen funcionamiento de los servicios prestados y facilitar la mayor calidad en la atención, los usuarios del centro, familiares, persona de referencia y/o sus representantes legales colaborarán todo lo posible con el personal del centro. Éste contará con lugares reservados de uso exclusivo que no pueden ser utilizados por los usuarios.

Sabías que...

Está prohibido dar propinas al personal del centro por la realización de sus servicios.

B) Sugerencias y reclamaciones

El centro tiene a disposición de los usuarios y sus familiares las hojas de reclamaciones establecidas por el Decreto 472/2019, de 28 de mayo, por el que se regulan las hojas de quejas y reclamaciones de las personas consumidoras y usuarias en Andalucía y su tramitación administrativa.

2.6. Coste de los servicios y formas y plazos de pago

El coste del servicio de las plazas financiadas por la Junta de Andalucía y la participación de las personas en el mismo se estipula por normativa. En ningún caso, la aportación de los residentes debe sobrepasar el 90 % del coste de la plaza. Los residentes efectuarán el copago de sus mensualidades dentro de los cinco primeros días del mes corriente, preferentemente a través de domiciliación bancaria.

Los servicios adicionales que ofrezca el centro residencial (podología, peluquería, etc.) serán abonados íntegramente por los usuarios que hagan uso de ellos previa factura desglosada del coste de los mismos.

En el caso de plazas privadas, el coste del servicio residencial lo establece el propio centro y se expone en el tablón de anuncios. Por su parte, las plazas residenciales concertadas deben garantizar una asistencia continuada y permanente todos los días del año.

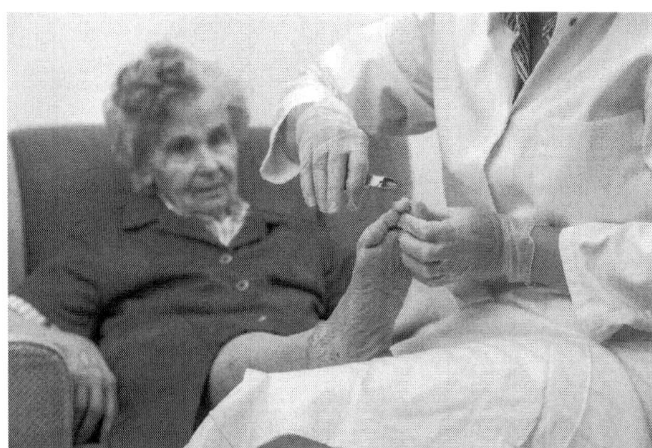

2.7. Participación de los usuarios, persona de referencia y/o sus representantes legales

La participación de los residentes y del personal del centro se vehicula mediante un **Consejo del Centro** (o cualquier otra denominación que se considere adecuada), que será el cauce ordinario de participación y comunicación de todos los grupos y personas que se encuentran vinculados al centro residencial para conseguir los objetivos previstos y la calidad necesaria en los servicios que se prestan.

El Consejo es un **órgano consultivo formado por**:

- **Presidente/a**, que será el/la **director/a del centro** o persona en quien delegue. Sus **funciones** son:
  * Representar al Consejo del Centro y a los usuarios en las actividades recreativas, culturales y de cooperación.
  * Presidir las reuniones del Consejo y moderar los debates.
  * Fomentar la convivencia de los usuarios en el centro.
- **Vocales**, que serán **tres residentes** o representantes de los mismos. Sus **funciones** son:
  * Proponer al presidente o presidenta los asuntos que hayan de incluirse en el orden del día de las sesiones del Consejo.
  * Prestar apoyo a los cargos del Consejo y ejecutar las encomiendas que se les haga dentro de sus competencias.
  * Asistir y participar en los debates.
  * Asistir a las reuniones a las que se les convoquen.

- **Secretario/a**, que será un **trabajador del centro**, preferentemente Trabajador Social. Sus **funciones** son:
  * Levantar acta de las sesiones, en la que figurará el visto bueno del presidente o presidenta.
  * Exponer en el tablón de anuncios, en los plazos fijados, las convocatorias y las actas.
  * Expedir certificaciones de los acuerdos del Consejo del Centro, cuando proceda y sea expresamente requerido para ello.
  * Llevar a cabo las funciones administrativas que se relacionen con las actividades del Consejo.
  * Custodiar los libros, documentos y correspondencia del Consejo.

  En caso de ausencia, enfermedad o vacante del secretario, estas funciones las realizará el miembro elegido de menor edad, salvo que el Consejo hubiera designado a otro.
- **Un/a representante de los trabajadores** elegido por sus compañeros.

Los miembros del Consejo que representan a los residentes son elegidos de forma directa mediante votación secreta e individual. La duración en el cargo es de dos años, aunque pueden relegirse. Los demás componentes del Consejo cesan cuando se modifican las circunstancias personales o laborales por las que fueron elegidos o designados.

El Consejo del Centro se reunirá en sesión ordinaria una vez al trimestre, y en sesión extraordinaria cuantas veces se requiera por decisión de la Presidencia o por petición escrita de la mitad de sus miembros.

La Presidencia realizará la convocatoria con una antelación mínima de setenta y dos horas, fijándose el orden del día, en el que se habrán tenido en cuenta las peticiones de los demás miembros formuladas con suficiente antelación, así como lugar, fecha y hora de celebración.

En el tablón de anuncios se expone una copia de la convocatoria con cuarenta y ocho horas de antelación. En caso de urgencia, la convocatoria de sesión extraordinaria se realizará con la brevedad que la situación requiera, asegurándose su conocimiento a todos los miembros del Consejo.

El Consejo estará válidamente constituido en primera convocatoria cuando se encuentren presentes la mitad más uno de sus miembros. En segunda convocatoria, transcurrida al menos media hora, se entenderá válidamente constituido cuando se encuentre presente un número de sus miembros no inferior a tres, siendo uno de ellos el director o directora del centro.

Los acuerdos se tomarán por mayoría simple, decidiendo, en caso de empate, el voto de quien ostente la Presidencia.

Las **funciones del Consejo del Centro** son:

- Procurar el buen funcionamiento del centro para obtener una atención integral adecuada a los usuarios.
- Conocer y proponer los programas anuales de actividades facilitando que se cubran las preferencias del mayor número de usuarios.
- Velar por unas relaciones de convivencia participativa entre los usuarios, facilitando que las entidades socioculturales que lo hayan solicitado puedan desarrollar actividades en el centro previa autorización por Dirección.

- Colaborar en la información y difusión de las actuaciones que se programen.
- Emitir los informes que le sean solicitados por los órganos competentes.
- Fomentar la participación de los residentes en las actividades del centro.
- Seguimiento y control para que se cumplan los sistemas de calidad fijados por la administración.

2.8. Dirección del centro y Comisión Técnica

2.8.1. Dirección del centro

Las funciones específicas del director o directora del centro son:

- Representar al centro ante las instituciones.
- Dirigir al personal del centro.
- Llevar a cabo la gestión del centro.
- Cualquier otra función que le encomiende la entidad titular.

2.8.2. Comisión Técnica

En los centros residenciales se constituirá una Comisión Técnica que estará integrada por el director o directora del centro, que la presidirá, y un equipo técnico.

En supuestos de especial complejidad o dificultad de los asuntos a tratar, puede formar parte de dicha comisión un representante de la Delegación Territorial de la Consejería con competencia en servicios sociales.

La Comisión Técnica está **compuesta** por:

- **Presidente/a**: el/la directora/a del centro.
- **Vocales**:
    * Un/a trabajador/a social del centro.
    * Un/a médico del centro.
    * Un/a psicólogo/a del centro.
    * El/la responsable de enfermería o un supervisor/a.
    * El/la administrador/a del centro.

Y tiene las siguientes **funciones**:

- Supervisar el período de adaptación al centro.
- Formular propuestas razonadas de iniciación de oficio del procedimiento de traslado en los siguientes casos:
    * Existencia de un centro más idóneo para un usuario.
    * No superar el periodo de adaptación al centro.
    * Perjuicio efectivo o peligro cierto que afecte a la vida o integridad física o psíquica del usuario o del resto de usuarios del centro.
- Dar salida al informe cuando el procedimiento de traslado se inicie por parte de la persona interesada por mayor proximidad geográfica del centro al lugar de residencia de la persona o de su entorno familiar o de convivencia.
- Enviar semestralmente a la Delegación Territorial de la Consejería con competencia en servicios sociales el informe de seguimiento y evolución de los usuarios del centro, así como todos los informes que les sean requeridos por dicho órgano.
- Comunicar a la Delegación Territorial de la Consejería con competencia en servicios sociales de forma inmediata y, en todo caso, en el plazo máximo de cuarenta y ocho horas desde su producción, todos aquellos hechos o circunstancias relevantes que afecten a la situación de los residentes y, en especial, los que puedan determinar la revisión del Programa Individual de Atención o del servicio reconocido.

La Comisión Técnica se reunirá al menos una vez al mes de forma ordinaria, siendo convocada por la Dirección del centro con una antelación mínima de setenta y dos horas, fijando el orden del día, en el que se detallarán los asuntos a tratar y los expedientes individuales que sean objeto de dicha reunión, así como lugar, fecha y hora de celebración. La Comisión Técnica podrá convocarse de forma extraordinaria tantas veces como sea preciso siempre que se respete la antelación mínima.

Se levantará acta de cada una de las reuniones y deberá ser firmada y entregada a todos los miembros una vez finalizadas.

Sabías que...

Las deliberaciones de la Comisión Técnica tienen carácter confidencial.

2.9. Régimen sancionador

El régimen sancionador está regulado en el **Título VI de la Ley 9/2016**, de 27 de diciembre, de Servicios Sociales de Andalucía, que forma parte de este Reglamento de Régimen Interior. Según el artículo 135 de dicha ley:

- Los órganos que pueden iniciar los procedimientos sancionadores son los titulares de las Delegaciones Territoriales o Provinciales de la Consejería con competencia en servicios sociales.
- En el acuerdo de inicio del procedimiento sancionador se establece el órgano que debe instruir el expediente.
- Los órganos competentes para resolver el procedimiento sancionador e imponer las sanciones son:
  * El titular de la Delegación Territorial o Provincial de la Consejería con competencias en servicios sociales, en sus respectivos ámbitos de actuación, cuando se trate de la comisión de **infracciones leves**.
  * Los titulares de los centros directivos de la Consejería con competencias en servicios sociales, en el ámbito de su competencia, cuando se trate de la comisión de **infracciones graves**.
  * El o la titular de la Consejería con competencias en servicios sociales cuando se trate de la comisión de **infracciones muy graves**.
  * El Consejo de Gobierno cuando las sanciones propuestas sean **superior a 300.000 euros**.

Actividad 5

Relaciona mediante flechas cada órgano con competencia sancionadora con el tipo de infracción que trata.

Consejo de Gobierno	Infracciones graves
Titulares de los centros directivos de la Consejería	Infracciones leves
Titular de la Delegación Territorial o Provincial de la Consejería	Infracciones muy graves
Titular de la Consejería	Sanciones superiores a 300.000 €

3. El papel de la familia en la residencia

La familia juega un papel fundamental en la vida de los residentes, ya que su apoyo emocional y afectivo es esencial para el bienestar del adulto mayor. Aunque la persona resida en un centro asistido, el vínculo con sus seres queridos sigue siendo clave para su estabilidad emocional y calidad de vida.

- **Acompañamiento y visitas**. Las visitas regulares de la familia fortalecen el estado anímico del residente, reducen la sensación de aislamiento y favorecen la adaptación a la residencia. Es recomendable establecer una rutina de visitas para mantener una conexión constante con el mayor.
- **Participación en la toma de decisiones**. La familia debe estar informada sobre la evolución del residente y colaborar con el equipo asistencial en la toma de decisiones sobre su atención médica y bienestar general.
- **Apoyo emocional y afectivo**. El contacto emocional con la familia es fundamental. Las llamadas, videollamadas y actividades conjuntas ayudan a reforzar los lazos afectivos y evitan el sentimiento de abandono.
- **Colaboración con el equipo profesional**. Los familiares pueden proporcionar información relevante sobre los gustos, hábitos y preferencias del residente, facilitando una atención más personalizada. Además, deben comunicarse de forma regular con el personal del centro para conocer el estado del mayor.
- **Respeto por la autonomía del residente**. Es importante que la familia respete las decisiones del mayor y su proceso de adaptación a la residencia, fomentando su independencia y bienestar.
- **Apoyo en momentos difíciles**. Situaciones como el deterioro cognitivo, la pérdida de capacidades o el duelo requieren un mayor acompañamiento por parte de la familia, brindando seguridad y afecto en momentos de vulnerabilidad.

Recuerda que...

La residencia asistida no reemplaza el papel de la familia, sino que complementa sus cuidados garantizando una atención especializada y un entorno seguro para la persona mayor. La implicación de la familia sigue siendo crucial para que el residente se sienta querido, acompañado y emocionalmente estable.

Solución a las actividades

Actividad 1.

- ☐ a) Es un centro donde las personas mayores viven de forma independiente sin recibir asistencia.
- ☐ b) Es un centro que ofrece alojamiento y cuidados médicos solo en casos de emergencias.
- ☑ c) Es un centro especializado que brinda atención integral a personas mayores con necesidades de apoyo en su vida diaria.
- ☐ d) Es un lugar donde los ancianos realizan actividades recreativas sin recibir otro tipo de atención.

Actividad 2.

Falsa. El centro residencial puede reconocerse legalmente como domicilio del usuario.

Actividad 3.

Los usuarios tienen derecho a la reserva de plaza en casos como **hospitalización** o ausencias voluntarias de hasta **treinta** días naturales al año. La baja del usuario puede producirse por diferentes motivos, como la **extinción** del servicio, el impago de más de **dos** meses, la ausencia injustificada de más de **diez** días o por incumplimientos muy graves de las normas de convivencia.

Actividad 4.

- ☐ a) El personal del centro residencial.
- ☑ b) La familia, la persona de referencia o su representante legal.
- ☐ c) Un profesional sanitario externo contratado por el centro.
- ☐ d) Un voluntario asignado por la residencia.

Actividad 5.

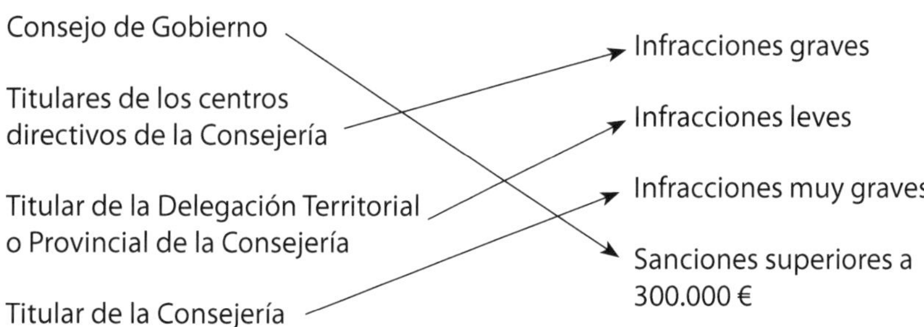

TEMA 4

Prevención de riesgos laborales en la actividad del Auxiliar de Enfermería. Especial referencia a la manipulación manual de cargas y al riesgo biológico

Este **manual** desarrolla tu programa de materias y en el Curso MAD360 encontrarás las **actualizaciones** y todo lo necesario para conseguir tu plaza.

Índice

1. Salud Laboral

Ya en las antiguas culturas existía una constatación de que ciertos trabajos o actividades laborales eran nocivas para el individuo. Tal es así que Galeno consideraba que para diagnosticar mejor la enfermedad había que empezar preguntándole al paciente sobre su profesión.

En las culturas egipcia, griega y romana el trabajo no era considerado como una actividad noble y quedaba restringido a esclavos y siervos. Con el Cristianismo y posteriormente en el Renacimiento empieza a detectarse algún sentimiento de clase trabajadora.

En el siglo XVII, con la Ilustración crece la idea de que el poder de los países dependía de su masa poblacional, joven y en edad de trabajar.

A partir del siglo XVIII la Revolución Industrial, fruto de la Ilustración, obliga a los trabajadores, como consecuencia de las duras condiciones impuestas, a desarrollar una conciencia de proletariado en defensa de sus propios intereses y para luchar por unas condiciones dignas laboralmente que pudieran garantizar el desarrollo integral de los seres humanos.

Ya en el siglo XIX y bajo el impulso que sufren los filósofos positivistas, la medicina se aproxima hacia el estudio de las causas y mecanismos etiopatogénicos que producen las enfermedades y por ende las relacionadas con el mundo laboral. Se describen algunos productos tóxicos, los microorganismos causantes de algunas infecciones, etc.

A partir de este siglo, en Alemania (1833) y gracias a los trabajos de Bismark, se crean los primeros seguros sociales que dan cobertura a los trabajadores.

Ya en el siglo XX las actuaciones en el campo de la Salud Laboral son muy amplias y variadas y, a partir de la II Guerra Mundial, empieza a desarrollarse ampliamente, en Europa sobre todo, el concepto de Seguridad Social que, en su amplio campo de actuaciones, recoge también:

- La protección social de los trabajadores.
- La creación de centros asistenciales y hospitalarios que pudieran atender de forma especializada a las enfermedades profesionales.
- La creación de Centros para la rehabilitación de los trabajadores.
- La instauración de reglamentaciones y normas técnicas para la mejora de las condiciones de trabajo, que obligan a las empresas a cumplir.
- La realización de las correspondientes inspecciones de trabajo.
- La creación de los servicios médicos de empresa.
- El establecimiento de los valores de referencia sobre dosis máximas permitidas para la exposición a agentes tóxicos o nocivos en el ambiente laboral.
- La creación de una red de investigación en el campo de la medicina de empresa.

Pero a la luz de los conocimientos actuales se ve la estrecha interrelación que existe entre la Salud y el Trabajo.

El trabajo permite al ser humano cubrir una serie de necesidades básicas que de no ser así se convertirían en grandes carencias y provocarían la pérdida de la salud. Además, desde el punto de vista de la integración social, el ser humano necesita trabajar para sentirse integrado y en equilibrio.

En contraposición a lo anterior también se puede afirmar que el trabajo, excesivo, o en condiciones higiénico-sanitarias adversas para la persona puede llevarle a la pérdida de la salud, de ahí que en estos casos el descanso se convierta en el elemento fundamental para recobrarla.

Las enfermedades que aparecen a causa del trabajo, muchas veces no son patologías en estado puro, es decir, debidas exclusivamente al ambiente laboral, sino que también están favorecidas por otros factores externos al medio laboral.

La mayoría de autores consideran que el padre de la medicina del trabajo es el italiano **Bernardino Ramazzini** (1633-1714) quien escribió el primer tratado relacionado, de gran éxito en aquellos tiempos.

En España la Norma básica que regula en la actualidad la materia de Prevención de Riesgos Laborales es la **Ley 31/1995, de 8 de noviembre, de Prevención de Riesgos Laborales**, y en concreto:

Artículo 38. Comité de Seguridad y Salud.

1. El Comité de Seguridad y Salud es el órgano paritario y colegiado de participación destinado a la consulta regular y periódica de las actuaciones de la empresa en materia de prevención de riesgos.
2. Se constituirá un Comité de Seguridad y Salud en todas las empresas o centros de trabajo que cuenten con 50 o más trabajadores.

   El Comité estará formado por los Delegados de Prevención, de una parte, y por el empresario y/o sus representantes en número igual al de los Delegados de Prevención, de la otra.

   En las reuniones del Comité de Seguridad y Salud participarán, con voz pero sin voto, los Delegados Sindicales y los responsables técnicos de la prevención en la empresa que no estén incluidos en la composición a la que se refiere el párrafo anterior. En las mismas condiciones podrán participar trabajadores de la empresa que cuenten con una especial cualificación o información respecto de concretas cuestiones que se debatan en este órgano y técnicos en prevención ajenos a la empresa, siempre que así lo solicite alguna de las representaciones en el Comité.
3. El Comité de Seguridad y Salud se reunirá trimestralmente y siempre que lo solicite alguna de las representaciones en el mismo. El Comité adoptará sus propias normas de funcionamiento.

   Las empresas que cuenten con varios centros de trabajo dotados de Comité de Seguridad y Salud podrán acordar con sus trabajadores la creación de un Comité Intercentros, con las funciones que el acuerdo le atribuya.

Sabías que...

Bernardino Ramazzini, fue un médico italiano de la época barroca, al que se le atribuye ser el primer autor que relacionó las tareas y medios empleados en el trabajo con la salud del obrero, creando de esta manera el primer tratado de lo que hoy llamamos Medicina Laboral o del Trabajo.

Higiene en el Trabajo

La **Higiene en el Trabajo** se puede definir como el conjunto de técnicas que tratan de evitar las enfermedades profesionales. Se trata de aplicar medidas higiénicas dirigidas al propio trabajador y a las instalaciones o ambiente de trabajo.

La higiene en el trabajo exige:

1. **El análisis de las condiciones de trabajo** y la presencia de contaminantes. Es necesario analizar las condiciones de trabajo en las que se desenvuelve la jornada laboral ya que la presencia de contaminantes físicos, químicos o biológicos exige un ajuste a la normativa.
2. **Valorar los datos obtenidos.** Los datos obtenidos de este análisis deben ser comparados con aquellos que se utilizan como valores de referencia, donde figuran los valores límites permitidos.
3. **Proponer medidas correctoras.** Si los resultados obtenidos exceden a lo que es admisible en la actividad deben hacerse las recomendaciones pertinentes y adoptar las medidas necesarias por parte de las administraciones públicas si fuera necesario.

La higiene en el trabajo ha tenido un importante desarrollo en las últimas décadas, lo que ha contribuido a una mayor diversificación, estableciéndose así la siguiente *clasificación*:

- **Higiene teórica:** se encarga de estudiar la relación entre dosis de exposición al agente nocivo y la respuesta que este desencadena en el organismo humano.
- **Higiene analítica:** se encarga de la identificación cualitativa y cuantitativa de los agentes nocivos.
- **Higiene de campo:** se encarga del estudio de la higiene de la situación en ese medio laboral. Evalúa las exposiciones para determinar las condiciones respecto a los riesgos de enfermedad profesional.
- **Higiene operativa:** busca soluciones a los problemas detectados y trata de eliminar todos los riesgos.

1.1. Patologías como consecuencia del trabajo: conceptos de enfermedad profesional, accidente de trabajo

1.1.1. Enfermedad profesional

De acuerdo con el Artículo 157 del Real Decreto Legislativo 8/2015, de 30 de octubre, por el que se aprueba el texto refundido de la Ley General de la Seguridad Social, se entenderá por enfermedad profesional la contraída a consecuencia del trabajo ejecutado por cuenta ajena en las actividades que se especifiquen en el cuadro que se apruebe por las disposiciones de aplicación y desarrollo de esta ley, y que esté provocada por la acción de los elementos o sustancias que en dicho cuadro se indiquen para cada enfermedad profesional.

Son ejemplos de enfermedad profesional la neumoconiosis, la alveolitis alérgica, la lumbalgia, el síndrome del túnel carpiano, la exposición profesional a gérmenes patógenos y diversos tipos de cáncer, entre otras.

Mediante el Real Decreto 1299/2006, de 10 de noviembre, se aprueba el cuadro de enfermedades profesionales en el sistema de la Seguridad Social y se establecen criterios para su notificación y registro. Dicho cuadro está constituido por 6 grupos de enfermedades profesionales:

- **Grupo 1**. Enfermedades profesionales causadas por agentes químicos.
- **Grupo 2**. Enfermedades profesionales causadas por agentes físicos.
- **Grupo 3**. Enfermedades profesionales causadas por agentes biológicos.
- **Grupo 4**: Enfermedades profesionales causadas por inhalación de sustancias y agentes no comprendidas en otros apartados.
- **Grupo 5**. Enfermedades profesionales de la piel causadas por sustancias y agentes no comprendidos en alguno de los otros apartados.
- **Grupo 6**. Enfermedades profesionales causadas por agentes carcinogénicos.

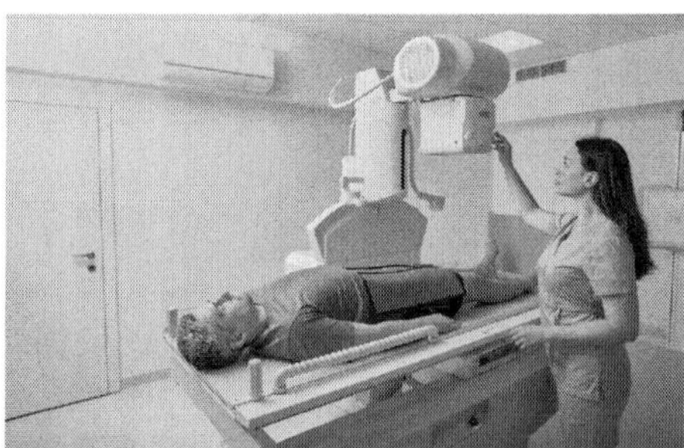

Exposición a los rayos X

El Real Decreto 1150/2015, de 18 de diciembre, modifica los anexos 1 y 2, del Real Decreto 1299/2006, de 10 de noviembre, por el que se aprueba el cuadro de enfermedades profesionales en el sistema de la Seguridad Social y se establecen criterios para su notificación y registro.

A tales efectos, se incluye en el anexo 1 del decreto, cuadro de enfermedades profesionales (codificación), grupo 6, dentro de las enfermedades profesionales causadas por agentes carcinógenos y, en concreto, por el amianto un nuevo subagente, el cáncer de laringe, enumerándose asimismo las principales actividades asociadas a ese subagente. Por su parte, del anexo 2, lista complementaria de enfermedades cuyo origen profesional se sospecha y cuya inclusión en el cuadro de enfermedades profesionales podría contemplarse en el futuro (codificación), se suprime el cáncer de laringe producido por la inhalación de polvo de amianto, ya que pasa a incluirse en el citado anexo 1, procediéndose asimismo a la nueva numeración del grupo 6 del anexo 2 del mismo.

1.2.2. Accidente de trabajo

Tomando como referencia el Artículo 156 del Real Decreto Legislativo 8/2015, de 30 de octubre, por el que se aprueba el texto refundido de la Ley General de la Seguridad Social, se entiende como accidente de trabajo; "toda lesión corporal que el trabajador sufra con ocasión o por consecuencia del trabajo que ejecute por cuenta ajena."

- **Tendrán la consideración de accidentes de trabajo**:
  a) Accidentes "in itinere". Los que sufra el trabajador al ir o al volver del lugar de trabajo.
  b) Los que sufra el trabajador con ocasión o como consecuencia del desempeño **de cargos electivos de carácter sindical**, así como los ocurridos al ir o al volver del lugar en que se ejerciten las funciones propias de dichos cargos.
  c) Los ocurridos con ocasión o por consecuencia de las **tareas** que, aun siendo **distintas** a las de su grupo profesional, ejecute el trabajador en cumplimiento de las órdenes del empresario o espontáneamente en interés del buen funcionamiento de la empresa.
  d) Los acaecidos en **actos de salvamento** y en otros de naturaleza análoga, cuando unos y otros tengan conexión con el trabajo.
  e) Las **enfermedades**, que contraiga el trabajador **con motivo de la realización de su trabajo**, siempre que se pruebe que la enfermedad tuvo por causa exclusiva la ejecución del mismo.
  f) Las **enfermedades o defectos, padecidos con anterioridad** por el trabajador, que se agraven como consecuencia de la lesión constitutiva del accidente.
  g) Las consecuencias del accidente que resulten modificadas en su naturaleza, duración, gravedad o terminación, por **enfermedades intercurrentes**, que constituyan complicaciones derivadas del proceso patológico determinado por el accidente mismo o tengan su origen en afecciones adquiridas en el nuevo medio en que se haya situado el paciente para su curación.
- **Se presumirá, salvo prueba en contrario, que son constitutivas de accidente de trabajo las lesiones que sufra el trabajador durante el tiempo y en el lugar del trabajo.**
- **No tendrán la consideración de accidente de trabajo:**
  a) Los que sean debidos a **fuerza mayor extraña al trabajo**, entendiéndose por esta la que sea de tal naturaleza que no guarde relación alguna con el trabajo que se ejecutaba al ocurrir el accidente.

     En ningún caso se considerará fuerza mayor extraña al trabajo la insolación, el rayo y otros fenómenos análogos de la naturaleza.
  b) Los que sean debidos a dolo o a **imprudencia temeraria** del trabajador accidentado.
- **No impedirán la calificación de un accidente como de trabajo**:
  a) La imprudencia profesional que sea consecuencia del ejercicio habitual de un trabajo y se derive de la confianza que este inspira.
  b) La concurrencia de culpabilidad civil o criminal del empresario, de un compañero de trabajo del accidentado o de un tercero, salvo que no guarde relación alguna con el trabajo.

Recuerda que...

- Se entenderá por enfermedad profesional la contraída a consecuencia del trabajo ejecutado por cuenta ajena en las actividades que se especifiquen en el cuadro que se apruebe por las disposiciones de aplicación y desarrollo de esta ley, y que esté provocada por la acción de los elementos o sustancias que en dicho cuadro se indiquen para cada enfermedad profesional.
- Se entiende como accidente de trabajo; "toda lesión corporal que el trabajador sufra con ocasión o por consecuencia del trabajo que ejecute por cuenta ajena."

1.2. Tipos de riesgos en el ámbito sanitario

Los profesionales sanitarios están expuestos a situaciones que llevan asociados riesgos para la salud. Los más significativos son: posturales, físicos, biológicos, químicos y psicológicos.

Los **riesgos físicos** incluyen los ruidos, vibraciones y sobre todo la exposición a energía electromagnética o radiaciones.

Los **riesgos biológicos** vienen condicionados por la exposición a los agentes biológicos: bacterias (riquetsias, clamidias, legionellas, klebsiellas, micobacterias...), hongos (aspergillus, cándidas, penicillium...), virus (hepatitis B, C, D, E o G, fiebre amarilla, sarampión, paperas, VIH, dengue...), parásitos (leishmania, tenia, echinococcus, toxoplasma...), esporas, productos de recombinación, cultivos celulares humanos o de animales y los agentes biológicos potencialmente infecciosos que estas células puedan contener, como priones, además de varios tipos de toxinas.

Las **sustancias químicas** más utilizadas en el ámbito hospitalario son:

- Agentes anestésicos inhalatorios: óxido nitroso, halotano, enflurano, isoflurano, sevoflurano y desflurano.
- Agentes esterilizantes: óxido de etileno.
- Alcoholes: metilalcohol, etilalcohol, isopropilalcohol, etilenglicol, propilenglicol...
- Aldehídos: formaldehído, glutaraldehido.
- Citostáticos: metotrexato, ciclofosfamida, vimblastina, docetaxel, vindesina...
- Disruptores endocrinos: alquilfenoles, bisfenol-A, dioxinas, disolventes (ej. percloroetileno), estireno, ftalatos, bifenilos policlorados (PCB)...
- Metales: mercurio, plomo...

- Residuos sanitarios.
- Amianto.
- Otros productos: pinturas, limpiadores, desinfectantes, disolventes (ej. dimetilsulfóxido o DMSO), biocidas (insecticidas, plaguicidas)...

Los **riesgos psicológicos** incluyen el estrés, la carga mental, la fatiga, el síndrome de Burnout, etc.

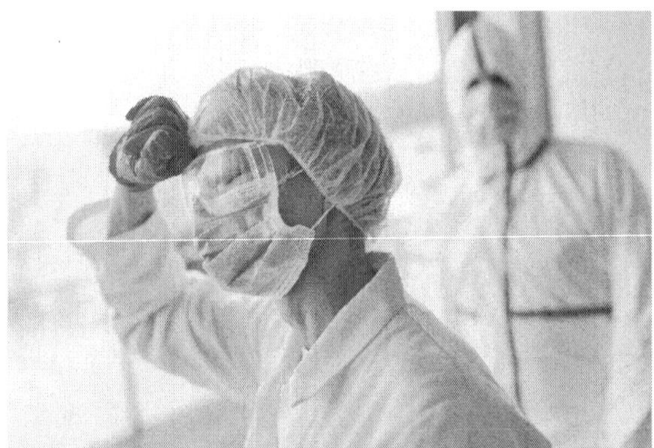

2. Condiciones físico-ambientales del trabajo

Las condiciones físico-ambientales del trabajo son uno de los factores que influyen positiva o negativamente tanto en los sistemas de producción de las empresas como en el estado de salud de los trabajadores.

Por su importancia cabe señalar:

2.1. Local

La estructura arquitectónica de la empresa, la distribución de los espacios y dependencias, etc., deben estar previamente estudiadas y adaptadas a la realidad del sistema de producción y a las necesidades de los trabajadores de manera que el edificio y los espacios de trabajo no sean un elemento distorsionador causante de fobias, angustias o problemas de rendimiento laboral.

Previamente a la construcción del edificio, debe estudiarse su diseño minuciosamente teniendo en cuenta muy especialmente los problemas que una inadecuada estructura puede llegar a causar a las personas que trabajarán en él.

Debe estudiarse la composición de los materiales de construcción, equipamiento y decoración evitando, en la medida de lo posible, materiales fácilmente combustibles.

Importante hacer un estudio de la orientación espacial, las vías de acceso y salida, así como la distribución y organización de los espacios y equipamientos y prever las relaciones humanas de forma que se favorezca la comunicación y el mantenimiento de las distancias a la vez.

2.2. Aireación

Este tema está relacionado con la concepción arquitectónica del edificio. Actualmente se puede optar por un sistema de ventilación:

a) **Natural**: a través de puertas y ventanas, claraboyas, etc. Tiene el inconveniente de que está sometido a cambios bruscos de temperatura, no garantiza la temperatura más o menos constante a lo largo de todo el año, genera corrientes y en caso de ambientes contaminados contribuye a extender la contaminación.

b) **Mecánico**: mediante la insuflación de aire fresco que es renovado por aspiración. Se utiliza en ambientes polucionados donde es necesaria la succión del aire contaminado.

c) **Aire acondicionado**: permite controlar unas condiciones constantes de temperatura y humedad a la vez que renueva el aire de los locales. Tiene especial ventaja en empresas que deben mantener en su cadena de producción unas constantes de temperatura y humedad. En la actualidad también se ha incorporado a empresas de servicios (oficinas, etc.).

Los olores desagradables que producen algunas industrias y que hay que corregir mediante aireación o la absorción de los mismos por carbón activo.

2.3. Ambiente térmico

El ambiente térmico en que se trabaja viene determinado por factores dependientes del:

a) **Trabajador**: su metabolismo orgánico produce calor como consecuencia de la actividad muscular y la ropa que lleva puesta. En el organismo humano el 75-80 % de la energía utilizada se transforma en calor y cuando la actividad laboral exige un trabajo físico ésta puede llegar a ser del 95 %.

b) **Medio ambiente laboral**: depende de la temperatura ambiental, humedad del aire y velocidad de los vientos.

Es necesario buscar un ambiente térmico adecuado para conseguir el mejor estado fisiológico de los trabajadores y el buen funcionamiento de las cualidades psicológicas, sensoriales y motoras.

El ambiente térmico neutro parece ser el que mejor se ajusta a la mayoría de los trabajadores. Se define como tal aquel ambiente en el que la producción de calor metabólico está en equilibrio con las pérdidas de calor orgánico (por convección e irradiación), las pérdidas de calor respiratorio y la transpiración insensible.

El Real Decreto-ley 14/2022, de 1 de agosto recoge la necesidad de cumplir con lo dispuesto en el Real Decreto 486/1997, de 14 de abril sobre la temperatura a la que se deben mantener los centros de trabajo para que no se convierta en un riesgo para la seguridad y salud.

En los locales de trabajo cerrados deberán cumplirse, en particular, las siguientes condiciones:
a) La temperatura de los locales de trabajo donde se realicen trabajos sedentarios propios de oficinas o similares estará comprendida entre 17 y 27 ºC. La temperatura de los locales donde se realicen trabajos ligeros estará comprendida entre 14 y 25 ºC.
b) La humedad relativa estará comprendida entre el 30 y el 70 %, excepto en los locales donde existan riesgos por electricidad estática en los que el límite inferior será el 50 %.
c) Los trabajadores no deberán estar expuestos de forma frecuente o continuada a corrientes de aire cuya velocidad exceda los siguientes límites:
1.º Trabajos en ambientes no calurosos: 0,25 m/s.
2.º Trabajos sedentarios en ambientes calurosos: 0,5 m/s.
3.º Trabajos no sedentarios en ambientes calurosos: 0,75 m/s.
Estos límites no se aplicarán a las corrientes de aire expresamente utilizadas para evitar el estrés en exposiciones intensas al calor, ni a las corrientes de aire acondicionado, para las que el límite será de 0,25 m/s en el caso de trabajos sedentarios y 0,35 m/s en los demás casos.

Condiciones termohigrométricas extraídas del Real Decreto 486/1997 sobre lugares de trabajo

2.4. Ambiente sonoro

El sonido se puede definir como la vibración de un medio material y que puede ser detectada por el oído humano. A su vez el ruido es un sonido fuerte, generalmente molesto para la actividad humana.

En todo ruido hay que diferenciar:

a) **Tono:** sensación auditiva que va asociada a la frecuencia de los sonidos y se refiere a la altura del ruido.

b) **Intensidad:** se refiere a la fuerza del ruido.

c) **Timbre:** es una característica de la sensación auditiva que permite diferenciar diversos sonidos.

En la medición de la contaminación acústica (intensidad) se utiliza el Decibelio como medida (dB) y para ello se les practica a los trabajadores una técnica de audiometría que permite conocer el estado fisiológico de su oído.

El ruido tiene efectos negativos para la fisiología del organismo y afecta también al rendimiento psíquico de las personas.

Los niveles de ruido compatibles con la salud, definidos en las diferentes legislaciones de los países se sitúan en 85 dB como cota de alerta para una exposición permanente de 40 h. semanales de trabajo. Un nivel de ruido de 90 dB o niveles de pico (o de ruido de impacto) superior a 140 dB ya es considerado peligroso.

- Hospitales: 25 dB.
- Bibliotecas y museos: 30 dB.
- Cines, teatros y salas de conferencia: 40 dB
- Centros docentes y hoteles: 40 dB.
- Oficinas y despachos públicos: 45 dB
- Grandes almacenes, restaurantes y bares: 55 dB.

Niveles máximos de intensidad acústica en edificios públicos

Se establece un límite aceptable con 65 db durante el día y 55 db por la noche.

Sabías que...

La Directiva de Agentes Físicos (Ruido) 2003/10/CE obliga a los trabajadores a tener a su disposición protectores cuando los niveles de ruido en el trabajo alcanzan 80 dB. El uso de protectores auditivos es totalmente obligatorio cuando el nivel de ruido alcanza 85 dB o más.

2.5. Iluminación

Es necesario que exista una buena y bien distribuida iluminación de los espacios y objetos de trabajo. Se puede optar por una iluminación natural, artificial o mixta dependiendo de las situaciones.

La iluminación natural, aunque recomendable, es variable según las horas del día y estaciones del año y no suele ser suficiente por sí misma.

La iluminación artificial se basa en la disposición de focos con los que se pretende conseguir una buena distribución de puntos de luz y difusión de la misma.

En la iluminación directa el 90-100 % del flujo de luz se dirige hacia abajo y el 0-10 % hacia arriba.

En la iluminación semidirecta el 40-60 % del flujo luminoso se dirige hacia abajo y el 10-40 % hacia arriba.

Actualmente es obligatorio, además, la iluminación de seguridad que permita, en caso de corte del fluido eléctrico, una evacuación rápida.

Los niveles mínimos de iluminación de los lugares de trabajo serán los establecidos en la siguiente tabla:

Zona o parte del lugar de trabajo	Nivel mínimo de iluminación (lux)
Bajas exigencias visuales	100
Exigencias visuales moderadas	200
Exigencias visuales altas	500
Exigencias visuales muy altas	1.000
Áreas o locales de uso ocasional	50
Áreas o locales de uso habitual	100
Vías de circulación de uso ocasional	25
Vías de circulación de uso habitual	50

Iluminación de los lugares de trabajo extraídos del Real Decreto 486/1997 sobre lugares de trabajo

Actividad 1

¿Qué límite inferior de humedad relativa poseerán los locales donde existan riesgos por electricidad estática?

- ☐ a) Inferior al 15 %.
- ☐ b) Inferior al 25 %.
- ☐ c) Inferior al 50 %.

2.6. Vibraciones

Las vibraciones mecánicas se pueden definir como movimientos rápidos y ruidosos de intensidad variable.

Estas vibraciones se transmiten directamente o indirectamente al cuerpo del trabajador a través de máquinas, etc. La transmisión de vibraciones directas al cuerpo puede producir lesiones en los tejidos y órganos.

Estas lesiones son especialmente frecuentes en las manos, sobre todo por martillos neumáticos. Los trabajadores desarrollan lesiones vasculares que producen isquemia en la zona. También es frecuente la afectación ósea a nivel del carpo así como lesiones musculares y nerviosas en forma de mialgias y parestesias.

2.7. Radiaciones

Las radiaciones se pueden definir como una forma de propagación de la energía a partir de una fuente o centro emisor. Constituye un factor de riesgo físico.

A su vez las radiaciones se pueden clasificar en dos grandes grupos:

- **Radiaciones electromagnéticas:** se caracterizan porque se propagan en forma de ondas. Pertenecen a este grupo el espectro visible de la luz, rayos infrarrojos, rayos ultravioleta y rayos X. Son consideradas radiaciones ionizantes los Rayos X y los Rayos gamma.
- **Radiaciones corpusculares:** pueden estar formadas por partículas electrizadas en muchos casos. Pertenecen a este grupo los Rayos alfa (plutonio), Rayos Beta (P32) y neutrones.

Los rayos infrarrojos, también denominados radiación calórica, son ondas electromagnéticas. En la industria donde existen fuentes industriales de calor (altas temperaturas) se utiliza sobre todo esta forma de radiación. Las fuentes de calor que no superan los 600 ºC emiten solo radiaciones infrarrojas. Los actinómetros son instrumentos utilizados para medir el poder calorífico de la radiación electromagnética. En meteorología se utilizan específicamente para medir la intensidad de la radiación solar con el nombre de pirheliómetros.

Las radiaciones ultravioleta, también denominadas actínicas, se utilizan en determinados trabajos como soldadura, especialmente cuando se hacen por arco eléctrico. Además en el campo de la fisioterapia es utilizada con frecuencia esta forma de radiación. La exposición excesiva de los trabajadores a este tipo de radiación puede ocasionar trastornos de la visión, en la piel, etc.

El uso de las radiaciones ionizantes, tiene su punto de partida con el descubrimiento de los rayos X en 1895 por el Alemán Wilhelm Konrad Roentgen. Actualmente el uso de esta forma de energía no se limita solo al campo de las Ciencias Biomédicas sino también a la agricultura, ganadería, física, industria, etc.

Las radiaciones ionizantes tienen la capacidad de producir ionizaciones en los átomos con los que interaccionan debido a su alta energía. Así, estas radiaciones pueden alterar las estructuras químicas de las moléculas que forman las células de nuestro organismo. Si la molécula alterada es importante para el funcionamiento de la célula, como es el caso del ADN (ácido desoxirribonucleico), habrá consecuencias nocivas para la célula. Dependiendo, entre otros factores, de la dosis de radiación el daño producido será de mayor o menor gravedad, lo que a su vez determinará el tipo de efecto que puede producirse en el organismo.

La exposición del organismo a radiaciones ionizantes a dosis excesivas (ya con dosis pequeñas es capaz de alterar las células) tiene efectos importantes sobre la salud, afectando a diversos tejidos y órganos:

- **Piel y faneras:** en primera instancia aparece eritema y pérdida del vello, atrofia, dermatitis crónica, que puede llevar a un carcinoma en casos de exposiciones prolongadas o excesivas.

- **Sobre el aparato reproductor:** aparecen lesiones de las células germinales que son extraordinariamente radiosensibles. Pueden llevar a un estado de esterilidad y a provocar alteraciones genéticas en caso de embarazo.
- **Órganos hematopoyéticos:** producen aplasia de la médula ósea con la consiguiente aparición de anemia (déficit de eritrocitos), pérdida de las defensas (déficit de leucocitos), y de las plaquetas (trastornos de la coagulación de la sangre).
- **Ojos:** puede provocar la aparición de cataratas.

2.7.1. Dosis para los trabajadores expuestos

Según el R.D. 783/2001, Artículo 9 los límites de dosis para los trabajadores expuestos son:

1. El límite de dosis efectiva para trabajadores expuestos será de 100 mSv durante todo período de cinco años oficiales consecutivos, sujeto a una dosis efectiva máxima de 50 mSv en cualquier año oficial.
2. Sin perjuicio de lo dispuesto en el apartado anterior:
   a) El límite de dosis equivalente para el cristalino será de 150 mSv por año oficial.
   b) El límite de dosis equivalente para la piel será de 500 mSv por año oficial. Dicho límite se aplicará a la dosis promediada sobre cualquier superficie de 1 cm^2, con independencia de la zona expuesta.
   c) El límite de dosis equivalente para las manos, antebrazos, pies y tobillos será de 500 mSv por año oficial.

2.7.2. Vigilancia de los trabajadores expuestos

Reglamento de los Servicios de Prevención, Real Decreto 39/1997

Artículo 18. Desarrolla los recursos materiales y humanos de las entidades especializadas que actúen como Servicios de Prevención:

1. Las entidades especializadas que actúen como Servicios de Prevención deberán contar con las instalaciones y los recursos materiales y humanos que les permitan desarrollar adecuadamente la actividad preventiva que hubieran concertado, teniendo en cuenta el tipo, extensión y frecuencia de los servicios preventivos que han de prestar y la ubicación de los centros de trabajo en los que dicha prestación ha de desarrollarse.
2. En todo caso, dichas entidades deberán disponer, como mínimo, de los medios siguientes:
   a) Personal que cuente con la cualificación necesaria en disciplinas preventivas de Medicina del Trabajo, Seguridad en el Trabajo, Higiene Industrial y Ergonomía y Psicosociología aplicada. (Estas actividades suelen ser desarrolladas por los departamentos de rrhh. de las diferentes empresas).

3. La actividad sanitaria contará para el desarrollo de su función dentro del Servicio de Prevención con la estructura y medios adecuados a su naturaleza específica y la confidencialidad de los datos médicos personales.
4. La Autoridad Laboral, previo informe en su caso, de la Sanitaria en cuanto a los aspectos de carácter sanitario, podrá eximir del cumplimiento de alguna de las condiciones.

Real Decreto 783/2001, de 6 de julio, (Capítulo IV)

Artículo 39º - Vigilancia sanitaria de los trabajadores expuestos: se basará en los principios generales de Medicina del Trabajo y en la Ley 31/1995, de 8 de noviembre, Prevención de Riesgos Laborales, y Reglamento que la desarrolla.

Artículo 40º - Exámenes de salud: toda persona que vaya a ser clasificada como trabajador expuesto deberá ser sometida a un examen de salud previo, que permita comprobar que no se halla incursa en ninguna de las incompatibilidades que legalmente estén determinadas y decidir su aptitud para el trabajo. Además, estarán sometidos, a exámenes de salud periódicos que permitan comprobar que siguen siendo aptos para ejercer sus funciones. Estos exámenes se realizarán cada doce meses y más frecuentemente, si lo hiciera necesario, a criterio médico, el estado de salud del trabajador, sus condiciones de trabajo o los incidentes que puedan ocurrir.

Artículo 41º - Examen de salud previo: de toda persona que vaya a ser destinada a un puesto que implique riesgo, se tendrá por objeto la obtención de la historia clínica.

Artículo 42º - Exámenes de salud periódico: los reconocimientos médicos periódicos estarán adaptados a las características de la exposición a las radiaciones ionizantes o de la posible contaminación interna o externa.

El Servicio de Prevención que desarrolle la función de vigilancia y control de la salud de los trabajadores, podrá determinar la conveniencia de que se prolongue, durante el tiempo que estime necesario, la vigilancia sanitaria de los trabajadores.

2.8. Vestuarios, duchas, lavabos y retretes

1.º Los lugares de trabajo dispondrán de vestuarios cuando los trabajadores deban llevar ropa especial de trabajo y no se les pueda pedir, por razones de salud o decoro, que se cambien en otras dependencias.

2.º Los vestuarios estarán provistos de asientos y de armarios o taquillas individuales con llave, que tendrán la capacidad suficiente para guardar la ropa y el calzado. Los armarios o taquillas para la ropa de trabajo y para la de calle estarán separados cuando ello sea necesario por el estado de contaminación, suciedad o humedad de la ropa de trabajo.

3.º Cuando los vestuarios no sean necesarios, los trabajadores deberán disponer de colgadores o armarios para colocar su ropa.

4.º Los lugares de trabajo dispondrán, en las proximidades de los puestos de trabajo y de los vestuarios, de locales de aseo con espejos, lavabos con agua corriente,

caliente si es necesario, jabón y toallas individuales u otro sistema de secado con garantías higiénicas. Dispondrán además de duchas de agua corriente, caliente y fría, cuando se realicen habitualmente trabajos sucios, contaminantes o que originen elevada sudoración. En tales casos, se suministrarán a los trabajadores los medios especiales de limpieza que sean necesarios.

5.º Si los locales de aseo y los vestuarios están separados, la comunicación entre ambos deberá ser fácil.

6.º Los lugares de trabajo dispondrán de retretes, dotados de lavabos, situados en las proximidades de los puestos de trabajo, de los locales de descanso, de los vestuarios y de los locales de aseo, cuando no estén integrados en estos últimos.

7.º Los retretes dispondrán de descarga automática de agua y papel higiénico. En los retretes que hayan de ser utilizados por mujeres se instalarán recipientes especiales y cerrados. Las cabinas estarán provistas de una puerta con cierre interior y de una percha.

8.º Las dimensiones de los vestuarios, de los locales de aseo, así como las respectivas dotaciones de asientos, armarios o taquillas, colgadores, lavabos, duchas e inodoros, deberán permitir la utilización de estos equipos e instalaciones sin dificultades o molestias, teniendo en cuenta en cada caso el número de trabajadores que vayan a utilizarlos simultáneamente.

9.º Los locales, instalaciones y equipos mencionados en el apartado anterior serán de fácil acceso, adecuados a su uso y de características constructivas que faciliten su limpieza.

10. Los vestuarios, locales de aseos y retretes estarán separados para hombres y mujeres, o deberá preverse una utilización por separado de los mismos. No se utilizarán para usos distintos de aquellos para los que estén destinados.

Fuente: Real Decreto 486/1997, de 14 de abril, por el que se establecen las disposiciones mínimas de seguridad y salud en los lugares de trabajo

2.9. Material y locales de primeros auxilios

El Anexo VI del *Real Decreto 486/1997, de 14 de abril, por el que se establecen las disposiciones mínimas de seguridad y salud en los lugares de trabajo* determina en su epígrafe A) las siguientes disposiciones sobre el material de primeros auxilios, que se han de aplicar a los lugares de trabajo utilizados por primera vez a partir de la fecha de entrada en vigor de este Real Decreto y a las modificaciones, ampliaciones o transformaciones de los lugares de trabajo ya utilizados antes de dicha fecha que se realicen con posterioridad a la misma:

1. Los lugares de trabajo dispondrán de material para primeros auxilios en caso de accidente, que deberá ser adecuado, en cuanto a su cantidad y características, al número de trabajadores, a los riesgos a que estén expuestos y a las facilidades de acceso al centro de asistencia médica más próximo.

El material de primeros auxilios deberá adaptarse a las atribuciones profesionales del personal habilitado para su prestación.

2. La situación o distribución del material en el lugar de trabajo y las facilidades para acceder al mismo y para, en su caso, desplazarlo al lugar del accidente, deberán garantizar que la prestación de los primeros auxilios pueda realizarse con la rapidez que requiera el tipo de daño previsible.
3. Sin perjuicio de lo dispuesto en los apartados anteriores, todo lugar de trabajo deberá disponer, como mínimo, de un botiquín portátil que contenga desinfectantes y antisépticos autorizados, gasas estériles, algodón hidrófilo, venda, esparadrapo, apósitos adhesivos, tijeras, pinzas y guantes desechables.
4. El material de primeros auxilios se revisará periódicamente y se irá reponiendo tan pronto como caduque o sea utilizado.
5. Los lugares de trabajo de más de 50 trabajadores deberán disponer de un local destinado a los primeros auxilios y otras posibles atenciones sanitarias. También deberán disponer del mismo los lugares de trabajo de más de 25 trabajadores para los que así lo determine la autoridad laboral, teniendo en cuenta la peligrosidad de la actividad desarrollada y las posibles dificultades de acceso al centro de asistencia médica más próximo.
6. Los locales de primeros auxilios dispondrán, como mínimo, de un botiquín, una camilla y una fuente de agua potable. Estarán próximos a los puestos de trabajo y serán de fácil acceso para las camillas.
7. El material y locales de primeros auxilios deberán estar claramente señalizados.

3. Accidentes de riesgo biológico

Definimos **accidente de riesgo biológico** como la exposición que sufre un trabajador a sangre, tejidos o fluidos potencialmente infecciosos a través de una herida percutánea, contacto con mucosa o sobre piel no intacta.

El **Real Decreto 664/1997, de 12 de mayo**, sobre la protección de los trabajadores contra los riesgos relacionados con la exposición a agentes biológicos durante el trabajo, en su artículo 14, establece que en el caso de los establecimientos sanitarios y veterinarios distintos de los laboratorios de diagnóstico, la evaluación a que se refiere el artículo 4 deberá tener especialmente en cuenta los riesgos inherentes a las actividades desarrolladas en los mismos y, particularmente, la incertidumbre acerca de la presencia de agentes biológicos en el organismo de pacientes humanos, de animales, o de materiales o muestras procedentes de éstos, y el peligro que tal presencia podría suponer.

En las instalaciones de atención sanitaria y veterinaria, la evaluación debe tener en cuenta la incertidumbre acerca de la presencia de agentes infecciosos en pacientes, animales o en los materiales y muestras procedentes de éstos.

Los riesgos deberán ser evaluados en cada una de las etapas que componen la manipulación; así, la realización de un estudio de malignidad de un tumor supondría: atención clínica, cirugía, biopsia y otras tomas de especímenes, manipulación y transporte de los mismos, estudios de laboratorio y tratamiento y eliminación de residuos.

Por esta razón se aplicarán las denominadas "precauciones standard", que implican mantener una actitud constante de autoprotección, con hábitos de trabajo seguro, aplicando el **principio fundamental** de que todas las muestras deben manipularse como si fueran infecciosas.

Se tomarán medidas apropiadas en dichos servicios para garantizar de modo adecuado la protección sanitaria y la seguridad de los trabajadores afectados.

Dichas medidas comprenderán en particular: La especificación de procedimientos apropiados de descontaminación y desinfección.

La selección de medidas se hará sobre la base de la evaluación del riesgo y, en particular, la naturaleza de la infección, la facilidad y el modo de transmisión del agente.

La **Guía Técnica del INSST (Instituto Nacional de Seguridad y Salud en el Trabajo) –página web: www.mtas.es[1]–, para la evaluación y prevención de los riesgos relacionados con la exposición a agentes biológicos**, contempla una tabla que recoge una relación de los agentes biológicos, clasificados en grados, incluyendo las modificaciones y actualizaciones introducidas por la Orden de 25 de marzo de 1998 (BOE n.º 76 de 30/3/1998).

Las denominadas "precauciones universales" constituyen la estrategia fundamental para la prevención del riesgo laboral para todos los microorganismos vehiculizados por la sangre. Su principio básico es que la sangre y otros fluidos corporales deben considerarse potencialmente infecciosos.

Debe aceptarse que no existen pacientes de riesgo sino maniobras o procedimientos de riesgo, por lo que se han de adoptar precauciones utilizando las barreras protectoras adecuadas en todas las maniobras o procedimientos en los que exista la posibilidad de contacto con la sangre y/o fluidos corporales a través de la piel o las mucosas.

Es de especial importancia que:

- Todo el personal esté informado de dichas precauciones.
- Todo el personal conozca las razones por las que debe proceder de la manera indicada.
- Se promueva el conocimiento y la utilización adecuados.

Se pueden distinguir las siguientes precauciones universales:

a) Vacunación (inmunización activa).

b) Normas de higiene personal.

---

1 En esta página web del Instituto Nacional de Seguridad y Salud en el Trabajo se pueden consultar también diferentes publicaciones entre las que destaca un Libro sobre Condiciones de Trabajo en Centros Sanitarios, editado en el año 2000 –reimpresión en el 2001-

c) Elementos de protección de barrera.

d) Cuidado con los objetos cortantes.

e) Esterilización y desinfección correcta de instrumentales y superficies.

A) Vacunación (inmunización activa)

La comunidad trabajadora está sometida a numerosos riesgos biológicos, producidos por bacterias, hongos, virus, etc., frente a los cuales se dispone de vacunas que hacen posible su prevención y, a veces, su tratamiento.

La inmunización activa frente a enfermedades infecciosas ha demostrado ser, junto con las medidas generales de prevención, una de las principales formas de proteger a los trabajadores.

Deberá vacunarse todo el personal que desarrolle su labor en ambientes que tengan contacto, tanto directo como indirecto, con la sangre u otros fluidos biológicos de otras personas infectadas (por ejemplo, la vacuna contra la Hepatitis B para el personal que desarrolle su labor en ambiente hospitalario y que tenga contacto directo o indirecto con la sangre u otros fluidos de los pacientes).

B) Normas de higiene personal

A continuación se resumen un conjunto de normas de higiene personal a seguir por los trabajadores:

- Cubrir heridas y lesiones de las manos con apósito impermeable, al iniciar la actividad laboral.
- Cuando existan lesiones que no se puedan cubrir, deberá evitarse el cuidado directo de los pacientes.
- El lavado de manos debe realizarse al comenzar y terminar la jornada y después de realizar cualquier técnica que puede implicar el contacto con material infeccioso. Dicho lavado se realizará con agua y jabón líquido.
- En situaciones especiales se emplearán sustancias antimicrobianas. Tras el lavado de las manos éstas se secarán con toallas de papel desechables o corriente de aire.
- No comer, beber ni fumar en el área de trabajo.
- El pipeteo con la boca no debe realizarse.

C) Elementos de protección de barrera

Todos los trabajadores de la salud deben utilizar rutinariamente los elementos de protección de barrera apropiados cuando deban realizar actividades que los pongan en contacto directo con la sangre o los fluidos corporales de los pacientes.

Dicho contacto puede producirse tanto de forma directa como durante la manipulación de instrumental o de materiales extraídos para fines diagnósticos como es el caso de la realización de procesos invasivos.

Dentro de los elementos de protección de barrera podemos distinguir los siguientes:

1. **Guantes:**

   El uso de guantes será obligatorio:

   - Cuando el trabajador sanitario presente heridas no cicatrizadas o lesiones dérmicas exudativas o rezumantes, cortes, lesiones cutáneas, etc.
   - Si maneja sangre, fluidos corporales.
   - Al entrar en contacto con la piel no intacta o mucosas.
   - Al manejar objetos, muestras o superficies contaminados.
   - Al realizar procesos invasivos.

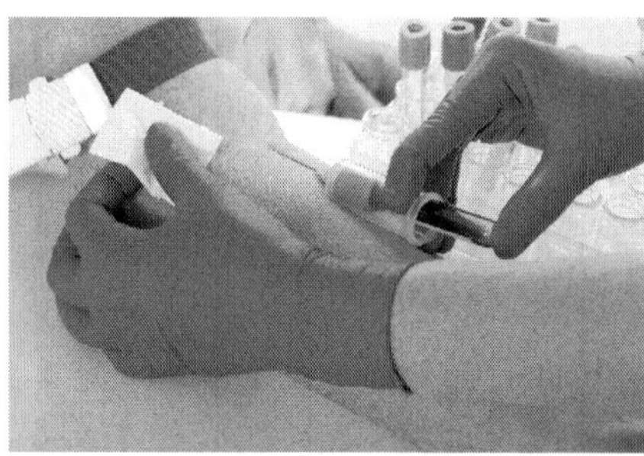

2. **Mascarillas y protección ocular:**

   Se emplearán en aquellos casos en los que, por la índole del procedimiento a realizar, se prevea la producción de salpicaduras de sangre u otros fluidos corporales que afecten las mucosas de ojos, boca o nariz ya sea por la extracción, punción o disección de órganos, extracción de muestras biológicas, estudio o biopsia, etc.

3. **Batas:**

   Las batas deberían utilizarse en las situaciones en las que pueda darse un contacto con la sangre u otros fluidos orgánicos, que puedan afectar las propias vestimentas del trabajador.

D) Cuidado con los objetos cortantes y punzantes

Se deben tomar todas las precauciones necesarias para reducir al mínimo las lesiones producidas en el personal por pinchazos y cortes.

Para ello es necesario:

- Tomar precauciones en la utilización del material cortante, de las agujas y de las jeringas durante y después de su utilización, así como en los procedimientos de limpieza y de eliminación.

- No encapsular agujas ni objetos cortantes ni punzantes ni someterlas a ninguna manipulación.
- Los objetos punzantes y cortantes (agujas, jeringas y otros instrumentos afilados) deberán ser depositados en contenedores apropiados con tapa de seguridad, para impedir su pérdida durante el transporte, estando estos contenedores cerca del lugar de trabajo y evitando su llenado excesivo.
- El personal sanitario que manipule objetos cortantes se responsabilizará de su eliminación.

E) Desinfección y esterilización correcta de instrumentales y superficies

Desinfección:

El empleo de productos químicos permite desinfectar a temperatura ambiente los instrumentos y superficies que no resisten el calor seco o la temperatura elevada.

Para llevar a cabo una desinfección del tipo que sea, es necesario tener en cuenta:

a) La actividad desinfectante del producto.

b) La concentración que ha de tener para su aplicación.

c) El tiempo de contacto con la superficie que se ha de descontaminar.

d) Las especies y el número de gérmenes que se han de eliminar.

El producto desinfectante debe tener un amplio espectro de actividad y una acción rápida e irreversible, presentando la máxima estabilidad posible frente a ciertos agentes físicos, no debiendo deteriorar los objetos que se han de desinfectar ni tener un umbral olfativo alto ni especialmente molesto.

Una correcta aplicación de los desinfectantes será, en general, aquella que permita un mayor contacto entre el desinfectante y la superficie a desinfectar.

El producto desinfectante se debe poder aplicar de tal manera que no presente toxicidad aguda o crónica para los animales y el hombre que puedan entrar en contacto con él.

Debe tenerse en cuenta que por su propia función, destrucción de microorganismos, muchos desinfectantes tienen características de toxicidad importantes para el hombre, por lo que se deberán adoptar las medidas de protección y prevención adecuadas y seguir siempre las instrucciones para su aplicación, contenidas en la etiqueta y en las fichas de seguridad.

Los desinfectantes que se utilicen deben estar adecuadamente etiquetados según la normativa correspondiente (RD 1078/1993, RD 363/1995 y RD 1893/1996), tanto si se han adquirido comercialmente, como si son de preparación propia.

Al adquirir productos químicos, debe exigirse siempre la entrega de la ficha de seguridad correspondiente.

La eficacia de los desinfectantes está limitada por la presencia de materia orgánica, por lo que los tiempos de aplicación de los mismos disminuirán cuando el instrumental que se deba desinfectar esté limpio.

En función de los microorganismos manipulados, se redactarán las instrucciones de desinfección en las que consten los desinfectantes y las diluciones a las que se deban emplear.

Hay que tener en cuenta que las fórmulas de los productos desinfectantes comerciales presentan grandes diferencias, por lo que es esencial seguir las indicaciones del fabricante.

Esterilización:

Con la esterilización se produce la destrucción de todos los gérmenes, incluidos esporas bacterianas, que pueda contener un material.

Se debe recordar que, en ciertos casos, los instrumentos son sometidos a la acción de soluciones detergentes o antisépticas para diluir sustancias orgánicas o evitar que se sequen. Dado que este paso no es una verdadera desinfección, estos instrumentos no deberán ser manipulados ni reutilizados hasta que se efectúe una esterilización.

Existen diferentes tipos de esterilización de los cuales, a continuación, se ofrece un listado:

- *Esterilización por calor húmedo bajo presión (autoclave):*

  Es el método de elección, por ser el más fiable, eficaz y de fácil empleo. Se introduce el material a esterilizar en bolsas adecuadas y cerradas, dejándose durante 20 minutos a 121 ºC (para algunos agentes pueden ser necesarias otras condiciones), teniendo la precaución de que la atmósfera del autoclave esté a saturación y desprovista de aire.

  En este sentido es recomendable disponer de un manual de procedimiento para el trabajo con el autoclave, siguiendo las instrucciones del fabricante.

  Si no se dispone de autoclave, para instrumental de pequeño volumen, cabe recurrir a ebullición del agua, preferentemente conteniendo bicarbonato sódico, durante 15 a 30 minutos minutos, o bien al empleo de una olla a presión al nivel máximo de presión de trabajo.

- *Esterilización por calor seco:*

  Debe mantenerse por 1 hora a partir del momento en que el material ha llegado a los 170 ºC.

- *Radiaciones ionizantes:*

  Basan sus efectos en la capacidad de destrucción celular. Debido a su poder de penetración, la radiación γ es la empleada en la esterilización del material sanitario, sobre todo en el ámbito industrial.

  La instalación de esterilización por rayos γ ha de cumplir unos requisitos especiales como instalación radiactiva, lo que limita totalmente su aplicación en los laboratorios, a menos que estén dentro de una institución (por ejemplo, un hospital) que disponga de una instalación adecuada para ello.

- *Esterilización con vapores químicos:*

  Los agentes gaseosos, tales como el formaldehído o el óxido de etileno, tienen una actividad bactericida y esporicida en el intervalo de 30-80 °C.

  La esterilización, en este caso, se lleva a cabo en esterilizadores diseñados específicamente, que también se llaman autoclaves, y que permiten obtener las condiciones de presión, de temperatura y de humedad adecuadas. Funcionan de manera automática, por ciclos, e incluyen la evacuación de los fluidos.

- *Esterilización por óxido de etileno:*

  Este tipo de esterilización sólo debe aplicarse a aquel material que no pueda ser esterilizado al vapor y debe llevarse a cabo por personal cualificado, informado de los riesgos que presenta su utilización, disponiendo de un protocolo de actuación bien establecido y, cuando el caso lo requiera, de los equipos de protección individual adecuados.

  Los autoclaves de óxido de etileno deben ser de estanqueidad contrastada, a ser posible de doble puerta con extracción por encima de la de descarga y con aireación incorporada. Deben ubicarse en áreas aisladas, bien ventiladas y mantenidas a depresión con las adyacentes, procediéndose a un control ambiental periódico de la presencia en aire del compuesto.

  Actualmente se están desarrollando sistemas denominados "de Plasma de baja temperatura" basados en el empleo de peróxido de hidrógeno y radiofrecuencias, como alternativa al empleo de óxido de etileno y formaldehído, considerados como compuestos peligrosos para la salud.

Recuerda que...

Con la esterilización se destruyen todos los gérmenes (patógenos o inofensivos) y sus formas de vida resistentes, como las esporas.

F) Protocolos de actuación en accidentes de riesgo biológico

Además, la **NTP (Nota técnica de prevención) n.º 447, del INSST, sobre la actuación frente a un accidente con riesgo biológico**, contempla Protocolos de actuación en accidentes con riesgo biológico.

El riesgo de contagio después de un accidente con riesgo biológico por pinchazo o corte se evalúa en un 30 % para el virus de la hepatitis B (VHB), 3 % para el virus de la hepatitis C (VHC) y 0,3 % para el virus de inmunodeficiencia humana (VIH). En caso de contacto con las mucosas, o con la piel herida el riesgo de contaminación es de 0,04 % para el VIH, no habiéndose cuantificado para el VHB y el VHC.

Estas cifras, que reflejan una infectividad menor del VIH y del VHC con relación al VHB, han de interpretarse en función de otros factores como:

a) La gravedad de la infección:
   - Pronóstico poco claro para el VIH.

  - Para el VHC, un 60 % a 70 % de los casos se convierten en crónicos.
  - Para el VHB, un 10 % de los casos se convierten en crónicos, siendo responsable a su vez de formas fulminantes.

b) La existencia de vacuna: solo contra el VHB.

c) La existencia de profilaxis: inmunoglobulinas específicas para el VHB, antirretrovirales para el VIH, no existe profilaxis para el VHC...

La formación e información, a la que se hace referencia como Educación Sanitaria, es la base fundamental para prevenir las enfermedades infecciosas. Se trata de informar sobre los problemas que comporta la exposición a determinados microorganismos y las secuelas de la infección que pueden originar. Con este propósito se recomiendan una serie de normas de higiene general para evitar el riesgo de contaminación transmisión y, así mismo, informar del tipo de vacuna que se ha de utilizar.

Hepatitis B

La estimación global del riesgo de contaminación después de un accidente con sangre contaminada es del 30 %, y varía del 5 % al 40 %, (40 % si la fuente es Ag HBe positivo). El antígeno e (Ag HBe) es un antígeno soluble que se halla presente en el suero de algunos pacientes Ag HBs positivos (antígeno de superficie) y constituye un indicador de infecciosidad elevada.

Las actuaciones que se deben llevar a cabo frente al riesgo de la hepatitis B son las siguientes:

- Valoración del estado inmunológico del accidentado, consultando los datos previos de vacunación si los hubiese y la petición de un estudio serológico completo en el caso de que no se disponga de estos datos.
- A aquellas personas que se han expuesto accidentalmente, por vía percutánea o a través de mucosas, con sangre contaminada de Ag HBs y, que desconozcan su estado inmunológico, que nunca han sido vacunadas o que no han completado la pauta de vacunación, se les administrará en el plazo de 48 horas una inyección de 5 cc de inmunoglobulinas antihepatitis B.
- Si puede identificarse la fuente (procedencia de la contaminación) y previo consentimiento después de haber sido informado, se le efectuará una extracción sanguínea para determinar el Anti HBcore total. Si éste es negativo, se aplicará al accidentado la pauta vacunal. Si es positivo se le hará una serología completa.
- Según el resultado serológico, se incluirá al accidentado en su correspondiente pauta de vacunación o seguimiento, que consiste en la administración de tres dosis de vacuna de 20 mg/dosis, la primera dentro de los siete días siguientes a la exposición, la segunda un mes después y la tercera seis meses después de la primera. La primera dosis de la vacuna puede ser administrada conjuntamente con la inmunoglobulina contra la hepatitis B. En estos casos, la administración no debe realizarse en el mismo lugar de inyección. La inmunoglobulina se debe administrar en la región glútea y la vacuna en deltoides.

- Se considera que una persona está inmunizada cuando adquiere un título de Anti HBs superior a 10 UI/L. Esta determinación debe realizarse al cabo de un mes de la tercera dosis de vacuna. En caso de que el título de Anti HBs sea inferior a 10 UI/L, debe administrarse una cuarta dosis de vacuna. Para contratos temporales de trabajo y para puestos con riesgo de infección por hepatitis B, se plantea como pauta de vacunación: al inicio, al mes y a los dos meses siguientes. En las personas que no logren un título de Anti HBs superior a 10UI/L, tras 4 dosis de vacuna, se les administrará una dosis de recuerdo cada 5 años.

Hepatitis C

La evolución de los conocimientos epidemiológicos y terapéuticos relativos a la hepatitis C requiere una adaptación constante de los procedimientos de cuidados y de diagnóstico, en especial después de un accidente con sangre contaminada.

Las actuaciones frente al riesgo de contraer la hepatitis C son las siguientes:

- Extracción sanguínea para la valoración del estado inmunológico del accidentado frente al virus de la hepatitis C.
- Identificar la fuente si es posible. Tras informar al accidentado y bajo su consentimiento, se realizará el estudio serológico de VHC.
- Si la fuente es positiva o desconocida y el accidentado Anti VHC es negativo, se realizarán controles serológicos periódicos: cuando se produjo el accidente, al cabo de mes y medio, a los tres, seis y doce meses siguientes.
- Si el accidentado es Anti VHC positivo, se procederá a seguimiento y educación sanitaria.

Infección por VIH

- El VIH solo se puede transmitir a través de ciertos líquidos corporales. Estos líquidos incluyen: sangre, semen, líquido preseminal, secreciones rectales, secreciones vaginales y leche materna.
- Cuando pueda identificarse la fuente, previo consentimiento y tras haber sido informado, se procederá a la extracción sanguínea para determinación de anticuerpos VIH.
- Si la fuente es desconocida y el accidentado VIH negativo, se procede a realizar controles periódicos de serología: cuando se produce el accidente, al cabo de mes y medio, tres, seis y doce meses siguientes.
- Si la fuente es positiva y el accidentado es VIH negativo, se le oferta la posibilidad de quimioprofilaxis con AZT (Retrovir), previa aceptación escrita y con control por su Servicio Médico de Salud Laboral o Mutua y el Servicio Especializado de Enfermedades Infecciosas. La dosis que se recomienda es de 250 mg cada 8 horas durante 6 semanas, realizando controles hemáticos al inicio, a la tercera y sexta semana. Estos controles hemáticos consistirán en la determinación de hemograma completo y VSG.

- Si el accidentado es VIH positivo, se procede al seguimiento por el Servicio Especializado de Enfermedades Infecciosas correspondiente.
- Dados los avances existentes en el tratamiento de esta enfermedad, se recomienda atender las pautas que se estén utilizando por parte de los centros más especializados.

Tétanos

En este caso, previamente, será prioritario realizar una limpieza rigurosa de la herida con agua y jabón y/o un antiséptico. A continuación debe procederse de la siguiente manera:

- Valoración del estudio inmunológico del accidentado, precisando si está vacunado o cuánto tiempo ha transcurrido desde la última dosis.
- Valoración de la contaminación de la herida: las heridas de bajo riesgo son las no penetrantes, sin cuerpos extraños, con poca destrucción de tejidos y poco contaminadas; por contra, las heridas de alto riesgo son las que no cumplen estas condiciones.
- Inicio de pauta de vacunación (inmunización activa) y/o administración de 5 ml de Inmunoglobulina humana antitetánica (inmunización pasiva) en el plazo de 48 horas en los casos en que proceda.
- Educación sanitaria de forma individualizada.

Brucelosis

Las actuaciones ante una brucelosis deben ser las siguientes:

- Valorar el riesgo de contraer la infección que conlleva el accidente. En este caso, sólo se actuará si la inoculación es de alto riesgo, es decir, si se trata de material vacunal con gérmenes vivos (vacuna B-19 y Rev I) o bien de muestras contaminadas de brucelas.
- Se inicia de forma inmediata el tratamiento con antibióticos.
- La asociación de 200 mg diarios de Doxiciclina por vía oral, más 1 g diario de Estreptomicina por Rifampicina. La duración y tratamiento dependerá del grado de exposición y de los resultados de las pruebas serológicas.
- Educación sanitaria de forma individualizada e información acerca de los agentes causales, mecanismos de transmisión y medidas preventivas.

Por otra parte, se debe tener en cuenta, y así se pone de manifiesto en la **NTP (Nota técnica de prevención) n.º 249, del INSST, sobre el SIDA**: repercusiones en el ambiente laboral, que el sector sanitario es uno de los ámbitos de especial riesgo para contraer dicha enfermedad. Esta Nota Técnica contempla diferentes medidas básicas de prevención, que se agrupan fundamentalmente en la esterilización y desinfección.

De la misma forma, la **NTP n.º 398: Patógenos transmitidos por la sangre: un riesgo laboral**, contempla como colectivos laborales con riesgo de contaminación por patógenos transmitidos por la sangre, a los profesionales de la salud y a los trabajadores que realizan su actividad laboral en la las instituciones de la red sanitaria.

Actividad 2

¿Qué inmunización activa de carácter vírico debe efectuarse todo el personal que desarrolle su labor en ambientes que tengan contacto, tanto directo como indirecto, con la sangre u otros fluidos biológicos de otras personas potencialmente infectadas?

4. Exposición laboral a los patógenos transmitidos por la sangre

La **Nota Técnica de Prevención NTP 398**, editada por el Instituto Nacional de Seguridad y Salud en el Trabajo, sobre el riesgo laboral que suponen los patógenos transmitidos por sangre, describe las principales medidas de prevención para proteger a los trabajadores frente a la exposición de microorganismos patógenos transmitidos por la sangre.

La exposición laboral a los patógenos transmitidos por la sangre (transmisión hemática) puede ocurrir de diversas formas. El mecanismo de transmisión más frecuente es la inoculación accidental por pinchazos con agujas o bisturíes contaminados con sangre de pacientes infectados, pero ésta no es la única forma de transmisión, ya que también puede efectuarse mediante salpicaduras de sangre a los ojos, en partes de la piel donde existan pequeños cortes o abrasiones y por contacto con las prendas o equipos contaminados con sangre fresca.

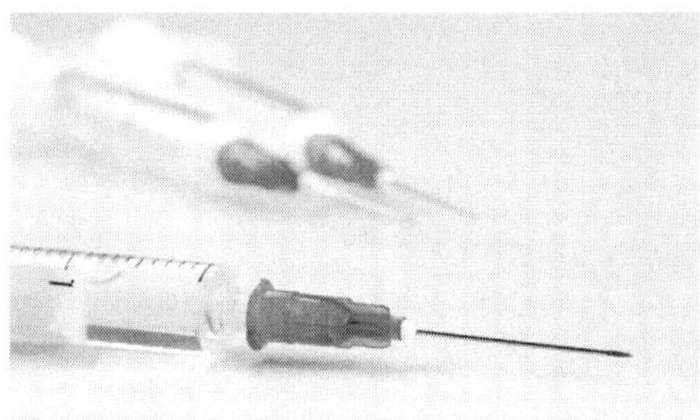

El riesgo de transmisión profesional durante el cuidado de personas con una afección muy grave pero poco frecuente como la infección por VIH (virus de la inmunodeficiencia humana, causante del síndrome de inmunodeficiencia adquirida, SIDA), ha comportado una movilización más importante que la que habían suscitado los riesgos ligados al virus de la hepatitis B (VHB), mucho más frecuentes y colectivamente más graves en términos de morbilidad y de mortalidad para las profesiones dedicadas al cuidado de enfermos.

Actualmente existe también mucha preocupación en el ámbito sanitario para la protección frente al virus de la hepatitis C (VHC).

Entre los colectivos laborales de riesgo que señala la Nota Técnica de Prevención, se encuentra los TCAE por estar dentro de los profesionales y trabajadores que realizan su actividad laboral en las instituciones de la red sanitaria.

4.1. Principios para prevenir la exposición a infecciones de transmisión hemática

En EEUU, la Administración de Salud y Seguridad Ocupacional (OSHA), que es la agencia federal encargada de asuntos de seguridad y salud, ha elaborado un reglamento que prescribe las medidas de seguridad para prevenir la exposición frente a estos patógenos y reducir el riesgo de la exposición ocupacional.

Este reglamento, que fue publicado en el "Federal Register" el 6 de diciembre de 1991, define claramente la exposición profesional y clasifica en dos grupos a los trabajadores; en el **primer grupo** se incluyen colectivos de riesgo donde todos los trabajadores sufren exposición y en el **segundo grupo** se incluyen colectivos donde sólo determinados trabajadores sufren exposición.

El reglamento también especifica que es el empresario quien debe proporcionar, a los trabajadores con riesgo, la vacunación y posterior seguimiento médico de forma gratuita, equipos de protección e información y formación sobre las medidas a adoptar para una protección adecuada.

Por otro lado, en Europa, un grupo de expertos internacionales que constituyen el *Viral Hepatitis Prevention Board* (VHPB), ha identificado cinco principios esenciales para cualquier programa destinado a prevenir la exposición a infecciones de transmisión hemática. Estos principios se exponen a continuación en forma detallada, ya que coinciden con todos los programas existentes sobre este tema y están en línea con la legislación en materia de salud y seguridad laboral en la mayoría de países europeos.

1. Identificar el riesgo

Las actividades de riesgo laboral son aquellas que comportan la exposición a sangre y otros fluidos corporales potencialmente infecciosos. Las empresas tienen la obligación de valorar la situación de riesgo de todos los trabajadores.

El VHPB señala, por otro lado, que el riesgo debería basarse no en la cualificación profesional o la ubicación del puesto de trabajo sino directamente en el grado de exposición física a los fluidos biológicos reflejados en la siguiente tabla. Ello implica que deben considerarse como factores de riesgo los diferentes fluidos mencionados y no solamente la sangre.

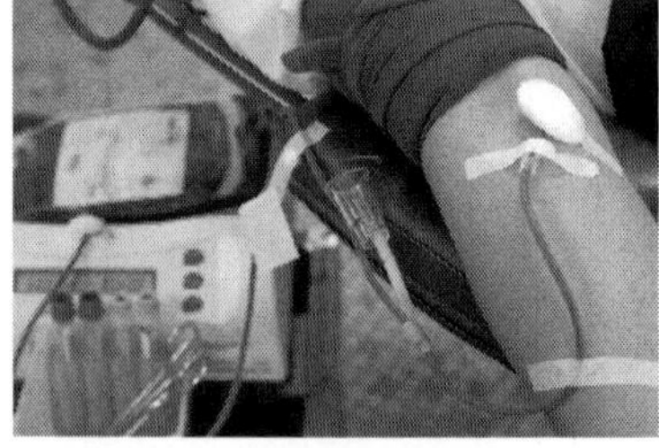

Fluidos biológicos que deben considerarse en su conjunto como factores de riesgo
– Sangre y componentes de la misma como las plaquetas, eritrocitos, etc. y hemoderivados.
– Semen.
– Líquidos biológicos, como líquido cefalorraquídeo, secreciones vaginales, líquido sinovial, pleural, pericárdico, peritoneal y amniótico.
– Fluidos contaminados con sangre.

2. Mejorar los procedimientos de trabajo

Implantar métodos de trabajo seguros, formar a los trabajadores sobre los mismos y notificar las exposiciones accidentales, son medidas que pueden contribuir sustancialmente a reducir el riesgo de exposición a estos patógenos.

3. Aislar el material potencialmente infectado

El material potencialmente infectado, debe ser siempre identificado, manipulado y eliminado adecuadamente.

4. Proteger a las personas

Las prendas y los equipos de protección en general son elementos indispensables para prevenir de la exposición frente a estos patógenos de transmisión hemática. La vacunación es también esencial para proteger a los trabajadores en aquellos casos en que está disponible, como por ejemplo, frente al virus de la hepatitis B.

5. Supervisar el cumplimiento

Es indispensable la existencia de una persona competente que sea responsable de garantizar técnicamente la puesta en práctica de las políticas de prevención de la exposición. Las empresas deben facilitar los recursos necesarios para permitir una supervisión adecuada, por ejemplo mediante la instauración de un inspector de bioseguridad integrado en el Servicio de Prevención.

4.2. Profilaxis preexposición

Como ejemplo de medidas de profilaxis se referencian a continuación las recomendaciones de los *Centers for Disease Control* (CDC) de los EE UU. Su filosofía de actuación se basa en que todo paciente que está siendo tratado es potencialmente infeccioso hasta que no se demuestre lo contrario. Estas medidas son aplicables para cualquiera de los patógenos transmisibles a través de la sangre.

Las **medidas propuestas** son las siguientes:

1. Todos los trabajadores sanitarios deben utilizar medios de protección en forma de barrera para evitar la exposición de la piel y de las mucosas a la sangre y a los distintos fluidos corporales de los pacientes. Deben usarse guantes para tocar cualquier fluido corporal, para tocar cualquier instrumental manchado o para efectuar cualquier tipo de punción. Si hay peligro de salpicadura de sangre o de algún fluido biológico, se utilizará protector facial, o mascarilla y gafas protectoras y delantal o bata.
2. Hay que tomar las precauciones necesarias para evitar lesiones y riesgos biológicos provocados por agujas, bisturíes y objetos cortantes. Nunca se deben reencapuchar las agujas ni retirarlas de las jeringas desechables. Los objetos cortantes y punzantes, una vez utilizados, deben colocarse en un envase resistente a los pinchazos, próximo al área de trabajo, para posteriormente ser eliminados.
3. Aunque no se ha comprobado que la saliva sea una vía de transmisión de ciertos virus, se dispondrá, en las zonas de posible uso, de los elementos necesarios para proteger del contagio por si hubiera que realizar una reanimación boca a boca.
4. Los sanitarios que tengan lesiones cutáneas exudativas o serosas, deben evitar cualquier contacto directo con el paciente hasta que las heridas estén completamente curadas.

La adopción de estas precauciones universales, permite minimizar los riesgos de exposición de los trabajadores sanitarios a los líquidos biológicos.

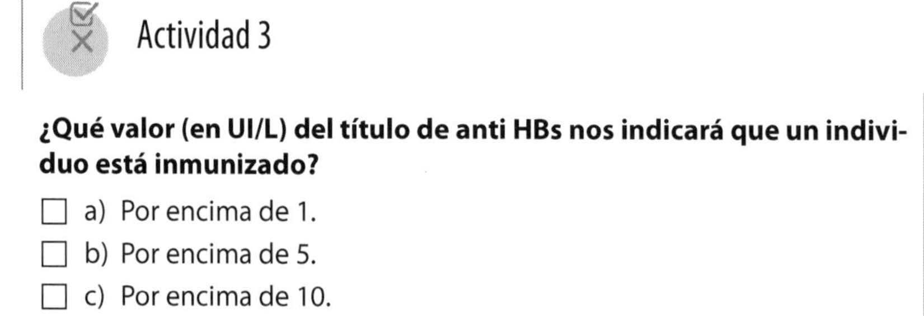

Actividad 3

¿Qué valor (en UI/L) del título de anti HBs nos indicará que un individuo está inmunizado?

- ☐ a) Por encima de 1.
- ☐ b) Por encima de 5.
- ☐ c) Por encima de 10.

4.3. Conducta a seguir ante un accidente laboral con exposición a sangre y fluidos corporales contaminados

Ante un accidente laboral con riesgo de exposición a sangre o fluidos corporales contaminados deberán aplicarse una serie de acciones con el orden siguiente:

1. **Limpieza de la herida.**

   Inmediatamente después de producirse el contacto accidental con sangre u otros fluidos hay que quitarse los guantes y lavarse cuidadosamente la herida con abundante agua y jabón y favorecer la hemorragia con el propósito de eliminar los posibles microorganismos inoculados. Posteriormente tratar con antisépticos como los iodóforos (p. ej., povidona iodada) que son activos frente a bacterias, micobacterias, virus lipídicos y no lipídicos, así como frente a esporas. En personas alérgicas al iodo se puede emplear la cloramina.

2. **Comunicación al Servicio de Prevención (Medicina Preventiva).**

   Además de comunicarlo inmediatamente como incidencia al responsable de la planta de hospitalización (supervisora de enfermería), todo accidente relacionado con sangre y sus derivados debe ser comunicado al Servicio de Prevención e inmediatamente se realizará una ficha epidemiológica para conocer los datos relacionados con el accidente (nombre, edad, sexo, categoría profesional, lugar del accidente, hora en que ocurrió, mecanismo de producción, localización y naturaleza de la lesión, etc.).

3. **Estado inmunológico del individuo accidentado.**

   Cuando pueda identificarse la fuente, previo consentimiento y tras haber sido informado, se procederá a extracción sanguínea para determinar los anticuerpos frente al antígeno del núcleo o core (AntiHB-core) total, frente al VHC y los anticuerpos frente al VIH. Según sea la naturaleza de la "fuente" se procederá a la quimioprofilaxis y seguimiento adecuado a cada caso según la siguiente figura:

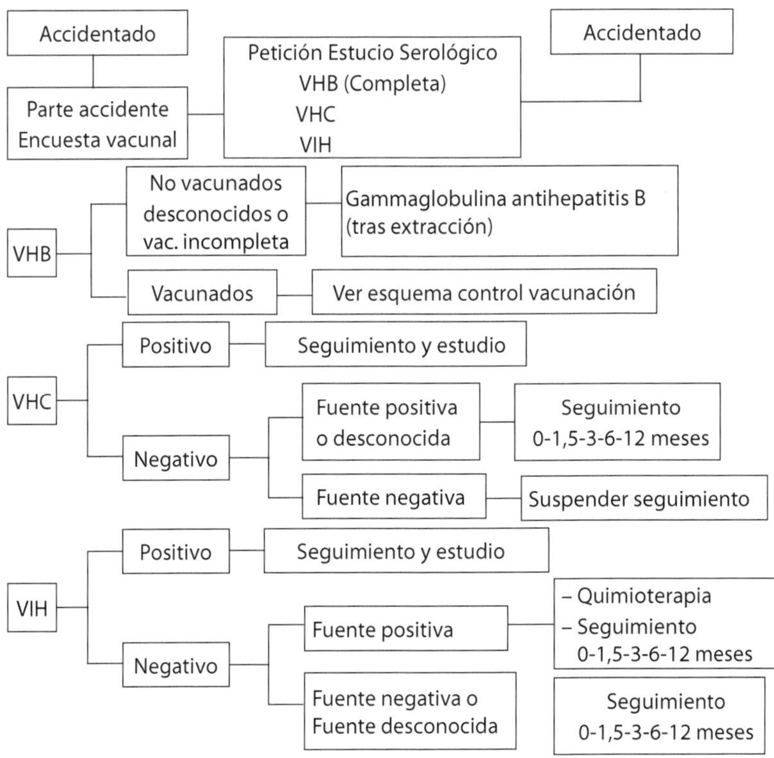

Procedimiento a seguir en caso de exposición accidental VHB, VHC y VIH (Tomado del* Manual de protección frente a Riesgos Biológicos*)

5. Riesgos derivados de la manipulación manual de cargas

5.1. La carga

Entenderemos por **carga** cualquier objeto susceptible de ser movido. Pero también incluimos el traslado de personas (como los pacientes de un hospital) y el transporte de animales (en una granja o similar).

Son, además, cargas los materiales que se manejen por medios mecánicos como grúas y similares, y que precisen, durante la operación de manipulación, el esfuerzo humano para su acomodación o colocación.

5.2. Concepto de manipulación manual de cargas

Vamos a entender por manipulación manual de cargas cualquier operación de transporte o sujeción de una carga por parte de uno o varios trabajadores, como el levantamiento, la colocación, el empuje, la tracción o el desplazamiento que, por sus características o condiciones ergonómicas inadecuadas, entrañe riesgos, en particular dorsolumbares, para los trabajadores.

También es manipulación manual transportar o mantener la carga alzada; la sujeción de ésta con las manos y con otras partes del cuerpo, como la espalda, y lanzar la carga de una persona a otra.

5.3. Posibles lesiones y factores de riesgo

A) Lesiones que pueden producirse

La manipulación manual de cargas es responsable de la aparición de múltiples accidentes laborales que, en muchos casos pueden parecer leves pero que, acumuladas, provocan enfermedades en la columna vertebral y en las articulaciones.

Las lesiones más frecuentes son: cortes, contusiones, heridas, fracturas y, especialmente, músculo-esqueléticas, que pueden producirse en cualquier zona del cuerpo, aunque los más frecuentemente dañados son los miembros superiores y la espalda, especialmente en la zona dorsolumbar. Estas últimas pueden ser lumbago, alteraciones de los discos intervertebrales (hernias discales) e incluso fracturas vertebrales por sobreesfuerzo.

Las lesiones en los miembros superiores pueden ser quemaduras (por cargas sometidas a altas temperaturas), heridas o arañazos producidos por esquinas afiladas, astillamiento de la carga, superficies peligrosas con clavos, etc., contusiones por caídas de la carga debido a superficies resbaladizas, etc.

Estas lesiones, producidas por la manipulación manual de cargas, aunque, generalmente, no son mortales, pueden tener una larga y difícil curación y, en muchos casos, requieren un largo proceso de rehabilitación. El trabajador queda, muchas veces, incapacitado para realizar su trabajo habitual y su calidad de vida, por lo tanto, deteriorada.

B) Factores de riesgo

La manipulación manual de una carga puede presentar un riesgo, en particular dorsolumbar, en los casos siguientes:

a) **Debido a las características de la carga:**

- Cuando la carga es demasiado pesada o demasiado grande.
- Cuando es voluminosa o difícil de sujetar.
- Cuando está en equilibrio inestable o su contenido corre el riesgo de desplazarse.
- Cuando está colocada de tal modo que debe sostenerse o manipularse a distancia del tronco o con torsión o inclinación del mismo.
- Cuando la carga, debido a su aspecto exterior o a su consistencia, puede ocasionar lesiones al trabajador, en particular en caso de golpe.

b) **Debido a las características del individuo que realiza la acción:**

- La falta de aptitud física para realizar las tareas en cuestión.
- La inadecuación de las ropas, el calzado u otros efectos personales que lleve el trabajador.
- La insuficiencia o inadaptación de los conocimientos o de la formación.
- La existencia previa de patología dorsolumbar.

c) **Debido a las características del movimiento que debe ser realizado:**

- Cuando el esfuerzo sea demasiado importante.
- Cuando la acción no pueda realizarse más que por un movimiento de torsión o de flexión del tronco.
- Cuando la acción pueda acarrear un movimiento brusco de la carga.
- Cuando se realiza mientras el cuerpo está en posición inestable.
- Cuando se trate de alzar o descender la carga con necesidad de modificar el agarre.
- Esfuerzos físicos demasiado frecuentes o prolongados en los que intervenga en particular la columna vertebral.
- Período insuficiente de reposo fisiológico o de recuperación.
- Distancias demasiado grandes de elevación, descenso o transporte.
- Ritmo impuesto por un proceso que el trabajador no pueda modular.

d) Debido a las características del medio de trabajo:

Las características del medio de trabajo pueden aumentar el riesgo, en particular dorsolumbar, en los casos siguientes:

- Cuando el espacio libre, especialmente vertical, resulta insuficiente para el ejercicio de la actividad de que se trate.
- Cuando el suelo es irregular y, por tanto, puede dar lugar a tropiezos o bien es resbaladizo para el calzado que lleve el trabajador.
- Cuando la situación o el medio de trabajo no permite al trabajador la manipulación manual de cargas a una altura segura y en una postura correcta.
- Cuando el suelo o el plano de trabajo presentan desniveles que implican la manipulación de la carga en niveles diferentes.
- Cuando el suelo o el punto de apoyo son inestables.
- Cuando la temperatura, humedad o circulación del aire son inadecuadas.
- Cuando la iluminación no sea adecuada.
- Cuando exista exposición a vibraciones.

5.4. Formación e información a los trabajadores

Los riesgos de lesiones debidas a la manipulación manual de cargas aumentan cuando los trabajadores no tienen la formación e información adecuadas para la realización de estas tareas de forma segura. Por ello, deberá ser garantizado, por parte de los empresarios, que los trabajadores y los representantes de los trabajadores reciban una formación e información adecuadas sobre dichos riesgos, así como sobre las medidas de prevención y protección que hayan de adoptarse para ello.

En particular, deberán proporcionar a los trabajadores una formación e información adecuadas sobre el modo correcto de manipular las cargas y sobre los riesgos que corren de no hacerlo de dicha forma. La información suministrada deberá incluir indicaciones generales y las precisiones que sean posibles sobre el peso de las cargas y, otros aspectos como su centro de gravedad o lado más pesado cuando el contenido de un embalaje esté descentrado.

Estos programas de formación y entrenamiento deben incluir:

- El uso correcto de las ayudas mecánicas: incluyendo la formación acerca de la utilización segura de las mismas, información sobre los riesgos que pueden aparecer debidos a su implantación, y formación que contemple las actuaciones ante una avería del equipo.
- Información y formación acerca de los factores que están presentes en la manipulación y de la forma de prevenir los riesgos derivados de ellos.

- Uso correcto del equipo de protección individual: si éste es necesario en la actividad determinada.
- Entrenamiento en formas seguras de manipulación de las cargas.
- Información sobre el peso y el centro de gravedad: debe ir marcado en las cargas, y si no es así, el trabajador debe ser informado de dicho dato.

Cuando su actividad habitual suponga una manipulación manual de cargas, y concurran algunos de los elementos o factores de riesgo, el empresario garantizará el derecho de los trabajadores a una vigilancia adecuada de su salud. Tal vigilancia será realizada por personal sanitario competente.

Actividad 4

Describe brevemente las acciones inmediatas a realizar frente a la herida como consecuencia de un accidente laboral con riesgo de exposición a sangre o fluidos corporales contaminados.

5.5. Indicaciones para la manipulación manual de cargas

5.5.1. En relación con la carga

A) El peso de la carga

Es uno de los factores más importantes a la hora de evaluar el riesgo en la manipulación manual. A efectos prácticos, se consideran cargas los objetos que pesen más de 3 kg. El peso máximo que se recomienda no sobrepasar es de 25 kg, esto en condiciones ideales de manipulación, es decir, en una postura adecuada para el manejo (carga cerca del cuerpo, espalda derecha, sin giros ni inclinaciones), una sujeción firme del objeto con una posición neutral de la muñeca, levantamientos suaves y espaciados y condiciones ambientales favorables.

No obstante, si la población expuesta son mujeres, trabajadores jóvenes o de edad avanzada, no se deberían manejar cargas superiores a 15 kg.

En circunstancias especiales, trabajadores sanos y bien entrenados físicamente, podrían manipular cargas de hasta 40 kg, siempre que la tarea se realice de forma esporádica y en condiciones seguras.

Los pesos enunciados anteriormente son considerados bajo condiciones ideales, si no fuera así vendrían reducidos según la situación.

	Peso máximo	Factor corrección	% Población protegida
En general	25 kg	1	85 %
Mayor protección	15 kg	0,6	95 %
Trabajadores entrenados (situaciones aisladas)	40 kg	1,6	Datos no disponibles

Peso máximo recomendado para una carga en condiciones ideales de levantamiento

B) El tamaño de la carga

- Si la carga es demasiado alta puede entorpecer la visibilidad, haciendo tropezar al trabajador con objetos que están en su camino.
- Si es demasiado ancha le obligará a mantener posturas forzadas de los brazos, lo que no permitirá un agarre adecuado de la carga.

  Además no será posible levantarla del suelo en una postura segura, ya que no puede ser acercada al cuerpo y por lo tanto mantener la espalda derecha.
- Si la carga es demasiado profunda, aumentará la distancia horizontal, siendo mayor la fuerza compresiva en la columna vertebral.

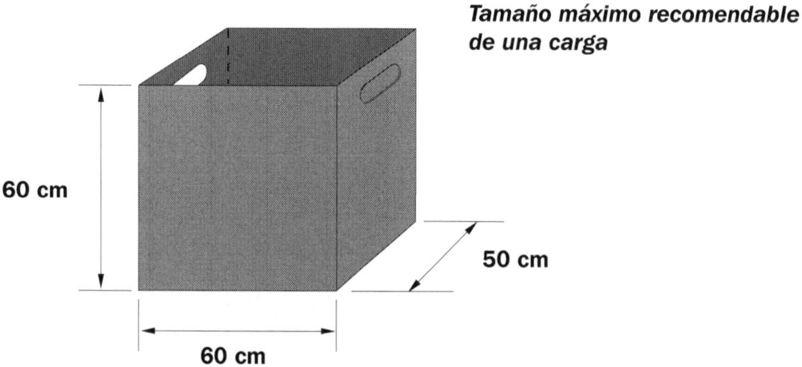

Tamaño máximo recomendable de una carga

Lo más conveniente es que la anchura de la carga no supere la anchura de los hombros (aproximadamente 60 cm). La profundidad de la carga no debe superar los 50 cm, aunque la dimensión óptima son 35 cm.

Si se superan los valores (altura, anchura y profundidad) en más de una dimensión, el riesgo se incrementará.

También el riesgo aumentará si el objeto no posee agarres convenientes.

C) La superficie de la carga

No debe tener elementos peligrosos que puedan provocar lesiones en quien la transporte. En caso contrario se deberán usar guantes apropiados.

Dichos elementos peligrosos pueden ser: bordes cortantes, carga resbaladiza (en sí misma o por algún derrame externo), carga demasiado caliente o demasiado fría, etc.

D) Las indicaciones acerca del peso y centro de gravedad de la carga

Deben ir indicadas en el exterior de las mismas, con objeto de tomar precauciones en su manejo, evitando levantamientos peligrosos.

Si no es así, el trabajador debe ser informado de estos datos por parte de quien corresponda; así si lleva elementos que puedan moverse, líquidos, o cuando el centro geométrico esté desplazado.

Si la empresa no conoce estos datos deberá solicitarse información al fabricante o suministrador de la misma.

Si el centro de gravedad de un objeto está desplazado de su centro geométrico, puede suceder que se encuentre muy alejado del centro de gravedad del cuerpo del trabajador, aumentando de este modo las fuerzas compresivas que se van a generar en los músculos y articulaciones (especialmente en la zona lumbar).

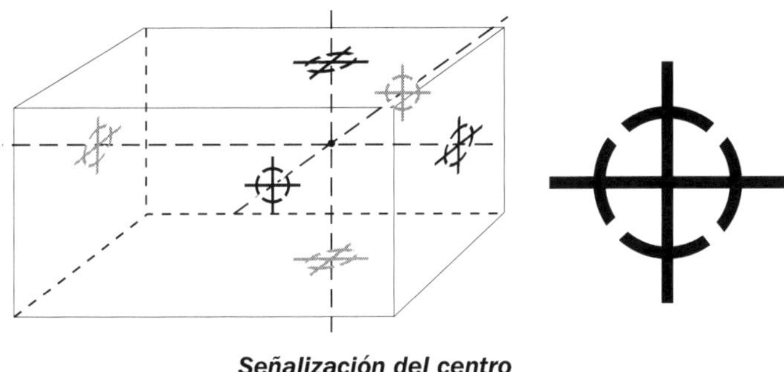

Señalización del centro de gravedad de una carga

Las cargas deberán tener el centro de gravedad fijo y centrado, en la medida de lo posible. Si no fuera así, se deberá advertir en una etiqueta o informar de ello al trabajador. Las cargas con el centro de gravedad descentrado se manipularán con el lado más pesado cerca del cuerpo.

Siguiendo la norma UNE-EN ISO 780:2000 Envases y embalajes. Símbolos gráficos para la manipulación de mercancías (ISO 780:1997), para indicar el centro de gravedad de la carga –cuando no es idéntico al centro de gravedad sugerido por la forma del embalaje–, se utilizará el símbolo que aparece en la figura anterior, que indica dónde se halla situado el centro de gravedad real, siendo éste el punto de interacción de tres ejes determinados por el emplazamiento de los símbolos. Dichos símbolos deben ir colocados sobra cada una de las caras de la carga.

E) Los movimientos bruscos o inesperados de las cargas

Hay cargas que pueden moverse de forma brusca o inesperada, como objetos encajonados o amarrados, los cuales pueden soltarse bruscamente durante su manipulación, dando origen a un riesgo de lesión dorsolumbar.

Cuando se movilizan enfermos o se transportan animales vivos pueden existir también estos riesgos, ya que pueden realizar movimientos impredecibles cambiando, de este modo, su centro de gravedad.

Si son manipuladas cargas con estas características se deberá:

- Acondicionar la carga de modo que impida dichos movimientos del contenido.
- Usar grúas mecánicas u otras ayudas similares. Por ejemplo, cuando se transportan enfermos.
- Reducción de los pesos de las cargas manipuladas.
- Manipular en equipo.

5.5.2. En relación con el movimiento realizado

A) Posición de la carga con respecto al cuerpo

Un factor fundamental en la aparición de riesgo por la manipulación manual de las cargas es el alejamiento de los mismos del centro de gravedad del cuerpo del trabajador.

En este alejamiento intervienen dos factores: la distancia horizontal (H), es decir, la distancia entre el punto medio de las manos al punto medio de los tobillos mientras se está en posición de levantamiento, y la distancia vertical (V): distancia desde el suelo al punto en que las manos sujetan el objeto. Dichos factores indicarán las «coordenadas» de la situación espacial de la carga. Cuanto más alejada esté la carga del cuerpo, mayores serán las fuerzas compresivas que se generarán en la columna vertebral y, por tanto, el riesgo de lesión será mayor.

Cuando se manipulan cargas en más de una zona se tendrá en cuenta la más desfavorable, para mayor seguridad.

El mayor peso teórico recomendado es de 25 Kg, que corresponde a la posición más favorable de la carga, es decir, pegada al cuerpo, a una altura comprendida entre los codos y los nudillos.

Por ejemplo, si un trabajador debe manipular una carga que se encuentra en una mesa y la debe colocar en un estante que se encuentra elevado, el peso teórico recomendado sería de 7 Kg, puesto que la zona más desfavorable de manipulación está comprendida entre la altura de la cabeza y la altura del hombro del trabajador, y separada del cuerpo.

Para la manipulación de cargas en postura sentada, no deberían manipularse cargas de más de 5 Kg, siempre que sea en una zona próxima al tronco, evitando manipular cargas a nivel del suelo o por encima del nivel de los hombros, o hacer giros e inclinaciones del tronco.

Ello es debido a que la capacidad de levantamiento, mientras se está sentado, es menor que cuando se manejan cargas en posición de pie, ya que no pueden ser utilizadas las piernas en el levantamiento, el cuerpo no puede servir de contrapeso y el esfuerzo mayor recae en los músculos, más débiles, de los brazos y tronco.

Además la curvatura lumbar está modificada en esta postura y ello aumenta el riesgo de lesiones.

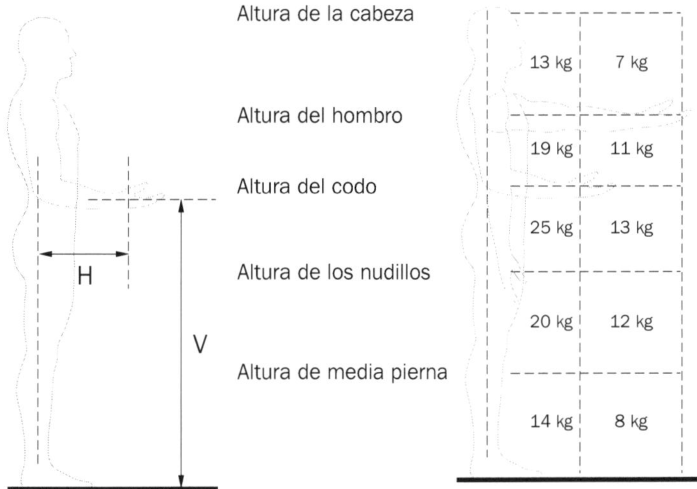

Para la manipulación en equipo hay que tener en cuenta que las capacidades individuales disminuyen debido a la dificultad de sincronizar los movimientos y obstaculización de la visión de unos a otros. En general, la capacidad de levantamiento es dos tercios de la suma de las capacidades individuales cuando son dos personas, y la mitad de la suma de las capacidades cuando son tres personas.

B) El desplazamiento vertical de la carga

El desplazamiento vertical de una carga es la distancia que recorre la misma desde que se inicia el levantamiento hasta que finaliza la manipulación.

Cuando se deben almacenar cargas se producen grandes desplazamientos verticales, sumado al hecho de que frecuentemente ello va unido a la modificación del agarre.

El desplazamiento vertical ideal de una carga es de hasta 25 cm, siendo considerados permitidos los comprendidos entre la altura de los hombros y la altura de media

pierna. Fuera de estos límites no es recomendada la manipulación. Además no se debe permitir manejar cargas por encima de 175 cm, que es el límite de alcance para muchas personas.

C) Los giros del tronco

Viene determinado por el ángulo que forman las líneas que unen los talones con la línea de los hombros.

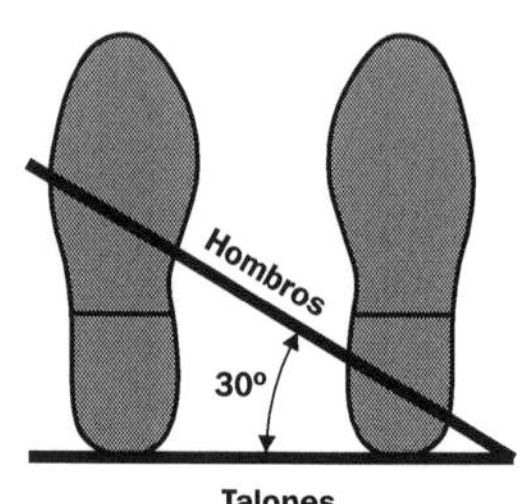

Cuanto más grande sea el ángulo más riesgos de lesiones existirán.

Siempre que sea posible los giros no son recomendados; éstos aumentan las fuerzas compresivas en la zona lumbar.

D) La inclinación del tronco

La manipulación de una carga con el tronco inclinado aumenta el riesgo de lesión en la zona, ya que se generan fuerzas compresivas en la zona lumbar mucho mayores que si el tronco estuviera derecho.

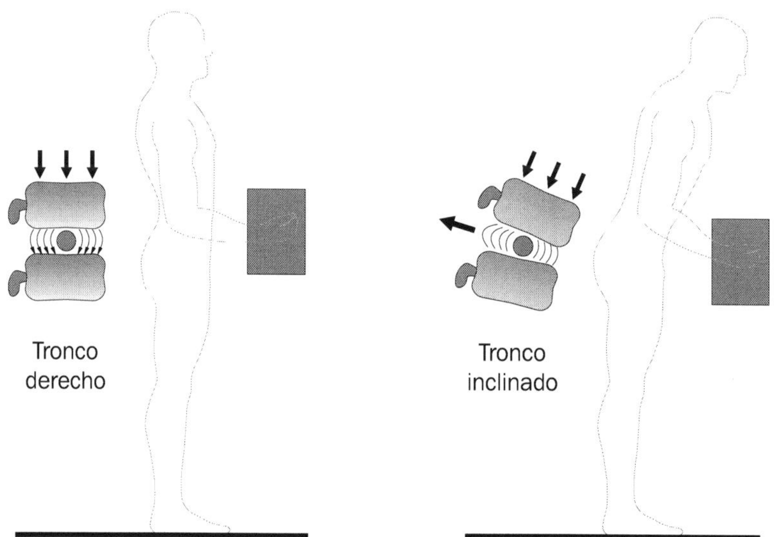

Efecto de la carga sobre la columna vertebral

Dicha inclinación puede deberse tanto a una pésima técnica de levantamiento como a una falta de espacio, fundamentalmente vertical.

La postura correcta al manejar una carga es con la espalda derecha.

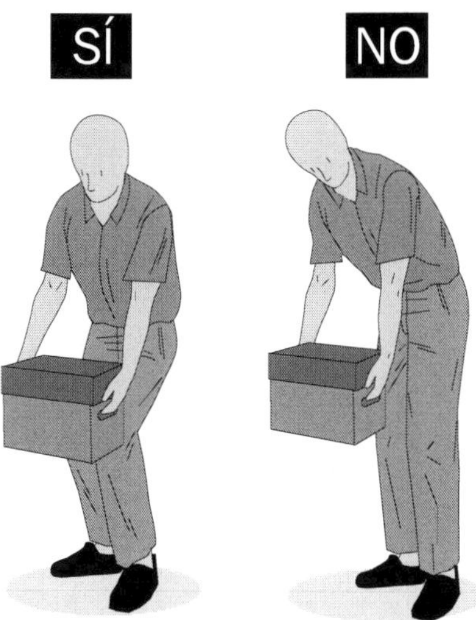

E) El agarre de la carga

Pueden producirse problemas en el agarre de la carga si ésta es redonda, resbaladiza o sus agarres son deficientes. Podemos encontrar tres posibilidades:

- Si tienen buenos agarres como asas u otro tipo con formas y tamaños que permitan que la mano se asiente en ellos confortablemente, permaneciendo la muñeca en posición neutral, sin desviaciones ni posturas incómodas.

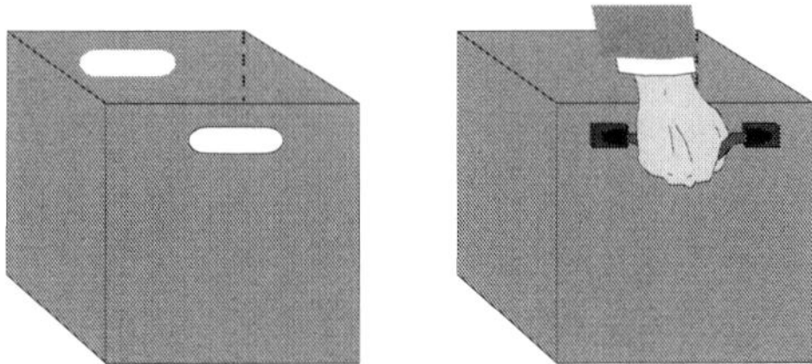

- Si sus agarres son mediocres, con asas o hendiduras no tan cómodas como en el caso anterior. O también cargas sin asas que pueden sujetarse flexionando la mano 90º alrededor de la carga.

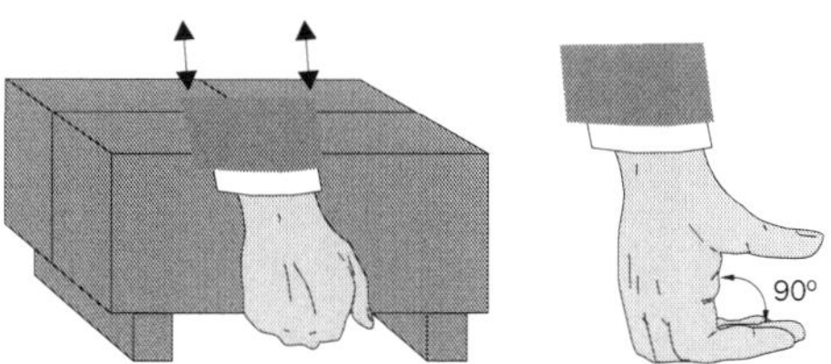

- Si no tiene agarres claros, la dificultad de manipulación se hace enormemente superior.

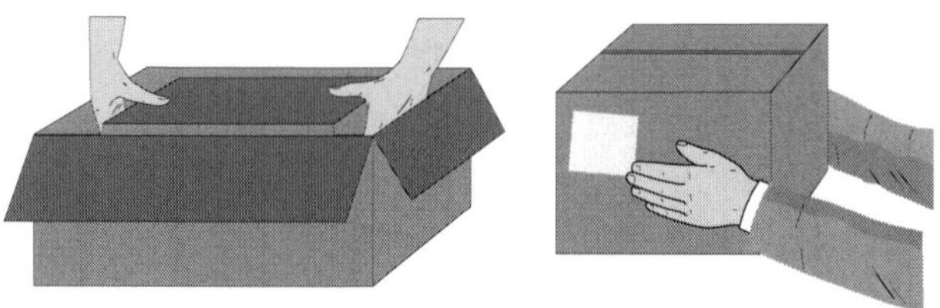

F) La frecuencia de la manipulación

Si se hace muy frecuente la manipulación manual de cargas nos vamos a encontrar con que el trabajador experimentará una elevada fatiga física y, consecuentemente, una mayor probabilidad de sufrir un accidente ya que los músculos no responderán de modo eficiente al esfuerzo.

En estos casos el trabajador deberá ocupar el resto de su tiempo laboral en la realización de actividades que no impliquen la utilización de los mismos grupos musculares.

G) El transporte de la carga

En un turno de 8 horas, los límites de carga acumulada diariamente, en función de la distancia de transporte, no deben superar los de la siguiente tabla:

Distancia de transporte (en metros)	Kg/día transportados (máximo)
Hasta 10 m	10.000 Kg
Más de 10 m	6.000 Kg

Preventivamente, lo ideal es no transportar una carga a una distancia superior a 1 metro.

H) Las fuerzas de empuje y tracción

Aparte de la intensidad de la fuerza empleada, ésta no se aplicará correctamente si se empuja o tracciona una carga con las manos por debajo de la altura de los nudillos o por encima del nivel de los hombros, ya que fuera de estos límites, el punto de aplicación de las fuerzas será excesivamente alto o bajo.

A modo indicativo, no deben superarse los siguientes valores:

- Para poner en movimiento o parar una carga: 25 Kg (aproximadamente 250 N).
- Para mantener una carga en movimiento: 10 Kg (aproximadamente 100 N).

I) Las pausas o períodos de recuperación

Es conveniente realizar pausas adecuadas, preferiblemente flexibles, ya que las fijas y obligatorias suelen ser menos efectivas para aliviar la fatiga.

También es conveniente la rotación de tareas, con cambios en la actividad física que impliquen diferentes grupos musculares.

J) El ritmo impuesto por el proceso

Un ritmo de trabajo impuesto hace que el trabajador padezca una fatiga mayor. Lo ideal es que el mismo trabajador pueda regular su ritmo de trabajo cuando realiza tareas de manipulación de cargas.

K) La inestabilidad de la postura

Si la tarea es realizada en una postura inestable, nos encontramos con la posibilidad de pérdida de equilibrio, de tensiones en músculos y articulaciones con el consiguiente riesgo para el trabajador.

5.5.3. La formación e información insuficientes

Es también un factor de riesgo considerable al no encontrarse el trabajador capacitado para comprender las situaciones, con riesgo de lesión, en que se puede encontrar.

5.6. Método para el levantamiento manual y traslado de cargas

Como regla general es preferible manipular las cargas cerca del cuerpo, a una altura comprendida entre la altura de los codos y los nudillos, ya que de este modo disminuye la tensión en la zona lumbar.

Si las cargas que deben ser manipuladas están situadas en el suelo o cerca del mismo, se utilizarán las técnicas de manejo de cargas que permitan utilizar los músculos de las piernas más que los de la espalda.

A continuación expondremos el procedimiento general para el levantamiento de cargas en situaciones normales; cuando manipulemos objetos especiales como barriles o cuando levantemos enfermos u otro, deberemos desarrollar técnicas específicas.

A) Planificación del levantamiento

- Seguir las indicaciones indicadas en el embalaje acerca de los posibles riesgos de la carga, como centro de gravedad inestable, líquidos en su interior o materiales peligrosos.
- Si no aparecen indicaciones, observar bien la carga: su tamaño, posible peso, zonas de agarre, puntos peligrosos... probar a alzar un lado para tener una cierta idea de su peso.
- Si el peso fuera excesivo buscar ayuda si es que no pueden usarse medios mecánicos.
- Usar el equipo y calzado apropiado.

B) Colocación de los pies

Separar los pies para adquirir una postura estable y equilibrada para el levantamiento colocando un pie más adelantado que el otro en la dirección del movimiento.

MOVILIZACIÓN DE ENFERMOS

Si adoptas posturas correctas en la movilización y el traslado de enfermos:

→ TU ESPALDA NO TE DOLERÁ
→ TE CANSARÁS MENOS
→ INCREMENTARÁS LA SEGURIDAD DEL PACIENTE

MEDIDAS DE PREVENCIÓN DEL DOLOR DE ESPALDA →

ESPALDA RECTA

PIERNAS FLEXIONADAS

PIES SEPARADOS

UTILIZACIÓN DE APOYOS

CONTRAPESO DEL CUERPO

PRESAS CONSISTENTES

CARGA CERCA DEL CUERPO

RESPETA LOS PRINCIPIOS DE MECÁNICA CORPORAL

SOLICITA AYUDA EN LOS MOMENTOS DIFÍCILES

- Enfermos totalmente dependientes
- Pesos superiores a 50 Kg

UTILIZA LOS MEDIOS MECÁNICOS DISPONIBLES

- Articulación de la cama / Taburetes y asas
- Trapecios y deslizadores / Polipastos
- Grúas / Camas y camillas graduables en altura

C) Postura de levantamiento

- Doblar las piernas manteniendo la espalda recta y el mentón metido. No flexionar demasiado las rodillas.
- No girar el tronco ni adoptar posturas forzadas.

D) Agarre firme

Sujetar firmemente la carga empleando ambas manos, mantener la carga pegada al cuerpo. El mejor agarre es probablemente el agarre de gancho, aunque esto depende de cada trabajador, lo importante es que sea seguro.

Cuando se deba cambiar el agarre, hacerlo suavemente o apoyando la carga en alguna superficie, con mucha atención ya que ello puede crear situaciones de peligro.

E) Levantamiento suave

Alzarse con suavidad, por extensión de las piernas, manteniendo la espalda derecha. No dar tirones a la carga ni moverla bruscamente.

F) Evitación de giros

No realizar giros, es preferible mover los pies para colocarse en la posición adecuada.

G) Carga pegada al cuerpo

Mantenerla pegada al cuerpo durante todo el proceso de levantamiento.

H) Deposición de la carga

- Si el levantamiento es desde el suelo hasta una postura importante de altura, por ejemplo la altura de los hombros o incluso más, apoyar la carga a medio camino para poder cambiar el agarre.
- Depositar la carga y después ajustar su posición, si fuera necesario.
- Realizar levantamientos con paradas durante el mismo.

6. Riesgos psicosociales. La carga mental en el trabajo hospitalario

La **Nota Técnica de Prevención NTP 275** editada por el Instituto Nacional de Seguridad y Salud en el Trabajo hace un estudio de la carga mental como riesgo inherente al desempeño de tareas en el trabajo hospitalario.

A pesar de que es sabido y reconocido que el trabajo hospitalario es fuente de estrés y carga mental, es difícil contar con instrumentos que permitan prever cuándo una situación de trabajo es susceptible de originar en los trabajadores estados de estrés o fatiga mental. En esta nota técnica de prevención se presenta una guía de factores, así como sus indicadores, para la valoración subjetiva de la carga mental en trabajo hospitalario. El objetivo de tal método es poder determinar "a priori" qué factores presentes en una situación determinada de trabajo deben modificarse para evitar consecuencias patológicas sobre la salud de los trabajadores.

6.1. Carga mental: Concepto y valoración

La carga mental o cognitiva responde según **Szekely** a "un estado de movilización general del operador humano como resultado del cumplimiento de una tarea que exige el tratamiento de información". La carga mental refleja el coste humano de este tipo de trabajo.

La carga mental se refiere, según esta definición, al grado de procesamiento de información que realiza una persona para desarrollar su tarea. Cada vez más, el trabajo, con la aplicación de las nuevas tecnologías, impone al trabajador elevadas exigencias en sus capacidades de procesar información. El trabajo implica a menudo la recogida e integración rápida de una serie de informaciones con el fin de emitir, en cada momento, la respuesta más adecuada a las exigencias de la tarea. El sistema humano para procesar información tiene unas capacidades finitas, por lo que las exigencias de la tarea pueden acercarse mucho e incluso sobrepasar la capacidad individual de respuesta. Si esta situación se da de manera puntual la persona puede llegar a adaptarse a ella, pero, si por el contrario, el trabajo exige continuamente un grado de esfuerzo elevado, puede llegar a una situación de fatiga capaz de alterar el equilibrio de salud de los individuos, entendiendo la **fatiga** como la disminución de la capacidad física y mental después de realizar un trabajo.

Paralelamente a este concepto de tratamiento de la información como generador de una situación de carga mental, hay que considerar que, además de los aspectos que se refieren a la propia tarea, deben tenerse en cuenta otras variables, de tipo organizativo, que pueden facilitar o por el contrario dificultar esta tarea. Las características del medio socioprofesional hospitalario son predominantes en la aparición de la carga mental debida al trabajo: la organización del trabajo, la creciente complejidad de las técnicas médicas y los problemas jerárquicos son frecuentemente origen de carga mental para el personal sanitario. En el trabajo hospitalario interviene además otra variable, que en este caso hace referencia tanto al trabajo en sí como a la organización del mismo; nos referimos al trabajo nocturno. El hecho de trabajar de noche tiene una serie de consecuencias sobre el equilibrio de las personas, pudiendo provocar alteraciones a distintos niveles: físico, psíquico y social.

Para la valoración de todos estos aspectos relacionados con la carga mental suele partirse de **métodos objetivos** (demandas de la tarea, resultados de la tarea, valoración de la fatiga a través de parámetros fisiológicos, frecuencia crítica de fusión óptica...) y **subjetivos**, basados en la impresión subjetiva de los trabajadores, sobre su estado de fatiga o sobre los factores que son susceptibles de desencadenarla.

En la actualidad no se cuenta con una medida única objetiva para la valoración de la carga mental, por lo que normalmente estos métodos suelen ir acompañados de una valoración subjetiva.

Dada la complejidad del concepto de carga mental es poco probable que una sola medida nos dé información fiable sobre el problema y que, además, sea aplicable a todas las situaciones de trabajo. Por ello, y a pesar de los avances que se están realizando para desarrollar métodos objetivos, en la actualidad es imprescindible recurrir a la estimación directa de los propios interesados. La valoración subjetiva es la más utilizada para la evaluación de la carga mental de trabajo.

Uno de los principales obstáculos que se plantean es el método a utilizar, pues en cada caso debe adaptarse a las características propias de la tarea y al entorno, especialmente de tipo organizativo, en que ésta se realiza.

6.2. Factores de carga mental en el trabajo hospitalario

A) Factores de la tarea

El trabajo hospitalario supone la aplicación de unos conocimientos científicos y técnicos, en unas condiciones que pueden-conducir a situaciones de sobrecarga y, consecuentemente, a alteraciones patológicas. En este caso la carga mental viene determinada por la necesidad de dar respuesta inmediata a informaciones complejas, numerosas y constantemente diferentes. No es necesario resaltar la complejidad de los datos médicos, es suficiente resaltar la complejidad de los conocimientos que entran en juego, y el hecho de que cada uno no tiene sentido por sí solo, sino en relación al conjunto de datos. El desarrollo de la tarea en este sector de actividad implica el mantenimiento constante de un nivel de atención bastante elevado.

La información, además, es fluctuante: cada enfermo sigue un proceso de evolución distinto, por lo que la interpretación de variables debe adaptase en cada caso. Consecuentemente, lo mismo ocurre con las decisiones: no se puede tener un patrón de respuesta pues en cada caso, según las circunstancias individuales, deberá seguirse un tratamiento u otro.

Por otra parte, si consideramos como factor interviniente en la aparición de la carga mental las consecuencias de las decisiones que se toman, y por tanto de los posibles errores, es evidente que en el trabajo hospitalario esta variable interviene de manera decisiva por la responsabilidad que los trabajadores tienen sobre la salud de los enfermos.

A este proceso de tratamiento de información se añaden otros factores que, si bien no son generadores directos de carga mental, sí inciden en su desarrollo:

- **Existencia de situaciones de incertidumbre**: a menudo la información de la que se dispone no es suficiente para decidir qué acción debe emprenderse.
- **Existencia de presiones temporales**: la evolución de los enfermos exige tener que decidir, en un momento dado, entre varias posibilidades lo que supone una toma de decisión rápida.
- **El tipo de pacientes que se tratan**: por un lado podemos considerar la autonomía de los enfermos, considerada ésta como el grado de dependencia de los demás.
- **La gravedad de los enfermos, relacionada con la edad de los mismos**: no es lo mismo tratar a enfermos crónicos o termínales que a enfermos de menor gravedad, y además si los primeros son jóvenes la carga de trabajo es mayor.
- **El trato con pacientes y familiares**: supone un trabajo de atención al público, en el que a menudo se reciben agresiones de tipo verbal llegándose en ocasiones a la agresión física.

Factores de la tarea	Factores de la organización
Cantidad de datos a elaborar	Comunicaciones:
Información fluctuante	– Entre departamentos
Consecuencias de las decisiones	– Entre turnos
Presión temporal	– Entre estamentos profesionales
Estado de los pacientes	Participación
Trato con pacientes y familiares	Ambigüedad de roles
	Interferencias con otras tareas
Horario de trabajo	

Principales factores de carga mental en el trabajo hospitalario

A todo ello hay que añadir, además, la creciente aplicación de las nuevas tecnologías, que pueden imponer graves exigencias a la capacidad humana para procesar la información. Estas tecnologías implican a menudo la recogida e integración rápida de información y las demandas pueden acercarse mucho e incluso sobrepasar la capacidad de respuesta del trabajador.

Merece especial atención, a este respecto, el trabajo en unidades de vigilancia intensiva, que algunos autores comparan con las salas de control industrial en cuanto a la complejidad de la información a tratar, pues en ambos casos debe interpretarse a partir de una serie de señales o códigos que llegan a través de los monitores.

B) Factores de la organización

Los factores que hacen referencia a la organización pueden considerarse desde un doble punto de vista: por una parte la coordinación y la distribución de las actividades condiciona la transmisión eficaz de las informaciones necesarias para el desarrollo del trabajo; bajo este aspecto es necesario considerar los sistemas de transmisión de información entre estamentos profesionales, en el cambio de turno y en la coordinación con otros servicios.

Por otra parte, los factores de organización están estrechamente relacionados con el concepto de satisfacción en el trabajo: las personas tenemos una serie de necesidades y motivaciones que el trabajo debe ser capaz de satisfacer, por lo menos en parte (pertenencia a un grupo, reconocimiento, seguridad en el empleo...); cuando esto no ocurre podemos considerar que la situación de trabajo es potencialmente nociva para el trabajador. Por ello, es importante identificar el máximo número de factores presentes en una determinada situación de trabajo, y valorar hasta qué punto puede contribuir a la satisfacción personal o, por el contrario, son susceptibles de influir negativamente en la salud de los trabajadores.

El tratamiento de la información que se lleva a cabo en el trabajo hospitalario es en sí complejo, como hemos visto hasta ahora. Pero afecta también a la organización del trabajo, pues se efectúa alrededor de muchas personas que incluyen distintas unidades de trabajo (radiología, laboratorio, salas de hospitalización, servicios administrativos...) así como los distintos turnos de trabajo.

Un aspecto importante a valorar es la fluidez de las comunicaciones que se establecen en ambos casos así como la funcionalidad de los circuitos de comunicación, pues si éstos no son los adecuados pueden existir importantes lagunas de información que dificulten la toma de decisiones y que pueden provocar situaciones de incertidumbre.

A menudo, además, el trabajo se ve interrumpido por interferencias con otro tipo de tareas (atender el teléfono, tareas de hostelería, trámites administrativos...) lo que rompe el ritmo habitual de trabajo y obliga a un esfuerzo mayor al tener que reemprenderlo continuamente.

Otro factor muy importante relativo a la organización del trabajo es la participación de los trabajadores en la toma de decisiones sobre aspectos relacionados con su trabajo (adquisición de material, métodos de trabajo...) pues influye tanto en la capacidad de autonomía personal, y por tanto en el desarrollo personal de cada individuo, como en la consideración y valoración de la propia persona.

En la actualidad este aspecto cobra especial importancia, pues a menudo se introducen nuevas tecnologías, que afectan tanto al trabajo en sí mismo como a la organización del mismo, por lo que es imprescindible que se realice mediante una previa formación e información del personal afectado por el cambio.

C) El horario de trabajo

El trabajo hospitalario implica un servicio ininterrumpido, durante las 24 horas del día y todos los días del año, con la obvia existencia de trabajo a turnos y nocturno. Las repercusiones que este tipo de organización del tiempo de trabajo puede tener sobre la salud de las personas merecen especial atención. Dichas consecuencias se refieren principalmente a tres tipos de factores.

Modificación de los ritmos circadianos

La actividad fisiológica del organismo está sometida a una serie de ciclos establecidos. Algunos de estos ciclos cumplen un ritmo de alrededor de 24 horas, son los llamados *ritmos circadianos*, que siguen unos ciclos de activación y desactivación que se corresponden con los estados naturales de vigilia y sueño. Como ejemplo de éstos podemos citar la secreción de adrenalina, frecuencia cardíaca, presión sanguínea, la capacidad respiratoria, temperatura, etc.

Los factores externos, como los hábitos sociales y la alternancia luz/oscuridad, actúan como sincronizadores de estos ritmos, pero su influencia es tal que, si se modifican, se alteran asimismo los ritmos biológicos dando lugar a alteraciones fisiológicas.

El trabajo a turnos comporta una contradicción entre los diversos sincronizadores sociales y el organismo, lo que da lugar a la llamada "patología de la turnicidad", que se caracteriza por astenia, nerviosismo y dispepsia.

Alteraciones del sueño

Durante el sueño se dan cinco fases, que se distinguen por su actividad cerebral: sueño ligero (fases 1 y 2), sueño profundo de ondas lentas (fases 3 y 4) y sueño paradójico de ondas rápidas (fase 5). Se estima que la duración relativa de las diversas fases reviste menor importancia que la duración global del sueño que permita una sucesión equilibrada de las distintas fases. En los trabajadores nocturnos la última fase del sueño se ve alterada, o simplemente no se llega a conseguir, con lo que el sueño no consigue su objetivo de recuperación de la fatiga.

Por otra parte hay que considerar que las condiciones ambientales que se dan durante el día, luz, ruido... dificultan más la posibilidad de un sueño reparador.

Estas alteraciones del sueño tienen repercusiones directas sobre la salud, dando lugar a situaciones de estrés (conjunto de reacciones fisiológicas y psicológicas que experimenta el organismo cuando se le somete a fuertes demandas) y fatiga crónica, que se traducen normalmente en alteraciones del sistema nervioso y digestivo.

Repercusiones sobre la vida familiar y social

La sociedad está organizada para un horario "normal" de trabajo. El trabajo a turnos dificulta las relaciones tanto a nivel familiar como social, por una falta de sincronización con los demás y por las dificultades de organización debido a los continuos cambios que produce la alternancia de horarios creando problemas de índole psicosocial.

6.3. Otros factores de naturaleza psicosocial

6.3.1. Mobbing

Konrad Lorenz

El término mobbing, es de origen inglés, del verbo *to mob*, que significa atacar con violencia, y fue introducido por **Konrad Lorenz**, prestigioso etólogo (premio Nobel de Medicina en 1973), para referirse al comportamiento de algunas aves generalmente débiles, que se unían para agredir a sus contendientes más fuertes. Dicho término puede por ello traducirse como hostigamiento o como acoso.

El psicólogo alemán, **Heinz Leymann**, fue el primer autor que estudia el mismo dentro del ámbito laboral en el año 1986, describiéndolo en un libro, así como las graves consecuencias que ocasionaba a las personas afectadas.

En el ámbito laboral, puede definirse como aquellas situaciones en las que una persona se convierte en el blanco del entorno laboral al que corresponde, siendo subyugado y perseguido por los miembros de la empresa, compañeros o/y superiores, acarreándole trastornos físicos y psíquicos importantes en su salud.

La Unión Europea, lo define como "un comportamiento negativo entre compañeros o entre superiores e inferiores jerárquicos, a causa del cual, el afectado es objeto de acoso y ataques sistemáticos durante mucho tiempo, de modo directo o indirecto, por parte de una o más personas, con el objetivo y/o el efecto de hacerle el vacío".

Generalmente, lo que se pretende con el mobbing es lograr, al cabo del tiempo, que el trabajador abandone la empresa.

Es de interés, resaltar que son las mujeres las principales víctimas de los acosadores psicológicos productores de mobbing, y que se trata de un ataque sutil para anular a la persona. Muchas veces este acoso psicológico hacia la mujer, comparte otro de índole sexual.

Tipos de mobbing

En el ámbito laboral se pueden distinguir tres variantes o modalidades de mobbing:

a) **Mobbing ascendente**: cuando un trabajador de alto rango jerárquico se ve acosado por uno o varios de sus subordinados.

b) **Mobbing horizontal**: se produce si un empleado es agredido por mobbing por uno o varios compañeros del mismo nivel jerárquico en la empresa. En ocasiones, existe una omisión o cierto beneplácito del jefe en la ejecución del mismo.

c) **Mobbing descendente**: se da cuando un obrero es hostigado por la persona de mayor nivel jerárquico, con la colaboración de otros subordinados. Es el más frecuente de las tres modalidades.

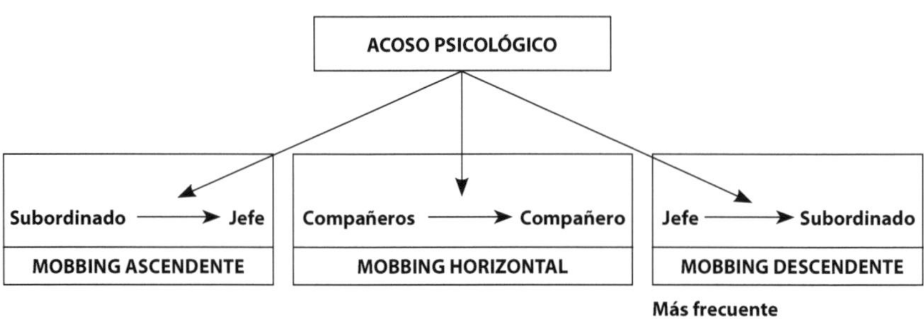

Tipos de mobbing

Causas del mobbing

Los motivos productores de mobbing son muy variados y muchas veces concurren más de uno de ellos; los podemos dividir en los siguientes:

a) **Causas empresariales**: generalmente se dan por dos circunstancias:

- Una, de tipo ejemplarizante, para hacer más sumiso al resto de operarios.
- Otra, de índole económica, ya que el mobbing acaba forzando el abandono "voluntario" de la empresa, sin coste ninguno.

b) **Causas personales del acosador**: generalmente se dan por varios mecanismos psicológicos, entre los que cabe destacar:

- La envidia, respecto al acosado, por alguna cuestión familiar, económica o de otra índole.
- El impulso que roza lo psicopatológico de control sobre los demás, como medio de placer personal.
- Los celos personales: tienen esta emoción por la inteligencia, brillantez, generosidad y otros rasgos que posee el acosado.

c) **Causas profesionales del acosador**: fundamentalmente se da por los siguientes motivos:

- Por su inadaptación a los métodos de trabajo del jefe, que será en este caso el acosado.
- Por envidia o celos profesionales, debido a múltiples motivos.
- Por el ansia de ascenso (los denominados coloquialmente como "trepas").

d) **Causas discriminatorias**; esencialmente:

- Por el color de piel.
- Por ser mujer, y aún más si está en edad de gestar (donde existe un interés empresarial).
- Por pertenecer a otro país.
- Por alguna cualidad que lo diferencia física o/y psíquicamente al grupo de compañeros.

Fases del mobbing

Las etapas en las que se desarrolla el acoso psicológico son varias, y en un determinado orden cronológico, y son:

- **Fase 0 o período de seducción**: la seducción va dirigida a la persona que es objeto de mobbing, y más frecuentemente al entorno de la víctima. Aún no se ha dado ningún tipo de agresión.
- **Fase 1 o de conflicto**: ante un problema de empresa, que ocasiona un mal desenlace del mismo, se pone en marcha la maquinaria del mobbing.
- **Fase 2 o de acoso moral en el trabajo**: durante la misma se lleva a cabo todo tipo de agresiones o/y vejaciones morales con la finalidad de desplazarlo del resto del entorno laboral hasta lograr hacerle el vacío completo.
- **Fase 3 o del entorno**: la relación con los compañeros y jefes es cada vez más insostenible, con cambios de lugar en el desempeño del trabajo, generalmente de menos creatividad, y acciones y omisiones que llegan a implantar las condiciones del acoso de forma permanente y su consecuencia en el acosado sobre su salud. Generalmente, el jefe es el principal animador dentro del mobbing, es partícipe, es cómplice, aprovecha para proyectar sobre el acosado la venganza, los celos y las frustraciones personales.
- **Fase 4 o de la actuación de la empresa**: la empresa asume dicha acción de acoso como una estrategia consciente o inconsciente. El acoso psicológico y moral, se da tanto en empresas públicas como privadas, de muchos empleados como de pocos; no obstante existen determinadas empresas donde es más corriente, en trabajadores de la enseñanza, de la sanidad o en la Administración Pública.
- **Fase 5 o de la marginación**: es el fin último que se persigue antes que este entre en situación de baja laboral por enfermedad o abandone de forma "voluntaria la empresa", y consiste en la exclusión del ámbito laboral. Finalmente, se lleva a cabo la última acción que se manifiesta como despido, jubilación anticipada, invalidez provisional o permanente y en determinados casos puede llevar al acosado incluso al suicidio.

  La marginación o anulación profesional es potenciada por sus propios compañeros, que a cambio conseguirán beneficios o prebendas por llevarlo a cabo. Asimismo, se llevarán a cabo humillaciones de todo tipo, directas o indirectas a través del móvil (con SMS o Whatsapp) u otros medios. En la empresa, el acosado llega a ser conocido como una persona "conflictiva" que es incapaz de integrarse.
- **Fase 6 o de la recuperación**: como consecuencia cada vez más de la transmisión y del conocimiento del mobbing como una situación de riesgo laboral, diferentes elementos de la empresa pueden evitarlo como un mecanismo de prevención de riesgos laborales. Asimismo, cada vez más existen personas dentro de la empresa incapaces de agredir, y otras fuera de la empresa que pueden ayudar al acosado al restablecimiento del daño recibido.

Cómo último recurso, y aunque en nuestra normativa no está contemplada esta figura, se debe ir a los tribunales de justicia para resolverlo por esta vía. En determinados países de la Unión Europea, es un delito y lo recoge su normativa.

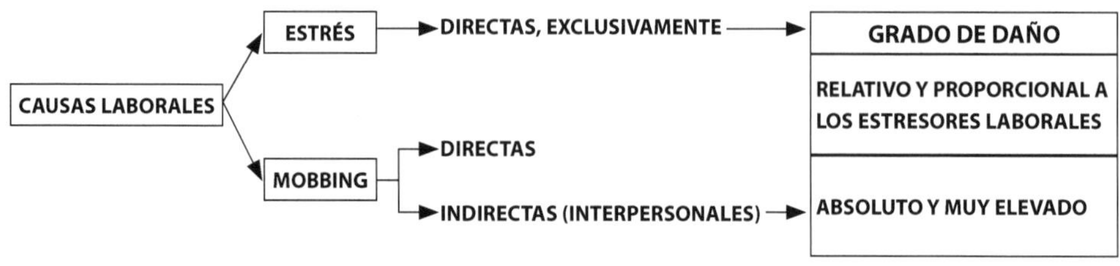

Relación entre mobbing y estrés

Partes implicadas en el mobbing

Los elementos necesarios que intervienen en la producción de mobbing son los tres siguientes:

a) **El agresor o agresores (los mobbers)**: suele ser uno o varios individuos generalmente con una corriente de opinión dentro de la empresa muy favorable, y frecuentemente no suelen ser conscientes del daño que ocasionan.

b) **El acosado**: puede ser cualquier persona, baja o alta, con más cualidades o con menos, negro o blanco. En conclusión, no existe un perfil del agredido.

c) **El entorno laboral**: suele poseer unos atributos que hacen que el mobbing se desarrolle satisfactoriamente. Entre estos, en la empresa, cabe destacar los siguientes:

- Organización inapropiada de las tareas laborales.
- Procedimientos poco eficaces en el desenlace de problemas o conflictos de índole laboral.
- Inadecuada o inexistente repartición de funciones en la empresa.
- Fomento de la excesiva competitividad (no competencia) dentro de la empresa.
- Dudosa moralidad de la dirección: sólo les preocupa los resultados, sin tener en cuenta los medios para conseguirlo y si algún obrero enferma por su actitud.

Efectos sobre la salud del mobbing

La persona afectada por mobbing puede presentar una serie muy diversa de trastornos en su salud, y entre éstos cabe subrayar los siguientes:

a) **Ansiedad**: se manifiesta por pérdida de autoestima, miedo, impotencia, frustración, apatía...

b) **Depresión**: se hace visible con tristeza vital, ganas de llorar, angustia...

c) **Trastornos emocionales y cognitivos**: se hace ostensible cuando aparece una labilidad afectiva (lo mismo llora que ríe), pérdida de atención, de memoria, etc.

d) **Trastornos psicosomáticos**: que se manifiestan por somatizaciones muy variadas (cefaleas, dolor precordial, fatiga...), insomnio y otros.

e) **Trastornos conductuales**: se hacen hipersensibles, tienden a automarginarse (copiando el modelo sufrido en la empresa), se vuelven agresivos y anómicos (inadaptados).

f) **Invalidez**: es la consecuencia del mobbing en algunos casos, bien por el mismo y sus efectos o bien por la agravación de una enfermedad anterior como resultado del acoso.

g) **Muerte**: se da por la depresión reactiva y grave que sufre el acosado, o bien como derivación de los trastornos sufridos que lo llevan a situaciones donde en ellos es más favorable un riesgo a accidentes u otros escenarios donde existe el riesgo de perder la vida.

Soluciones al mobbing

Este fenómeno de acoso psicológico en el trabajo, posee en la actualidad escasos medios de solución en nuestro país, y por ello se debe actuar de las siguientes maneras:

a) Ayuda y apoyo psicológico: para el restablecimiento del daño psicofísico ocasionado, por profesionales expertos en estas materias.

b) Establecer una normativa en esta cuestión, para que se persiga de forma penal estas prácticas, como en algunos países de la Unión Europea. No obstante se debe acudir siempre a los tribunales o/y a las Magistraturas de trabajo para que sean corregidas estas maneras y repuestos los daños sufridos.

   Asimismo, debe fomentarse la creación de una normativa más concreta en cuanto a prevención de riesgos laborales en este contexto.

No solo se debe restablecer a los enfermos por mobbing del daño físico y psíquico causado, sino además los efectos económicos, sociales y laborales producidos.

6.3.2. Síndrome del "burnout"

El término "burnout" es de origen inglés y se traduce literalmente al castellano como quemado. Por ello se emplean como sinónimo del mismo, síndrome del quemado, o del desgaste profesional o del agotamiento laboral. Dicho vocablo, incluso se ha castellanizado denominándose de forma correcta como síndrome de burnout.

Se puede definir como un cuadro clínico que se manifiesta por acción de su trabajo con agotamiento emocional, pérdida de autoestima, despersonalización y baja realización personal que sucede en profesionales que trabajan con personas.

Descrito por primera vez por **Freudemberg** (psiquiatra) en 1974, observó al año de trabajar con voluntarios de una clínica para toxicómanos, que sufrían una creciente merma de ímpetu en su tarea y desmotivación, hasta ocasionarles un estado de extenuación asociado a síntomas de ansiedad y de depresión. Pero quien acuñó el término fue la psicóloga **Cristina Maslach**.

Causas del síndrome del burnout

Las causas más importantes del síndrome del "quemado" profesional son las siguientes:

a) **La atención al paciente y la insatisfacción profesional**: generan gran estrés al profesional (es el principal motivo) que sufre burnout, como consecuencia esencialmente de:

- El estrés interpersonal, por identificación del profesional con la angustia que sufre el enfermo (o con sus familiares).
- La frustración ante las perspectivas del enfermo, en relación con su clínica y problemas relacionados con la misma.

Esta causa ocasiona en el profesional "un goteo" de desgaste progresivo en el tiempo.

b) **Sexo**: es más frecuente en mujeres que en varones, y por razones asociadas a sobrecargas no tanto de su entorno laboral, como personal (o familiar).

c) **La edad**: en principio no tiene por qué ser origen del cuadro. Pero en los primeros años de ejercicio profesional se mezclan determinadas cuestiones que lo favorecen, tales como:

- La impericia laboral y profesional (inexperiencia).
- Las expectativas truncadas en el paso del idealismo teórico profesional y la práctica de la realidad cotidiana, donde no ocurre todo lo que el joven espera profesionalmente, laboralmente y a nivel económico.

d) **Estado civil**: parece que se da más frecuentemente en solteros, y los autores lo relacionan con su escasa experiencia para resolver conflictos. Las personas casadas y, aún más, con hijos, parecen ser más maduras y capaces de resolver todo tipo de situaciones conflictivas que se presenten, por la experiencia que poseen.

e) **Antigüedad profesional**: existen contradicciones con respecto a esta cuestión entre los diversos autores; no obstante es de lógica pensar que el profesional que lleva largo tiempo en su desempeño, se siente bien en el mismo, ya que en caso contrario lo habría abandonado.

f) **Turnicidad**: el empleo de turnos de trabajo parece favorecer la aparición de este síndrome.

g) **Expectativas personales**: son esencialmente de dos tipos:

- *Altruistas:* por lo que significa poder ayudar a los que sufren. Esta expectativa se inicia profesionalmente de manera desinteresada, pero al cabo del tiempo entra en contradicción con precisadas perspectivas de recompensas y determinadas presiones de la empresa. Esto puede llevarnos a situaciones tales como:

* Excesiva implicación ("debemos ocuparnos, pero no preocuparnos").
* Mala praxis, por las contradicciones en las que se entra que, a su vez, ocasionarán sentimientos de culpabilidad en el "quemado".

- *Profesionales*: relacionadas con la competencia profesional. En la práctica, estos profesionales deben estar preparados, y para ello deben de formarse de manera continuada. En la mayoría de los casos se lleva a cabo la formación fuera de la jornada laboral, generalmente sin ningún tipo de recompensa económica, ni de reconocimiento social o empresarial.

  A veces es difícil llevar a cabo la actividad profesional, bien por la escasez de medios, por la saturación de personas a su cargo (ejemplo: exceso en el número de alumnos por aula) o por otros motivos, que a la larga desmotivan y producen frustración en estos profesionales.

h) **Factores de la organización empresarial**: una mala organización en la gestión de trabajo con personas, por saturación en el servicio prestado, burocratización excesiva, presencia de imprevistos, mínimo trabajo de equipo, escasa sintonía con los jefes y otros, actúan como estresores laborales que impiden el control de la labor profesional y de cómo organizarla. Otras veces, existe un insuficiente apoyo de la administración o/y de los empresarios.

i) **La profesión**: es más frecuente en el mundo sanitario, especialmente en Enfermería y Medicina. Aunque también se desarrolla en otras áreas, como en la docencia y en el funcionariado de nuestra Administración Pública.

j) **Otros**: algunos autores esgrimen otras potenciales causas, como son la insatisfacción salarial, la sobrecarga de trabajo, etcétera.

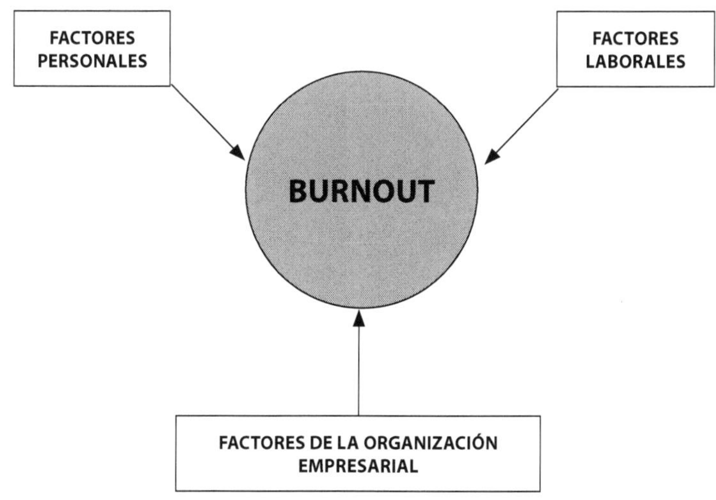

Mecanismos que intervienen en la génesis del burnout

Fases del síndrome

Este trastorno psicosociolaboral, posee tres fases en cuanto a su desarrollo cronológico y son las siguientes:

a) **Fase de estrés psicosocial**: en ella se produce un desequilibrio entre los recursos y las demandas.

b) **Fase de estrés psicofísico**: se inicia la presencia de determinada sintomatología del cuadro hasta cierta consolidación de los mismos.

c) **Fase de cambios conductuales**: como consecuencia de la clínica anterior, el trabajador comienza a buscar un alejamiento profesional para sentirse tranquilo. Demanda realizar tareas rutinarias y mecanizadas, evitando llegar a las cercanías de las personas que están a su cargo.

Clínica

La sintomatología se instaura de forma insidiosa y en el tiempo, siendo la más frecuente de este síndrome del quemado profesionalmente la siguiente:

a) **Trastornos psíquicos**: se manifiestan por agotamiento mental y emocional, sensación de fracaso profesional, pérdida de la autoestima, sentimiento de vacío, de impotencia, y de escasa realización personal. Asimismo, aparece cierto estado de inquietud, de nerviosismo, de escasa capacidad de atención, de actitudes agresivas (que rozan el comportamiento paranoide) frente a las personas que están en su entorno (personas a su cargo, compañeros y otros).

   En general poseen una ansiedad importante y un grado mayor o menor de depresión, según cada caso y su evolución.

b) **Trastornos físicos**: se revelan mediante la aparición de cefaleas, insomnio, algias osteomusculares (más a nivel lumbar), alteraciones gastrointestinales, taquicardia con o sin dolor precordial, palpitaciones, agitación/astenia, temblores (o tics nerviosos), hipertensión arterial, inapetencia sexual, etc.

c) **Trastornos conductuales**: se exteriorizan por el predominio de conductas adictivas (alcoholismo, drogadicción, farmacodependencia...) y evitativas (absentismo laboral, bajo rendimiento personal, distanciamiento afectivo de las personas a su cargo y de los compañeros de trabajo). Así como la aparición de severos conflictos interpersonales en el entorno laboral, incluso en el seno familiar, que lo afronta con irritabilidad y cinismo.

   En los estados muy avanzados de este síndrome hay gran tendencia incluso al suicidio.

d) **Trastornos afectivos**: se presentan con desánimo, aburrimiento, hastío y cierto grado de labilidad afectiva.

e) **Trastornos sociales y familiares**: surgen como consecuencia de todos los anteriores, invadiendo la vida social y familiar del sujeto afectado, que elige la opción de aislarse y quedarse solo, como forma de remedio.

Prevención y tratamiento

La ***prevención*** del síndrome de desgaste profesional o del "quemado", se basa esencialmente en:

a) **Acciones a nivel individual e interpersonal**: los profesionales sanitarios debemos poner en marcha una serie de estrategias de afrontamiento frente a determinados estresores tales como:

- Llevar a cabo prácticas de técnicas de relajación.
- Adiestrarse en técnicas de habilidades sociales y de relaciones interpersonales.
- Lograr habilidades de autocontrol emocional.
- Conseguir destrezas, para llevar a cabo la realización del trabajo en equipo.
- Aprender a controlar mejor sus tiempos, para su organización y poder priorizar, no sólo en su entorno laboral, sino también en otros, así como tener tiempo para el disfrute de ocio y tiempo libre.

b) **Acciones a nivel organizativo y laboral**: es de gran trascendencia considerar la posibilidad de que los profesionales puedan:

- Realizar cambios de actividades (que eviten la monotonía, la desesperación y la pérdida de autoestima).
- Efectuar un rediseño de tareas.
- Conseguir una adecuada formación profesional, y si es posible dentro del horario laboral.
- Contar con el apoyo de profesionales especializados si se precisa.
- Llevar a cabo una formación específica en determinadas situaciones de mayor estrés laboral (como, por ejemplo, en cuidados paliativos).

Actualmente este síndrome es considerado una enfermedad profesional, y los sanitarios en general, y los médicos en particular, suelen ser los peores pacientes y por ello poseen una resistencia importante a ser tratados.

El ***tratamiento*** se basa esencialmente en dos métodos terapéuticos:

a) **Las técnicas cognitivas conductuales**.

b) **La psicoterapia**.

En ambas técnicas, y debido a su complejidad, requieren de profesionales especializados, tales como la acción de un Psiquiatra o/y de un Psicólogo.

A veces, el burnout es irrecuperable (o irreversible) en aproximadamente un 5-10% de los casos, que generalmente lleva a una situación de invalidez permanente y al abandono completo de la actividad profesional.

Nombra las fases del síndrome de Burnout o "quemado".

6.3.3. Estrés

Estrés es un anglicismo, y proviene de la palabra inglesa medieval "stresse" (que significa presión o tensión). En castellano se escribe estrés y significa, según nuestra Real Academia de la Lengua Española: "tensión provocada por situaciones agobiantes que originan reacciones psicosomáticas o trastornos psicológicos a veces graves".

El estrés se define como la respuesta fisiológica, psicológica y conductual de un sujeto frente a presiones externas e internas, a las cuales tiende a adaptarse y ajustarse.

El estrés no es una enfermedad, y siempre ha existido, incluso los animales y las plantas lo manifiestan ante su entorno.

En 1926, **Hans Selye** (Viena en 1907), introduce este concepto en el campo de la salud, para explicar la *respuesta de adaptación general ante estímulos* (o estresores) actuando frente a estos con situaciones de *ataque o huida*.

Hans Selye

Los ***estresores*** son de naturaleza muy diversa, y pueden ser acontecimientos, personas, fuentes de energía (ruidos), u objetos, que se perciben como elementos estresantes o de presión individual.

Los estresores, desde el punto de vista humano, han ido cambiando históricamente hasta los actuales, que son diferentes tanto en cantidad como en su categoría o forma de expresión.

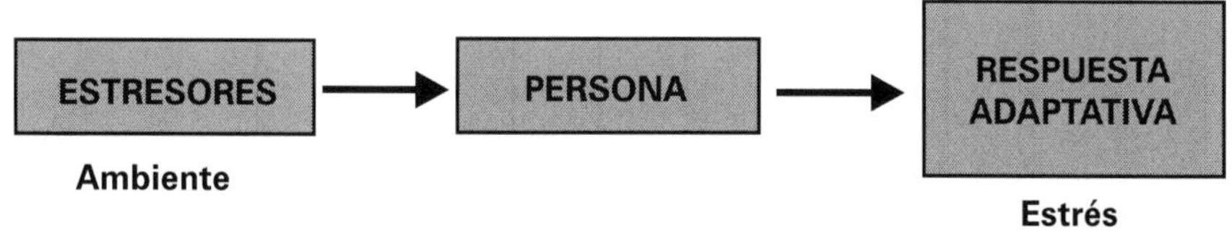

Adaptación frente a estresores

La **OMS**, define estrés como: la reacción de las personas a presiones excesivas u otro tipo de exigencias con las que se enfrentan.

6.3.3.1. Fases del síndrome de adaptación general de Selye

El estrés no es ni malo ni bueno. Todos hemos vivido alguna vez la experiencia de llevar a cabo un reto, en un breve espacio de tiempo, como, por ejemplo, estudiar unos apuntes para un examen, y llevarlo a cabo con un buen resultado, e incluso maravillarnos del logro. Otras veces, nos ha podido pasar que ante esta u otra situación nos hayamos bloqueado, y los resultados no han sido tan positivos. Esto que nos ha ocurrido no es más que los diversos resultados que se dan como respuestas al síndrome general de adaptación.

El síndrome general de adaptación pasa por diversas etapas en relación con el tiempo en el que actúan los estresores y son:

a) **Fase de alarma**: ante un estímulo el organismo se prepara para responder frente a él. De forma tal, que inicialmente se baja la guardia para prepararse psico-orgánicamente por debajo del nivel de resistencia habitual, debido a que comienzan a darse determinadas reacciones corporales.

b) **Fase de adaptación o resistencia**: el organismo intenta superar la situación afrontando de esa manera el estímulo inicial, elevando de forma importante el nivel de resistencia al mismo y pudiendo resolver en el tiempo la eventualidad.

c) **Fase de agotamiento**: si el estímulo continúa en el tiempo, y no se ha resuelto la situación por la escasez de recursos del sujeto afectado, los niveles de resistencia comenzarán a caer de forma importante y la persona no se adaptará al estresor, manifestando dicha condición como algo negativo para el sujeto.

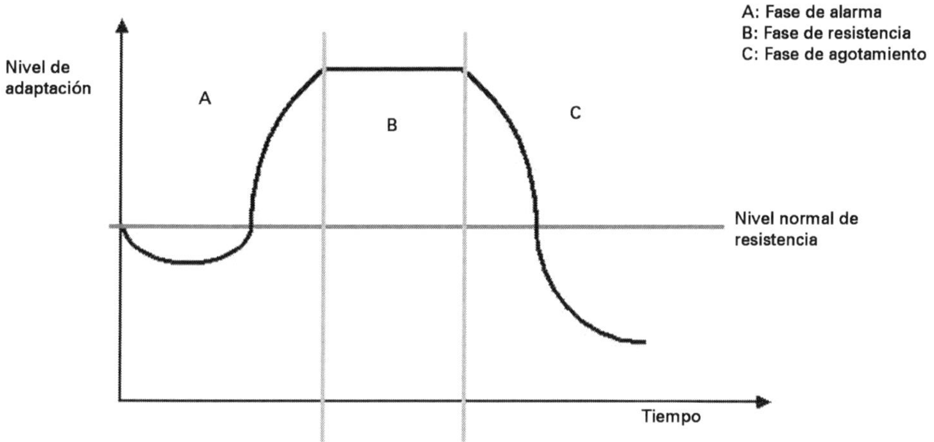

Fases del síndrome general de adaptación

6.3.3.2. Distrés y eustrés

Ante un estímulo, un individuo responde con el estrés o síndrome general de adaptación, pero los resultados de dicha respuesta pueden ser muy diversos atendiendo a múltiples factores extrapersonales e interpersonales, aunque en esencia son de dos tipos:

a) **Respuesta negativa o distrés**: es el estrés no deseable, ya que los resultados son insanos para el individuo que lo sufre, padeciendo gran "tensión" por los estresores.

b) **Respuesta positiva o eustrés**: es el estrés saludable o bueno, ya que los resultados son óptimos para el sujeto y de tipo constructivo, como consecuencia de haber sufrido un síndrome de adaptación general por estresores. Este término deriva de las siglas "eu", que indican normal, y estrés, de ahí que se defina como un estado de tensión normal.

Ante un mismo estresor, las personas reaccionan de forma diferente (ver modelo biopsicosocial de la OMS), ya que cada sujeto percibe los mismos estímulos de forma distinta. Es decir, las características del biotipo del sujeto interaccionan con los estresores de forma diferente, de ahí que los resultados sean también distintos.

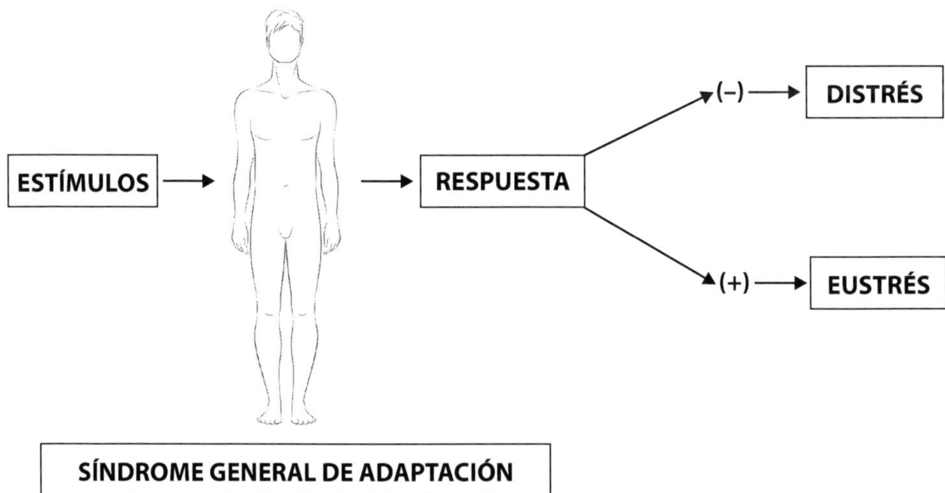

Tipos de respuestas frente al estrés

6.3.3.3. Patrones de conducta

Entre los factores individuales cabe destacar los patrones de conductas de las personas al enfrentarse a situaciones de tensión o estrés. Existen modelos de patrón de conducta: uno de ellos fue postulado por los médicos M. Friedman y R.

Rosenman que lo observaron en sus propios pacientes cardiópatas, y el otro patrón estándar surge de la complementación del primero y son los que se ilustran a continuación.

Patrón Conductual	Cualidades
Tipo A	- Espacialmente adquiere una postura firme. - Insinúa energía y vigor. - Camina rápido. - Presta en su entorno vigilancia y confianza. - Habla con voz potente, alta, rápida y con aceleración final de las frases. - Persona de enfrentamiento directo y así muestran su hostilidad. - Respuestas concisas y firmes. - Recorta las expresiones en el número de palabras. - Interrumpe las conversaciones de forma repetitiva. - Suspira cuando habla de temas laborales. - Persona muy expresiva y gesticuladora. Usa las manos para acentuar su oratoria.
Tipo B	- Espacialmente adquiere una postura tranquila. - Insinúa relajación y flaqueza. - Camina lento. - Presta en su entorno desinterés y seguridad. - Habla con voz suave, baja, lentamente y sin aceleración final de las frases. - Persona de enfrentamiento indirecto y en ellos no se observa claramente su hostilidad, aunque la posean. - Respuestas extensas y andándose por las ramas. - Agranda el número de las palabras en las expresiones. - Raro que interrumpa las conversaciones de otros. - Raramente suspira cuando habla de temas laborales. - Persona muy poco expresiva y nada gesticuladora. Raro que emplee gestos en su oratoria.

Las personas que poseen el patrón de conducta tipo A, en situaciones de tensión o estrés, van a presentar como respuestas al mismo más distrés que eustrés, y es por ello que manifiestan, como consecuencia de estas circunstancias, mayor número de cuadros agudos de problemas cardíacos, especialmente de tipo coronario, que las personas que tienen el patrón de conducta tipo B.

6.3.3.4. Regulación del estrés

El organismo, ante una situación de estrés, pone en marcha unos mecanismos fisiológicos para su regulación, que son:

a) **Sistema nervioso autónomo o vegetativo**: como es sabido, esta parte del sistema nervioso se encarga del mantenimiento inconsciente de nuestra homeostasis o equilibrio orgánico. Posee dos subsistemas, que son:

- El sistema nervioso autónomo ***simpático***: la tensión lo pone en marcha, y actúa sobre las siguientes estructuras:

  * Sobre médula suprarrenal: mediante la secreción de catecolaminas, especialmente de adrenalina.

  * Sobre el sistema adrenérgico (sinapsis de ese ámbito): donde se secreta noradrenalina.

  La primera estructura secreta más frecuentemente estas sustancias ante situaciones de estresores de tipo psíquico; y la segunda la secreta ante estresores físicos.

- El sistema nervioso autónomo ***parasimpático***: se encarga de restaurar el reposo orgánico, normalizando el estado de tensión.

b) **Sistema endocrino**: actúa ante el estrés mediante la secreción de hormonas, en estos niveles jerárquicos:

- *Primer nivel jerárquico o hipotálamo- hipofisiario*: situados en las cercanías de la base del cerebro anterior, y producen las siguientes sustancias:

  * Hipotálamo: hormonas CRF o factores estimuladores de la secreción de corticotropa (ACTH) hipofisiaria.

  * Hipófisis: liberando corticotropa o ACTH, que actúa estimulando la secreción de corticoides por la corteza suprarrenal.

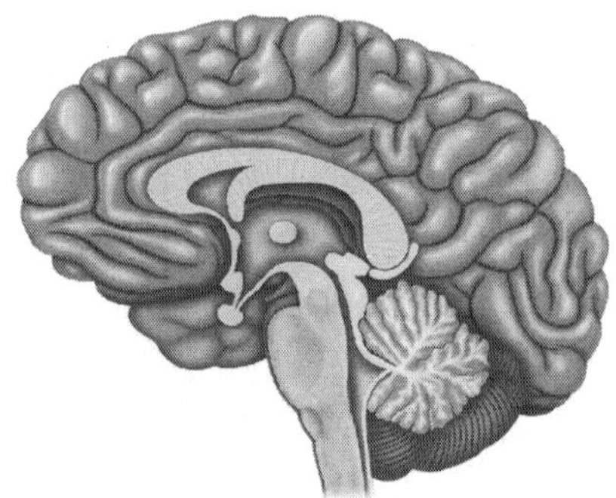

- *Segundo nivel jerárquico o corticosuprarrenal*: libera por estímulo hipofisiario corticoides o corticosteroides, especialmente:

  * Glucocorticoides: es la forma más importante de cortisona (o cortisol).

  * Andrógenos suprarrenales: esencialmente en forma de DHA (o dehidroepiandrosterona).

- *Tercer nivel jerárquico u órganos dianas*; son los lugares donde se lleva a cabo la acción de las hormonas corticosuprarrenales, de la siguiente manera:
  - El cortisol actúa en nuestro organismo a nivel celular y produce la liberación de agua, manteniendo la presión arterial. Asimismo, produce proteólisis (destrucción de proteínas), hiperglucemia (aumento de glucosa en sangre), eliminación de fósforo y calcio a nivel urinario y tiene acción antiinflamatoria.
  - Los andrógenos, producen un aumento de la masa muscular y de la fuerza.

El sistema endocrino se regula por feed-back (–) o retroalimentación negativa, al captarse cantidades importantes de ACTH en sangre, actúa sobre el hipotálamo secretándose los CIF o inhibidores de la secreción de corticotropa sobre la glándula hipófisis, y restablece el equilibrio.

c) **Córtex cerebral**: es la única parte anatómica voluntaria de las que hemos mencionado, y parece que guarda relación con el hipotálamo. Debido a esto, se pueden llevar a cabo pautas para modificar la respuesta al estrés, siempre que se conduzca a las personas de forma correcta, por profesionales expertos.

6.3.3.5. Respuestas orgánicas (signos y síntomas)

1. Fisiológicas

Los cambios fisiológicos que produce la respuesta al estrés son los siguientes:

a) **En aparato respiratorio**: aumenta el número de respiraciones por minuto. Se produce una dilatación bronquial. Se respira mejor y más rápido, como mecanismo para enfrentarse al problema. Esencialmente por estímulo a nivel simpático.

b) **En aparato cardiovascular**: aumenta la frecuencia cardíaca, bombeándose más sangre al cerebro, pulmones, músculos y otras estructuras. Aumenta la tensión arterial y hay cierta vasodilatación periférica que facilita el aumento de transpiración (refrigerando mejor por el exceso de calor).

En esta repuesta interviene tanto el estímulo simpático como endocrino.

c) **En el sistema nervioso**: llega más oxígeno al córtex y sustancias nutritivas, especialmente glucosa. Ocasionando que se piense mejor (mayor capacidad de concentración) y más rápido. Intervienen en la misma la acción simpática y endocrina.

d) **En el aparato locomotor**: llega más oxígeno a los músculos, y aumentan su tensión (y fuerza), preparándose para la acción. Participan también los dos mecanismos antes mencionados.

e) **En el metabolismo**: aumenta la secreción de glúcidos y lípidos a la sangre, con elevación calórica, que actúa sobre los diferentes aparatos o/y sistemas.

f) **En el aparato digestivo**: se hace más lenta la digestión, lo que facilita mayor suministro de sangre al cerebro y a los músculos.

g) **Coagulación sanguínea**: se produce un aumento en la liberación de factores de coagulación sanguínea, que hace que frente a una potencial herida, ésta no sufra una pérdida importante de sangre.

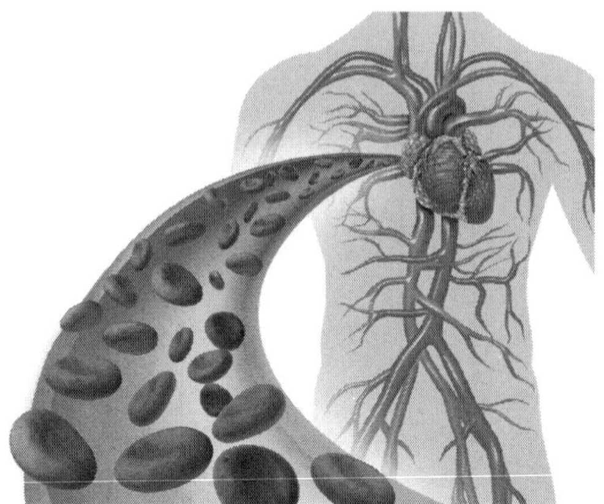

Todo ello, y dependiendo de la respuesta de eustrés o distrés, ocasionará a lo largo del tiempo en el individuo lo siguiente:

Tipo de respuesta	Efectos sobre el individuo
Eustrés	– Vitalidad. – Entusiasmo. – Optimismo. – Perspectivas positivas. – Resistencia a la enfermedad. – Vigor físico. – Lucidez mental – Buenas relaciones personales. – Alta productividad. – Creatividad.
Distrés	– Fatiga. – Irritabilidad. – Falta de atención. – Depresión. – Pesimismo. – Aumento de enfermedades. – Mayor riesgo a accidentes. – Relaciones personales turbias o inadecuadas. – Baja creatividad. – Escasa productividad.

Tipos de respuestas al estrés y sus efectos

2. Patológicas

El distrés como respuesta habitual a los estresores puede ocasionar efectos sobre la salud de las personas a largo plazo, tales como:

a) **A nivel neurológico**: aumenta las cefaleas, el insomnio, temblores y pesadillas.

b) **A nivel psíquico**: aumenta la ansiedad y la depresión. Pérdida del sentido del humor. Las relaciones interpersonales se hacen tortuosas y puede llegar a su inhibición comunicativa.

c) **A nivel cardíaco**: ocasionará hipertensión arterial y crisis de insuficiencias coronarias (infarto de miocardio, angina de pecho...).

d) **A nivel digestivo**: aumenta las gastritis y dispepsias en general. Con mayor manifestación de diarreas y colon irritable.

e) **A nivel muscular**: mayor tensión, con crisis miálgicas y temblores.

f) **A nivel sexual**: se manifiestan cuadros de impotencia o frigidez. Crisis de dismenorreas (dolor menstrual) y amenorreas (sin regla).

g) **A nivel cutáneo**: aumentan las dermatitis y el dermografismo (mayor respuesta de la piel ante un estímulo que se manifiesta con mayor número de erupciones).

h) **A nivel respiratorio**: se dan hiperventilaciones, con mayor tendencia a padecer asma.

i) **A nivel metabólico**: aumenta el cansancio o astenia. Aumento de las hipercolesterolemias, de las LDL y de las VLDL (lipoproteínas favorecedoras de aterosclerosis).

j) **A nivel coagulativo**: mayor tendencia a trombos.

Recuerda que...

El eustrés es el estrés saludable y constructivo, ya que los resultados son óptimos para el individuo al exponerse a estresores.

6.3.3.6. Soluciones al estrés

1. En general

Cada persona posee una respuesta diferente ante situaciones de estrés. Por ello dar soluciones a nivel general conlleva gran dificultad, y siempre es aconsejable que se lleve a cabo una evaluación personalizada de esta condición por un profesional.

Entre los aspectos generales que intervienen en la mejora del distrés cabe destacar los siguientes:

- Llevar a cabo una dieta sana, en calidad y cantidad.
- Realizar una adecuada actividad física como medio de control del estrés. Ya que aporta no sólo beneficios metabólicos, sino también de índole psicológica.
- Practicar técnicas de respiración controlada, que favorece la relajación y mejora determinadas dolencias tales como el asma y el enfisema pulmonar.
- Efectuar prácticas de relajación física y mental, que asimismo ayudan a la calma de nuestra respiración.
- Mejorar el grado de autoestima y adquirir actitudes positivas ante la vida.
- Incrementar actitudes tales como mayor flexibilidad, adaptabilidad y tolerancia frente a situaciones cotidianas.
- Planificar de forma correcta nuestra gestión del tiempo, sabiendo priorizar las cuestiones que tenemos que tratar, y tomándonos los tiempos que se requieran de descansos, tanto en frecuencia como en cantidad, según nuestro estado de cansancio.
- Saber delegar determinadas tareas que pueden causarnos sobrecargas.
- Evitar situaciones que nos lleven a la frustración personal, buscando alternativas que logren nuestros objetivos de forma satisfactoria.
- Moldear o modificar nuestra conducta, si es tipo A, mediante la creación de hábitos que nos impidan llevar a cabo múltiples tareas imposibles de realizar, cambiar el comportamiento de las prisas y de otras cualidades típicas de estos individuos, como la hostilidad frente a otros sujetos.

2. En el ámbito laboral

Se ha estudiado qué elementos de la actividad laboral pueden influir sobre la respuesta al estrés, y en términos generales se pueden resumir en dos cuestiones:

a) **A nivel de relación formal**: está muy sujeto al tipo de actividad que desempeña el trabajador. Existen profesiones más estresantes que otras.

   Las soluciones ante el tipo de tarea que lleva a cabo, están muy condicionadas por la propia percepción o actitud que tenga el trabajador de su labor:

   - Positiva: en forma de eustrés.
   - Negativa: en forma de distrés.

b) **A nivel de relación informal**: muy relacionado con la situación afectiva y estado de humor del trabajador con su entorno laboral, especialmente de compañeros y jefes.

Las estrategias a nivel laboral van encaminadas a solucionar situaciones de estrés, sobre todo dirigidas a optimizar el mismo, y que no provoquen distrés. Entre éstas cabe destacar las siguientes:

- Incrementar la motivación y mejorar la percepción del desempeño profesional, de forma que el hecho de trabajar sea más un reto que una amenaza constante.
- Minimizar las incertidumbres en las tareas de nuestra actividad laboral.
- Incrementar la gestión participativa, dándole al obrero mayor autonomía y libertad de acción, que optimizan la responsabilidad, la competencia y la forma personal de entender la eficacia en las tareas (autoeficacia).
- Mejorar la flexibilidad horaria, para que el trabajador pueda llevar a cabo una gestión positiva y adecuada de sus tiempos, tanto a nivel laboral, como familiar y personal.
- Desarrollar la carrera profesional, que produzca en el trabajador incrementos psicológicos (autoestima).
- Acrecentar la socialización y la relación informal, que disminuye notablemente la relación formal, haciéndola más fluida y creativa.
- Mejorar el hábitat laboral, de forma que no sea un estresor más, adecuándolo de forma apropiada con un buen sistema de iluminación, ventilación...
- Clarificar al empleado su rol profesional, que evite situaciones de conflictos con sus compañeros o con sus jefes.
- Aumentar el trabajo en equipo, que facilita la ayuda o apoyo de unos trabajadores con respecto a otros, y favorece la cooperación.
- Sentirse apoyado emocionalmente por los superiores y que sean reconocidos sus esfuerzos en sus tareas.
- Tener claramente establecidas las metas a desempeñar en el trabajo, esencialmente a nivel de objetivos a conseguir, de forma que éstas sean alcanzables.

7. Ergonomía: métodos de movilización de enfermos e incapacitados

La Ergonomía se puede definir como el desarrollo aplicado de la fisiología y de la psicología del trabajo. En otros términos, puede definirse como la ciencia de la adaptación del trabajo al hombre.

Como consecuencia de la actividad laboral son muchas las posturas que adoptan los trabajadores que pueden lesionar algunas estructuras orgánicas con el paso del tiempo, de ahí que sea necesario corregir y trabajar el diseño del mobiliario y de otros materiales que eviten o amortigüen esos efectos.

En general, se trata de posturas forzadas que ponen alguna región o parte corporal en una disposición antianatómica, o bien por vibraciones, presión u otros agentes físicos que van causando lentamente microtraumatismos.

La ergonomía tiene actualmente carácter interdisciplinar, ya que se nutre de diversos campos del saber científico: ciencias biomédicas, ingeniería, psicología, sociología, matemáticas, física, economía, mecánica, etc.

Tanto es así que:

- La anatomía a través de la antropometría contribuye al estudio de las medidas del cuerpo humano.
- La fisiología se ocupa del estudio fisiológico de los sentidos aplicado a la ergonomía.
- La mecánica facilita el estudio de la aplicación de las fuerzas humanas al desarrollo de la actividad laboral.
- La psicología interviene en cuanto que analiza la conducta humana.
- La sociología es la que se ocupa del estudio de las colectividades humanas.
- Las matemáticas permiten el cálculo de los valores necesarios.
- La física en cuanto que aporta las leyes o principios que rigen determinados fenómenos, etc.

7.1. Campos de actuación de la Ergonomía

Según sea el campo de actuación de la Ergonomía se puede clasificar en:

1. **Ergonomía geométrica**: se ocupa del estudio de la relación entre el ser humano y las condiciones métricas de su puesto de trabajo en lo relativo a su comodidad y confort estático, tanto en posiciones de pie como sentado, pie-sentado, etc. Su finalidad es conseguir que las dependencias, despachos, habitaciones, mesas y sillas, mandos para la manipulación de instrumentos, etc., tengan un diseño y disposición que garanticen la seguridad del trabajador, eviten esfuerzos superfluos, eviten la fatiga muscular, psicológica, etc.

2. **Ergonomía ambiental**: establece la relación entre la persona (trabajador) y las condiciones medioambientales. Se trata de prevenir la aparición de enfermedades profesionales y conseguir el máximo bienestar posible para el trabajador. Se cuidan de manera especial las condiciones del medio donde se trabaja para garantizar el mayor confort posible y sensación de bienestar. Es necesario para ello cuidar la temperatura, grado de humedad, sonoridad del ambiente, luz, presión atmosférica en caso de aire acondicionado, característica de la pintura existente en paredes, decoración, etc.

3. **Ergonomía temporal**: se ocupa sobre todo de estudiar la relación entre la fatiga producida en el trabajo y el tiempo dedicado al descanso. Tiene importancia para facilitar el descanso y evitar la fatiga física y psicológica, una distribución de las horas laborales semanales en jornadas con horarios limitados y descansos intermedios que eviten la fatiga. Surge así la necesidad de estudiar, en función de las características del trabajo desarrollado (físico, intelectual, intensidad, biorritmos, etc.), el tipo de jornada laboral: jornada partida, continua, a turnos, etc.

7.2. Ergonomía del puesto de trabajo

A la hora de planificar y diseñar un puesto de trabajo, no se tiene en cuenta a las personas, ya que éstas son diferentes unas de otras.

Igualmente ocurre cuando se diseña un aparato, es decir, hay un mayor interés por las cualidades técnicas de ese aparato que por las características propias de la persona que va a utilizarlo.

Cada vez que realicemos un estudio ergonómico de un puesto de trabajo tendremos en cuenta las características de la persona: peso, talla, edad, sexo, nivel cultural, capacidad de adaptación, resistencia física, etc.

Al hacer un estudio ergonométrico de un puesto de trabajo, se intenta que la persona desarrolle el máximo trabajo, evitando la pérdida de tiempo por desadaptación al medio y sobre todo los posibles problemas físicos que puedan desencadenar. Entre estos problemas físicos, destacan las lesiones de la extremidad superior producidas por:

- Movimientos repetidos de la mano y muñeca.
- Tareas habituales que requieren el empleo de gran fuerza con las manos.
- Tareas que precisen posiciones o movimientos forzados de la mano (hiperflexión o hiperextensión).
- Uso regular y continuado de herramientas de mano vibrátiles.
- Presión sobre la muñeca o sobre la palma de la mano de forma frecuente o prolongada.
- Realización de movimientos de pinzas con los dedos de forma repetida.

Entre las patologías más frecuentes de la extremidad superior se encuentran:

- **Síndrome del túnel carpiano**: este síndrome se produce por la compresión del nervio mediano a su paso por el túnel del carpo. Las manifestaciones clínicas más comunes en este síndrome son: hinchazón, hormigueo y entumecimiento en la mano afectada.
- **Tendinitis**: se produce por esfuerzos repetidos con la muñeca.
- **Lumbalgias**: la lumbalgia es un dolor que se localiza en la región inferior de la espalda. En esta parte se encuentra la zona lumbar, que contiene cinco vértebras (L1, L2, L3, L4 y L5) Estas vértebras son las que tienen mayores dimensiones y soportan mayor peso. Las posturas laborales que pueden producir lumbalgias son:
    * Realización de trabajos forzados con el tronco inclinado.
    * Levantamiento y manejo de artículos pesados.
    * Trabajos al aire libre condicionados por los cambios climáticos.
    * Largos períodos de tiempo de pie.
    * Largos períodos de tiempo sentados.
    * Uso de vehículos y maquinarias que producen vibraciones.

Para prevenir las lumbalgias hay que tener en cuenta que se debe actuar ergonómicamente sobre el puesto de trabajo realizando un diseño de tareas y actividades. También es importante el uso de ropa holgada, no usar tacones, etc., en definitiva, pensar en la propia salud cada vez que se realiza un trabajo.

Para prevenir las lumbalgias, hay que tener en cuenta:

A) Características de la carga

La manipulación de una carga puede presentar un riesgo, en particular dorsolumbar, en los casos siguientes:

- Cuando la carga es demasiado pesada o demasiado grande.
- Cuando es voluminosa o difícil de sujetar.
- Cuando está en equilibrio inestable o su contenido corre el riesgo de desplazarse.
- Cuando está colocada de tal modo que debe sostenerse o manipularse a distancia del tronco o con torsión o inclinación del mismo.
- Cuando la carga, debido a su aspecto exterior o a su consistencia, puede ocasionar lesiones al trabajador, en particular en caso de golpe.

B) Esfuerzo físico necesario

Un esfuerzo físico puede entrañar un riesgo, en particular dorsolumbar, en los casos siguientes:

- Cuando es demasiado importante.
- Cuando no puede realizarse más que por un movimiento de torsión o de flexión del tronco.
- Cuando puede acarrear un movimiento brusco de la carga.
- Cuando se realiza mientras el cuerpo está en posición inestable.
- Cuando se trate de alzar o descender la carga con necesidad de modificar el agarre.

C) Características del medio de trabajo

Las características del medio de trabajo pueden aumentar el riesgo, en particular dorsolumbar, en los casos siguientes:

- Cuando el espacio libre, especialmente vertical, resulta insuficiente para el ejercicio de la actividad de que se trate.
- Cuando el suelo es irregular y, por tanto, puede dar lugar a tropiezos o bien es resbaladizo para el calzado que lleve el trabajador.
- Cuando la situación o el medio de trabajo no permite al trabajador la manipulación manual de cargas a una altura segura y en una postura correcta.
- Cuando el suelo o el plano de trabajo presentan desniveles que implican la manipulación de la carga en niveles diferentes.
- Cuando el suelo o el punto de apoyo son inestables.
- Cuando la temperatura, humedad o circulación del aire son inadecuadas.
- Cuando la iluminación no sea adecuada.
- Cuando exista exposición a vibraciones.

D) Exigencias de la actividad

La actividad puede entrañar riesgo, en particular dorsolumbar, cuando implique una o varias de las exigencias siguientes:

- Esfuerzos físicos demasiado frecuentes o prolongados en los que intervenga en particular la columna vertebral.
- Período insuficiente de reposo fisiológico o de recuperación.
- Distancias demasiado grandes de elevación, descenso o transporte.
- Ritmo impuesto por un proceso que el trabajador no pueda modular.

E) Factores individuales de riesgo

Constituyen factores individuales de riesgo:

- La falta de aptitud física para realizar las tareas en cuestión.
- La inadecuación de las ropas, el calzado u otros efectos personales que lleve el trabajador.
- La insuficiencia o inadapatación de los conocimientos o de la formación.
- La existencia previa de patología dorsolumbar.

8. La gestión de equipos de protección individual (EPIS) en centros sanitarios

El Instituto Nacional de Seguridad y Salud en el Trabajo (INSST) en una **Nota Técnica de Prevención (NTP 572)**[2] ha realizado el estudio de la gestión de los equipos de protección individual (EPI) en los Centros Sanitarios.

Tal como se indica en el artículo 17 de la Ley de Prevención de Riesgos Laborales, cuando los riesgos no se puedan evitar o no puedan limitarse suficientemente por medios técnicos de protección colectiva o mediante medidas, métodos o procedimientos de organización del trabajo, tal como ocurre con frecuencia en los centros sanitarios frente al riesgo biológico, el empresario deberá proporcionar a sus trabajadores equipos de protección individual adecuados para el desempeño de sus funciones y velar por el uso efectivo de los mismos.

Por otro lado, los equipos de protección individual, tal y como establece el RD 773/1997 relativo a su utilización, proporcionarán una protección eficaz frente a los riesgos que motivan su uso, sin suponer por sí mismos u ocasionar riesgos adicionales ni molestias innecesarias. Para ello deben:

a) Responder a las condiciones existentes en el lugar de trabajo.

b) Tener en cuenta las condiciones anatómicas y fisiológicas y el estado de salud del trabajador.

c) Adecuarse al usuario, tras los ajustes necesarios. En el caso de que existan riesgos múltiples que exijan la utilización simultánea de varios equipos de protección individual, éstos deberán ser compatibles entre sí y mantener su eficacia en relación con el riesgo o riesgos correspondientes.

---

2 Se puede ver la Nota Técnica de Prevención en la página WEB del INSST: https://www.insst.es/

8.1. Gestión de los EPI frente al riesgo biológico

Antes de la implantación de una prenda de protección individual frente a una determinada situación de riesgo, debe tenerse en cuenta una serie de aspectos para que la utilización de dicha protección sea lo más acertada posible. Así deberán contemplarse: la necesidad de uso, la elección del equipo adecuado, la adquisición, la normalización interna de uso, la distribución y la supervisión.

A) Necesidad de uso

La necesidad de utilizar equipos de protección individual frente al riesgo biológico en un centro sanitario deriva de la imposibilidad técnica o económica de instalar una protección colectiva eficaz. Por todo ello debe llevarse a cabo la evaluación de riesgos en el conjunto del centro sanitario, de modo que permita identificar los puestos de trabajo o actividades en los que se puede presentar dicho riesgo. En la siguiente tabla expuesta por la Nota Técnica de Prevención se detalla a modo de ejemplo el posible riesgo biológico existente en los diferentes servicios o áreas de un centro hospitalario, indicando las protecciones recomendadas.

Protecciones recomendadas en función de los servicios o áreas de trabajo y el riesgo biológico existente.

Servicio	Riesgo biológico	Protecciones recomendadas
Anatomía Patológica	- Manipulación de muestras biológicas contaminadas. - Riesgo de pinchazos o cortes. - Formación de aerosoles y/o salpicaduras.	- Ropa de trabajo. - Utilizar doble guante. - Lentes protectoras y mascarilla quirúrgica. - Si es posible, vestimenta de un solo uso. - Frente a salpicaduras o aerosoles utilizar: gafas protectoras herméticas y mascarilla, o preferiblemente pantallas de seguridad.
Autopsias	- Manipulación de muestras biológicas contaminadas. - Riesgo de pinchazos o cortes. - Formación de aerosoles y/o salpicaduras.	- Bata quirúrgica de manga larga con puños. - Guantes industriales. - Botas o cubrezapatos desechables. - Delantal ligero de tejido que retenga el agua. - Frente a salpicaduras o aerosoles utilizar: gafas protectoras herméticas y mascarilla, o preferiblemente pantallas de seguridad.
Banco de Sangre	- Contacto con sangre. - Riesgo de pinchazos o cortes. - Peligro de salpicaduras.	- Ropa de trabajo. - Guantes de un solo uso. - Frente a salpicaduras o aerosoles utilizar: gafas protectoras herméticas y mascarilla, o pantallas de seguridad.

Hemodiálisis	- Contacto con sangre. - Riesgo de pinchazos o cortes. - Formación de aerosoles y/o salpicaduras.	- Bata cerrada. - Guantes de un solo uso. - Frente a salpicaduras o aerosoles utilizar: gafas protectoras herméticas y mascarilla, o pantallas de seguridad.
Consultas externas	- Posible manipulación de pacientes o muestras contaminadas.	- Ropa de trabajo. - Guantes de un solo uso cuando sea necesario.
UCI	- Posible manipulación de pacientes o muestras contaminadas. - Contacto con sangre. - Riesgo de pinchazos o cortes. - Peligro de salpicaduras.	- Ropa de trabajo. - Guantes de un solo uso. - Frente a salpicaduras o aerosoles utilizar: gafas protectoras herméticas y mascarilla, o pantallas de seguridad.
Operaciones previas a la esterilización	- Manipulación de material posiblemente contaminado. - Riesgo de pinchazos o cortes.	- Ropa de trabajo. - Guantes de un solo uso.
Laboratorios incluidos los de microbiología	- Posible manipulación de muestras contaminadas. - Contacto con sangre y otros líquidos orgánicos. - Formación de aerosoles y gotículas. - Riesgo de pinchazos o cortes.	- Las batas, pijamas de trabajo, delantales etc. serán de tejido adecuado y su diseño permitirá la máxima protección. Las batas de laboratorio serán cerradas por delante y con puños elásticos. - Guantes de un solo uso. - Frente a salpicaduras o aerosoles utilizar: gafas protectoras herméticas y mascarilla, o pantallas de seguridad. - Cuando sea necesario, utilización de dispositivos de protección respiratoria. - Cuando exista riesgo de producción de bioaerosoles trabajar en Cabina de Seguridad Biológica. (1)
Quirófanos	- Posible manipulación de pacientes o muestras contaminadas. - Contacto con sangre y otros líquidos orgánicos. - Formación de aerosoles y gotículas. - Riesgo de pinchazos o cortes.	- Mascarilla quirúrgica. - Gorro. - Guantes de un solo uso quirúrgico. - Delantal impermeable, cuando se considere necesario. - Frente a salpicaduras o aerosoles utilizar: gafas protectoras herméticas y mascarilla, o pantallas de seguridad.
Rehabilitación	- Posible manipulación de pacientes contaminados.	- Ropa de trabajo. - Guantes de un solo uso, cuando sea necesario.

Servicios Hospitalarios	- Posible manipulación de pacientes o muestras contaminadas.	- Ropa de trabajo. - Guantes de un solo uso, cuando sea necesario.
Urgencias	- Posible manipulación de pacientes o muestras contaminadas. - Riesgo de pinchazos o cortes.	- Ropa de trabajo. - Guantes de un solo uso.
Medicina Nuclear	- Posible manipulación de muestras contaminadas.	- Ropa de trabajo. (2) - Guantes de un solo uso.
Oncología	- Posible manipulación de muestras y pacientes contaminados.	- Ropa de trabajo. - Guantes de un solo uso.
Radiología	- Riesgo de pinchazos o cortes.	- Ropa de trabajo. (2)
Radioterapia	- Riesgo de pinchazos o cortes.	- Ropa de trabajo. (2) - Guantes de un solo uso
Mantenimiento	- Antes de efectuar cualquier trabajo de mantenimiento debería hacerse una valoración del riesgo y adoptar la protección adecuada al mismo. (3)	Indumentaria básica: - Ropa de trabajo. - Trabajar con guantes industriales.
Personal de limpieza	- Contacto con muestras contaminadas. - Riesgo de pinchazos o cortes.	- Ropa de trabajo. - Trabajar con guantes industriales.
Diagnóstico por imagen	- Posible manipulación de muestras contaminadas.	- Ropa de trabajo. - Guantes de un solo uso, cuando sea necesario.
Dermatología	- Posible contacto directo con muestras y pacientes contaminados.	- Ropa de trabajo. - Guantes de un solo uso.
Pediatría	- Posible contacto directo con pacientes y muestras contaminadas.	- Ropa de trabajo. - Guantes de un solo uso.
Psiquiatría	- Posible contacto directo con pacientes contaminados.	- Ropa de trabajo. - Guantes de un solo uso.
Odontología	- Contacto directo con mucosas, fluidos corporales, secreciones naso-faríngeas y respiratorias. - Formación de aerosoles. - Riesgo de pinchazos o cortes.	- Guantes de un solo uso. - Mascarillas desechables que cubran la boca y la mucosa nasal. - Frente a salpicaduras o aerosoles utilizar: gafas protectoras herméticas y mascarilla, o pantallas de seguridad. - Ropa de trabajo cómoda y cerrada por delante, que resista lavados a 80 °C. - Para trabajos con muchas salpicaduras utilizar delantales plásticos desechables.

Manipulación de residuos biosanitarios	- Pinchazos o heridas en las manos.	- Ropa y calzado de trabajo. - Guantes industriales.
Trabajo con animales de experimentación	- Arañazos y mordeduras. - Aspiración de aerosoles. - Proyecciones a las mucosas. - Riesgo de pinchazos o cortes.	- Ropa de trabajo. - Guantes. (4) - Botas de goma. - Mascarilla desechable. - En áreas de cuarentena: guantes gruesos de trabajo y mascarilla de alta eficacia.

(1) Es recomendable también la utilización de vitrinas de extracción adecuadas.

(2) Cuando se habla de protecciones barrera en estos casos se sobreentiende que se añaden a la utilización de ropa y protección adecuada frente a las radiaciones.

(3) Por ejemplo, en los servicios de fontanería, existe el peligro de un posible contacto con residuos orgánicos vertidos en el desagüe procedentes de todo tipo de enfermos.

(4) Cuando sea necesario, para evitar arañazos y mordeduras, se utilizarán guantes gruesos.

B) Elección del equipo adecuado. Adquisición del EPI

Para la elección de los EPI debe comprobarse cuál es el grado necesario de protección que precisan las diferentes situaciones de riesgo y el grado de protección que ofrecen los distintos equipos frente a estas situaciones valorando las disponibilidades que el mercado ofrece con el fin de que se ajusten a las condiciones y prestaciones exigidas. Su idoneidad y eficacia vienen garantizadas por su conformidad con las exigencias contempladas en el Real Decreto 1407/1992[3] relativo a la comercialización de equipos de protección individual y que le sean aplicables. En él se exige como requisito indispensable para que un EPI pueda comercializarse y ponerse en servicio, que garantice la salud y la seguridad de los usuarios, sin poner en peligro la salud ni la seguridad de las demás personas. Todos los EPI que cumplan estos requisitos y se comercialicen de acuerdo con dicho Real Decreto, irán identificados con el marcado "CE".

En cualquier caso, los trabajadores y sus representantes deben ser consultados al proceder a la adquisición de los EPI. La práctica indica que la aceptación de un modelo determinado por parte del usuario es fundamental para garantizar su uso posterior.

---

[3] Modificado por Real Decreto 159/1995, de 3 de febrero.

C) Normalización interna de uso

Para la correcta utilización de los EPI adquiridos interesa, además de seguir las instrucciones contenidas en el folleto informativo, establecer un procedimiento normalizado de uso, que informe de manera clara y concreta sobre los siguientes aspectos:

- Zonas o tipo de operaciones en que debe utilizarse.
- Instrucciones sobre su correcto uso.
- Limitaciones de uso, en caso de que las hubiera.
- Instrucciones de almacenamiento.
- Instrucciones de limpieza.
- Instrucciones de conservación.
- Fecha o plazo de caducidad del EPI o de sus componentes.
- Criterios, si los hubiere, de detección del final de su vida útil.

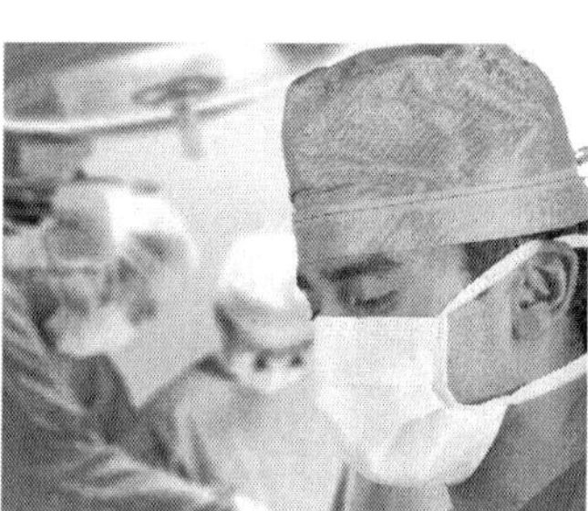

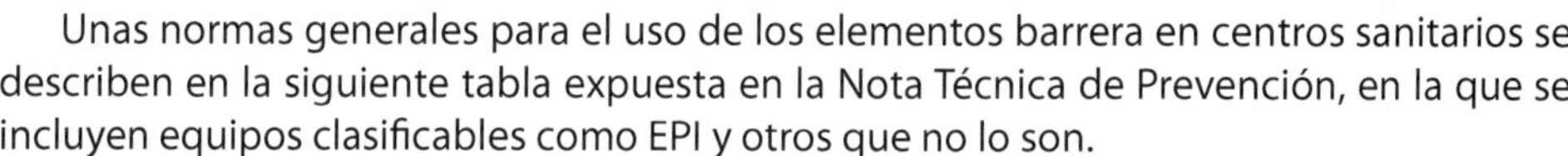

Unas normas generales para el uso de los elementos barrera en centros sanitarios se describen en la siguiente tabla expuesta en la Nota Técnica de Prevención, en la que se incluyen equipos clasificables como EPI y otros que no lo son.

Funciones	Guantes	Protección de ojos y cara	Ropa de protección	Mascarillas quirúrgicas (1)
Generales	En caso de posible contacto con líquidos biológicos.	En caso de posible contacto con líquidos biológicos.	Uso de delantal en caso de posible contacto con líquidos biológicos.	En caso de posible contacto con líquidos biológicos.
Aislamiento de contacto	Obligatorio siempre.	En caso de posible contacto con líquidos biológicos.	Uso obligatorio de bata.	En caso de posible contacto con líquidos biológicos.
Aislamiento Respiratorio (2)	En caso de posible contacto con líquidos biológicos.	En caso de posible contacto con líquidos biológicos.	Uso de delantal en caso de posible contacto con líquidos biológicos.	Obligatorio siempre antes de entrar en la habitación.

Normas generales de utilización de los elementos barrera en centros sanitarios

(1) La utilización de mascarilla quirúrgica es una acción encaminada exclusivamente a proteger la pieza o muestra manipulada, aunque puede evitar la penetración por vía digestiva y respiratoria de salpicaduras.

(2) Aquí sólo se tiene en cuenta el aislamiento respiratorio efectuado para la protección de los pacientes que por el tratamiento recibido están inmunodeprimidos y en consecuencia deben estar aislados de toda contaminación. En el caso de aislamiento de pacientes aquejados de enfermedades infecciosas respiratorias, en lugar de mascarilla quirúrgica, que sólo protege al paciente, el personal sanitario deberá utilizar mascarillas autofiltrantes con válvula.

Por otro lado, es habitual la utilización de algunos EPI de forma permanente, como es el caso de los guantes cuando existe contacto directo con pacientes, muestras o fluidos biológicos.

D) Distribución

Los EPI están destinados en principio a un uso personal. Debe tenerse en cuenta que los EPI han de ajustarse a las características anatómicas de cada trabajador, lo que ha de considerarse en el momento de su adquisición. A su vez, cada usuario debe ser responsable del mantenimiento y conservación del equipo que se le entrega y ser informado e instruido sobre las características y uso del mismo. Ello sólo es posible si la asignación de los equipos es personalizada y se establece un mecanismo de seguimiento y control.

Sin embargo, en algunas áreas, y considerando sus condiciones específicas de trabajo, los EPI pueden ser utilizados por varios usuarios a la vez (véase la siguiente tabla). En el caso de que esto ocurra deberán tomarse las medidas necesarias para que ello no origine problemas de salud o de higiene a los distintos trabajadores. Cuando ello no pueda garantizarse, se sustituirán aquellas partes del mismo que sean necesarias, como sería el caso del grupo D de la siguiente tabla expuesta en la Nota Técnica de Prevención. La gestión de los EPI utilizados por distintas personas recae en el Servicio de Prevención. Tomando el laboratorio a modo de ejemplo, y en función de los riesgos más frecuentes en el mismo, se indica un posible modelo de distribución:

- **Equipos de uso general (como los guantes de látex)**: se distribuirán por todas las unidades del laboratorio, teniendo en cuenta que puede haber personal cuya estancia en el mismo sea eventual (contratos temporales, estudiantes en prácticas o becarios). Una vez se hallen en uso, se considerarán asignados de forma personalizada. Hay que tener en cuenta que algunos de estos equipos son de un solo uso, con lo que el problema de la "personalización" carece de sentido.
- **Gafas de seguridad**: aunque no se establezca su obligatoriedad con carácter general, se recomienda su asignación personalizada a todo el personal del laboratorio, disponiéndose siempre de un excedente para el personal eventual. Es importante que quede claramente establecida la protección que ofrecen.
- **Viseras, delantales y ropa de protección específica**: suelen tener un uso esporádico y puntual. Deberá disponerse de un stock mínimo en un almacén centralizado y su asignación tendrá carácter personal o no, según cada caso.
- **Equipos de protección respiratoria**: tendrán siempre una asignación personalizada. Las mascarillas autofiltrantes desechables se guardarán en un almacén centralizado; pero conforme vayan solicitándose se considerarán de uso personalizado.

A	Desechables	Guantes de un solo uso
B	Reutilizables de asignación personal	Gafas, mascarillas autofiltrantes y batas.
C	Reutilizables e intercambiables con control general	Equipos de uso específico y esporádico. Su intercambio no representa un riesgo para la salud: delantales, mandiles, pantallas faciales.
D	Reutilizables e intercambiables con control específico	Equipos de uso específico y esporádico. Su intercambio puede representar un riesgo para la salud: máscaras, equipos autónomos y semiautónomos.

Clasificación de equipos de protección considerando el carácter personalizado o no de su utilización

E) Supervisión e implantación

Es necesaria la intervención en todo el proceso, desde su elección hasta la correcta utilización y posterior mantenimiento de los EPI, del Servicio de Prevención o de un responsable técnico de la unidad correspondiente. Entre sus funciones deberá estar también la distribución de los distintos equipos y el mantenimiento de un stock suficiente.

La implantación satisfactoria de un programa de gestión de equipos de protección individual en un centro sanitario, ha de comprender, entre otros, los siguientes aspectos:

- Mantenimiento de un stock mínimo de todos los EPI, ya que cuando se requiere su utilización no se puede recurrir a otro sistema de protección.
- Facilitar una formación e información en materia de EPI adecuada a todo el personal con riesgo biológico. Para ello se realizarán actividades formativas e informativas en las que se darán a conocer los diferentes equipos disponibles, tanto de uso personalizado como no, obligatoriedad de utilización, recomendaciones y mantenimiento de los mismos.
- Todo el personal deberá conocer y disponer por escrito de un documento en el cual se indique el número y tipo de equipos disponibles, además de los que se entreguen personalmente, las situaciones y operaciones en las que es obligatorio su uso, las condiciones de utilización y mantenimiento, el lugar de almacenamiento y todos aquellos procedimientos necesarios para su gestión.
- Los equipos deben entregarse con acuse de recibo, adjuntando por escrito las instrucciones de utilización cuando se considere necesario.

A fin de aumentar la eficacia en el uso de estos equipos y, por otro lado, cuando el usuario no es un profesional experto (por ejemplo, personal en prácticas, internos, residentes) es relativamente corriente que en los diferentes servicios haya normas que obliguen al uso permanente de ciertos equipos, principalmente, y por este orden, guantes, gafas o mascarillas autofiltrantes. Aparte, deben considerarse aquellos servicios en los que debido a los riesgos específicos existentes haya una obligatoriedad permanente en el uso de otros equipos.

Por otro lado, y en este aspecto es importante la labor de formación e información, el personal expuesto a riesgo biológico debe distinguir claramente entre los equipos de protección individual y los equipos destinados a la protección del producto (paciente o muestra manipulada), ya que su uso puede generar confusión como ocurre con el empleo de mascarillas de tipo quirúrgico, destinadas a evitar contaminaciones de material estéril (protección del producto) y el uso de mascarillas autofiltrantes desechables destinadas a evitar la exposición laboral (protección del trabajador).

8.2. Conclusiones

La correcta utilización de los EPI frente al riesgo biológico en el medio laboral sanitario como herramienta de protección complementaria a las medidas generales de tipo higiénico, organizativas, de aislamiento y vacunación, es aun hoy en día una asignatura pendiente. Sin embargo, con el descubrimiento en los años ochenta del virus de inmuno-

deficiencia humana, causante del sida, el personal sanitario empezó a tener conciencia del riesgo profesional que supone la exposición a determinados agentes biológicos. Este hecho fue el detonante para que la cultura preventiva frente al riesgo biológico cambiara y en consecuencia se empezaron a utilizar protecciones personales adecuadas.

A esta situación no son ajenos una serie de aspectos que se enumeran en los siguientes puntos:

1. En el ámbito sanitario existe una marcada tendencia a confundir los equipos destinados a evitar la contaminación del material estéril, de un producto, de una muestra o de un paciente, con los destinados a la protección del trabajador, usándose aquellos como protecciones personales frente al riesgo biológico, cuando en la mayoría de situaciones no sólo no son eficaces, sino que provocan la sensación de falsa protección frente al riesgo. Un ejemplo típico en este sentido es la utilización de mascarillas quirúrgicas para la protección frente la inhalación de un bioaerosol infeccioso.
2. No existen en el mercado comunitario EPI destinados específicamente a este tipo de protección. En el caso de las protecciones respiratorias, la teórica necesidad de emplear filtros HEPA para filtrar el aire que contenga bioaerosoles parece una medida lógica desde el punto de vista preventivo; sin embargo, ante la falta de este tipo de filtros, se vienen empleando y recomendando filtros o mascarillas autofiltrantes para partículas tipo P3.

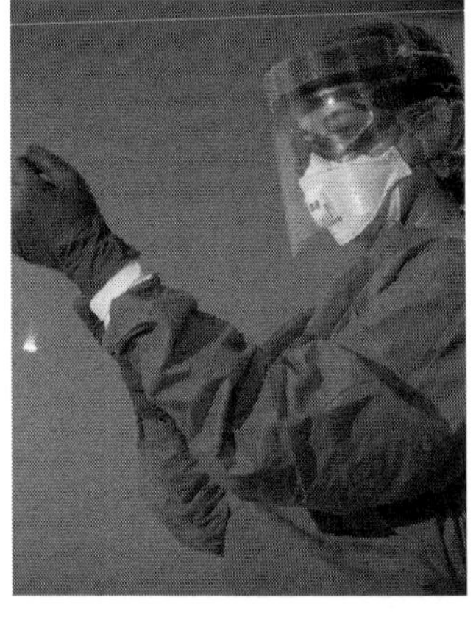

3. En la actualidad no existen guantes específicos frente al riesgo biológico. Se cree que los guantes que protegen contra los productos químicos, constituyen una barrera efectiva contra los riesgos microbiológicos.
4. El uso incorrecto de la ropa y uniformes de trabajo, como sucede habitualmente, anula su posible función de protección.
5. Algunas de las actividades que se realizan en la práctica de la asistencia sanitaria se verían seriamente dificultadas, sino impedidas, por la utilización de los EPI adecuados al riesgo de la situación. No sería posible, por ejemplo, el adecuado contacto en una palpación o el diálogo con el paciente infectado. También debe considerarse el impacto que produciría a un paciente infeccioso la aparición de personal sanitario pertrechado con EPI respiratorios técnicamente adecuados. En estos casos debe preverse la utilización de otro tipo de barreras o medidas organizativas que reduzcan en lo posible la exposición.
6. En muchos casos el riesgo no se puede eliminar completamente. La manipulación de una jeringa con aguja es en sí misma una situación peligrosa, ya que aunque se tenga experiencia y se conozca perfectamente el procedimiento y los movimientos a realizar, siempre existirá la posibilidad de un pinchazo o una rozadura con la aguja, situación sólo eliminable mediante la utilización de EPI específicos frente a ello, por otro lado, totalmente fuera de lugar.

7. Deben tenerse en cuenta los aspectos subjetivos relacionados con la edad y aspecto del paciente. Es habitual tomar medidas de protección frente a algunos pacientes (con bajo nivel de aseo, tatuajes o mal aspecto de su vestimenta) y no utilizarlas frente a otros (niños de corta edad o personas educadas con aspecto externo excelente).
8. En el trato con enfermos, deben aplicarse las misma precauciones universales que al manejar muestras biológicas, es decir tratar todos los casos como si fuesen potencialmente infecciosos para los virus de inmunodeficiencia humana, hepatitis B y hepatitis C y otros agentes patógenos transmitidos por sangre. En estos casos la protección frente al riesgo biológico es esencial.

Solución a las actividades

Actividad 1.

☐ a) Inferior al 15 %.

☐ b) Inferior al 25 %.

☑ c) Inferior al 50 %.

Actividad 2.

Vacunación de Hepatitis B

Actividad 3.

☐ a) Por encima de 1.

☐ b) Por encima de 5.

☑ c) Por encima de 10.

Actividad 4.

Inmediatamente al contacto accidental con sangre u otros fluidos hay que realizar las siguientes acciones:

a) Quitarse los guantes.

b) Lavarse cuidadosamente la herida con abundante agua y jabón.

c) Favorecer la hemorragia: con el propósito de eliminar los posibles microorganismos inoculados.

d) Tratar con antisépticos: como los iodóforos (povidona yodada), y en caso de alergia mediante cloramina.

Actividad 5.

Las fases de un Burnout son las siguientes:

a) Fase de estrés psicosocial.

b) Fase de estrés psicofísico.

c) Fase de cambios conductuales.

TEMA 5

Trabajo en equipo: equipo multidisciplinar e interdisciplinar, tipos de comunicación, factores que influyen, habilidades sociales para la comunicación. Apoyo emocional al mayor y familia

Índice

1. Comunicación: concepto y tipos de comunicación

El término «**comunicación**» proviene del latín y significa común. Cuando el TCAE se comunica con el resto del personal y con los pacientes, trata de compartir información, ideas, actitudes y sentimientos. Por tanto es fundamental para que dos personas se comuniquen entre sí, mantener sintonizado y en estado de atención e interés mutuo al que comunica y a la persona que recibe la comunicación.

Al primero se le denomina **fuente o emisor**, mientras que al segundo se le conoce como **receptor o destino**.

La «comunicación» es un proceso por el que una persona (fuente) produce estímulos con el fin de cambiar conceptos, actitudes y hábitos o costumbres de otras personas. En otras palabras, se puede decir que todo proceso de comunicación lleva implícita una modificación.

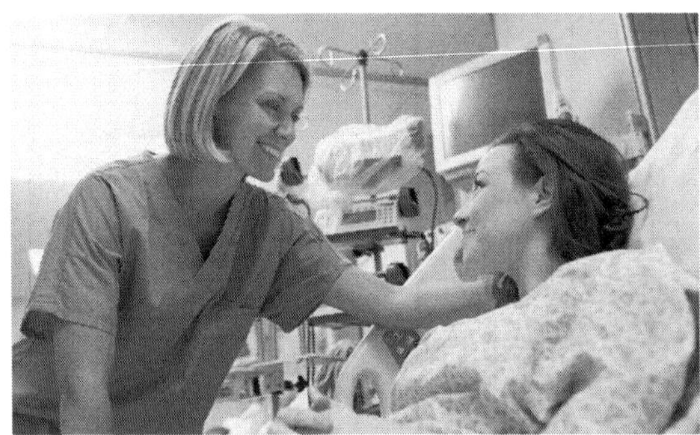

La «comunicación», por tanto, puede considerarse como el intercambio de significados entre las personas siendo la base de las relaciones humanas, profesionales y el proceso de la enseñanza-aprendizaje.

Comunicarse es en definitiva compartir informaciones, pero hay que establecer varios elementos en el proceso de la comunicación.

Existen tres tipos de estilos de comunicación: agresivo, pasivo o sumiso y asertivo. En función del estilo de comunicación utilizado, se provocará en la otra persona una serie de reacciones y expectativas con respecto a la conversación.

Es importante reconocer cada estilo de comunicación y entrenar aquel que nos aporta mayores habilidades sociales y comunicativas.

1.1. Elementos de la comunicación

Para que tenga lugar la comunicación se requiere de la existencia de varios elementos:

- **La fuente o emisor**: produce el mensaje; hay una intención comunicativa concreta.
- **Receptor**: es el destinatario de la parte de la comunicación a quien se le transmite el mensaje.

- El **mensaje** es el contenido de lo que se comunica en diferentes soportes. Puede ser oral (ondas acústicas en el aire), escrito (libro, revista, periódico) o una obra de arte. Es el primer elemento de comunicación.
- **Código**: es el *conjunto de signos* que le permite al emisor transmitir el mensaje, de manera que el receptor pueda entenderlo. Estos códigos pueden ser: *lingüísticos* (oral y escrito), no *lingüísticos* (visual, gestual, auditivo).
- **Medio o canal de comunicación**: es el soporte en el que se transmite el mensaje (aire, papel, etc.). Atendiendo a esta función (medio o canal empleado) la comunicación se clasifica en: oral, por gestos, escrita y por símbolos.

  Shannon plantea que para que se produzca la comunicación deben darse cinco aspectos considerados esenciales:

  1. Fuente o emisor.
  2. Codificación.
  3. Mensaje.
  4. Descodificación.
  5. Destino o receptor.

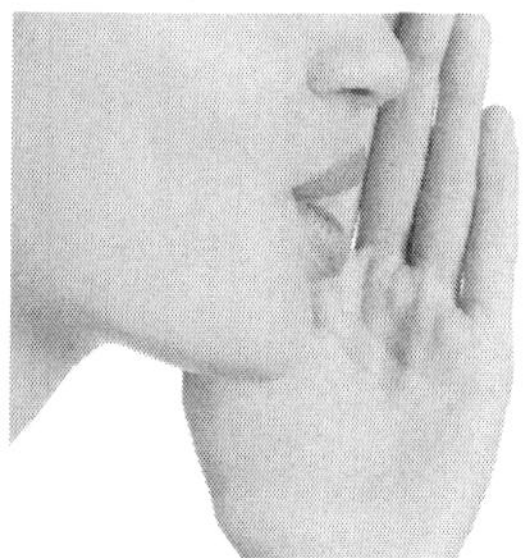

Emisor

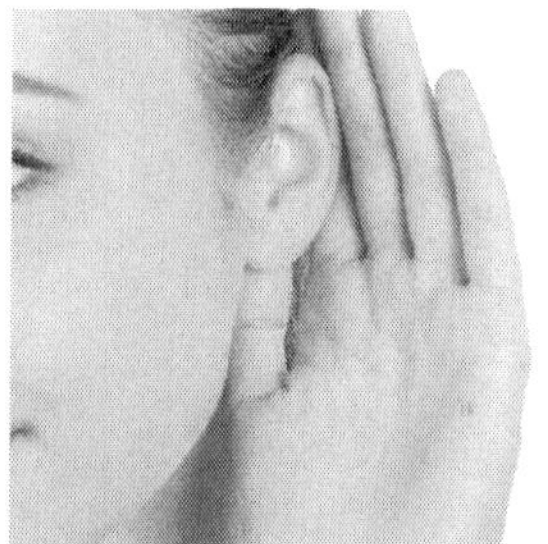

Receptor

El proceso de la comunicación consiste en la puesta en marcha de un conjunto de acciones por la necesidad de comunicar o intercambiar información entre individuos, y para ello es necesaria la codificación del mensaje, es decir, comprobar que en el modo que se transmite sea entendible para el receptor para que este pueda descodificarlo, entenderlo.

Si el mensaje no es codificado adecuadamente, es decir, acorde con el nivel o desarrollo cognitivo de la persona o personas a las que va dirigido, estas no podrán descodificarlo adecuadamente y por tanto no entenderán dicho mensaje. En estos casos no se produce el proceso de la comunicación. Ej. Un TCAE no puede hablar a su paciente en términos o lenguaje científico si este es profano en ese campo, puesto que será incapaz de descodificar el mensaje y no entenderá lo que se le quiere transmitir.

Cuando entre dos personas que conversan se establece comunicación se habla de **retroalimentación**. La retroalimentación indica cómo se ha establecido el mensaje entre ambas y permite ir viendo que se asimila bien el mensaje y se comprende lo que se quiere transmitir.

A través de la retroalimentación la fuente puede comprobar en qué grado el mensaje se ha descodificado por el receptor (interpretado).

Hay bibliografías que incluyen el contexto como elemento de la comunicación, ya que la circunstancia y el lugar engloban el acto comunicativo.

Además en la comunicación pueden presentarse «ruidos». Un **ruido** es la interferencia que tiene el mensaje para llegar al destino y se refiere a los elementos que pueden dificultar una buena percepción por el destino.

Los ruidos pueden ser *físicos* o *psíquicos*. Son ruidos físicos la contaminación acústica generada por múltiples elementos (circulación, herramientas, voces, etc.). Los ruidos psíquicos se refieren al estado psíquico y emocional en que se encuentra el individuo, por lo que dependen de factores subjetivos (grado de interés, atención, motivación, ansiedad, etc.).

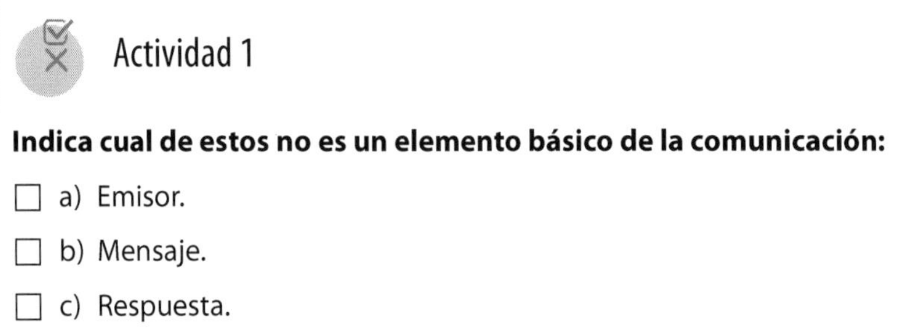

Actividad 1

Indica cual de estos no es un elemento básico de la comunicación:

- ☐ a) Emisor.
- ☐ b) Mensaje.
- ☐ c) Respuesta.

1.2. Tipos de comunicación

La comunicación está basada en el lenguaje de códigos. Dependiendo del signo que se utilice o del emisor y receptor, los tipos de comunicación son:

1. **Según el código utilizado**:
   - *Lingüística*: aquel que utiliza letras o grafos (para formar lexemas). Puede ser oral o escrito.

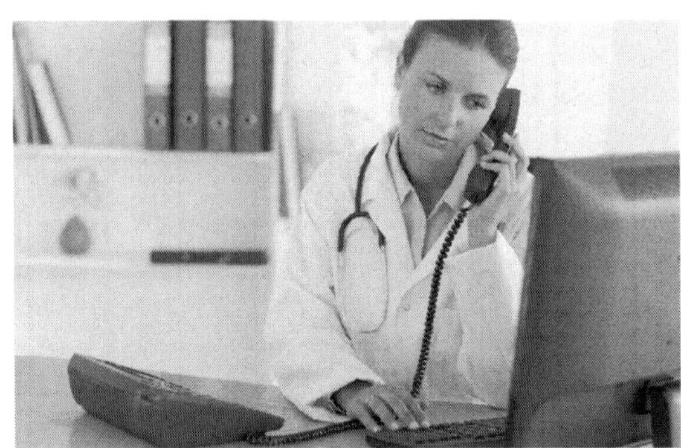

- *No lingüística:*
  * Visual: el código utilizado son figuras, dibujos, etc.
  * Gestual: el código utilizado es corporal (gestos).
  * Acústica: el código utilizado es un ruido producido por un aparato.

2. **Según la relación emisor – receptor**:
   - *Comunicación vertical.* Se emite un mensaje por parte del emisor que llega al receptor, consiguiendo que este ejecute una tarea o una función. Es decir, emisión de un mensaje que finaliza en el receptor con la ejecución de una tarea. Hay diferencia entre la posición de cada uno de los intervinientes. Este tipo de comunicación puede ser ascendente; si el mensaje lo trasmite la posición más baja (empleado de una categoría inferior) o, descendente; en el caso de ser trasmitido desde una posición más alta, (jefe del servicio).
   - *Comunicación horizontal.* Es la que se refiere a la trasmisión de la información entre personas o departamentos de un mismo nivel o área de trabajo. Su objetivo es agilizar los procesos intercambiando información.
   - *Comunicación participativa.* La fuente emisora emite un mensaje que es recibido por el receptor consiguiendo la participación de este y la emisión de un nuevo mensaje. Es decir, se emite un mensaje que recibido por el receptor consigue en este un efecto y que a su vez participe en la emisión de un nuevo mensaje.

Sea cual sea el modo (lingüístico o no lingüístico) de comunicarse entre el paciente y su interlocutor, la importancia del proceso de la comunicación radica en que esta sea bidireccional, interactiva y comprensiva.

Recuerda que el 75 % de la comunicación es del tipo "no lingüístico".

Sabías que...

La comunicación verbal es el tipo de comunicación en la que se utilizan signos lingüísticos en el mensaje. Los signos son en su mayoría arbitrarios y/o convencionales, ya que expresan lo que se transmite y además son lineales; cada símbolo va uno detrás de otro.

Es decir, atendiendo al canal o medio utilizado, podrá trasmitirse por gestos, oral, escrita o por símbolos y cada una a su vez, tendrá distintos modos.

Existen muchas formas de comunicarnos, tanto con el paciente como son sus familiares, pero también es muy importante observar la actitud o comportamiento en ellos y comprobar que han entendido lo que queremos trasmitir. Una buena comunicación nos ayudará a alcanzar los objetivos sanitarios de una manera más eficaz, como:

- El pronóstico de la enfermedad, estado de salud y cumplimiento del tratamiento.
- Capacidad para detectar problemas que este teniendo el paciente, la mala praxis o la satisfacción del mismo.

3. **Según el canal de comunicación**:
   - *Unidireccional.* Un solo sentido. Sin retroalimentación.
   - *Bidireccional.* Comunicación con posibilidad de retroinformación.
   - *Multidireccionales.* Pluralidad de participantes.
4. **Por el radio de acción respecto a la institución**:
   - *Internas.* Emisor y receptor pertenecen a la misma institución.
   - *Externas.* No pertenecen a la misma institución.

   Sea cual sea el modo (lingüista o no lingüista) de comunicarse entre el paciente y su interlocutor, la importancia del proceso de la comunicación radica en que esta sea bidireccional, interactiva y comprensiva. Recuerde que un amplio porcentaje de la comunicación es del tipo "no lingüista".

2. Humanización de la asistencia sanitaria

En principio podemos afirmar que es una cuestión compleja e íntimamente relacionada con los valores y principios humanos.

El Diccionario de la Real Academia Española define humanizar como "hacer humano, familiar y afable a alguien o algo", humano como "comprensivo, sensible a los infortunios ajenos" y humanización, "la acción y efecto de humanizar o humanizarse".

Al igual que otros diccionarios, recoge los significados de: sensibilidad, compasión, generosidad, nobleza, cortesía, indulgencia, cordialidad, consideración, etc.

La Asamblea de Parlamentarios del Consejo de Europa, que en 1965 remitió a sus miembros un proyecto de recomendación para que pusiesen todos sus esfuerzos en asegurar un mínimo de seguridades a los enfermos, explicando que para que los hospitales sean más humanos y exista un mayor respeto a la dignidad humana se requería: formación del personal médico y organización de los servicios médicos para una mejor atención del enfermo, informar al enfermo sobre su enfermedad y tratamiento específico; velar para que el enfermo pueda prepararse psicológicamente para la muerte.

El Defensor de Pueblo de la época entendía que eran tres las áreas sobre las que había que incidir para humanizar la asistencia sanitaria:

- La perspectiva jurídica.
- La humanización de las infraestructuras y de las estructuras materiales y técnicas de la asistencia sanitaria.
- El aspecto ético: la humanización de los comportamientos, de las conductas recíprocas en las relaciones entre los enfermos, los médicos y cuantos cooperan a la protección de la salud.

En 1984, el INSALUD edita su *Plan de Humanización de la Asistencia Hospitalaria*; en él recoge que la enfermedad genera una situación de indefensión que hace sentir a la persona desvalida, por lo que necesita un sistema sanitario lo más humano posible. Además expresaba que: "La propia tecnificación de la medicina y la masificación despersonalizada, añade suficientes componentes para que el paciente se sienta frecuentemente desvalido, frente a esa situación que no domina".

Como el mismo plan refería, el reconocimiento de todos los ciudadanos del derecho a la salud, tal como hace la Constitución Española en su artículo 43 y la Ley General de Sanidad, que universaliza el derecho a la protección de la salud y la asistencia sanitaria a todos los españoles, ha ido acompañado de un proceso de tecnificación y masificación. Parece como si un doble proceso paralelo hubiera tenido lugar: la extensión de la asistencia sanitaria a todos y la deshumanización de la misma. Y en este segundo proceso, pudiera olvidarse fácilmente que la asistencia se está procurando a una persona que se encuentra en un particular momento de debilidad cuya respuesta no puede reducirse a una intervención técnica por muy apropiada que esta sea y muy al alcance de todos que este.

Este Plan resume la humanización de la asistencia en 16 puntos:

1. Carta de presentación y recepción del paciente.
2. Información general, normas de funcionamiento, visitas, etc.
3. Carta de Derechos y Deberes.
4. Seguimiento de la Carta de Derechos y Deberes.
5. Servicio de Atención al Paciente.
6. Comisión de Humanización de la Asistencia.
7. Control y tratamiento de las listas de espera.
8. Encuesta de poshospitalización.
9. Señalización del Hospital.
10. Maestros en Hospitales Infantiles.
11. Favorecer la unión madre-hijo ingresado.
12. Biblioteca para pacientes.
13. Información al paciente sobre autopsias y donación de órganos.
14. Citación horaria en Consultas Externas.
15. Ampliación del horario de visitas.
16. Comida de los pacientes a la carta.

En el mismo año, el Director General del INSALUD, Francesc Raventós Torras afirmaba:

"Podemos decir que un sistema sanitario humanizado es aquel cuya razón de ser es estar al servicio de la persona y, por tanto, pensado y concebido en función del hombre. Para que esto se realice debe ser un sistema sanitario integrado que proteja y promueva la salud, que corrija las desigualdades sanitarias, que elimine las discriminaciones de cualquier tipo, que de participación al ciudadano en el mismo y, en definitiva, que garantice la salud de todos los ciudadanos en su concepción de estado completo de bienestar físico, mental y social, tal como declara la Organización Mundial de la Salud".

Reconocía que la humanización tenía que ver con la gestión, con la concepción del sistema sanitario, con el funcionamiento de las estructuras sanitarias, con la mentalidad de las personas involucradas en el sistema, con la competencia profesional y con elementos no fácilmente comunicables ni mensurables, como el dolor evitado, el sufrimiento prevenido, las capacidades recuperadas, y la alegría recobrada.

Igualmente se entendía que, para que los centros sanitarios fueran más humanos y existiera un mayor respeto a la dignidad humana, se requería: formación del personal y organización de los servicios sanitarios para una mejor atención del enfermo, informar al enfermo sobre su enfermedad y tratamiento específico; y velar para que el enfermo pueda prepararse psicológicamente a la muerte.

El Plan de Humanización se encuentra actualmente integrado en un Programa de Garantía de Calidad Total, que responde a:

1. Asegurar a cada Usuario del sistema la atención adecuada con objeto de obtener resultados óptimos para su salud.
2. Proveer a todos los profesionales de la salud de un método de autoevaluación que les permita optimizar sus actividades y mejorar sus conocimientos, propiciando su motivación.
3. Proveer a los Gestores de un instrumento eficaz para identificar las desviaciones que se produzcan en el sistema y proceder a su corrección.
4. Aportar suficiente evidencia objetiva de que los fondos públicos son utilizados eficaz y eficientemente, con el máximo de efectividad sin merma en la adecuada atención al enfermo.
5. Analizar y evaluar toda innovación tecnológica, previa a su implantación en el sistema de salud.

3. Habilidades para la comunicación

Por **habilidad** se entiende la "capacidad y disposición para hacer algo".

Existen ciertas habilidades que debe desarrollar todo el personal de una organización, en orden a cumplir las expectativas del paciente y su familia. Estas destrezas se refieren a la comunicación y son:

- **Comportamiento o lenguaje no verbal**. ¿A quién no le impactan ciertas características de una persona cuando se la ve por primera vez?, su aspecto físico, la manera de moverse, su forma de vestir, su contacto personal con nosotros o con otras personas, etc. Estas son las habilidades que se han de conseguir para lograr una buena imagen ante el paciente y su familia. Es muy importante cuidar el "comportamiento no verbal" del profesional que va a prestar ayuda, porque supone alrededor del 45 % de un mensaje. Es la primera impresión que se llevan de nosotros.
- **Escuchar**. El sentido del oído es una de las características con las que cuenta el ser humano. Oír es un comportamiento deliberado con el cual nacemos casi todos, es una acción refleja involuntaria, mientras que escuchar es voluntaria. Es una habilidad que, aunque natural, debe ser desarrollada. Nos referimos a escucha activa cuando prestamos atención y hay interés por aprender o captar la información.

Recuerda que...

Escuchar implica mostrar interés y atención es un proceso sensorial.

Es importante escuchar para adquirir información que permita conseguir un buen conocimiento del problema que tiene el familiar o el paciente, así como para mantener una sólida relación con ellos.

Los elementos que hay que desarrollar para mejorar el nivel como escuchas y así detectar de mejor manera las necesidades, son: la *percepción*, hay que prestar atención verdadera (percibir y entender) a las expresiones de las personas. La *distracción*: en el momento de escuchar a un cliente no nos podemos permitir estar desconcentrados, en ese momento tenemos que estar al 100% con el paciente o su familiar y enfocados en lo que se nos está comunicando. La *evaluación*: debemos aprender a analizar tomándonos el tiempo necesario para ello, seleccionando lo que estamos escuchando o ya hemos escuchado y determinando lo que es realmente importante.

- **Preguntar**. Esta tercera habilidad de comunicación es muy importante porque se considera la manera más directa y sencilla para recoger la información de quien tenemos enfrente; además, es una forma de mostrar interés y empatía por nuestro interlocutor. Es importante cuidar la forma en que preguntamos y la expresión de la pregunta. La forma en que preguntamos tiene que ver con el vocabulario utilizado, la estructura, es decir, si lanzamos preguntas abiertas o con múltiples alternativas, si son directas o no, etc. Se debe tratar de ofrecer diferentes alternativas, cuando sea posible, al paciente y al familiar, además el vocabulario siempre ha de ser respetuoso y amable. La expresión de la pregunta se relaciona con el ritmo, que no es más que la cantidad, frecuencia y secuencia de las palabras y con la actitud, es decir, expresiones de aprobación o reprobación, intolerancia o cercanía..., al efectuar la pregunta debemos ser neutrales.
- **Sentir**. Mediante esta habilidad transmitimos empatía y allanamos el camino a los buenos resultados. Cuando se habla de sentir nos referimos a ponernos en el lugar del paciente o del familiar, a sentir lo que el otro siente con respecto a una situación o problema particular. Para desarrollar esta habilidad debemos saber diagnosticar, escuchar y preguntar; además debemos conocernos muy bien a nosotros mismos, nuestros servicios y las capacidades que tenemos para resolver el problema, de esta manera podremos comprender más fácilmente y ponernos en el lugar del paciente y su familiar, ya que solo así llegamos a conocerlo verdaderamente.

Fundamentos de la comunicación interpersonal	Comportamiento no verbal Escuchar Preguntar Sentir

Desarrollando las cuatro habilidades podremos acercarnos más a los pacientes y sus familiares y de esta manera adelantar estrategias que permitan acortar la brecha entre lo ofrecido y sus expectativas.

Habilidades de relación interpersonal

La relación interpersonal es aquella que se establece entre dos o más personas y que consiste en la interacción recíproca entre ellas. El fundamento de la relación está apoyado en la vinculación que se establece entre estas personas, por el hecho de haberse encontrado como tales. Esta relación interpersonal involucra los siguientes aspectos: habilidad para comunicarse clara y directamente, habilidad para escuchar atentamente, habilidad para solucionar conflictos y habilidad para expresarse de manera honesta y auténtica.

Fundamentos de la relación interpersonal	Comunicarse Escuchar Solucionar Expresar

Estas destrezas o habilidades en las relaciones interpersonales también pueden desarrollarse a nivel social, de comunicación, de autoconocimiento y de límites.

Recuerda que...

En la relación interpersonal el objetivo es la **ayuda** para el desarrollo de las personas con la intención de alcanzar una mayor calidad de vida en sociedad.

En las relaciones interpersonales hay cinco procesos fundamentales que impactan directamente en ellas: percepción, pensamiento, sentimiento, intencionalidad y acción.

- La **percepción** es el proceso mediante el cual las personas interpretan y organizan la información con la finalidad de darle significado y comprensión a su mundo. Gracias a la percepción se inician los procesos del pensar, sentir y actuar. En este proceso también influyen los valores personales, las creencias, los pensamientos y el mundo de la acción.
- El **pensamiento** es el proceso a partir de la cual se analizará y evaluará la situación, para emitir un juicio sobre lo que nos afecta y así plantear conductas y organizar acciones de acuerdo con la información que se posee.
- El **sentimiento** es el estado afectivo del ánimo que se produce por causas que lo impresionan vivamente y según el cual se tomarán las decisiones.
- La **intencionalidad** es la determinación de la voluntad en orden a conseguir un fin (objetivo). Estos objetivos constituyen el "activador" de la conducta y son la fuente principal de la motivación.
- La **acción** viene condicionada por la percepción, los sentimientos, el pensamiento y la intencionalidad, y determinará lo que hacemos para alcanzar nuestro objetivo.

Percepción	Proceso mediante el cual las personas interpretan y organizan la información con la finalidad de darle significado y comprensión a su mundo.
Pensamiento	Proceso a partir de la cual se analizará y evaluará la situación, para emitir un juicio sobre lo que nos afecta y plantear conductas y organizar acciones de acuerdo a la información que se posee.
Sentimiento	Estado afectivo del ánimo que se produce por causas que lo impresionan vivamente y según el cual se tomarán las decisiones.
Intencionalidad	Determinación de la voluntad en orden a conseguir un fin (objetivo).
Acción	Hacer consciente que se expresa en objetivos.

Procesos fundamentales de la relación interpersonal

Según Lluch, además de estos factores, en el proceso de comunicación deben darse unos requisitos fundamentales que ponemos en marcha en la observación, estos son: la **receptibilidad**; el receptor debe estar dispuesto para captar el mensaje y lo que observa (en este caso señales o lenguaje corporal), el segundo de los factores es la **intencionalidad**: tenemos que tener la intención de mantener una conversación y para ello se necesita atención. Por último, la **memoria**: importante para recordar la conversación, la información tanto del lenguaje corporal como del medio y así poder dar señales al receptor de que lo estamos escuchando.

Las relaciones interpersonales han de ser saludables y eficientes. Para que sean saludables han de cumplir las siguientes premisas:

1. **Honestidad y sinceridad**. Nos permite explorar los límites sociales y contrastar nuestra verdad con la de los demás.
2. **Confianza**. La seguridad de uno mismo alienta a obrar.
3. **Respeto y afirmación**. Permite la creación de un espacio psicológico y social en el que desarrollar la relación personal según la propia visión de las cosas de uno y de los demás.

Gracias a ello podremos saber si la relación es saludable o no. Es saludable cuando existe *empatía* (capacidad humana para comprender, identificar y ponernos en el lugar de la persona que sufre). Hay intención de ayuda, alivio o evitación del malestar, *comprensión* (capacidad humana para entender y percibir las cosas) y *sabiduría* (conocimiento profundo que permite tener un comportamiento prudente, honesto y sincero con respeto a la libertad de decisión).

Las relaciones interpersonales son **eficientes** (buenas) cuando producen:

1. Satisfacción. Se describe el problema existente.
2. Autenticidad. Está orientada al problema existente.
3. Empatía. Capacidad para entender y ponerse en el lugar de la otra persona.
4. Compañerismo. Se desarrolla en un régimen de igualdad.
5. Efectividad. Produce provisión.

Las relaciones interpersonales son **deficientes** cuando producen:

1. Falta de asertividad (no expresamos lo que sentimos o nuestras necesidades, afecta a la autoestima). Aparece la frustración.
2. Ansiedad (produce inquietud, zozobra, agitación).
3. Ira (cuando la situación es frustrante y no se consigue lo que se quiere).
4. Agresividad (provoca respuesta violenta, desproporcionada).
5. Actitud negativa (provoca repulsa).
6. Deserción (provoca desamparo o abandono).

Saludable	Honestidad. Confianza. Respeto.
Eficiente	Satisfacción. Autenticidad. Empatía. Compañerismo. Efectividad.
Deficiente	Ausencia se asertividad. Ansiedad. Ira. Agresividad. Negativa. Deserción.

Relación interpersonal

Los problemas en las relaciones interpersonales ocurren como resultado del compromiso de los involucrados en sus propias perspectivas, ideas, opiniones y sentimientos que abusan o pasan por alto los de los otros. Las relaciones giran en torno a las necesidades de las personas. Necesidades de autorrealización satisfechas edifican relaciones interpersonales y producen comportamientos positivos. Por ello, la meta de cualquier relación es cumplir las necesidades existentes. Las necesidades que no son cumplidas (insatisfechas) destruyen las relaciones y producen comportamientos negativos.

Una relación interpersonal es buena cuando: hacemos valoraciones positivas, satisface nuestra necesidad y nos ayuda en la autorrealización, origina empatía, se desarrolla en un régimen de igualdad y, produce provisión. Son comportamientos inefectivos dentro de la relación interpersonal el juzgar, controlar, dar imagen de superioridad, etc. ya que la valoración que hacemos es negativa.

Las etapas de una relación interpersonal insatisfecha son: cooperación, desquite, dominación, aislamiento. **Cooperación**: la acción conjunta de unos y otros para conseguir un mismo fin requiere seis cualidades (compromiso, objetivo común, desinterés, confianza y respeto mutuo, creatividad y compromisos renovados). **Desquite**: se vuelve a la situación anterior procurando reintegrarse de lo perdido. Aparece cuando se olvida que se es "socio" en la relación; esta etapa surge cuando se da el paso de salir de la relación y tiene varios segmentos (asumir demasiado de la otra persona, tomar la iniciativa para cumplir sus necesidades): demandar o manipular, agredir y luchar por el control. **Dominación**: poder para disponer de lo que es de uno. Las personas dominadas sacan tres conclusiones antes de optar por el aislamiento (la persona no se preocupa por sus necesidades al sentir que es rechazada y autocompasión; ven al dominador como egoísta y no como socio. Concluyen que no tienen que perdonar a la otra persona, ya que se ha pasado el límite del aguante. Dan por hecho que no van a cumplir sus necesidades. **Aislamiento**: se aparta de la comunicación y del trato con los demás. Aparece cuando se deja de luchar, se ignora a la otra persona, cesa la comunicación, se pierde la confianza, aparecen nuevos problemas, aparece egoísmo. El resultado es la rotura de la relación.

Cooperación	**Acción conjunta para conseguir el mismo fin.**
	Compromiso. Objetivo común. Desinterés. Confianza y respeto mutuo. Creatividad. Compromiso renovado.
Desquite	**Vuelta a la situación anterior llenándose de lo perdido. Surge cuando se olvida la relación de "socio".**
	Asumir demasiado de la otra persona. Tomar la iniciativa para cumplir las necesidades: – Demandar o manipular. – Agredir. – Luchar por el control.
Dominación	**Poder para disponer lo que es de uno.**
	La persona se siente rechazada. Ve al dominador como egoísta y no socio. Saca conclusiones: – No tiene que perdonar. – Ha llegado al límite. – No se cumplirán las necesidades.
Aislamiento	**Deja de comunicar; se aparta del trato con los demás.**
	Deja de luchar. Ignora a la otra persona. Cesa la comunicación. Se pierde la confianza. Aparecen otros problemas nuevos. Surge egoísmo.

Etapas de la relación interpersonal insatisfecha

La relación interpersonal ha de basarse en **tres pilares fundamentales** que, por orden de importancia, son: sinceridad, confianza y respeto. **Sinceridad**: la relación ha de ser veraz, honesta, sencilla, expresada de modo libre sin hipocresía y sin fingimiento. **Confianza**: la esperanza firme que se tiene de alguien es un elemento vital en cualquier relación, permitiendo conocer el problema subyacente para proporcionar la ayuda. **Respeto**: acatar que lo que hace alguien es importante. Se consigue la creación de un espacio psicológico y social en el que se respeta la intimidad personal y se fomenta la libertad para desarrollar la visión de las cosas.

Sinceridad	Confianza	Respeto
Libre de mentiras e hipocresía.	Esperanza firme en alguien.	Acatamiento.
Honesta.	Permite conocer el problema.	Consigue crear intimidad.
Sencilla.	Permite ayudar.	Fomenta la libertad.
Libre.		

Pilares fundamentales de la relación interpersonal

Pero toda relación interpersonal no siempre es positiva. Hay momentos en los que se producen situaciones negativas, desagradables, que hay que controlar tomando decisiones o adoptando actitudes positivas para que mitiguen y difuminen el impacto dañino. El propósito es mantener una relación de fortaleza. Para controlar estas relaciones negativas se sugiere: no dar demasiada importancia a aquello que en realidad no la tiene, no dejar que las emociones dominen al intelecto (en estos casos lo mejor es buscar el equilibrio emocional), respetar la posición de la otra persona y pensar que es tan válida como la tuya, por último no encerrarse en la propia frustración, exteriorizando el problema hablándolo con alguien de confianza.

Para finalizar esta parte de la exposición, decir que la duración de una relación estará en función de varios factores: número de personas involucradas, propósito de la relación, compromiso de la relación, valor que la relación tiene para cada uno, nivel de madurez de los individuos y por último de las necesidades cumplidas.

Actividad 2

Para que sean saludables las relaciones interpersonales han de cumplir las siguientes 3 premisas:

1. ______________________________

2. ______________________________

3. ______________________________

4. El proceso de comunicación y estilos de comunicación y relación

4.1. Factores que influyen en la comunicación

4.1.1. Elementos de la comunicación paciente/sanitario/familia

Es necesario hacer algunas consideraciones prácticas en la comunicación con el paciente y sus familiares.

Por parte del TCAE, es necesario:

- Estar atento, saber callar para escuchar adoptando una actitud favorable de escucha, en la que se demuestre interés por el paciente y su entorno inmediato.
- Se debe favorecer la expresión y comunicación con el paciente cuando quiere transmitir algo. Se trata de crear un ambiente distendido y manifestar cierta empatía hacia el propio enfermo o/y sus familiares.
- Favorecer situaciones de comunicación con el paciente, aunque evitando que se sienta presionado a hablar, ya que eso genera desconfianza y aislamiento.
- En la medida de lo posible no debe interrumpirse al paciente cuando trata de expresar alguna preocupación, dolencia, sentimiento, etc.
- El profesional de la salud debe ser consciente de que su actitud general, forma de presentación ante los pacientes y/o familiares, aspecto físico y forma de vestir, expresión corporal y mímica influyen de manera favorable o desfavorable en la comunicación con el paciente.
- Cuando tenemos que hablar con el paciente o sus familiares debemos hacerlo utilizando un lenguaje claro, que evite, en la medida de lo posible, los tecnicismos científicos. Las palabras deben ser conocidas en el lenguaje coloquial y las frases han de ser cortas, precisas y claras. Debe hablarse lo preciso, evitando cualquier tipo de tertulia.

- Los familiares y el paciente no deben percibir, en ningún caso, en los profesionales sanitarios desinterés por su situación, bien sea porque se trata de un proceso habitual, por prisas, falta de empatía, etc.
- Debemos evitar emitir cualquier juicio de valor u opinión sobre el proceso del paciente, tanto al propio enfermo como a la familia.
- El tono de voz debe adecuarse a cada paciente y circunstancia y las expresiones corporales y mímicas deben ser mínimas, ya que se trata de un lenguaje ambiguo, poco preciso y susceptible de valoraciones muy subjetivas.

- Descubrir la importancia que tiene entender al paciente como persona teniendo en cuenta sus necesidades (fisiológicas, de autorrealización, religiosas y culturales, de autoestima, de afecto, etc.). Es importante comportarse con educación, simpatía y respeto a la hora de informarle de cualquier actuación.
- Adecuarse, en la medida de lo posible, al tipo de paciente (quirúrgico, psiquiátrico, geriátrico, pediátrico, etc.), teniendo en cuenta la clase y características de la enfermedad que padece.

Por parte del paciente y los familiares:

- Deben conocer la carta de derechos y deberes del paciente, ya que tienen derecho a recibir cuanta información deseen sobre aspectos de las actividades asistenciales que afectan a su proceso de tratamiento y situación personal.
- Los familiares deben conocer las horas de atención que el hospital tiene establecidas para poder hablar con el médico responsable.

4.1.2. Métodos y forma de comunicación en situaciones de enfermedad

El TCAE, al igual que otros profesionales, debe tener en cuenta una serie de consideraciones prácticas sobre los métodos utilizados en la comunicación con el paciente y/o sus familiares.

Charla o explicación

Es el método que permite a una persona hacer comprensible a otra cualquier idea o hecho que se le quiere transmitir.

El que explica trata de conseguir de la otra persona la comprensión de lo que le está transmitiendo y que esta comprensión sea semejante a la suya. Se puede decir, por tanto, que la idea final de una explicación es influir sobre las actuaciones y conductas de las personas a través de la comprensión.

En realidad este es el método fundamental utilizado por nosotros en la comunicación con los pacientes.

Lenguaje corporal

La comunicación no verbal, a través de las expresiones de la cara, los ojos, la sonrisa y la aproximación o contacto físico, forma parte de la comunicación con el paciente y sus familiares. Igualmente las actitudes y aptitudes forman parte del proceso de comunicación.

La distancia física para el diálogo con el paciente tiene también importancia en la comunicación, es lo que conocemos como proxemia.

La **proxemia** es la disciplina que estudia cómo gestionamos los espacios en nuestra interacción social, laboral y personal con otros individuos.

Sabías que...

En ciertas culturas orientales se considera de mala educación mirar directamente a los ojos de otra persona. Acto semejante es considerado por el interlocutor como un desafío y no como una señal de mayor atención al mensaje.

Algunos autores hablan de que hay diferentes tipos de distancia según la separación existente entre los dos interlocutores: **distancia pública,** cuando el profesional sanitario que comunica con el paciente está separado de él más de dos metros; **distancia social** (entre 1-2 metros); **distancia personal** (entre 0,5-1 m) y **distancia íntima** (0,50 metros).

Convicción

Este método pretende ejercer una influencia sobre el pensamiento crítico de las otras personas, ya que convencer es en definitiva persuadir a otra persona para que crea algo.

Este método es muy utilizado en el campo de la salud, sobre todo cuando se realiza educación sanitaria a los enfermos. Ejemplo: orientaciones sobre el tratamiento a pacientes diabéticos.

Sugestión

Es un método de influencia oral del inductor sobre la mente del receptor, no argumentado lógicamente, que se realiza cuando hay un bajo nivel de concienciación del receptor, que depende de las particularidades de su personalidad y se acepta de forma no crítica.

Es una técnica altamente especializada que no forma parte de la comunicación habitual con los pacientes, sino que es una forma de tratamiento en determinados aspectos nosológicos.

4.1.3. Factores que facilitan y obstaculizan la comunicación paciente/sanitario/familia

Para establecer una *buena relación de empatía* y la comunicación adecuada con el paciente y/o sus familiares es necesario tener en cuenta los siguientes factores:

- **Léxico**: usar un lenguaje adecuado a cada caso. No todos los pacientes tienen el mismo nivel cultural y por tanto las palabras y su significado deben ser conocidas, en el momento del diálogo, tanto por la fuente emisora como por el destinatario.
- **Terminología científica**: es conveniente evitar la terminología científica y médica, puesto que la población en general la desconoce.
- **Expresión**: hablar correctamente, con lógica y precisión.
- **Comentarios**: evitar comentarios improcedentes o innecesarios.

- **Atención y escucha activa**: procurar hablar siempre mirando a la cara y atendiendo a las expresiones del paciente, ya que los enfermos transmiten mensajes a través de la comunicación no verbal (gestos, posturas, aptitudes, etc.). Pedirle opinión.
- **Respeto**: saber escuchar para después hablar (respeto a quien habla). Es importante demostrar una actitud que permita al paciente expresar su ansiedad.
- Escoger un **lugar adecuado** favorece la fluidez de la comunicación.

Pero también existen barreras o *dificultades para la comunicación* con el paciente y/o los familiares, entre las que se encuentran:

- **Lenguaje**: cuando el técnico usa distinto lenguaje, de manera que el paciente no puede descodificarlo y por tanto interpretarlo.
- **Fluidez verbal**: hablar demasiado deprisa dificulta la comprensión. Hablar muy lentamente puede aburrir y hacer que el paciente pierda el interés.
- **Momento**: hablarle al paciente en momentos inoportunos (dolor, somnolencia, etc.).
- **Valoraciones**: hacer juicios de valor o dar opiniones sobre temas para los que no existe una moral universal y por tanto no se comparten opiniones.
- **Sinceridad**: la percepción de que se ocultan cosas, cambiar de tema en una conversación inacabada en la que el paciente tiene interés, etc., dificultan de forma significativa la relación y la comunicación.

- **Discapacidades físicas**: sordera, ceguera, etc.
- **Discapacidades psíquicas**: cuando existen alteraciones psíquicas que cursan con disminución de las capacidades intelectuales y, a veces, físicas (psicosis, neurosis, alteraciones de la memoria, etc.).
- **Disemia**: dificultad en la comunicación no verbal, las personas son incapaces de reconocer señales, emociones, gestos o lenguaje corporal, se puede dar tanto en el emisor como en el receptor.

4.2. Empatía y escucha activa

La empatía es la capacidad que tiene una persona para ponerse en el lugar de otro y compartir sus sentimientos. Dicho de otro modo y adaptado a nuestro medio la empatía es la capacidad de un técnico en cuidados auxiliares de enfermería de vivenciar la manera en que siente el paciente y de compartir sus sentimientos, lo cual puede llevar a una mejor comprensión de su comportamiento o de su forma de tomar decisiones.

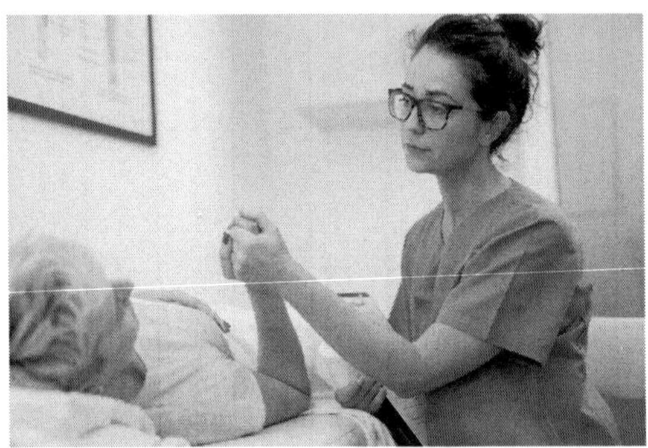

La **escucha activa** puede definirse como un conjunto de comportamientos y expresiones que adopta el profesional sanitario ante el enfermo o sus familiares para comunicarle, de distintas maneras, que ha entendido y/o comprendido lo expresado por el propio enfermo.

Reglas básicas para una escucha activa:

- Estar en silencio durante la escucha.
- Responder estrictamente cuando sea preciso a lo manifestado por el paciente y/o familiar.
- Resumir lo que ha dicho el paciente o sus familiares, resaltando los aspectos más importantes, como una manifestación de interés y comprensión. La técnica del espejo consiste en imitar los gestos de nuestro interlocutor como medio de generación de confianza, ya que está comprobado que cuando los gestos y movimientos entre dos personas se parecen, ambas se sienten mucho más cómodas, favoreciendo así su relación.
- Demostrarle, además, que se ha entendido y comprendido bien lo que el enfermo o familiar ha dicho a través de alguna afirmación o pregunta clave sobre sus sentimientos.

La **escucha pasiva,** en cambio, se refiere al procedimiento seguido por el profesional sanitario para demostrarle al paciente que ha entendido y comprendido su mensaje, pero sin utilizar para ello el lenguaje verbal. Se vale de un gesto, una palmada, un movimiento afirmativo, una sonrisa, etc.

4.3. Actitudes y motivación

La **actitud** es una disposición estable de la personalidad para reaccionar ante ciertas situaciones mediante conductas sistemáticas y uniformes.

Otros autores definen la actitud como una forma organizada y duradera de pensar, sentir y reaccionar hacia un objeto, situación o persona. Teniendo en cuenta lo anterior, se establecen tres aspectos a considerar en las actitudes:

- **Objeto**: es todo aquello frente a lo cual el sujeto puede reaccionar (personas, objetos, situaciones, etc.).
- **Dirección**: las actitudes se relacionan con el estado afectivo de la persona y pueden oscilar entre una aceptación total o un rechazo total, pasando por todas las situaciones intermedias posibles.
- **Intensidad**: las actitudes varían según la fuerza o intensidad con que se vive el fenómeno.

En toda actitud hay varios componentes:

- **Componente cognoscitivo**: formado por la idea, el conocimiento o la creencia que se posee de una persona, objeto o hecho.
- **Componente afectivo**: se refiere al grado de motivación que hace ser favorable o desfavorable la vinculación afectiva con la persona o el hecho. Se refiere a los motivos que impulsan a actuar de una determinada manera.

- **Componente conductual**: formado por la tendencia de la conducta que se traduce en comportamientos determinados.

Existe una interrelación entre el componente cognoscitivo y el afectivo, pero no está bien establecida la que pueda existir entre el componente afectivo y el comportamiento.

Las actitudes se adquieren por métodos diversos:

- **Imitación**: las conductas o reacciones se aprenden espontáneamente por transmisión mimética de los semejantes. Se imitan sobre todo las actitudes de los más capacitados.
- **Instrucción**: la persona es instruida por otra sobre las actitudes que debe asimilar. Es una forma específica de transmitir la información.
- **Enseñanza**: es la forma más correcta de promover actitudes favorables aunque también la más difícil en la obtención de éxitos. Respeta la independencia de la persona y le permite ir construyendo y consolidando su forma de ser y actuar. A la vez se favorece la aparición de nuevas actitudes.

4.4. La comunicación asertiva para afrontar situaciones conflictivas

Definimos la **asertividad** como aquella habilidad personal que nos permite expresar sentimientos, opiniones y pensamientos, en el momento oportuno, de la forma adecuada, sin negar ni desconsiderar los derechos de los demás.

Es decir lo que se piensa, sin agresividad y con respeto hacia los demás.

Ser asertivo implica: saber decir «no» ante una demanda no justificada, saber y reconocer que podemos equivocarnos pero, sobre todo, que asumimos esta responsabilidad, saber que no tenemos respuestas ni soluciones para todo, saber que hay pacientes con los que la relación puede ser muy distante, saber que trabajamos en equipo y que no tenemos por qué conocer todo lo que nos pregunten, que podemos consultar o derivar a otros profesionales…

En definitiva, ser asertivo implica tener el valor suficiente para mostrarse como uno es, con nuestras limitaciones y virtudes.

La persona con este estilo de comunicación es capaz de expresar sus sentimientos, ideas y opiniones, defendiendo sus derechos y respetando los de los demás. Cuando hace esto, facilita que los otros se expresen libremente y lo hace utilizando de la forma más adecuada posible los componentes conductuales de la comunicación. El objetivo fundamental de la persona asertiva no es conseguir lo que desea a cualquier precio, sino ser capaz de expresarse de forma adecuada y sin agredir, de manera que al interactuar con una persona asertiva, en muchas ocasiones, la conversación se convierte en una negociación.

Si la persona tiene un estilo de comunicación pasivo-sumiso; no será capaz de manifestar su opinión, ya que su principal objetivo será evitar cualquier tipo de confrontación.

Todo lo contrario a este sería el estilo agresivo, donde a la persona no le importa el conflicto y tampoco la opinión de los demás. Se comunica de forma unidireccional e intentará imponer su idea u opinión por encima de la de los demás al igual que el estilo manipulador, la diferencia sería qué, este último aparenta que le importa la opinión ajena, incluso más que la propia.

Actividad 3

Indica si la siguiente cuestión es verdadera o falsa:

La escucha activa puede definirse como un conjunto de comportamientos y expresiones que adopta el profesional sanitario ante el enfermo o sus familiares para comunicarle, de distintas maneras, que ha entendido y/o comprendido lo expresado por el propio enfermo.

Verdadera ☐ Falsa ☐

4.5. Apoyo emocional al paciente, cuidador principal y familia

El apoyo emocional y la ayuda a la familia y a la persona enferma exigen del personal técnico un mayor conocimiento para identificar aspectos relevantes de la vida diaria que se relacionan con la salud, el conocimiento de los recursos internos y externos disponibles y el adiestramiento en algunas técnicas o habilidades.

De poco sirven las habilidades si estas no van acompañadas de las actitudes, las cuales, como es sabido, tienen un componente cognitivo, un componente afectivo y un componente conductual. La formación en estos tres vectores constituye el modelo de **McGill**, en el cual se ha de sustentar el apoyo y la ayuda a la persona enferma.

El modelo de McGill es un modelo de participación que evalúa la dimensión sensorial-discriminativa (sentir y seleccionar), motivacional-afectiva (explicar y sentir) y cognoscitiva-evaluativa (conocer y valorar). Su finalidad no es otra que conseguir que la persona enferma y su familia adquieran un conocimiento a través de un aprendizaje reflexivo basado en la experiencia. Se trata de un modelo de participación, donde la familia es el centro de interés de los cuidados de la persona enferma. A la familia se la considera como un lugar de privilegio donde se producen intercambios de ayuda que permiten manejar las situaciones difíciles ligadas al cuidado de un familiar enfermo. Ya que la familia es el apoyo social más constante y fiable para los enfermos.

La ayuda y el apoyo se conceptualizan como un recurso evidente que permite a los técnicos en cuidados auxiliares de enfermería y a los cuidadores realizar su papel de mantener la salud (del paciente y del cuidador-familiar). Su objetivo es detectar y resolver los problemas que son de su competencia, o remitir al paciente o su familiar, en forma oportuna, a quien corresponda para una atención adecuada.

La detección y la resolución de problemas solo se puede conseguir con el establecimiento de una buena comunicación con el familiar y con la persona enferma, que permitirá percibir los primeros indicios de desintegración del apoyo familiar. La sensación de culpa y de angustia que a menudo afecta a las familias es el primer síntoma de desintegración. En cuanto aparezca alguna de ellas deben saltar las señales de alarma y asesorarlos y orientarlos en los recursos adicionales que existan en la comunidad, que puedan permitir que la familia siga haciendo frente a la situación. Recuerde que el apoyo familiar da seguridad y confianza al enfermo.

Los objetivos del TCAE son:

1. Ayudar a la persona enferma a mantener una vida de calidad.
2. Prestar apoyo a la familia y otras personas que proporcionan ayuda.
3. Detener o desacelerar el ritmo al que se va perdiendo capacidad funcional.

El apoyo y la ayuda ha de hacerse sobre la base de:

1. Proporcionar ayuda física al paciente para realizar las actividades de la vida diaria.
2. Poner en marcha los recursos para obtener los equipos y suministros.
3. Proporcionar conocimientos y asistencia para desarrollar la vida diaria.

4. Dar asistencia y apoyo a las modificaciones.
5. Establecer contacto con fuentes de apoyo (familiares, amigos, etc.).
6. Coordinar las actividades con otros miembros de la familia.
7. Proporcionar estímulos que faciliten los cambios evitando la monotonía.
8. Promover la autovigilancia y el autocuidado si las circunstancias se dan.
9. Evitar dependencia del enfermo y de la familia.
10. Estimular la comunicación y participación en el planeamiento.
11. Establecer mecanismos de retroalimentación.
12. Establecer una relación humanizada con el paciente y su familia.

5. Trabajo en equipo

5.1. El Grupo de trabajo

5.1.1. Conceptos

Para que pueda denominarse a un número de personas, un grupo, es preciso que concurran una serie de elementos o circunstancias:

- Decisión voluntaria y consciente por parte de los que lo forman, de conseguir la obtención de un fin común, que será el propio fin del grupo.
- Perfecta integración de todos sus miembros de modo que estén atemperados los caracteres de los mismos, para que resulten lo más homogéneos posibles.
- Existencia propia, esto es, tener personalidad propia distinta a la de sus miembros.

En consecuencia puede definirse al grupo como «conjunto de individuos que actúan integrados hacia la consecución de un fin común».

5.1.2. Funcionamiento

La dinámica o funcionamiento de un grupo de trabajo puede estudiarse desde dos puntos de vista:

- **Subjetivo**: desde el cual se incluirían los factores tales como: procurar la adecuación de carácter con los demás miembros para una mejor integración; identificación total con el fin del grupo al que se pertenece; capacidad y eficacia en la ejecución del trabajo; y entusiasmo ante los obstáculos y resistencia ante la frustración.
- **Objetivo**: exige las siguientes características de la actividad: determinación del fin a obtener de modo transparente y conocido para todos sus miembros; descripción de soluciones mediante la utilización de las sugerencias y soluciones expues-

tas por los miembros; decisión por el superior, teniendo en cuenta los niveles de sugerencias expuestos por los miembros; ejecución, a través de las funciones de cada miembro, e intentando evitar todo conflicto entre los mismos.

5.2. El trabajo en equipo

5.2.1. Concepto de equipo

El trabajo en equipo representa hoy día, la forma de funcionamiento a la que aspiran todas las organizaciones modernas.

Es importante aclarar y diferenciar los conceptos, pues el término "trabajo en equipo" hace referencia a una forma muy específica de desarrollar unas funciones, que va más allá del hecho de trabajar en grupo o muy cerca los unos de los otros.

Grupo y equipo son dos conceptos diferentes. En el contexto de los trabajadores de la salud, un grupo sería un conjunto de personas que desarrolla su labor en un espacio o institución sanitaria. Cada uno realiza su trabajo, responde individualmente del mismo y no depende directamente del trabajo de sus compañeros. Por ejemplo el grupo de celadores de un determinado centro, o el grupo de personal de un determinado servicio.

Un **equipo**, sin embargo, sería un grupo de personas que se organiza para realizar una actividad con un objetivo preciso. Responden en conjunto del trabajo realizado por cada uno de ellos, por ejemplo, los diferentes miembros de una UCI-móvil.

El equipo se refiere a un conjunto de personas interrelacionadas que se organizan para llevar a cabo una determinada tarea, mientras que el grupo se refiere a ese conjunto de personas donde hay una división clara de las funciones de cada uno aunque aporten al trabajo común.

En el grupo de trabajo cada miembro puede tener una manera particular de funcionar, mientras que en el equipo es necesaria la coordinación, lo que va a exigir establecer unos estándares comunes de actuación, que propiciará la estrecha colaboración y la cohesión entre sus miembros, que no encontramos habitualmente en los grupos de trabajo.

Para que exista un equipo, debe haber un conjunto de personas relacionadas entre sí que trabajan para conseguir objetivos y metas comunes y que, además, están convencidas de que los objetivos se alcanzan mejor trabajando juntas.

La organización en los grupos de trabajo es muy jerárquica, mientras que en los equipos las jerarquías, aun existiendo, se diluyen. Existe un responsable, pero dentro del equipo todas las categorías laborales funcionan con igualdad porque comprenden que todas son necesarias para conseguir su objetivo.

Recuerda que...

Todos los equipos son grupos, pero no todos los grupos son equipos.

A lo largo de este tema, esperamos aclarar suficientemente estos conceptos, e insistir en la importancia de un verdadero trabajo en equipo entre los profesionales de la salud.

Parece obvia la utilidad de los equipos multidisciplinares, pero la experiencia demuestra que, en muchos casos, no se conoce en profundidad cuál es su funcionamiento, las ventajas que presentan, ni tampoco las dificultades que suelen aparecer y que en la mayoría de los casos tienen fácil solución. Este desconocimiento da al traste, en numerosas ocasiones, con la buena voluntad de muchos grandes profesionales.

5.2.2. Importancia y utilidad del trabajo en equipo

Se sabe desde hace mucho tiempo que la capacidad de resolver problemas, especialmente si son complejos, es mucho mayor por parte de los equipos, que de los individuos aislados. Se suele decir que "ninguno de nosotros es tan inteligente como todos nosotros juntos".

El trabajo en equipo implica que todas las personas involucradas estén orientadas hacia una meta común, logrando la sinergia que les permitirá llegar más rápido y mejor que si cada uno hace simplemente una parte del trabajo.

La **sinergia** es la integración de elementos que da como resultado algo más grande que la simple suma de estos, es decir, que todos juntos trabajando en equipo somos más eficaces que la sumatoria de todos nuestros trabajos individuales.

El ejemplo más característico es el de la orquesta. El sonido de cada instrumento por separado puede ser más o menos agradable, pero no se puede comparar con los resultados que se obtienen cuando todos funcionan a la vez y de forma coordinada.

El **trabajo en equipo** no es simplemente la suma de aportaciones individuales, implica un grupo de personas trabajando de manera coordinada en la ejecución de un proyecto, de cuyo resultado final es responsable todo el equipo a pesar de que cada uno desarrolle tareas diferentes.

Un ejemplo de equipo sanitario sería el personal que trabaja en el área quirúrgica. Para que una intervención quirúrgica concluya con éxito, necesitamos de muchos profesionales realizando su aporte. Previamente al acto quirúrgico, el personal administrativo habrá citado al enfermo, el enfermero realizará las pruebas de preanestesia, el celador trasladará el paciente, el personal de limpieza tendrá todas las instalaciones preparadas, el técnico en cuidados auxiliares de enfermería confirmará la existencia del instrumental necesario asegurando su esterilidad. En el propio acto, el cirujano, el anestesista, los enfermeros instrumentista y circulante, el TCAE, etc., deben funcionar coordinadamente realizando cometidos específicos. Desde luego que para realizar un tipo de trabajo se necesita más cualificación que para realizar otro, pero para el trabajo en equipo es importante comprender que es necesaria la intervención coordinada de todos ellos y que todos se necesitan para poder actuar.

La salud de la población es un fenómeno complejo que no puede ser entendido solo desde el punto de vista de un profesional: médico, enfermero, farmacéutico, psicólogo, fisioterapeuta, TCAE, etc.; son necesarias diferentes perspectivas en los análisis y las intervenciones. La noción de equipo implica, por un lado, una visión global que se aporta desde diferentes puntos de vista y, por otro, el aprovechamiento del talento colectivo, producido por cada persona en su interactuación con las demás.

Todos los miembros de los equipos de salud tienen como objetivo último la mejora de la salud de la población y en esta aspiración, son en gran medida interdependientes los unos de los otros y cada uno de ellos debería apreciar el valor de los conocimientos y

las habilidades de los otros. El espíritu del equipo al enfrentar cada nuevo problema sería: 'Todos nosotros contra el problema, y no los unos contra los otros'. Es por esto que la decisión de trabajar en equipo va más allá de ser una "imposición de la institución" y tiene necesariamente que ser compartida por cada uno de los integrantes.

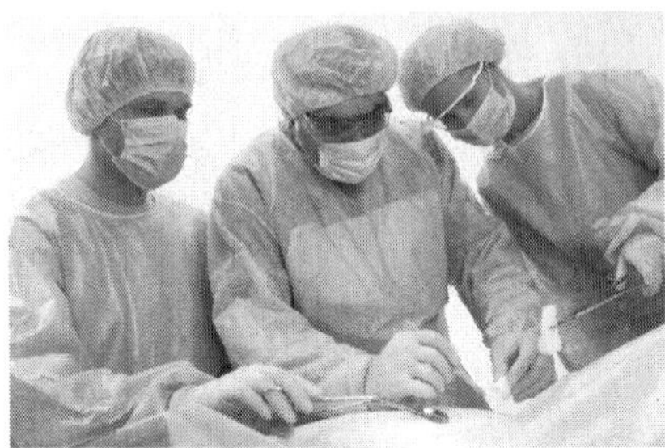

La utilidad del funcionamiento en equipos está fuera de toda duda, y aporta **beneficios** que pueden ser constatados:

- Disminuye la carga de trabajo, ya que varias personas colaboran.
- Se desarrolla el respeto y la escucha.
- El trabajo, la reflexión y la discusión conjunta producen mejores resultados que los aportes individuales.
- Permite organizarse de una manera mejor.
- Mejora la calidad de los resultados. Con una mayor satisfacción percibida por el paciente y su familia.
- Optimización de recursos materiales y humanos.
- Aumenta la motivación de los profesionales.

Pero para que un equipo pueda ser eficiente debe cumplir con determinadas *características*:

- **Complementariedad**. Los diferentes miembros deben dominar todas las parcelas del proyecto que aspiran a realizar.
- **Coordinación**. El grupo de profesionales, con un responsable bien definido a la cabeza, debe actuar de forma organizada con vista a sacar el proyecto adelante. Es fundamental la elaboración consensuada de protocolos y guías de actuación.

- **Valoración**. La labor que cada miembro del grupo desempeñe, debe ser reconocida y valorada por el resto, y al mismo tiempo ser satisfactoria para él mismo. Estas dos características, valoración de los demás y autovaloración, se convierten en el mejor factor motivacional de los individuos y del equipo.

- **Motivación-Incentivación**. Acción encaminada a impulsar el comportamiento de otras personas en una determinada dirección, que se estima conveniente.

  La motivación adquiere dos dimensiones la **motivación intrínseca** que nace del interior de la persona con el fin de satisfacer deseos no materiales (autorrealización) y la **motivación extrínseca** que son los estímulos que vienen de fuera del individuo y que, en el ámbito de trabajo, suponen un acicate para lograr objetivos empresariales y mejores niveles de calidad y eficacia (incentivos).

- **Comunicación**. El trabajo en equipo exige una comunicación abierta entre todos sus miembros, esencial para poder coordinar las distintas actuaciones individuales. Hay que asegurarse de que existan suficientes canales de comunicación que permitan a todos los miembros conocer los objetivos generales que guían su trabajo. Las estructuras muy jerarquizadas dificultan la comunicación, por lo que conviene desarrollar un estilo de relación que, aun respetando las funciones de cada cual, permita la expresión franca y directa.
- **Compromiso**. Cada miembro asume voluntariamente el compromiso de aportar lo mejor de sí mismo, para conseguir los objetivos del grupo y de la organización en general.
- **Aprendizaje**. El aprendizaje colaborativo se caracteriza por la *interdependencia positiva* entre las personas participantes en un equipo, quienes son responsables tanto de su propia formación como la del equipo en general. Sus miembros se necesitan unos a otros y cada uno aprende de los demás compañeros con los que interactúa día a día.
- **Confianza y empatía**. Si bien los miembros no tienen por qué ser amigos íntimos, sí es importante que entre ellos exista una buena relación de trabajo y que cada uno confíe en el trabajo de los demás. Cada persona se fía del buen hacer del resto de sus compañeros. Esta confianza le lleva a aceptar anteponer el éxito del equipo al propio lucimiento personal.
- **Cohesión**. Para que un equipo funcione, es fundamental que esté cohesionado. La cohesión probablemente aparecerá si se cumplen algunas de las características anteriores: si hay confianza y empatía entre sus miembros, se pueden comunicar con libertad y se sienten valorados y motivados.

Por contra son enemigos de las relaciones interpersonales en los grupos de trabajo en equipo la frustración, la ansiedad, el enojo, la agresividad, la actitud negativa, etc.

Recuerda que...

Los conceptos grupo y equipo son diferentes. En un grupo cada miembro que lo compone realiza su trabajo, respondiendo individualmente del mismo y sin depender directamente del trabajo de sus compañeros, mientras que los miembros que componen el equipo se organizan para realizar una actividad con un objetivo preciso.

5.2.3. Proceso de integración

Para la integración de los equipos de trabajo tendremos en cuenta las dimensión técnica, social o humana y la estructura organizativa:

- **La dimensión técnica** de un proyecto engloba los aspectos relacionados con la aplicación de conocimientos específicos para el desarrollo adecuado del proyecto. En consecuencia, para gestionar un proyecto, tomar decisiones y organizar equipos el director de proyectos debe conocer la materia sobre la que está trabajando.
- **La dimensión humana** de un proyecto se refiere a la gestión de las personas que intervienen en el proyecto con el objetivo de conseguir que la aportación de cada una sea positiva, convergente y coordinada. Puesto que un proyecto es un entramado de relaciones personales donde se integran intereses diversos y en ocasiones contrapuestos (clientes, jefes de proyecto, especialistas, proveedores, etc.), la gestión de la dimensión humana es una tarea de gran dificultad que puede condicionar el éxito o el fracaso de la operación.
- **Estructura organizativa**. A la hora de constituir un equipo de salud, existen determinados factores que, si bien no nos aseguran el éxito en la consecución de sus objetivos, sí que facilitan su desarrollo:
  * **Número de participantes**. No existe un número ideal en su composición, pero en general se admite que deben ser grupos reducidos. La cifra recomendada suele ser en torno a 10, aunque puede variar dependiendo de la función que cumplan. Un grupo menor puede ser insuficiente y carecer de recursos y uno mayor volverse poco operativo.
  * **Participación y consenso**. Es conveniente mantener una participación equilibrada de todos los miembros, por lo que es preferible un bajo perfil jerárquico, que facilite y estimule la expresión de todos los puntos de vista.

    Un momento importante será durante las reuniones, que se debe procurar sean frecuentes y provechosas y donde se estimulará la participación y comunicación de todos los integrantes del equipo.
  * **Objetivos y reglas establecidas**. Además de los objetivos mayores, propios de la institución donde se enmarca el equipo, se deben definir los objetivos propios, que deben ser realistas, alcanzables y conocidos por todos.

Los procedimientos y guías de actuación también suelen derivar de la institución mayor, pero conviene definir por acuerdo el ajuste de estos a la realidad concreta, así como las reglas de funcionamiento que sean propias a las situaciones en las que trabaje el equipo.

Las normas establecidas deben ser claras, conocidas y aceptadas por todos los miembros.

- **Clima favorable**. Para conseguir un clima de trabajo cordial y transparente, donde los integrantes trabajen en armonía e involucrados con los resultados del conjunto, probablemente el factor más importante será partir de una actitud favorable de los integrantes al trabajo en equipo. Otros factores como la edad de los miembros, la buena formación o la experiencia laboral, pueden también influir aunque en menor medida.

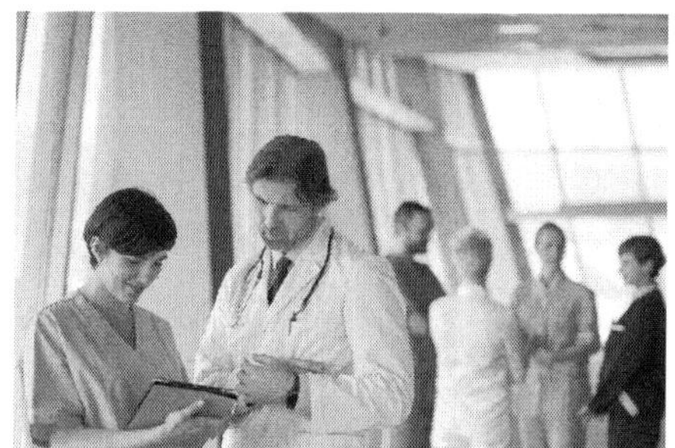

- **Roles y responsabilidades**. Cada integrante debe ser consciente de sus habilidades, comprender lo que se espera de él y conocer su rol y el de los demás. Es fundamental que quien estructura el equipo conozca estas habilidades. Los roles implican responsabilidades, que serán utilizadas para evaluar el rendimiento de los miembros del equipo.
- **Autoevaluación**. Los equipos más eficaces son aquellos capaces de realizar su propia autocrítica. Un equipo necesita examinarse periódicamente y revisar su proceder. Las reuniones de autoevaluación deben estar incluidas dentro de la planificación de actividades grupales. Se debe remarcar equilibradamente lo positivo y lo negativo, sin ignorar ninguno de los dos aspectos.

Actividad 4

Para que un equipo de salud se constituya tienen que cumplir una serie de requisitos, ¿podrías señalar cuáles son?

☐ a) Que sus componentes sean dialogantes.

☐ b) Que se establezcan las normas de cortesía y no se establezcan jerarquías.

☐ c) Todas las respuestas anteriores son correctas.

5.2.4. Los equipos multidisciplinares: ventajas y dificultades

Expresiones como "trabajo en equipo" o "equipo multidisciplinar", parecen estar de moda en el ámbito de la sanidad, pero ni todo grupo de profesionales constituye en sí mismo un equipo, como explicábamos anteriormente, ni para todas las actividades son necesarios los equipos multidisciplinares.

Hay muchas actividades que, por su poca complejidad, pueden realizarse de forma autónoma por un solo profesional. Son trabajos donde una sola persona es autosuficiente y sería innecesario e incluso tedioso la participación de otros. No es que sean tareas poco importantes, sino que admiten poca variabilidad aun teniendo mucha importancia. Por ejemplo, la unidad de esterilización de instrumental dentro de un hospital, suele contar solo con uno o varios técnicos en cuidados auxiliares de enfermería que conocen perfectamente el funcionamiento de la maquinaria. No es necesaria la opinión de nadie más. Es un procedimiento importante pero de un funcionamiento simple, por lo que no es necesario ningún equipo específico para llevarlo adelante.

Construir y hacer funcionar un "equipo de trabajo multidisciplinar" es una labor lenta que exige esfuerzo y dedicación, y que se reserva para aquellas actividades en las que el nivel de complejidad es tan alto que sería imposible que un solo profesional pudiera abarcar los diferentes aspectos que presenta. En estos casos sí sería necesario constituir un equipo de trabajo formado por especialistas que cubran todas las áreas afectadas.

El caso más claro en Sanidad son los Equipos de Atención Primaria, que no solo prestan asistencia sanitaria, sino que se ocupan de la promoción de la salud en la zona, la educación sanitaria de la población, los estudios epidemiológicos, etc.; en este caso, dada la complejidad de los objetivos a conseguir y que afectan a distintas especialidades profesionales, si está claramente justificada la creación de equipos multidisciplinares.

La puesta en marcha de un equipo de trabajo es un proceso complejo que pasa por diferentes etapas:

- **Inicio**. Suele predominar la disponibilidad y la visión positiva. Los miembros se sienten ilusionados con su proyecto y mantienen relaciones cordiales entre ellos.

  Se definen las etapas que regirán la organización: se acuerda un sistema de comunicación, se fija un objetivo común, se establece un plan de actuación y por último se acuerda un sistema de evaluación.

- **Primeras dificultades**. Cuando la actividad va desarrollándose aparecen también las primeras dificultades que originan tensión y roces entre sus miembros, aflorando los diferentes puntos de vista.

- **Acoplamiento**. Se tarda un tiempo hasta que se produce el acoplamiento de los miembros. Normalmente se superan los enfrentamientos personales y el proyecto sale adelante.

- **Madurez**. El equipo está acoplado, controla el trabajo y sus miembros han aprendido a trabajar juntos (conocen los puntos débiles de sus compañeros y evitan herir sensibilidades). El equipo entra en una fase muy productiva.

- **Agotamiento**. Los equipos pueden funcionar con eficacia durante años, pero en ocasiones, alguno de sus miembros debe ser reemplazado, bien por cuestiones administrativas o personales o bien por padecer el síndrome de burnout. Sea cual fuere el motivo, deberemos afrontar la incorporación de un nuevo miembro que habrá de pasar por las diferentes etapas por las que pasó el equipo en su conjunto. Al estar el equipo consolidado, la incorporación de nuevos miembros resultará menos traumática.

El trabajo en equipos multidisciplinares es la única manera de asegurar la atención integral de los pacientes en todas sus áreas, de modo que estaremos ofreciendo un trato de calidad.

Pero además de ser un proceso complejo y laborioso, presenta otras dificultades, entre las que cabe destacar:

- **La dilución de responsabilidades**. Si la responsabilidad cae sobre todo el grupo, puede ocurrir que determinadas actividades asistenciales no se realicen convenientemente y no se sepa exactamente quién es el responsable. Aunque la responsabilidad global debe ser de todo el grupo, debe quedar claro qué profesional se ocupa de cada uno de los aspectos.
- **Lentitud en la respuesta**. Al tender a tomar las decisiones de forma colegiada, puede ocurrir que una respuesta necesaria se demore en el tiempo.
- **Diferente consideración de los miembros del equipo**. En la dinámica de funcionamiento se considera a todos los miembros del equipo por igual, pero social y administrativamente esto no es así. Unas profesiones están mejor remuneradas y consideradas que otras y esto puede ser fuente de conflictos.
- **Las actitudes individuales**. El individualismo o la falta de visión de conjunto de uno de los miembros puede afectar al trabajo de todos ellos.
- **La dificultad para mantener la cohesión**. Los equipos de trabajo más eficientes son aquellos en los que existe una gran cohesión entre sus miembros. La cohesión depende de muchos factores y no es algo que tienda a surgir de forma espontánea.
- **El pensamiento de equipo**. Una de las dificultades para el buen funcionamiento de los equipos es lo que se denomina "pensamiento de equipo". Es un proceso que se desarrolla a veces dentro de los equipos de trabajo que les lleva a tener una visión particular, propia, de la realidad. Sería algo así como "nosotros tenemos razón y los demás están equivocados". Este fenómeno es muy habitual en los equipos sanitarios, que en ocasiones tienden a pensar que solo ellos hacen las cosas "bien".

El trabajo en equipo en el ámbito sanitario tiene como objetivo conseguir la salud y el bienestar del paciente. Una de sus principales ventajas es que permite obtener sinergias: "se obtienen mejores resultados trabajando en común que si cada uno de los miembros trabajara por separado y posteriormente se reunieran con sus resultados individuales".

El trabajo en equipo en el ámbito sanitario también tiene otras ventajas, permite que los miembros del equipo conjunten habilidades y talentos y que las tareas se complementen. Cuando se pertenece a un grupo también es más fácil resolver los problemas y hay más motivación entre los miembros del grupo.

Sabías que...

Existen diferentes fases del proceso de desarrollo de los equipos de trabajo:

- **Individualismo**: son las características propias de cada persona que llega al equipo, sus ideas, actitudes, experiencia, conocimiento, etc.
- **Identificación con el grupo**: es la fase en la que se analiza la posibilidad de trabajar sobre unos objetivos comunes, requiere la aproximación de los miembros.
- **Síntesis**: se fijan los objetivos comunes y el método de trabajo, tras aceptar las diferencias y contradicciones de los demás miembros.

5.2.5. Roles

Al margen de la distribución oficial de funciones, que vendrá determinada prioritariamente por la categoría profesional de cada uno de los miembros, en todos los equipos podemos encontrar diferentes roles (entendidos como funciones o papeles que alguien cumple dentro de un grupo humano, sin haberle sido asignados), que en ocasiones pueden ser de mucho interés para el grupo y en otras dificultar el normal funcionamiento.

Cada uno de los miembros del equipo, tiene tendencia a desarrollar más un tipo de rol que otro, aunque una misma persona puede desarrollar en el tiempo roles diferentes e incluso antagónicos. Este cambio de roles puede producirse incluso durante una misma jornada.

Se habla de roles funcionales y disfuncionales.

Los roles *disfuncionales* son aquellos orientados a la satisfacción de los intereses individuales y suelen expresar las dificultades por las que pasa el equipo.

- **El crítico**. Es una persona destructiva, todo le parece mal pero no aporta soluciones. Suele deteriorar el ambiente de trabajo.
- **El negativo**. Tiene una visión negativa y tortuosa de todo lo que le rodea. No le parece bien lo que se hace pero tampoco considera que se pueda hacer otra cosa.
- **El pícaro**. Se aprovecha de manera sutil del resto de los compañeros. Su aportación al equipo es nula y suele terminar deteriorando el ambiente de trabajo.

Los roles *funcionales* se dividen en roles de producción y de mantenimiento.

Los roles *funcionales de producción* son todos aquellos comportamientos que contribuyen al desarrollo del grupo y a la productividad.

- **El iniciador**. Es el que siempre está dispuesto a probar cosas nuevas. Suelen ser poco permanentes pero son ideales para implantar nuevos procedimientos.

- **El activador**. Su principal característica es el dinamismo. Es la persona idónea para impulsar proyectos que estén funcionando con poca fuerza.
- **El intelectual**. Es el que tiene mayor gusto por las cuestiones teóricas. No es especialmente dinámico, pero suele ayudar a aclarar ideas y procedimientos.
- **El colaborador**. Siempre está dispuesto a ayudar a sus compañeros.

Los roles *funcionales de mantenimiento* son aquellos comportamientos que contribuyen a que el grupo continúe unido mediante la creación de una atmósfera agradable para los miembros.

- **El empatizador**. Son individuos con mucho gusto y facilidad para las relaciones humanas. Es imprescindible para convertir al equipo en un lugar acogedor.
- **El gracioso**. No suele faltar en los equipos. Sus aportaciones profesionales suelen ser muy discretas pero en cambio cumple un papel fundamental: relaja el ambiente, quita tensión, crea una atmósfera más cálida, lo que puede contribuir a una mayor cohesión del equipo.
- **El positivo**. Empuja hacia delante, busca el éxito del equipo y se involucra decididamente en el proyecto; contagia su entusiasmo al resto de los compañeros.

Estos roles son modelos teóricos que difícilmente encontraremos "puros" en nuestra práctica diaria, pero que sí pueden ayudarnos a comprender la dinámica dentro de los propios equipos.

5.3. El liderazgo en el Grupo

5.3.1. Consideraciones generales

Partiendo de la distinción entre autoridad y poder, basadas en la legitimación y en la fuerza respectivamente; la dirección, en cualquier organización, debe ser considerada en un doble aspecto: jefatura y mando; la primera corresponde a la estructura lógico-formal de la organización, mientras que el segundo se refiere a la capacidad de formación de las personas que la integran, a la autoridad que se ejerce sobre otros, de ahí la diferencia entre jefatura y mando y entre jefe y líder.

En consecuencia, la función de mando y el liderazgo consiste en integrar individuos o grupos hacia los fines de la Administración, o sea, dirigir eficazmente la conducta de otros. A este respecto, su estudio podría efectuarse desde un doble punto de vista psicológico (de las personas con sus cualidades correspondientes) y sociológicos (sobre la organización o grupo humano en el que se desenvuelve la persona).

De lo anteriormente expuesto podemos definir al **líder** como «aquel con capacidad para formar, orientar, influir y dar criterio a un determinado grupo de auxiliares, en una institución sanitaria».

El liderazgo se ha definido en términos de rasgos individuales, conductas, influencias sobre otras personas, patrones de interacción, relaciones entre roles, ocupación de una posición administrativa, y la percepción de otros acerca de la legitimidad de la influencia.

Sabías que...

A lo largo de la historia se han promulgado muchas frases referidas al trabajo en equipo que son utilizadas como elementos de motivación. Algunas de ellas son:

"Llegar juntos es el principio. Mantenerse juntos, es el progreso. Trabajar juntos es el éxito" Henry Ford.

"Yo hago lo que tú no puedes, y tú haces lo que yo no puedo. Juntos podemos hacer grandes cosas" Santa Teresa de Calcuta.

"Si estamos juntos no hay nada imposible. Si estamos divididos todo fallará" Winston Churchill.

5.3.2. Características que deben reunir los líderes

Podemos citar:

- Decisión, iniciativa y responsabilidad.
- Inteligencia, capacidad y experiencia profesional.
- Actividad, vigor físico y capacidad de trabajo.
- Equilibrio emotivo.
- Integridad moral y aptitud para el trato.
- Sentido práctico y capacidad organizativa.

Las **funciones del líder**, con relación al grupo, deben ser:

- Definir la misión y el papel del equipo y de cada uno de sus componentes.
- Infundir positividad en el equipo.
- Ordenar y controlar los conflictos internos.

De donde se deduce que el líder debe abandonar la idea simplista de que la organización lo que debe es marchar, funcionar sin más, sino que el objetivo último debe ser la realización de sus fines pero coadyuvando con ellos a la consecución del bien común. Por ello, su ejercicio requiere: la adecuación del líder con el equipo; la decidida voluntad de ser líder, aplicando las reglas y principios de las relaciones humanas; elogiar más que reprender; interesarse por los problemas individuales y del resto; informar en la mejor medida posible; buscar la participación en las decisiones y encontrar el apoyo de sus superiores y subordinados.

La capacidad para dirigir se pone de relieve en la consecución de los objetivos de orientar, motivar y guiar a los subordinados. Los esfuerzos que realice el directivo para influir en el comportamiento del individuo o del equipo tendrán éxito en la medida en que estos respondan a sus intentos.

Si el individuo responde por el líder, este habrá tenido éxito, y el liderazgo será eficaz ya que el individuo responderá dado que deseará ganar algo por su actividad y esfuerzo.

Para lograr los objetivos reseñados, el líder ha de ocupar una posición de autoridad legítima, pues en caso contrario su papel podría llegar a distorsionar los objetivos globales de la organización.

La autoridad legítima debe ir acompañada de unos conocimientos técnicos que sustenten y respalden su tarea directiva, así como el estar dotado de un poder coercitivo y premiador que, en definitiva, le permita apoyar la actividad dirigida a los objetivos de la organización.

Por último, el líder debe ser una persona atenta a los intereses del equipo y a sus preocupaciones, capaz de conseguir y de aproximarse a los objetivos individuales de los miembros.

Actividad 5

Indica si la siguiente cuestión es verdadera o falsa:

El trabajo en equipo exige una comunicación unidireccional.

Verdadera ☐ Falsa ☐

5.3.3. Habilidades de dirección de grupos

Uno de los requisitos básicos en la dirección de grupos es tener la capacidad de formar y desarrollar un equipo eficaz; esto no solo consiste en seleccionar a los miembros del grupo en función de sus conocimientos, capacidades, posición, etc., sino también en emplear las habilidades necesarias para que se den las siguientes condiciones:

- Objetivos y tareas claramente comprendidos por todos, y de carácter cooperativo.
- Compromiso de los miembros con los objetivos del equipo.
- Comunicación abierta, precisa y eficaz de ideas y sentimientos.
- Confianza, aceptación y apoyo elevados entre los miembros.

- Aprovechamiento de las capacidades, conocimientos, experiencia y habilidades de los miembros.
- Distribución de la participación.
- Afrontamiento constructivo del conflicto.
- Procedimientos adecuados de toma de decisiones y solución de problemas.

Alcanzar estos supuestos exige del líder llevar a cabo y/o coordinar una serie de funciones y habilidades como son: establecer el punto de partida del grupo (planificar), ponerlo en marcha (iniciar), vigilar que vaya por el camino adecuado (controlar), procurar que sus miembros mantengan relaciones óptimas (apoyar), distribuir la información necesaria (informar) y comprobar lo adecuado del proceso (evaluar).

5.4. Tipos de equipos de trabajo

Equipo interdisciplinar: es un grupo de profesionales de diferentes disciplinas que tienen un objetivo común y que trabajan por y para la consecución del mismo, aportando cada uno de sus conocimientos teórico-prácticos específicos de su profesión.

Equipo multidisciplinar: es un conjunto de personas, con diferentes formaciones académicas y experiencias profesionales, que operan en conjunto, durante un periodo de tiempo determinado, con un objetivo común. En la multidisciplinariedad muchas disciplinas se concentran en torno a un caso en común, pero no se relacionan con las demás disciplinas, conservando así las teorías propias de cada una.

Equipo transdisciplinar: es un grupo de profesionales especializados en diferentes áreas que trabajan de forma conjunta interactuando, compartiendo información, conocimientos o habilidades trascendiendo su propio espacio disciplinar. Esta interrelación de especialistas supone una apropiación de saberes como un aprendizaje continuo de los integrantes del equipo logrando así subir a un nivel más elevado donde las disciplinas se complementan. En la transdisciplinariedad no importa la disciplina, sino el problema a resolver.

Equipo pluridisciplinar: la pluridisciplinariedad permite el estudio de un objetivo; este estudio se realiza a partir de varias disciplinas las cuales pueden colaborar entre sí para obtener un resultado en conjunto, aunque estas no deben perder sus códigos o leyes propias.

Solución a las actividades

Actividad 1.

- ☐ a) Emisor.
- ☐ b) Mensaje.
- ☑ c) Respuesta.

Actividad 2.

1. Honestidad y sinceridad.
2. Confianza.
3. Respeto y afirmación.

Actividad 3.

Verdadera.

Actividad 4.

- ☐ a) Que sus componentes sean dialogantes.
- ☐ b) Que se establezcan las normas de cortesía y no se establezcan jerarquías.
- ☑ c) Todas las respuestas anteriores son correctas.

Actividad 5.

Falsa. El trabajo en equipo exige una comunicación abierta.

TEMA 6

Principales trastornos mentales en pacientes geriátricos. Papel del Auxiliar de Enfermería

Índice

1. Atención al paciente con trastornos psíquicos. Salud Mental

Se entiende la salud como un proceso que abarca desde el nacimiento hasta la muerte, en el que interaccionan todos los aspectos que tienen que ver con la vida: psíquicos, físicos, socioculturales y ambientales.

La Organización Mundial de la Salud (OMS) define la salud como: "estado completo de bienestar mental, físico y social y no meramente la ausencia de enfermedad o dolencia".

Al aceptar esta definición, se admite que el estado mental forma parte de la evaluación para conocer el estado de salud de las personas.

Esta definición fue modificada, y la OMS describe como salud mental: "Resultado de la presencia de aspectos psicológicos, afectivos y sociales sobre la salud, necesarios para alcanzar un estado de completo bienestar".

El sistema sanitario poco a poco va transformándose, pasando de un sistema basado en la atención parcializada de los trastornos físicos como única fuente susceptible de tratamiento, a un sistema sanitario orientado a la atención integral de la persona y su proceso vital.

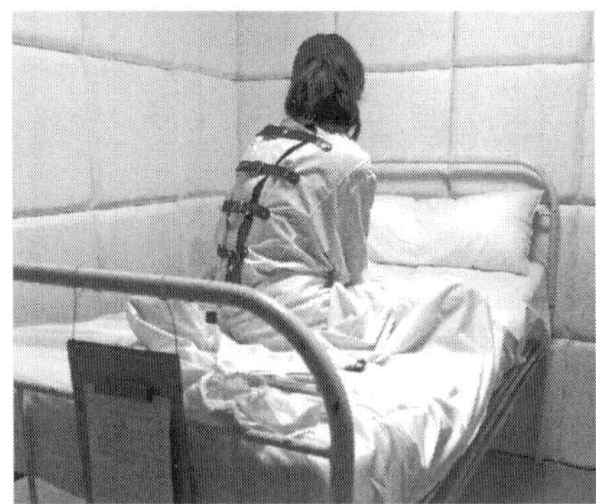

Con el paso del tiempo han ido desapareciendo los Hospitales Psiquiátricos o Manicomios que aislaban al "loco" de la sociedad y del resto del sistema sanitario

No es posible formular ninguna definición de salud mental unitaria y universalmente aceptada. Una persona mentalmente sana se supone (Jahoda, 1958) que cumple las siguientes características:

- Que mantiene una actitud adecuada hacia sí mismo y el autoconocimiento consiguiente.
- Desarrolla sus potencialidades y creatividad personal.

- Tiene una integración armoniosa entre los distintos rasgos y atributos de la personalidad.
- Capacidad de autonomía e independencia. Una percepción de la realidad libre de distorsiones.
- Una buena adaptación al entorno, lo que incluye el afecto hacia los otros, las relaciones interpersonales satisfactorias y la integración a su grupo.

Para entender el proceso salud-enfermedad y la vertiente psicomental analizaremos cuatro puntos fundamentales: aspecto multifactorial, concepto de interacción, concepto de dinamismo de la salud y normalidad y trastorno.

El **primer punto** es el resultado de múltiples factores que integran a la persona. Estos son los aspectos físicos, psíquicos, sociales, culturales y ambientales.

El **segundo punto** consiste en entender las consecuencias de la interacción de todos estos aspectos. Debemos darnos cuenta de que cualquier relación de afecto, emoción o sentimiento de la persona va a tener repercusiones somáticas, las cuales pueden ser positivas o negativas. Las repercusiones negativas se pueden transformar en expresiones orgánicas tales como; cefaleas, anorexia, bulimia, trastornos digestivos, etc.

Por otro lado, el estado de enfermedad influye sobre los cambios económicos y sociales, pues la persona enferma no va a poder cumplir sus compromisos, realizar su trabajo en condiciones y mantener una buena calidad de vida.

Puede aparecer enfermedad mental por una situación marginal socioeconómica de la persona relacionada con las malas condiciones higiénico–ambientales.

Son también factores de enfermedad mental los aspectos culturales, valores y creencias.

El **tercer punto** a tener en cuenta es la dinámica del proceso de salud. Esta incluye el desarrollo del ciclo vital y del proceso de salud-enfermedad. El ciclo vital y su evolución abarcan desde que se nace hasta que se envejece. Las disfunciones que aparecen son procesos naturales de la vida.

El aspecto dinámico del proceso de salud-enfermedad nos plantea la dificultad de establecer una frontera inflexible y clara, que separe uno y otro estado.

El **cuarto punto** es la consecuencia lógica de todas las dificultades expuestas hasta el momento, y nos encontramos con la difícil tarea de definir y limitar los conceptos de normalidad y trastornos.

Por todo ello se debe entender la **Salud Mental** como un estado que permite el desarrollo óptimo físico, intelectual y afectivo del sujeto, en la medida en que no perturba la vida de sus semejantes. Y según el marco en el que esté basada (modelo biologista, conductista, psicomotriz, humanista, social, etc.) hará hincapié en aspectos distintos.

Recuerda que...

La OMS define la salud mental como el "resultado de la presencia de aspectos psicológicos, afectivos y sociales sobre la salud, necesarios para alcanzar un estado de completo bienestar."

1.1. Teorías fundamentales sobre el origen de Salud Mental

1.1.1. Teoría biologista

Esta teoría define la enfermedad mental como un trastorno orgánico o enfermedad. Las ciencias en las que se apoya son: la neurofisiología, neuroquímica, neurocirugía, psicoendocrinología y genética.

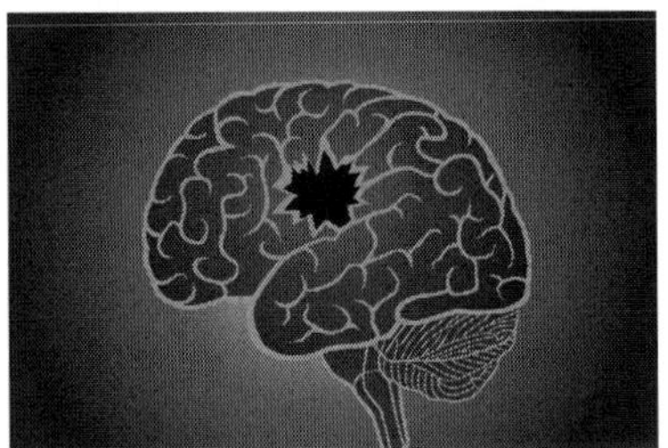

1.1.2. Teoría conductista

Parte de las investigaciones sobre la fisiología de Pávlov (condicionamiento clásico) y las escuelas soviéticas. Rechazan el origen orgánico de las enfermedades mentales, asignando el inicio a la conducta, la cual es observable y medible. El **condicionamiento clásico** es un tipo de aprendizaje asociativo que fue demostrado por primera vez por Iván Pávlov. Este autor ideó unos experimentos con perros que son la base del condicionamiento clásico. Se dio cuenta de que, al ponerle la comida al perro, este salivaba. Cada vez que le pusiera la comida, Pávlov hacía sonar una campana, de modo que, cuando el perro la escuchaba, asociaba ese sonido con la comida y salivaba. Así, el perro estaba dando una respuesta (en este caso, la salivación) a un estímulo (la campana). La próxima vez que escuchara la campana, independientemente de si iba unida a la comida, empezaría a salivar.

Pavlov

Posteriormente a los estudios de Pávlov surge el conductismo operante de Skinner que sostiene que las conductas se mantienen o se extinguen según las consecuencias que dichas conductas tengan en el entorno del sujeto.

A mediados del siglo XX, con los trabajos de Skinner, se empieza a constatar la importancia de la recompensa o refuerzo positivo y del castigo en la instauración, mantenimiento e inhibición de las conductas.

Se comienza trabajando sobre la conducta normal, y a partir de esta se llega a los fundamentos de las conductas patológicas. Se comprueba que las conductas gratificadas se repiten con mayor frecuencia y las castigadas se inhiben, esto en condiciones normales y para un determinado tipo de conductas, es decir, aquellas en las que se dé una correlación positiva entre ejecución-gratificación-castigo-extinción.

A veces las conductas disruptivas, en vez de quedar inhibidas por el castigo, se adaptan rápidamente a él, de tal forma que se necesitan grados de intensidad más altos cada vez para que surta efecto y la conducta deje de producirse.

En otros casos, por el contrario, el castigo no solo no inhibirá las conductas sino que las puede instaurar con mayor fuerza, debido a mecanismos mediadores internos que gratificarían de alguna forma al sujeto.

1.1.3. Teoría psicodinámica o psicomotriz

Es una teoría creada por Freud, en la que el origen de la enfermedad mental está en conflictos psicológicos internos que provocan el trastorno mental. Surge como experiencias fallidas vivenciadas en las primeras etapas de la vida del niño.

Otros seguidores de esta teoría desplazan el papel sexual, introduciendo otros factores como las relaciones interpersonales.

1.1.4. Teorías humanistas

Influidas en un principio por el conductismo. Tienen una visión más optimista o positiva de la persona. Profundizan en la personalidad del individuo. Los mecanismos que utilizan son los valores y la libertad.

Para ellos la enfermedad mental es de carácter deficitario por no cumplir las necesidades secundarias del ser humano; desde este punto de vista se les puede atribuir un origen social.

1.1.5. Teorías sociales

Responsabilizan a las estructuras sociales, considerándolas como los elementos que condicionan la Salud Mental. Entre ellos se pueden destacar: la cultura, la comunicación humana, etc. Algunos seguidores de estas teorías se encuentran entre los neofreudianos, como Honey, Sullivan, etc.

La compresión de los factores que inciden en la aparición del trastorno mental se encuentra influida, generalmente, por las tendencias doctrinales de la escuela o la teoría que los explique, dentro del campo de la psicopatología.

Conocer las variables responsables de producir fenómenos psicopatológicos representa una tarea compleja, dado que el comportamiento del ser humano posee múltiple interrelaciones que condicionan su desenvolvimiento. La singularidad de cada persona es responsable de las infinitas variables que configuran su personalidad, siendo el desarrollo de esta un proceso continuo.

Se consideran dos modelos para comprender la naturaleza de la conducta disruptiva y/o patológica:

1. Modelos descriptivos.
2. Modelos explicativos.

Los modelos descriptivos desarrollan básicamente los tipos de conducta que se consideran patológicos, sobre la base de los criterios del *continuum* normalidad-anormalidad, sin abordar de forma específica las causas que desencadenan estas conductas.

Los modelos explicativos aportan conocimientos acerca de los factores que inciden en los procesos psicopatológicos.

1.1.6. Teorías cognitivas

Aparecen en los años cincuenta, quizás como consecuencia de la grave crisis que atraviesa el conductismo; se decantan por el estudio del proceso de información y los sistemas cognitivos superiores.

Se basan en que la conducta desajustada puede entenderse y estudiarse en términos de cómo las personas perciben y piensan, tanto en lo que se refiere a ellas mismas como al mundo que las rodea. Es muy importante el procesamiento de la información. Esta teoría trabaja con los eventos intelectuales y el control consciente, sin excluir el aprendizaje en la adquisición y mantenimiento de las conductas desajustadas.

1.2. Aspectos socioculturales de la Salud Mental

Tradicionalmente los aspectos más estudiados en el área de Salud Mental han sido los físicos y psíquicos, especialmente estos últimos. Sin embargo, no podemos olvidar que la ciencia médica y la Enfermería contemplan al individuo como ser biopsicosocial. Es decir, en el estado de salud-enfermedad interactúan factores biológicos o físicos, psicológicos o psíquicos y sociales o culturales.

Los factores socioculturales de la salud mental han sido reiteradamente olvidados o ignorados durante mucho tiempo. No obstante asistimos al nacimiento de una nueva rama de la Psiquiatría: la psiquiatría social, que ha puesto de manifiesto la importancia de los factores sociales y culturales en la enfermedad mental. Por este motivo nos parece interesante dedicarle específicamente este apartado.

Se entiende como **cultura** a un patrón de conducta realizado por un grupo de individuos determinados. Este patrón de conducta viene determinado por una forma de sentir y de pensar concretas.

Los aspectos socioculturales que dan origen a algunos trastornos mentales son estudiados por la psiquiatría social. Según la OMS, la **psiquiatría social** se define como: *la rama de la psiquiatría que se ocupa del conjunto de medidas preventivas y curativas que tienen por objeto hacer al individuo capaz de llevar una vida satisfactoria y útil en su marco social. Con este fin, la psiquiatría social se esfuerza en proporcionar a los enfermos mentales, y a los que están en peligro de serlo, la posibilidad de establecer con la sociedad unas relaciones favorables para el mantenimiento o la restauración de la adaptación social.*

La psiquiatría social intenta relacionar los aspectos sociales con la etiología, curso, tratamiento, rehabilitación y reinserción de las enfermedades mentales.

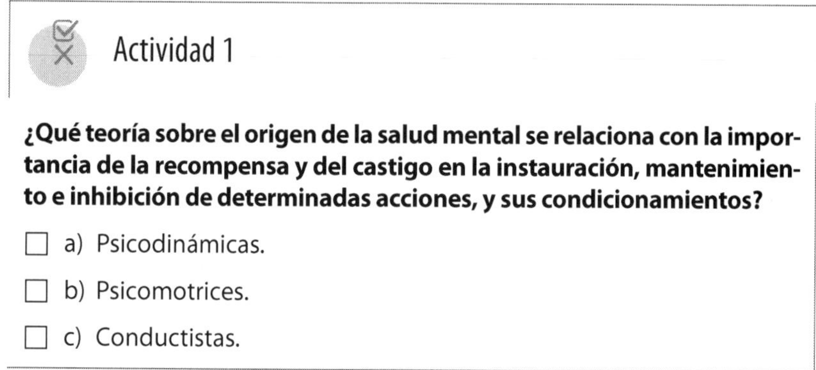

Actividad 1

¿Qué teoría sobre el origen de la salud mental se relaciona con la importancia de la recompensa y del castigo en la instauración, mantenimiento e inhibición de determinadas acciones, y sus condicionamientos?

- ☐ a) Psicodinámicas.
- ☐ b) Psicomotrices.
- ☐ c) Conductistas.

2. Clasificación de los trastornos mentales

El **Manual diagnóstico y estadístico de los trastornos mentales** (en inglés Diagnostic and Statistical Manual of Mental Disorders, DSM) de la Asociación Estadounidense de Psiquiatría (en inglés American Psychiatric Association, o APA) contiene una clasificación de los trastornos mentales y proporciona descripciones claras de las categorías diagnósticas, con el fin de que los clínicos y los investigadores de las ciencias de la salud puedan diagnosticar, estudiar e intercambiar información y tratar los distintos trastornos mentales.

La edición vigente es la quinta, **DSM-5**, publicada el 18 de mayo de 2013 amplió las categorías diagnósticas a 22 y hace una reorganización de los capítulos para reflejar mejor los avances científicos en la comprensión de los trastornos, facilitar el diagnóstico y la práctica clínica. En esta nueva organización los trastornos están ordenados por orden de aparición. En primer lugar los que comienzan en la infancia para acabar en los que aparecen en la etapa adulta. Dentro de cada uno de ellos, primero se sitúan los que aparecen más precozmente. Otro cambio es en la evaluación multiaxial, pasando de cinco ejes a tres solamente.

1. Trastornos del desarrollo neurológico.
2. Espectro de la esquizofrenia y otros trastornos psicóticos.
3. Trastorno bipolar y trastornos relacionados.
4. Trastornos depresivos.
5. Trastornos de ansiedad.
6. Trastorno obsesivo – compulsivo y trastornos relacionados.
7. Trastornos relacionados con traumas y factores de estrés.
8. Trastornos disociativos.
9. Trastornos de síntomas somáticos y trastornos relacionados.
10. Trastornos alimentarios y de la ingestión de alimentos.
11. Trastornos de la excreción.
12. Trastornos del sueño – vigilia.
13. Disfunciones sexuales.
14. Disforia de género.
15. Trastornos destructivos, del control de impulsos y de la conducta.
16. Trastornos relacionados con sustancias y trastornos adictivos.
17. Trastornos neurocognitivos.
18. Trastornos de la personalidad.
19. Trastornos parafílicos.
20. Otros trastornos mentales.
21. Trastornos motores inducidos por medicamentos y otros efectos adversos de los medicamentos.
22. Otros problemas que pueden ser objeto de atención clínica.

Clasificación DSM-V

La **OMS** recomienda el uso del Sistema Internacional denominado CIE-10, acrónimo de la Clasificación internacional de enfermedades, décima versión, cuyo uso está generalizado en todo el mundo.

- F1. Trastornos mentales orgánicos, incluidos los sintomáticos.
- F2. Trastornos mentales y del comportamiento, debidos al consumo de sustancias psicótropas.
- F3. Esquizofrenia, trastornos esquizotípicos trastorno de ideas paranoides.
- F4. Trastornos del humor (afectivos).
- F5. Trastornos neuróticos, secundarios a situaciones estresantes y somatomorfos, (ej. hipocondria).
- F6. Trastornos del comportamiento asociados a disfunciones fisiológicas y a factores somáticos.
- F7. Trastornos de la personalidad y del comportamiento adulto.
- F8. Retraso mental.
- F9. Trastornos del desarrollo psicológico.
- F10. Trastornos del comportamiento y de las emociones de comienzo habitual en la infancia y adolescencia.

Clasificación CIE 10

3. Trastornos mentales. Hospitalización de los pacientes con trastornos mentales y la relación con el Técnico en Cuidados Auxiliares de Enfermería

La labor de los TCAE en los servicios de salud mental requiere un conocimiento exhaustivo de las patologías que allí se tratan para poder valorar el tipo de enfermos que van a tratar y la aptitud que deben adoptar con respecto a ellos. La función profesional del TCAE con los pacientes psiquiátricos debe ser igual que con el resto de pacientes.

3.1. Trastornos por ansiedad

El temor y la ansiedad son una experiencia universal. Se siente ansiedad desde el nacimiento, y los métodos que se aprenden para combatirla forman la base de la personalidad. La ansiedad no se puede considerar por sí sola como un estado patológico. Se podrá considerar como tal cuando su duración e intensidad sean excesivas e interfieran en las ABVD.

La ansiedad es un estado emocional activado como mecanismo de defensa natural del propio organismo, y dependiendo de su forma de presentación y tiempo podrá ser adaptativa o patológica, en este último caso, se caracteriza por cansancio mental, alteraciones de la personalidad, estado intenso de la ansiedad, pensamientos obsesivos y actos compulsivos, que producen sentimientos de angustia y sufrimiento desproporcionados a la realidad de la situación.

Según **Bernard Chauveau**, la ansiedad y angustia son independientes de cualquier objeto o situación real. Es un sentimiento de peligro indefinible; es la espera de una amenaza inminente. Resumiendo: la ansiedad es «un miedo sin causa». Este es el motivo por el que se diferencia del miedo.

Trastornos más comunes de la ansiedad:

- **Trastorno por ansiedad simple**: no tiene tratamiento farmacológico, siendo la enfermera la que colabora para una resolución positiva.
- **Trastorno por ansiedad generalizada**: la alteración emocional es de carácter más o menos persistente con tendencia a la cronicidad. Se trata con terapias de apoyo y relajación.

- **Trastorno de angustia**: crisis recurrentes de angustias que surgen espontáneamente. Solo se ve seguro con un profesional a su lado.
- **Trastornos fóbicos**: rasgo especial, es la presencia de un temor irracional y persistente ante un objeto específico, actividad y situación que determina una conducta de evitación (evitación, negación, racionalización...) del objeto o situación temidos:
  * *Agorafobia*: aparece miedo intenso a estar en lugares abiertos o en situaciones de las que puede ser difícil escapar o donde la ayuda no esté disponible.
  * *Fobia social*: miedo o ansiedad intensa en una o más situaciones sociales donde el individuo cree estar expuesto a examen por parte de otras personas.
  * *Fobia simple*: temor irracional a situaciones concretas, distinta de las dos fobias anteriores.
- **Trastono de pánico:** se caracteriza por ataques de pánico inesperados y recurrentes.
- **Trastorno de ansiedad por separación:** ocurre cuando hay un temor excesivo a la separación de figuras de apego, como pareja, madres, etc.

Los **síntomas y signos** de la ansiedad son: Ira, hostilidad, sentimientos «inestables», alteraciones en el apetito, ya sea aumento o disminución, expectativas inquietantes y aprensión intensa. Dolor torácico, malestar, quemazón, achaques, palpitaciones, sensación de opresión y sofoco, sequedad de boca, disnea, etc.

3.1.1. Trastornos de angustia

Aunque pueden comprometerse seriamente las actitudes mentales del individuo afectado, por lo general se conserva la percepción de la realidad, aunque distorsionada, y el comportamiento y actitudes sociales permanecen dentro de unos límites aceptables.

Existe una graduación de los estados de ánimo en torno a la angustia:

- Inquietud, que equivale a un nerviosismo psicomotriz sobre una sensación de inseguridad.
- Ansiedad, en la que predominan los componentes psíquicos con un sentimiento de espera y malestar interior.
- Angustia, predominan los componentes somáticos con sensación de peligro, amenaza o incluso muerte inminente y que cursan con opresión torácica.
- La ansiedad es un fenómeno psíquico; la angustia supone, además, la presencia de alteraciones somáticas.
- No existe sustrato orgánico que lo justifique. Es de larga duración, no debe considerarse como una reacción pasajera al estrés y puede requerir tratamiento.

Los síntomas van desde una leve tensión crónica, con sensación de timidez, fatiga, aprensión e indecisión, hasta estados más intensos de inquietud e irritabilidad, que pueden llevar a actos agresivos o a desorientación. En los casos extremos, las alteraciones emocionales abrumadoras se acompañan de reacciones físicas, entre las que figuran temor, tensión muscular permanente, taquicardia, disnea, hipertensión, respiración profunda y sudoración abundante. Entre los signos físicos figuran cambios de coloración cutánea, náuseas, vómitos, diarrea, inquietud, inmovilidad, insomnio y variaciones del apetito, todos ellos sin causa orgánica subyacente. Estos síntomas de ansiedad pueden controlarse con medicamentos como los tranquilizantes y ansiolíticos, pero el tratamiento de elección es la psicoterapia.

Nivel de ansiedad	Características	Manifestaciones fisiológicas
Ausencia	Individuo tranquilo Conversación con voz y volumen normales	Respiración normal Frecuencia cardíaca normal Tensión arterial normal Función gastrointestinal normal Tono muscular relajado
Leve	Individuo en alerta Campo perceptivo aumentado Pequeña dificultad para permanecer quieto	Falta ocasional de respiración Síntomas gástricos leves Tics faciales
Moderada	Campo perceptivo disminuido Atención selectiva	Falta frecuente de respiración Taquicardia TA aumentada Boca seca, dolor de estómago, anorexia, diarrea o estreñimiento Temblores
Severa o pánico	Pérdida de control Distorsión de la percepción Pérdida de pensamiento racional Experiencia atemorizante Incapacidad de comunicación	Disnea o sensación de ahogo, hipotensión, mareo, dolor precordial, palpitaciones, náuseas Agitación con movimientos involuntarios Temblores Expresión facial de temor

Manifestaciones fisiológicas relacionadas con los niveles de ansiedad

Crisis de angustia

Aparición aguda, de forma súbita, generalmente precedida de un estado depresivo y de inestabilidad emocional; suele ser de predominio nocturno.

El individuo tiene la sensación de que se va a morir; otras veces es presa del pánico. Salta de la cama y deambula de un lado a otro, pálido y sudoroso.

Se queja de opresión precordial, ahogo, presencia de taquicardia, con palpitaciones.

Puede presentar tos, algias gastrointestinales, náuseas, vómitos, diarrea y es típica la sequedad de boca.

Pueden aparecer también visión borrosa, zumbido de oídos y parestesias.

Suele ceder a los 15-20 minutos, pero el paciente teme que se vuelva a repetir.

En resumen, los síntomas durante la crisis son: palpitaciones o taquicardia, disnea, miedo a la muerte, mareo o sensación de inestabilidad, temblor o sacudidas musculares, sudoración, algias (dolores), oleadas de frío o calor, náuseas, debilidad muscular, parestesias (ligera parálisis), miedo a volverse loco, inquietud psicomotora, despersonalización, sofocación, sequedad de boca y cefaleas.

Estados de angustia

El paciente, de forma progresiva o como continuación de una crisis, alcanza un nivel de angustia que, con oscilaciones en intensidad y sintomatología, puede durar semanas, meses o mantenerse de forma latente durante años.

Presenta irritabilidad, inquietud, insomnio con pesadillas, cansancio, fatigabilidad, cambios de humor. Son frecuentes los temores y las fobias.

En el apartado somático se presentan los trastornos abdominales (diarrea, estreñimiento), alteraciones vasomotoras (sudoración, manos frías, sofocos), contracturas musculares, parestesias, cefaleas, alteraciones sexuales, etc.

En los estados de angustia crónicos se añaden síntomas depresivos.

Tratamiento

Se basa en: fármacos ansiolíticos, psicoterapia, terapias de orientación social para analizar y modificar situaciones en las que el paciente se encuentra y que pueden ser causantes de estrés y angustia y medidas higiénico-dietéticas (evitando el consumo de: alcohol, xantinas –café, té, chocolate...–, derivados de las anfetaminas y alimentos excitantes).

Por otra parte, se regulará un plan de cuidados del paciente a nivel de sueño y actividad sexual.

Intervenciones de Enfermería

a) Se valorará el nivel de ansiedad de la persona.

b) Se le proporcionará seguridad, de tal forma que se debe permanecer a su lado, se le hablará tranquilamente, se disminuirá el exceso de estímulos, e intentaremos que la persona sea capaz de expresar sentimientos y pensamientos.

c) Debemos identificar las situaciones que le produzcan tensión.

d) En el momento en que disminuya la ansiedad, le ayudaremos a tomar conciencia de ella; le animaremos a recordar momentos de ansiedad y las formas de afrontarlos.

e) Se utilizarán métodos para reducir la ansiedad. Estas actuaciones están encaminadas a que el paciente consiga: manejar la ansiedad, tomar decisiones, verbalizar sus sentimientos, identificar factores desencadenantes del estrés, aumento de la autoestima y seguridad ante episodios ansiosos.

Actividad 2

Interrelaciona cada trastorno con su definición:

Tipo	Definición
Ansiedad simple	• Es la alteración emocional de carácter más o menos persistente con tendencia a la cronicidad.
Ansiedad generalizada	• Es aquella crisis puntual, que no tiene tratamiento farmacológico, siendo el equipo de salud el que colabora para una resolución positiva.
Ataque de angustia	• Es la alteración emocional debida a la presencia de un temor irracional y persistente ante un objeto específico, actividad y situación que determina una conducta de evitación.
Trastorno fóbico	• Son crisis recurrentes de angustias que surgen espontáneamente.

3.1.2. Trastorno fóbico

Según la definición de la OMS puede definirse las **fobias** como *estados neuróticos con miedo anormalmente intenso hacia ciertos objetos o situaciones específicas que normalmente no causarían dicho efecto.* Si la ansiedad tiende a ampliarse desde una situación u objeto especificado a una variedad de circunstancias, entonces se aproxima o se vuelve idéntica al estado de ansiedad y debe clasificarse como tal.

Dicho de otro modo: consiste en un trastorno nervioso caracterizado por un temor obsesivo, irracional e intenso frente a un objeto específico como un animal, una actividad, el encuentro con personas extrañas, el abandono del marco familiar del hogar o una situación física, como las alturas o los espacios abiertos o cerrados.

Las manifestaciones típicas de la fobia son: desvanecimiento, fatiga, palpitaciones, sudoración, náuseas, temblor, ansiedad y pánico.

El temor, que es desproporcionado con respecto al objeto que lo provoca, suele estar relacionado con alguna experiencia previa dolorosa o desagradable en la que intervino el objeto o situación en particular, o puede deberse al desplazamiento de un conflicto inconsciente hacia un objeto o una situación externos con los que guarda una situación simbólica.

La necesidad irracional y compulsiva de evitar el objeto o situación productores de temor interfiere con las actividades diarias habituales y, con frecuencia, provoca alteraciones complejas en las formas de vida y en las relaciones interpersonales. La angustia que vive el sujeto se ve desplazada hacia el exterior, constituyéndose la fobia como mecanismo de defensa.

Aunque el individuo suele admitir lo injustificable de su reacción, es incapaz de superar el temor hasta que se pone de manifiesto el conflicto reprimido, por lo general mediante una psicoterapia larga.

El tratamiento se lleva a cabo también con técnicas conductistas, para reducir la ansiedad resultante del temor, alterando la respuesta del comportamiento y modificando algunas de las conductas fóbicas.

Las **fobias se pueden clasificar** de diferentes maneras. Algunas de ellas son:

1. Fobias a estímulos externos o de situación: agorafobia (miedo a los espacios abiertos), claustrofobia (temor a los espacios cerrados) y fobias de contacto (miedo a tocar determinados objetos, animales, cosas, etc.).
2. Fobias de impulso: el objeto se percibe como peligroso, dado que puede ser el material utilizado durante un estado fuerte de pánico: ventana abierta, cuchillo...
3. Fobias funcionales: eritrofobia (miedo a enrojecer), nosofobia (temor a las enfermedades) y dismorfofobia (miedo a las deformaciones).

Marks clasifica las fobias en dos apartados:

a) Fobias a estímulos externos: fobias a animales, síndrome agorafóbico, fobias sociales, otras fobias específicas...

b) Fobias a estímulos internos: nosofobias y fobias obsesivas.

Tratamiento

El tratamiento se lleva a cabo también con técnicas conductistas para reducir la ansiedad resultante del temor, alterando la respuesta del comportamiento. En el tratamiento farmacológico se asocian tranquilizantes y antidepresivos.

3.1.3. Trastornos obsesivo-compulsivos. TOC

Según la OMS la definición que se da a estos trastornos es: *estados cuyo síntoma sobresaliente es un sentimiento de compulsión subjetiva (que debe ser resistido) para efectuar alguna acción, persistir en una idea, recordar una experiencia o rumiar acerca de un asunto abstracto. Los pensamientos no deseados que se entremeten, la insistencia de las palabras o ideas, las reflexiones... son percibidas por el paciente como inapropiados o carentes de sentido. La idea obsesiva es reconocida como ajena a la personalidad, pero proveniente de dentro de sí misma. Las acciones obsesivas pueden adquirir un carácter casi ritual con el fin de aliviar la ansiedad. Las tentativas para desechar los pensamientos que no son aceptados pueden conducir a una lucha interna más acentuada con ansiedad intensa.*

Se caracteriza por la incapacidad de resistir la intrusión de pensamientos o ideas persistentes, irracionales e incontrolables, o temores contrarios a la forma de ser de la persona. Suele aparecer después de la adolescencia, originándose temor, sentimientos de culpa y anticipación del castigo.

El tratamiento se puede basar en la psicoterapia para descubrir los temores básicos y para ayudar al enfermo a distinguir los peligros objetivos de los imaginados. Denominada también *psicastenia.*

Obsesiones

Contenidos o actividades psíquicas que se imponen en el sujeto a pesar suyo. Entre las obsesiones más frecuentes se encuentran las relacionadas con la limpieza, la suciedad, los impulsos sexuales o agresivos, la preocupación por la salud, el orden, la seguridad, etc.

Las personas que padecen obsesiones suelen reconocerlo, pero se sienten obligadas a realizarlas para disminuir la ansiedad. Generalmente estas personas no mantienen relaciones sociales. Los mecanismos de defensa que utilizan son la represión y el desplazamiento.

Las características de la obsesión son: su aparición no está ligada a una determinada situación, existe consciencia de su estado y carácter desagradable para el enfermo.

Ritos compulsivos

Conductas tendentes a disminuir la angustia ligada a la obsesión.

Los pacientes obsesivo-compulsivos intentan mantenerse en situación de permanente orden, tienen tendencia a la duda, a las verificaciones y a los escrúpulos.

Son actos formales y precisos que el enfermo se siente impulsado a realizar, de esta manera disminuye la angustia ligada a la obsesión.

Estos actos son formas desadaptadas que dañan la actividad social del individuo.

Las **causas o etiología** las tenemos en: factores de aprendizaje dentro de la familia, personalidad anancástica (preocupación crónica excesiva) y factores psíquicos de la personalidad: rigidez, disciplina...

Tratamiento

1. *Farmacológico.* Asociando antidepresivos y neurolépticos.
2. *Psicoterapéutico.* Es un proceso terapéutico largo, y la mayoría de las veces decepcionante en los resultados.

3.1.4. Trastorno de estrés traumático

Se da en personas que han vivido una experiencia traumática como guerras, violaciones, abusos, muertes de familiares, catástrofes naturales, etc. Estas experiencias fueron vividas con un miedo intenso.

El cuadro clínico que presentan es el llamado *flashback*; en él la persona se ve inmersa en los recuerdos que vivió durante el suceso. Se acompañan de gran ansiedad, depresión y con frecuencia pesadillas. Es un cuadro complicado. Los mecanismos de defensa lucharán contra la ansiedad provocada.

3.1.5. Trastorno de ansiedad generalizada

Se caracteriza por una ansiedad y preocupación constantes que el individuo no puede controlar. Suele acompañarse de otros síntomas como inquietud, fatiga, dificultades de concentración, irritabilidad, tensión muscular y dificultad para conciliar el sueño o sueño poco reparador.

La preocupación crónica de estos pacientes está relacionada con hechos de su vida cotidiana, cuya visión por parte del sujeto es poco realista.

Entre los síntomas físicos que pueden aparecer están: temblores, dolores musculares, estados depresivos, respuestas de sobresalto desproporcionadas con el estímulo que las provocó y tensión motora y/o psíquica.

El curso de este trastorno suele ser crónico, pero, por lo general, poco incapacitante. Es algo más frecuente en mujeres, aunque existe un alto porcentaje en hombres.

3.1.6. Valoración del TCAE

La valoración incluirá todas las respuestas, tanto de adaptación, como de inadaptación, del paciente. Se debe realizar siguiendo los patrones funcionales de salud:

- **Percepción de la salud/mantenimiento de la salud**: preocupación exagerada por la salud, preocupación por el seguimiento de la medicación, miedo a volverse loco, trastornos somáticos y numerosas visitas a los servicios sanitarios por crisis de ansiedad...

- **Nutrición**: preocupación por los hábitos alimentarios para calmar la ansiedad (puede aparecer anorexia o bulimia), ganancia o pérdida de peso…
- **Eliminación**:
    * A menudo aparecen síntomas gastrointestinales como consecuencia de la ansiedad. Se producen alteraciones en la eliminación intestinal, tales como diarrea, estreñimiento, dolor, flatulencias, náuseas...
    * Poliuria.
- **Sueño**: insomnio, fatiga después de dormir y, para conciliar el sueño, recurren a hipnóticos o ansiolíticos.
- **Actividad/ejercicio**: gran preocupación por sentirse fácilmente fatigado, dificultad para realizar las tareas normales diarias, puede presentar limitaciones en la actividad, incapacidad para disfrutar de las actividades de ocio…

- **Percepción**: disminución de la concentración, preocupación por la incapacidad de pensar con claridad y alteración de las percepciones.
- **Sexualidad/reproducción**:
    * Relaciones sexuales insatisfactorias y dificultad para ellas.
    * No aparecen conductas promiscuas, sino todo lo contrario.
- **Autoimagen/autoconcepto**: autopercepción de estar altamente ansioso, preocupación por la imagen del cuerpo y preocupación por ser dependiente.
- **Adaptación al estrés**: inquietud y nerviosismo, tics, preocupación por sentir alguna reacción de alarma e incapacidad para disminuir la ansiedad.

3.1.7. Intervenciones del TCAE

Una vez realizada la valoración siguiendo los *patrones funcionales de salud* y habiendo detectado aquellos que están alterados, se procede a realizar los cuidados de enfermería:

Cuidados

- Valorar el nivel de ansiedad de la persona.
- Proporcionarle seguridad, permaneciendo junto a la persona y no exigirle que tome decisiones.
- Se le hablará tranquilamente y se disminuirán los estímulos externos.
- Identificar las situaciones que aumenten la tensión y ayudarle a tomar conciencia de su ansiedad.
- Enseñarle métodos para reducir la ansiedad, tales como la relajación y técnicas de reducción del estrés.

3.2. Trastornos afectivos: la depresión

3.2.1. Trastornos del estado de ánimo/afectividad

Afecto es un término que se refiere al tono emocional de una persona, que da color a su vida psíquica. Oscila entre la euforia y la tristeza en condiciones normales, y no interfiere en la vida habitual. Cuando estos estados de ánimo interfieren en el comportamiento ordinario, se habla de trastornos afectivos.

Las emociones son manifestaciones afectivas de la mente y se desarrollan en forma de modificaciones en el organismo.

Efectivamente, los estados emocionales van acompañados de temblores o bien tensión muscular, sequedad de la boca, lagrimeo, taquicardia, palidez por vasoconstricción periférica, etc.

La regulación nerviosa de las manifestaciones emocionales radica en una serie de centros conectados entre sí y hace muy complicado el estudio fisiológico.

La neurosis es un trastorno emocional y se diferencia de la psicosis en que es reconocido por el paciente afectado, mientras que los pacientes psicóticos ignoran su propio estado debido a la alteración que presenta su integración mental, es decir, pierden el contacto con la realidad). Las neurosis emocionales aparecen en pacientes con shock emocional o estrés postraumático.

La OMS (Organización Mundial de la Salud) define la neurosis como trastornos mentales sin base orgánica demostrable en los que el paciente puede tener considerable introspección y tiene indemne el sentido de la realidad, de forma que habitualmente no confunde sus experiencias subjetivas y fantasías mórbidas con la realidad externa. La conducta puede estar seriamente afectada, pero la personalidad no está desorganizada.

La **depresión** es un trastorno emocional que causa un sentimiento de tristeza constante y una pérdida de interés en realizar diferentes actividades (apatía). También denominada «trastorno depresivo mayor» o «depresión clínica», afecta los sentimientos, los pensamientos y el comportamiento de una persona, y puede causar una variedad de problemas físicos y emocionales. Es posible que tenga dificultades para realizar las actividades cotidianas y que, a veces, sienta que no vale la pena vivir.

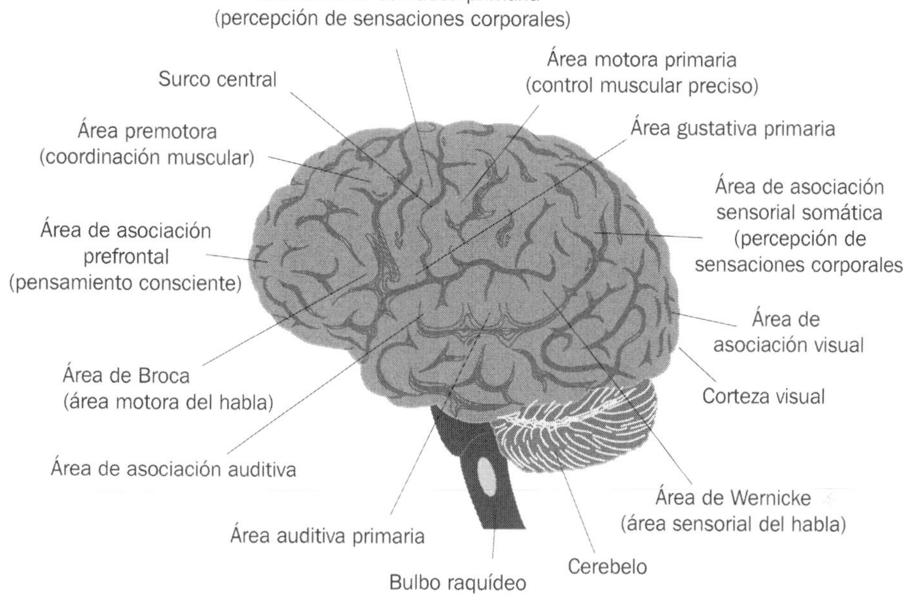

Más que solo una tristeza pasajera, la depresión no es una debilidad y uno no puede recuperarse de la noche a la mañana de manera sencilla. La depresión puede requerir tratamiento a largo plazo.

Según los últimos datos del CIS, más de 2,1 millones de personas sufren algún cuadro depresivo y el 5 % tiene diagnosticada ansiedad en España. El Ministerio de Sanidad, ha desarrollado un plan de estrategia 2022-2026 para afrontar estas cifras.

Se ha convertido en la primera causa de enfermedad mental en España, además y siguiendo a la OMS es la primera causa de discapacidad en el mundo.

Según el DSM los trastornos del estado de ánimo o afectivos se clasifican, a su vez, en tres grupos:

1. **Episodios afectivos**: episodio depresivo mayor, episodio maníaco y episodio mixto.
2. **Trastornos depresivos**: trastorno depresivo mayor.
3. **Trastornos bipolares**.

3.2.2. Episodios afectivos

Episodio depresivo mayor

Trastorno afectivo mayor caracterizado por un humor disfórico persistente acompañado de ansiedad, irritabilidad, temor, trastornos del sueño y del apetito, disminución de la energía, sentimientos de culpabilidad, disminución de la concentración, pensamientos de muerte o suicidio.

El tratamiento incluye antidepresivos y terapia electroconvulsiva junto con psicoterapia a largo plazo. En los casos graves es fundamental la actuación en aspectos tales como la nutrición, el mantenimiento de la higiene y su protección frente a lesiones.

Se puede definir como un trastorno psíquico, normalmente recurrente, que cursa con una alteración del humor de tipo depresivo, a menudo acompañada de ansiedad, y donde se pueden dar otros síntomas psíquicos del tipo de inhibición, excitación y de la conducta en general, así como síntomas somáticos diversos.

Etiología

Sobre una personalidad con predisposición pueden incidir, en mayor o menor grado, una serie de factores, que pueden ser: genéticos, somáticos, psíquicos y socioculturales.

Clínica

Las depresiones endógenas (también llamadas depresiones mayores, involutivas o melancólicas) predominan a partir de los 40-50 años. Aunque su incidencia se observa en cualquier edad.

La sintomatología, siguiendo al Comité Español para la Prevención y Tratamiento de las Depresiones, se agrupa en:

1. *Alteraciones emocionales.* El humor depresivo y la tristeza patológica están presentes. Otra manifestación es la ansiedad, que es vivida como un miedo intenso sin causa aparente. El individuo está como esperando un acontecimiento terrible.
2. *Alteraciones del pensamiento.*

   El pensamiento del depresivo se caracteriza por su tonalidad negra, pesimista y desagradable. El depresivo tiene el valor de su autoestima por el suelo. No se valora.

   La idea de la muerte y del suicidio están presentes, constituyendo un grave riesgo con el que siempre hay que contar.

   En cuanto al curso del pensamiento, este es lento, con dificultad en la ideación; existe, en general, una inhibición del pensamiento con dudas, monotonía de ideas...

   En resumen, encontramos un perfil depresivo con las siguientes características: sentimiento de desesperanza y de que la vida no tiene sentido, autoestima baja, irritabilidad o ira, tristeza y llanto desesperados, confusión, regresión, pesimismo, especialmente en lo referente al futuro, incapacidad de concentración y pérdida de memoria y quejas sobre trastornos de la misma.
3. *Alteraciones somáticas.* Encontramos distintas alteraciones a diferentes niveles; entre ellos: del sueño, del apetito, sexuales y menstruales, digestivas (estreñimiento, sequedad de boca, dispepsias y dolores abdominales)...

4. *Alteraciones de los ritmos vitales.* La depresión afecta principalmente a las regulaciones vegetativas que son de carácter rítmico. El enfermo se encuentra mejor al anochecer que durante la mañana o madrugada.

   El ritmo menstrual femenino se ve alterado, llegando incluso a producirse el cese de la menstruación (amenorrea).

5. *Alteraciones de la conducta.* El paciente se encuentra distraído, con una disminución de la atención y de la concentración. Se encuentra fatigado, asténico. En el plano sexual también se observa una disminución de la libido. Tiene una conducta autoagresiva que puede llevar al suicidio.

Sabías que...

El mayor alto índice de suicidios por depresión no se produce cuando la depresión es más profunda, sino cuando el paciente empieza a recuperarse, ya que su estado aún le inclina a la autodestrucción y cuenta ya con más energía para llevar a la práctica las ideas suicidas.

El número corto 024 del Plan nacional «Línea de ayuda a las personas con riesgo de conducta suicida», activo desde el próximo mes de mayo de 2022, siendo la Dirección General de Salud Pública del Ministerio de Sanidad la entidad prestataria de este servicio de atención telefónica gratuito y accesible desde todo el territorio nacional dirigido a aquellas personas con pensamientos, ideaciones o riesgo de conducta suicida.

Tratamiento

- *Farmacológico*: antidepresivos tricíclicos y los inhibidores de la monoaminooxidasa (IMAO), aunque también pueden emplearse medicamentos antipsicóticos o de otro tipo. Es muy importante que el personal que administra los fármacos antidepresivos esté muy familiarizado con su uso y sus efectos secundarios. Dado que estos fármacos suelen tardar entre 2 y 6 semanas en hacer efecto, el paciente necesita mucho apoyo para seguir adecuadamente el tratamiento. Estos fármacos pueden tener efectos secundarios peligrosos. El paciente debe ser dado de alta con la dosis mínima efectiva y con muy poca cantidad de reserva del fármaco.
- *Psicoterapéutico*: en el ambiente hospitalario, suele disponerse tanto de psicoterapia individual como de grupo. También puede ser necesaria la terapia familiar o de pareja. El tratamiento se orienta hacia la aceptación y protección del individuo, al que se ayuda a recuperar la esperanza, a encontrar nuevas formas de vida y a planificar su futuro.
- *Tratamiento electroconvulsivo*: se utiliza cuando el paciente se halla deprimido y presenta síntomas o comportamientos psicóticos, insomnio grave o pérdida de peso y salud física disminuida, o bien problemas médicos que se tratan mejor con la terapia electroconvulsiva que con los fármacos.

Actividad 3

Define neurosis (según la OMS):

Episodio maníaco

En el episodio maníaco encontramos un estado de ánimo anormalmente elevado, expansivo o irritado y dura por lo menos una semana. Esta alteración del estado de ánimo se acompaña de, por lo menos, tres síntomas, que pueden ser: aumento de la autoestima o grandiosidad, disminución de la necesidad de dormir, verborrea, fuga de ideas, distraibilidad, agitación psicomotora...

Estas alteraciones conducen a un deterioro social, laboral o requieren hospitalización.

Habitaciones con medidas de seguridad para evitar accidentes

Episodio mixto

Se dan episodios tanto maníacos como depresivos y con un período de tiempo de al menos una semana de duración. Se pasa de la alegría a la tristeza y se acompañan de síntomas del episodio maníaco y depresivo mayor.

Entre los síntomas se encuentran: alteraciones del apetito, insomnio, agitación, síntomas psicóticos e ideas suicidas.

3.2.3. Trastornos depresivos

Trastorno depresivo mayor

Está caracterizado por uno o más episodios depresivos mayores, pero sin episodios maníacos, mixtos o hipomaníacos. Este trastorno puede ser un único episodio o recidivante. Su riesgo se da con mayor frecuencia en mujeres.

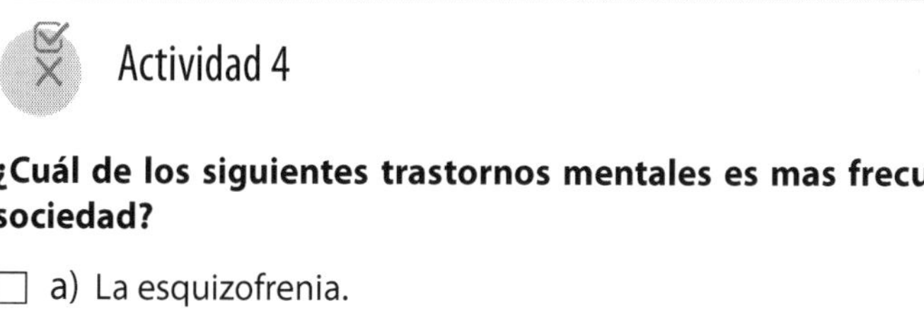

Actividad 4

¿Cuál de los siguientes trastornos mentales es mas frecuente en la sociedad?

- ☐ a) La esquizofrenia.
- ☐ b) La depresión.
- ☐ c) La paranoia.

Trastorno depresivo persistente

El trastorno depresivo persistente, anteriormente conocido como distimia, es una forma de depresión continua y de largo plazo o crónica. Según el manual DSM-V, este trastorno es una "consolidación" de los trastornos depresivo mayor crónico y distímico, descritos en la edición IV. Es decir, según esta nueva edición, el trastorno depresivo persistente menudo fluctúa por encima y por debajo del umbral del episodio depresivo mayor.

3.2.4. Trastornos bipolares

Según la OMS, «Constituye una psicosis afectiva que puede aparecer ya en forma depresiva, ya maníaca, en forma sucesiva o con un intervalo de normalidad». Se le denomina también psicosis afectiva bipolar, psicosis fasotímica y ciclotimia.

En un momento determinado esta enfermedad puede presentar una u otra fase o aparecer de forma simultánea elementos de las dos.

Las características de la **fase maníaca** son: expresividad emocional excesiva, excitación, euforia, hiperactividad acompañada por manifestaciones de júbilo, comportamiento alborotado, logorrea, fuga de ideas, distraibilidad, en ocasiones, y un comportamiento violento, agresivo o autodestructivo. También se observa dificultad de concentración, insomnio y, aparentemente, energía desatada, todo lo cual suele acompañarse de delirios de grandeza.

En la **fase de depresión** existe una acusada apatía e hipoactividad junto con sentimientos de profunda tristeza, soledad, culpabilidad y disminución de la autoestima. Sus causas son variadas y complejas y en ella intervienen casi siempre factores biológicos, psicológicos, interpersonales y sociales.

El tratamiento incluye antidepresivos, neurolépticos y ansiolíticos; en las personas que presentan un riesgo inmediato y grave de suicidio está indicada la terapia electroconvulsiva, seguida por psicoterapia a largo plazo. Durante las fases de depresión es necesaria la observación continúa del paciente, particularmente cuando empieza a recuperarse, ya que en ese momento aumenta el riesgo de suicidio.

Sabías que...

La depresión constituye hoy en día uno de los principales problemas de salud por su alta prevalencia, incidencia y consecuencias. El Ministerio de Sanidad ha aprobado la "Estrategia de Salud Mental del Sistema Nacional de Salud para el periodo 2022-2026" donde se pretende mejorar la salud mental de la población en todos los niveles y ámbitos de atención del Sistema Nacional de Salud.

Puedes ver el Plan estratégico en:

Etiología

Existen varias teorías: *herencia* (se habla de un marcado carácter hereditario), *factores tóxicos* (alcohol, hachís, cocaína, anfetaminas, etc.), *factores hormonales* (patología tiroidea, de hipófisis, de gónadas) y *factores psicológicos* (shocks emocionales).

Evolución

a) *Monofásica.* Se repite siempre el mismo tipo de fase con períodos intrafase. Es más frecuente que se repitan las fases depresivas que las maníacas.
b) *Bifásica.* Alterna la fase maníaca y depresiva, con períodos intrafásicos de normalidad. La duración de cada fase es variable.

Tratamiento

Según la fase de la enfermedad se administrará un fármaco u otro: antidepresivos y neurolépticos.

Se emplea el tratamiento con sales de litio durante el episodio maníaco y, sobre todo, como preventivo una vez superada la crisis.

Actuaciones del TCAE

Las actuaciones en el caso de **pacientes depresivos** son:

1. Se sabe que el uso de determinados fármacos precipitan la depresión. Como ejemplo de dichos fármacos, encontramos los tranquilizantes, los hipotensores, los betabloqueantes y la procainamida, por lo que se debe revisar los antecedentes farmacológicos del paciente cuando existan síntomas de depresión.
2. La depresión es la enfermedad psiquiátrica más corriente en los pacientes de edad. Se caracteriza por insomnio, desesperanza, aletargamiento, anorexia, pérdida de interés y síntomas somáticos.
3. En los pacientes depresivos hospitalizados debe tenerse en cuenta que el aislamiento y la inmovilización son factores desencadenantes de crisis. Demostrar interés por su salud y hablar con el paciente aunque este no conteste.

4. El paciente deprimido presenta quejas de tipo somático.
5. Un síntoma característico de la depresión es el insomnio de segunda hora: el individuo afectado se despierta muy pronto y luego no puede volverse a dormir.
6. El estado anímico del paciente con la depresión presenta un ritmo diario característico: en la depresión endógena el enfermo se siente peor por la mañana y mejora por la tarde, mientras que en la depresión neurótica o reaccional tiende a sentirse peor por la noche.
7. Asegurar la administración de una dieta equilibrada.
8. Estimular al paciente para que se haga cargo de su autocuidado. Suplirlo solo en casos de extrema necesidad. Tener una actitud positiva ante él.
9. Planificar la creación de programas grupales y de terapia ocupacional.
10. Proporcionar un ambiente seguro para la integridad de la persona.

Las actuaciones en el caso de **episodios maníacos** son:

1. Orientar al paciente hacia la realidad.
2. Colaborar con las actividades cotidianas.
3. Regular el nivel de actividad.
4. Corregir la agresividad facilitando la verbalización de los sentimientos y manteniendo una actitud neutral.
5. Animar y elogiar las conductas aceptables.
6. Enseñar al paciente a identificar los factores estresantes psicosociales y a reconocer, tratar y prevenir los síntomas.
8. Enseñar al paciente a identificar los factores estresantes psicosociales y a reconocer, tratar y prevenir los síntomas.

3.3. Conducta psicótica

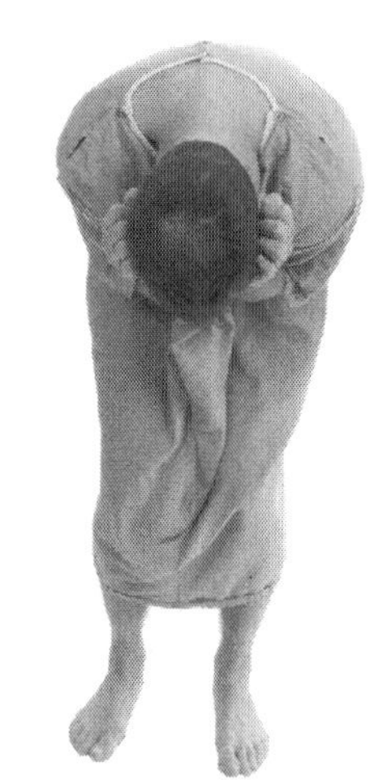

La conducta psicótica es el resultado de un serio trastorno de la personalidad que lleva consigo un deterioro de la función del ego, especialmente al examinar la realidad.

Entre los **síntomas y signos** se incluyen los siguientes:

La *psicosis funcional* (esquizofrenia) puede llevar a una conducta estrafalaria, delirios, trastornos de la iniciativa propia, trastornos del apetito, apatía, neologismos (creación o la invención de palabras características de los enfermos psicóticos y esquizofrénicos) agresión contra sí mismo y contra otros, alucinaciones (percepción falsa sin estímulos externos), pensamiento desorganizado e ilógico, estados confusionales, dificultad con la comunicación verbal, aumento de la ansiedad, agitación, baja autoestima, alteración de los límites del ego (incapacidad para diferenciar entre uno mismo y el entorno), relaciones interpersonales malas, conducta escapista, respuestas emocionales inapropiadas o inadecuadas, conflictos sexuales y conducta regresiva.

La *psicosis orgánica* puede resultar en alteración de la concentración, delirios, desorientación, agresividad, hostilidad, miedo, falta de atención a la higiene personal y acicalamiento, alteración en el ciclo del sueño, trastornos en la alimentación, expresión de los pensamientos o los miedos físicamente más que con palabras, conciencia confusa, marcada apatía e indiferencia, habla incoherente alogia (ausencia o disminución del lenguaje espontáneo, una pobreza de su contenido), abulia (falta de voluntad o iniciativa, así como de energía), trastornos de la percepción, interrogaciones repetitivas y bajo control del impulso.

3.3.1. Esquizofrenia

Es un trastorno muy extendido, tanto en su forma de presentación, que abarca un abanico grande de síntomas, como en su frecuencia. Se calcula que en EE.UU. la padece en alguna de sus formas de un 1 a un 2 % de la población. Entre el 0,2 y el 1 % de la población del planeta.

La esquizofrenia fue descrita por primera vez en el siglo XIX por **Kraepelin** como un tipo de *demencia precoz*.

En 1911, **Bleuler** desarrolló una clasificación basada en el pensamiento ilógico, el autismo, el aislamiento y la ambivalencia que, con diferente combinación, serían la base de los distintos tipos de esquizofrenia.

La OMS la definió como (1958) *grupo de psicosis en las que se presenta una deformación fundamental de la personalidad, una distorsión característica del pensamiento, una sensación de ser dominado por fuerzas extrañas, delirios que pueden ser extravagantes, percepción perturbada, anormalidades en el aspecto y que no se ajustan a la situación real y autismo. Sin embargo, se mantiene usualmente una conciencia clara y una capacidad intelectual intacta.*

Es una psicosis de inicio precoz, de curso crónico, que se caracteriza por una gran distorsión de la realidad, con trastornos del lenguaje y la comunicación, aislamiento social y desorganización y fragmentación del pensamiento, la percepción y las reacciones emocionales.

Con frecuencia hay también apatía y confusión, delirios y alucinaciones, formas del lenguaje peculiares con evasividad, incongruencias y ecolalia, conducta extraña y labilidad emocional. Este trastorno puede ser leve o requerir una hospitalización prolongada. No se conoce su etiología (origen), aunque, por lo general, se invocan factores genéticos, bioquímicos, psicológicos, interpersonales y socioculturales.

El tratamiento consiste en la administración de tranquilizantes y antidepresivos junto a ansiolíticos.

La terapia ambiental y la psicoterapia de grupo pueden resultar muy útiles para conseguir un ambiente adecuado en el cual el paciente pueda ponerse en contacto con la realidad, aumentar su capacidad de comunicación y aprender a adaptarse al estrés.

Etiología

Existen diferentes teorías:

- **Teorías biológicas**:
    * Hiperactividad de circuitos dopaminérgicos.
    * Afectación de determinadas áreas cerebrales: sistema límbico, ganglios basales, córtex frontal.
    * Otras teorías: intoxicaciones, avitaminosis, factores inmunológicos, virus...
- **Teorías genéticas**: este factor genético es más evidente en las formas más graves de la enfermedad. Los hermanos de pacientes que la sufren tienen un riesgo de padecer esquizofrenia entre un 5-10 %; los hijos de padres o madres esquizofrénicos, entre un 10-15 %.
- **Teorías psicosociales**: según clase social.
- **Teorías psicoanalíticas**: Freud creía que la herencia de factores predisponentes y la acumulación de estrés favorecería la aparición de la esquizofrenia.

Clínica

Es una enfermedad del adolescente y del adulto joven, rara antes de los 15 años; su presentación después de los 45-50 años también es rara. Entre los 15 y los 35 años es cuando la morbilidad es más elevada.

El comienzo puede ser solapado como unos cambios que siguen a la crisis de la adolescencia, o agudo en forma de ánimo excitado y maniforme o más bien depresivo o angustioso. Otras veces se presenta un síndrome confusional-estuporoso o delirante-alucinatorio.

Si el episodio no se presenta de forma aguda sino de forma insidiosa, el paciente va a presentar una serie de cambios en su conducta que pueden pasar por desapercibidos. Estos cambios son:

- Aislamiento.
- Disminución del rendimiento.

- Lenguaje empobrecido.
- Tendencias interpretativas.
- Risas injustificadas.
- Alteraciones sensoperceptivas.
- Apatía.
- Mala higiene personal.
- Alteración de la comunicación debida al empobrecimiento de vocabulario.
- Cambios en hábitos alimentarios.
- Manifestaciones de inquietud.

Por otra parte, cuando da comienzo la enfermedad, los síntomas se pueden agrupar en unos de primer rango (Kurt Schneider) y otros de carácter secundario.

Síntomas primarios:

- Percepción delirante.
- Alucinaciones auditivas.
- Robo de pensamiento.
- Vivencias de influencia.
- Vivencia de desgobierno de la actividad psíquica.
- Vivencia catastrófica.

Síntomas secundarios:

- Alteraciones delirantes.
- Alteraciones del pensamiento.
- Trastornos del lenguaje.
- Trastornos afectivos.
- Catatonía.
- Autismo.

A continuación vamos a exponer y a detallar los síntomas más característicos de esta psicosis.

Las percepciones que experimentan estos enfermos son vividas como experiencias sensoriales sin estímulo. Afectan a todos los sentidos siendo más frecuentes las auditivas y visuales.

- **Alucinaciones auditivas**: el enfermo percibe ruidos o voces que le insultan, le dan órdenes, le humillan... Es frecuente que el enfermo dialogue con estas voces.
- **Alucinaciones visuales**: el enfermo ve imágenes que pueden ser de terror, de espíritus, de animales…
- **Alucinaciones olfativas y gustativas**: el sujeto percibe olores y sabores extraños, pudiendo llegar a pensar que se le quiere envenenar.

- **Alucinaciones táctiles**: el enfermo percibe que le tocan, le golpean, etc.
- **Alucinaciones cenestésicas, o alucinaciones somáticas**: el paciente percibe una alteración de los órganos internos, cree que le introducen chips en el cerebro o que le quitan algún órgano.
- **Las alucinaciones kinésicas o cinestésicas** son aquellas relacionadas con el movimiento del propio cuerpo.

Las alucinaciones absorben totalmente la atención del sujeto, aislándole del medio y provocando reacciones que van desde la risa al llanto o terror. También le producen sentimientos de extrañeza hacia sí mismo (despersonalización) y hacia el medio que le rodea (desrealización).

- **Alteraciones del pensamiento-ideas delirantes**: las ideas delirantes son creencias falsas y fijas que no tienen ninguna base en la realidad. Suelen ir acompañadas de alucinaciones.
  * *Delirios de interpretación*: son muy frecuentes. Dentro de estos encontramos los delirios de persecución, en los que el sujeto cree ser víctima de complots policiales, políticos o religiosos, creen que son controlados, se llegan a mostrar desconfiados, y evitan las relaciones con los demás. Existe otro tipo de delirios que son los megalomaníacos o de grandeza: el paciente interpreta un papel importante.
  * *Delirios pasionales*, celotípicos o erotomaníacos: en los que el sujeto tiene la convicción absoluta de ser engañado por su pareja o ser querido por alguna persona famosa.
- Otras **alteraciones del pensamiento**:
  * *Bradipsiquia*: lentitud o inhibición del pensamiento que puede llegar hasta el bloqueo.
  * *Taquipsiquia*: exceso o aceleración del pensamiento; se observa la aparición de fuga de ideas en las que el paciente pasa con facilidad a hablar de un tema a otro.
  * *Pensamiento incoherente*: el pensamiento se expresa a través del lenguaje y al verse alterado el pensamiento el lenguaje también lo está.
- **Alteraciones del lenguaje**:
  * Lenguaje incoherente con neologismo.
  * Mutismo a consecuencia de la bradipsiquia.
  * Verborrea: aceleración del lenguaje debido a la taquipsiquia.
  * Bradifemia**:** enlentecimiento del lenguaje.
  * Disartria: dificultad para articular palabras.
  * Ecolalia: repetición de palabras que pronuncia el interlocutor.

- **Alteraciones de la afectividad**: se caracteriza por ausencia de afectividad o su disminución. El enfermo se siente vacío e indiferente a los que le rodean. Es incapaz de expresar sus emociones y es característica la expresión cérea del rostro. A veces presenta afectividad inapropiada y risas sin motivo.

Sabías que...

La esquizofrenia afecta a más de 21 millones de personas en todo el mundo, pero no es tan común como muchos otros trastornos mentales. Es más frecuente en hombres (12 millones) que en mujeres (9 millones). Asimismo, los hombres desarrollan esquizofrenia generalmente a una edad más temprana.

Clasificación

La OMS, en su clasificación de diagnósticos médicos (International Classification of Diseases), en su décima revisión, también habla de varios tipos: hebefrénica, catatónica, paranoide, indiferenciada, simple, residual, esquizofrenia sin especificación, etc.

Esquizofrenia catatónica

Caracterizada por períodos alternantes de apatía extrema y excitación intensa. Durante la fase de apatía el paciente presenta estupor, rigidez muscular, bloqueo afectivo, catalepsia y flexibilidad cérea..., mientras que en el período de excitación muestra una actividad impulsiva y sin objeto, que puede ir desde una leve agitación hasta una extrema violencia. Cada fase puede durar días, horas, semanas y el cambio de una fase a otra suele ser brusco. El tratamiento consiste en la administración de tranquilizantes, antidepresivos o ansiolíticos y psicoterapia a largo plazo.

Esquizofrenia desorganizada

Caracterizada por una edad de comienzo precoz, generalmente la pubertad, y una desintegración de la personalidad más grave de la que se produce en otras esquizofrenias. El enfermo hace gestos faciales peculiares, se habla a sí mismo, presenta una conducta extraña y obscena, sufre desconexión social y presenta alucinaciones y delirios fantásticos, casi siempre de naturaleza sexual, religiosa, persecutoria o hipocondríaca.

Esquizofrenia paranoide

Caracterizada por preocupación mantenida con alucinaciones auditivas y delirios ilógicos, absurdos y variables, habitualmente de persecución, grandeza o celos. Los síntomas comprenden ansiedad máxima, suspicacia exagerada, agresividad y violencia. No hay lenguaje desorganizado ni comportamiento catatónico, tampoco afectividad inapropiada. Se produce con mayor frecuencia en edades medias. La terapia actual no suele ser efectiva.

Clasificación según el pronóstico	
Esquizofrenia de buen pronóstico	**Esquizofrenia de mal pronóstico**
- Comienzo agudo - Buen ajuste premórbido - Edad de comienzo tardía - Existencia de factores desencadenantes - Confusión y signos atípicos - Ausencia de embotamiento afectivo - Antecedentes familiares de trastornos del humor - Ambiente social y familiar no desfavorable - Buen seguimiento del tratamiento	- Comienzo insidioso - Comienzo en edad temprana - Síntomas negativos - Trastorno previo de la personalidad - Tipo desorganizado o indiferenciado - Presencia de embotamiento afectivo - Larga evolución antes del primer contacto médico - Abuso de drogas - Presencia de anomalías cerebrales - Presencia de aislamiento social

Esquizofrenia indiferenciada

Aparecen síntomas que no se pueden agrupar en ninguna de las otras esquizofrenias. Existe una mezcla de síntomas tales como ideas delirantes, alucinaciones, incoherencia o comportamiento desorganizado.

Esquizofrenia residual

Se caracteriza por la presencia de clínica esquizofrénica continua, en ausencia de síntomas activos. El paciente presenta trastornos afectivos, pensamientos extraños y patrones de comportamiento que siguen manifestándose después de por lo menos un episodio esquizofrénico.

Tratamiento

- Electroshock.
- Farmacológico: neurolépticos.
- Psicoterapia: individual, de grupo, de familia y comunitaria.

4. Técnicas psicoterapéuticas

4.1. Tratamientos biológicos

4.1.1. Psicofármacos (Tratamiento psiquiátrico)

a) **Benzodiacepinas, ansiolíticos y tranquilizantes menores**: son los que se utilizan para disminuir el nivel de ansiedad; ayudan a disminuir el nerviosismo, y regulan distintas conductas: sueño, alimentación, sexualidad, etc. Efectos: miorrelajantes, anticonvulsivos e hipnóticos.

Efectos adversos: somnolencia excesiva, sensación de mareo, aislamiento del medio, cefaleas y sensación de pesadez de cabeza, sequedad de boca y estreñimiento, descenso de la libido y de la memoria a largo plazo.

b) **Neurolépticos, antipsicóticos o tranquilizantes mayores**. Con ellos desaparecen los síntomas típicos de la esquizofrenia, como son los delirios, las alucinaciones, la agitación... Están indicados en esquizofrenias y psicosis infantiles. Se pueden citar el largactil, el sinogan y el haloperidol. Efectos secundarios: alteraciones del lenguaje, y de la marcha, sensación de gran inquietud, parkinsonismo, sequedad de boca, estreñimiento, amenorrea, galactorrea, visión borrosa.

c) **Antidepresivos**: los tricíclicos (imipramina, amitriptilina), tetracíclicos (naprotilina), inhibidores de la monoaminooxidasa (ixocarboxacida). Efectos secundarios: sequedad de boca alteraciones oculares, sudoración, taquicardia, alteraciones del sistema nervioso central (temblor, ataxia), síntomas cardiovasculares, hipersensibilidad alérgica, amenorrea.

4.1.2. Terapia electroconvulsiva (electrochoque)

Esta técnica se utilizó por primera vez hace 50 años y todavía es una técnica válida. Fue la primera terapia eficaz y única para el tratamiento de algunas enfermedades psiquiátricas hasta la aparición de la clorpromacina en 1952 y la imipramina en 1957.

Esta **técnica consiste** en hacer pasar una corriente eléctrica a través del cerebro para producir un cuadro de convulsiones.

Exactamente su mecanismo de acción no se conoce, pero se cree que regula los neurotransmisores (receptores noradrenérgicos) de las neuronas, al igual que los antidepresivos.

Las **técnicas de aplicación** son:

- Bilateral.
- Unilateral, en el hemisferio no dominante. Produce menos efectos secundarios, pero puede ser menos eficaz.

El tipo de corriente utilizada suele ser pulsátil o de breve pulso, estos pulsos oscilan entre 0,5 y 0,7 mseg., con frecuencias entre 90 y 249 Hz y una duración de 1-5 segundos.

Actualmente se utiliza bajo anestesia en determinados pacientes que presentan enfermedades psiquiátricas graves, como depresiones delirantes resistentes a los tratamientos farmacológicos, o en la forma catatónica de la esquizofrenia. Está contraindicada en pacientes con procesos expansivos intracraneales.

Técnica

- Es una técnica que sigue un procedimiento sencillo pero bien estructurado, intervienen un anestesista, un psiquiatra, un enfermero y un auxiliar.
- El paciente no debe ingerir nada por vía oral al menos 8 horas antes de la sesión.
- Se toman las constantes vitales y se monitoriza el registro cardíaco, tensión arterial y el oxígeno.

- Canalizar vía intravenosa para la administración de anestésicos y relajantes musculares.
- Una vez sedado colocar los registros electroencefálicos y los electrodos.
- Provocar el shock eléctrico; esto lo hace el médico. Este shock dura de 30-60 seg.
- Las ondas cerebrales se registran durante todo el procedimiento y el paciente duerme cerca de una hora después del mismo.
- No administrar nada por vía oral hasta pasadas 2 horas.

Indicaciones

La terapia electroconvulsiva se utiliza para tratar los siguientes trastornos: depresión grave, depresión resistente al tratamiento, manía grave, catatonía y agitación y agresión en personas con demencia.

4.1.3. Hidroterapia

Con ella se busca tranquilizar al paciente. Se utiliza como complemento de otras actuaciones terapéuticas en determinados casos.

La hidroterapia es un tratamiento que utiliza como método curativo el agua. Pero no el agua en sí misma, sino aprovechando algunas de sus características. Los aspectos más utilizados en el tratamiento con agua son: la temperatura (aplicación de frío o calor), los estímulos mecánicos (fricciones, cepillados, masaje subacuático), estímulos químicos (preparados medicinales que se añaden al agua, como sales, esencias, extractos de plantas), presión hidrostática (presión ejercida por el agua sobre nuestro cuerpo al estar sumergido) y resistencia por rozamiento (utilizada en la gimnasia subacuática).

Los efectos de la hidroterapia sobre el organismo son múltiples, influyendo a nivel cardiocirculatorio, respiratorio, aparato urinario, músculos, piel, etc. Pero lo que más nos interesa en el tema que nos ocupa son sus efectos sobre el sistema nervioso. La aplicación de agua fría o caliente puede producir respectivamente la potenciación de los nervios del sistema simpático y parasimpático. Por otro lado, la hidroterapia es un buen método para la relajación muscular.

4.1.4. Relajación

El estrés, la ansiedad y tensión son perjudiciales para la salud. Se reduce el nivel de tensión a través de la relajación. Si el paciente presenta ansiedad se utilizan técnicas de relajación, respirando lenta y rítmicamente. Una de las características de la ansiedad es la tensión muscular, llegando a originar dolores de espalda, de cabeza, temblores, malestar general, etc. Si logramos una conducta contraria a la ansiedad, conseguiremos frenar el malestar y controlar la ansiedad. Esta conducta es la relajación, la cual se define como la adquisición de un estado del organismo que se puede definir como de ausencia de tensión y se manifiesta a tres niveles:

a) **Fisiológico**: incluye cambios viscerales, somáticos, cambios en la frecuencia cardíaca, tensión muscular, ritmo electrocardiográfico, etc.

b) **Conductual**: se refiere a los actos externos que observamos en el paciente (hiperactividad, expresión corporal y facial, etc.).

c) **Subjetivo**: se refiere al estado emocional del paciente.

La relajación constituye una estrategia psicológica de intervención muy utilizada en la práctica clínica. Los métodos más usuales son:

1. Relajación progresiva de Jacobson.
2. Entrenamiento autógeno de Schultz.
3. Relajación pasiva.

Relajación progresiva de Jacobson

Se centra en la relajación de la musculatura esquelético-motora. Está basada en la supresión de la tensión en diversas partes del cuerpo a través de ejercicios de tensión-relajación. Su finalidad es proporcionar una tranquilidad mental y corporal.

La técnica se divide en tres etapas:

- **Aprendizaje de la percepción** diferenciada de tensión-relajación de cada uno de los músculos o grupos o musculares y la relajación progresiva de todo el cuerpo.
- **Aprendizaje de la relajación diferencial**: contracción muscular mínima necesaria para la ejecución de un acto y mantenimiento de la relajación de los músculos que no participan en el acto.
- **Aplicación a situaciones determinadas**: se aprende a afrontar situaciones que producen tensión muscular, con la finalidad de prevenirlas.

Entrenamiento autógeno (Schultz)

Técnica de relajación auto-concentrativa. Se compone de ejercicios destinados a 6 zonas diferentes: músculos, vasos sanguíneos, corazón, respiración, órganos abdominales y cabeza.

El paciente debe centrarse en estar totalmente tranquilo para realizar los ejercicios.

- **Primer ejercicio**: relajación muscular. Se llega a la calma mediante imágenes visuales o auditivas. A continuación se pasa a inducir sensaciones de pesadez de los miembros y después se retrocede para recuperar el tono muscular, se respira profundamente y se abren los ojos. En cada sesión se relaja un grupo muscular, de esta manera el paciente aprende a percibir la sensación de pesadez del grupo muscular relajado.
- **Segundo ejercicio**: relajación vascular. Inducción de sensaciones de calor en las extremidades.
- **Tercer ejercicio**: relajación cardíaca. Se controla el ritmo cardíaco, utilizando mentalmente frases como «mi corazón late con calma pero con fuerza».
- **Cuarto ejercicio**: regulación respiratoria. Se intenta respirar tranquilamente y el paciente se concentra en percibir la sensación de elevación y descenso del tórax.
- **Quinto ejercicio**: regulación de los órganos abdominales. El sujeto se concentra en la zona comprendida entre el esternón y el ombligo, y se induce sensación de calor en esa zona.
- **Sexto ejercicio**: regulación cefálica. Tiene una duración aproximada de unos 15 segundos. Se induce a provocar vasoconstricción del sistema vascular del cerebro. Para ello se utilizan frases como «mi frente está agradablemente fresca».

Relajación pasiva

Aunque es un método similar al de Jacobson, se diferencia en que no utiliza los ejercicios de tensión, sólo los de inducción a la relajación.

4.2. Tratamientos psicoterapéuticos

4.2.1. El Psicoanálisis y las terapias psicodinámicas

El objetivo fundamental de la terapia psicoanalítica es la resolución de un conflicto intrapsíquico (oposición de exigencias internas contrarias). Para ello se establece una relación interpersonal entre el paciente y el terapeuta. En esta relación se tendrán en cuenta cuatro reglas fundamentales:

1. **La asociación libre**: el paciente debe expresar libremente todas las ideas y pensamientos que pasen por su mente.
2. **La atención flotante**: el terapeuta debe escuchar todo lo que dice el paciente sin dar más importancia a unos contenidos que a otros.
3. **La abstinencia**: la terapia avanza si se produce una demora o frustración en la gratificación de los deseos del paciente.
4. **La neutralidad**: el terapeuta no puede emitir juicios de valor sobre lo que cuenta el paciente.

En la actualidad la terapia psicoanalítica ortodoxa cada vez se utiliza menos, debido principalmente a la larga duración del tratamiento (puede durar años). En su lugar han surgido las denominadas terapias psicodinámicas breves, que se basan en los mismos principios pero tienen una duración limitada, centrándose solo en algún aspecto o problema concreto y no tratando de «reconstruir» la personalidad en su totalidad. Además el paciente se compromete a realizar una serie de actividades entre una sesión y otra para practicar lo aprendido.

4.2.2. Terapias conductuales

Las terapias conductuales surgen a partir de diversas teorías, siendo sus principales representantes **Pávlov** (1849-1936) con sus estudios sobre el funcionamiento neurológico; **Watson** (1878-1958), que empieza a considerar la Psicología como una ciencia experimental y objetiva cuyo campo de conocimiento es la conducta humana, y **Skinner** (1904-1990), que desarrolla el conductismo operante.

El objetivo de las terapias conductuales es la extinción o reducción de una conducta inapropiada que perjudica al sujeto o bien la implantación de una conducta deseable que no estaba presente en su repertorio conductual.

Entre las principales terapias conductuales podemos citar:

1. **Desensibilización sistemática**: con esta técnica se pretende reducir la ansiedad en los casos de fobia.
2. **Técnicas de exposición e inundación**: estas técnicas se utilizan para reducir o eliminar la ansiedad a través de la exposición prolongada al estímulo que provoca la ansiedad.
3. **Técnicas aversivas**: su objetivo es la eliminación de conductas no deseadas o desadaptativas.
4. **Técnicas operantes para aumentar la conducta**: con ellas se pretende conseguir el aumento de una conducta que ya existe o implantar una nueva, basándose en las teorías del condicionamiento operante. Algunas de estas técnicas son: reforzamiento, economía de fichas, moldeado y contratos de conducta.
5. **Técnicas operantes para disminuir la conducta**: con ellas pretendemos disminuir la frecuencia o intensidad de una conducta desadaptativa o incluso extinguirla totalmente. Las principales son: extinción, castigo, y reforzamiento diferencial.
6. **Modelado**: se usa principalmente para implantar conductas en el repertorio conductual de un individuo. Esta técnica se denomina también aprendizaje observacional, pues el paciente observa y aprende las conductas de una persona que actúa como modelo. Se utiliza mucho para la adquisición de habilidades sociales.
7. **El biofeedback**: utiliza una serie de instrumentos que proporcionan información sobre cambios fisiológicos que, al hacerse conscientes, son susceptibles de control voluntario. Se pueden utilizar en trastornos de ansiedad, insomnio, trastornos sexuales, etc.

4.2.3. Terapias cognitivas

Parten del estudio y la evaluación de los pensamientos que afectan de forma negativa a la persona para conseguir una interpretación racional de en la clasificación de los mismos, logrando modificar las emociones y sentimientos negativos que afectan a la conducta.

Las técnicas cognitivas son muchas y variadas, pero se pueden agrupar en tres grandes bloques:

1. **Técnicas racionales o de reestructuración cognitiva**: estas técnicas intentan identificar y modificar las cogniciones o pensamientos desadaptativos centrándose en las consecuencias negativas de dichos pensamientos sobre la conducta.
2. **Técnicas para el manejo de situaciones evocadoras de estrés**: con ellas se pretende adquirir las habilidades básicas necesarias para enfrentarse con éxito a situaciones estresantes.
3. **Técnicas destinadas al entrenamiento para el análisis y abordaje de problemas**: pretenden dotar al individuo de las habilidades necesarias para enfrentarse a diferentes problemas.

Actividad 5

Rellena los huecos con las palabras que faltan:

- El objetivo fundamental de la terapia psicoanalítica es la resolución de un conflicto ______ (oposición de exigencias internas contrarias). Para ello se establece una relación ______ entre el paciente y el terapeuta.
- La terapia conductual conocida como modelado se usa principalmente para implantar ______ en el repertorio conductual de un individuo, y se denomina también ______ observacional, pues el paciente observa y aprende las conductas de una persona que actúa como modelo. Se utiliza mucho para la adquisición de ______.

4.2.4. Terapia familiar

Estas terapias parten de la consideración de la familia como un sistema en el que interactúan cada uno de sus miembros. Aunque la intervención se dirige al paciente, se tiene en cuenta y participa toda la familia.

Existen distintas corrientes, cada una de las cuales utiliza diferentes técnicas, pero siempre considerando al sistema familiar en su totalidad.

Las principales escuelas son:

1. **Escuela estratégica de Palo Alto**: el punto de partida es la solución del problema tratando de evitar que sigan vigentes los factores que mantienen dicho problema.
2. **Escuela estructural de Minuchin**: se centra en la organización jerárquica de la familia y en sus reglas de participación y de poder.
3. **Terapia familiar conductual**: pretende una modificación en la forma en que la familia ofrece consecuencias positivas y/o negativas a la conducta de uno de sus miembros. Es utilizada en el entrenamiento de padres, terapia de parejas y en el tratamiento de la esquizofrenia.
4. **Escuela de familias**: Las escuelas de familias consisten en el desarrollo de sistemas de apoyo social a familias de personas con trastornos mentales a través de programas de psicoeducación y la potenciación y desarrollo de redes de ayuda mutua. Se suelen impartir a través de diversos talleres semanales en un ámbito de aprendizaje, de resolución de problemas y de expresión de sentimientos y dudas sobre la enfermedad.

   Los objetivos generales de un programa tipo tienden hacia:

   - Ofrecer una visión realista del problema psiquiátrico, no culpabilizando y modificando la visión o cultura de enfermedad que poseen los familiares: mejorar el curso del problema, no curar. Pasar de una visión mítica a otra racional.
   - Mejorar la calidad de vida de los familiares: recuperar ocio, no satelizar.
   - Formar coterapeutas y que expandan sus conocimientos al resto de la familia.
   - Enseñar a la familia a resolver eficazmente problemas y a comunicarse adecuadamente.
   - Enseñar a identificar pródromos[1].
   - Fomentar apoyo mutuo entre familiares y favorecer asociacionismo para la defensa de los derechos de los afectados.
   - Conseguir la responsabilidad y colaboración del familiar con el trabajo del centro.
   - Informar sobre la problemática.
   - Educar sobre la medicación.
   - Facilitar el conocimiento y uso de recursos comunitarios.
   - Conseguir motivación a la continuidad del familiar en el programa.
   - Fomentar asociacionanismo.

   Contenidos del programa

   - Diagnósticos, síntomas, etiología.
   - Cronicidad, evolución del problema.

---

[1] El término pródromo se utiliza en las ciencias de la salud para hacer referencia a los síntomas iniciales que preceden al desarrollo de una enfermedad.

- Vulnerabilidad. Factores de riesgo y protectores.
- Medicación.
- etc.

4.2.5. Terapias humanistas

Estas terapias se centran principalmente en la autorrealización y el desarrollo del potencial humano. Los modelos más representativos son: el psicodrama de Jacob Levi Moreno, el análisis transaccional de Berne y la psicoterapia gestáltica de Perls.

En estas terapias se utilizan elementos materiales muy variados, como son: pinturas, arcilla, máscaras, espejos, etc. Es importante también el uso de la dramatización y la expresión corporal, así como el concepto de tiempo: es fundamental la toma de conciencia del presente, es decir, el aquí y ahora.

4.2.6. La terapia de grupo

El enfermo mental necesita una atención integral, desde distintos ámbitos de actuación. Esta atención integral se refiere también a la concepción del individuo como totalidad. Es decir, como ser biopsicosocial.

La persona tiene tres dimensiones fundamentales: física o biológica, psíquica o psicológica y social. Estas tres dimensiones interactúan entre sí. Como consecuencia de esta interacción tendremos diferentes desarrollos de una misma enfermedad, diferentes niveles de autonomía, etc.

Cuando tratamos la enfermedad mental, podemos actuar sobre la dimensión física o biológica a través de psicofarmacología. Para actuar sobre la dimensión psíquica o psicológica, la técnica por excelencia es la psicoterapia individual. Para actuar sobre la dimensión social, contamos con los servicios sociales comunitarios. ¿Dónde se sitúa, entonces, la psicoterapia de grupo? Podemos decir que actúa como puente entre la actuación de tipo psicológico y la actuación de tipo social.

Es evidente que es una terapia nacida de la psicología clínica, y facilita el cambio positivo en la dimensión psíquica del paciente. Pero también, como su propio nombre indica, es una forma de terapia que actúa a nivel grupal, con las implicaciones que ello tiene para el desarrollo social del individuo.

Podemos considerar que la terapia de grupo es un espacio seguro donde practicar las habilidades aprendidas para enfrentarse a la actividad cotidiana, una preparación para iniciar o retomar la relación con el medio circundante. En muchos casos, el grupo de terapia puede ser el primer espacio social donde el enfermo mental se sienta integrado y aceptado por el resto de compañeros, al tener todos ellos algún tipo de patología mental.

Este tipo de terapia se suele aplicar en pequeños grupos (unas 10 personas) con características diferentes (heterogéneos), aunque es recomendable que sean homogéneos en cuanto a la edad. La duración de las sesiones se sitúa en torno a hora y media. La duración de la terapia en la sanidad pública se estima entre cuatro y nueve meses.

La terapia debe estar dirigida por un psicoterapeuta que actúa como coordinador del grupo, de forma no directiva, y puede contar con el apoyo de un observador, que puede ser el auxiliar.

Recuerda que...

La terapia psicosocial es el otro elemento clave, junto con la medicación, del tratamiento de la enfermedad mental grave. Con ella se pretende reducir la vulnerabilidad de la persona que la padecen ante las situaciones de estrés, reforzando su adaptación y funcionamiento social, y procurando conseguir la mejor calidad de vida posible.

5. Urgencias psiquiátricas

5.1. Actuación en pacientes con riesgo suicida

- Orden médica escrita y motivada en hoja de curso clínico.
- Evaluación diaria del nivel de precauciones contra el suicidio por su médico, actualizada en órdenes médicas.
- Contacto personal continuo con algún miembro del equipo, con actitud de escucha.
- Algún miembro del equipo asistirá a las actividades en común con estos pacientes (en la planta o fuera de ella), si así lo autoriza su médico, y siempre que sea posible.
- Si precisa utilizar material de riesgo (máquinas de afeitar, etc.) permanecer a su lado mientras lo use.
- Conocer la deambulación del paciente en cada momento. Siempre que sea preciso y si no hay otra opción permanecerá en el control de enfermería (si hay poco personal) o en aislamiento en caso de máxima vigilancia.
- Controles frecuentes durante la noche.

Sabías que...

El Ministerio de Sanidad promueve la línea telefónica 024 de ayuda a las personas con pensamientos suicidas o riesgo de conducta suicida, y a sus familiares y allegados, básicamente a través de la contención emocional por medio de la escucha activa por los profesionales.

5.2. Actuación en pacientes agresivos o agitados

- El médico y la enfermera responsable del paciente deben ser avisados de inmediato.
- Control ambiental, disminuyendo estímulos externos (iluminación excesiva, ruidos, voces, público, etc.).
- Si fuera necesario se procederá al aislamiento y sujeción mecánica, siempre bajo prescripción médica. Este procedimiento se utilizará como último recurso y solo si otros métodos (verbal, ambiental, etc.) han fracasado.
- En el momento de la reducción del paciente se procurará no causarle daño.
- El resto de pacientes no deben colaborar en este procedimiento por lo que se pedirá que se retiren.
- La sujeción se llevará a cabo por todo el equipo presente, incluido el médico psiquiatra.
- Informar al paciente de todo el procedimiento que se va a realizar de forma clara y simple, si es posible, antes de actuar. Emplear frases cortas y sencillas.
- Si es en presencia de otros pacientes se hablará con ellos después de resolver la situación, para tranquilizarlos.
- El médico realizará una valoración continua para comprobar el estado del paciente, indicando el momento de la liberación. Estas prácticas no se prolongarán más del periodo estrictamente necesario para alcanzar su propósito.
- Información por parte del médico al paciente y a la familia, en el caso de que el paciente deba ser ingresado.

5.3. Protocolo de la contención terapéutica

En el campo de la salud mental siempre se han empleado tratamientos de tipo somático. A medida que avanzan las investigaciones sobre la fisiopatología de las enfermedades mentales, se van desarrollando nuevas modalidades de tratamiento somáticos más perfectas y sofisticadas. Al mismo tiempo, se siguen manteniendo modalidades terapéuticas tales como las restricciones, que fue uno de los primeros métodos de asistencia para los pacientes psiquiátricos.

Actualmente existen tres tipos de contención del enfermo psiquiátrico que son la reducción verbal (tranquilizar, estimular la confianza, etc.), la farmacológica (fármacos para relajar al paciente) y la reducción física (algunos autores nombran una cuarta denominada reducción ambiental –control de los estímulos, espacios adecuados...–). A continuación desarrollaremos el procedimiento de reducción física:

5.3.1. La contención mecánica/física

Consiste en el empleo de sistemas de inmovilización mecánicos para el tórax, las muñecas, los tobillos, etc. En esta era de preocupación por los derechos humanos y las libertades civiles, las sujeciones mecánicas o el aislamiento deben aplicarse con suma discreción y las máximas garantías de seguridad y debe estar siempre prescritas por un facultativo médico.

Este debe ser siempre el último recurso.

5.3.2. Indicaciones

1. Conducta violenta de un paciente que resulte peligrosa para él mismo o para los demás.
2. Agitación no controlable con medicamentos.
3. Representan una amenaza para su integridad física debido a la negación del paciente a descansar, beber, dormir, etc.
4. En situaciones de riesgo en que no puede ser controlado de ninguna otra manera, pueden contenerse temporalmente, para recibir la medicación, o durante largos periodos, si no se pueden administrar los fármacos o no le hacen el efecto esperado y continúan siendo peligrosos.

   Es frecuente que los pacientes sujetos se calmen después de transcurrido algo de tiempo.
5. A nivel psicodinámico, estos pacientes incluso pueden recibir con satisfacción el control de sus impulsos, pero deben estar indicados terapéuticamente.

5.3.3. Principios generales

Son aplicables en cualquier situación, aunque no existen normas fijas sobre cómo hay que actuar ante una situación de violencia (muchas veces reina la improvisación).

1. **Distraer al paciente**: se intervendrá cuando exista un número suficiente de personas, cuatro o cinco, se informará al resto de compañeros a través del teléfono o la alarma. Mientras, se deberá vigilar y distraer la atención del paciente. Nos colocaremos a una distancia adecuada. Se le informará de que está per-

diendo el control pero que se le va ayudar si él lo desea. Todo ello en un tono firme pero comprensivo.

2. Debe existir un **plan de actuación** preacordado. La implicación en la actuación de reducir al paciente debe ser de todo el personal, independientemente del estamento profesional.
3. **Preparación del personal:** debe despojarse de todo objeto peligroso para su integridad física y también la nuestra (gafas, relojes, pulseras, pendientes, etc.).
4. **Evitar público**: ya que el paciente va a adoptar una posición más heroica que la que tendría si estuviera solo. Además servirá para aumentar la ansiedad en los demás pacientes (especialmente en pacientes paranoides).
5. **Momento de la intervención**: en el momento en que muestra signos de violencia inmediata: ejecuta actos violentos contra objetos, si observa personas cerca, actuará contra ellas. El momento indicado será: mientras destruye los objetos, cuando se detiene a recuperar fuerzas.
6. **Número de personas**: será de cuatro o cinco, es importante que el grupo sea lo más numeroso posible, porque una demostración de fuerza puede ser suficiente para interrumpir la acción. Cada una de las extremidades será sujetada por un miembro del equipo.
7. **Actitud del personal**: se va a reducir a un paciente con intención terapéutica. Deben disponerse de sedantes parenterales. Nunca utilizarlos como un castigo.
8. **El personal será** en todo momento: profesional, no mostrará cólera, ni afán de castigo, actitud enérgica pero amable, respetuoso, evitando golpearle o someterlo a posturas humillantes, se actuará impidiéndole el movimiento, evitar insultos, ni reproches.
9. **Sujeción**: cada miembro tiene asignada una extremidad. Se deben evitar los huesos largos y tórax, por riesgo de lesiones. Se sujetarán las extremidades en la zona más distal.
10. Siempre debe estar **autorizada por el médico**, aunque sea de forma verbal, pero siempre mejor por escrito en la hoja de órdenes médicas.
11. Se debe **registrar** minuciosamente la razón de la contención, la duración, el curso del tratamiento y la respuesta del paciente mientras esté sujeto.
12. Se deben emplear exclusivamente **sistemas homologados de sujeción física** (ejemplo; segufix®).

Sabías que...

Se colocará al paciente en decúbito supino en la cama (excepto en pacientes intoxicados o con disminución de conciencia que se dejarán en posición de seguridad) y se procede a la sujeción completa o parcial indicada. La sujeción se realizará por este orden: cintura, miembros inferiores y miembros superiores.

5.3.4. El equipo de sujeción de segufix®

Consta de distintos elementos:

- Cinturón ancho abdominal.
- Arnés hombros-tórax.
- Tiras para cambios posturales.
- Muñequeras.
- Tobilleras.
- Botones magnéticos.
- Llaves magnéticas.

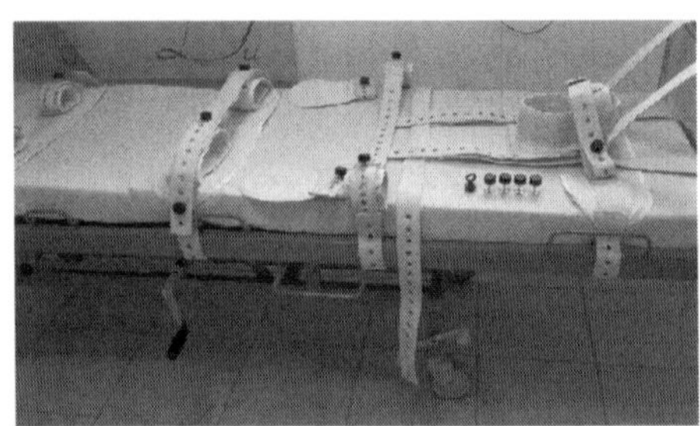

5.3.5. Técnica de la contención

Explicarle al paciente por qué se le va a sujetar:

- Para sujetar a un paciente deberían estar un mínimo de **cuatro personas**.
- Un miembro del equipo siempre debería estar **visible para el paciente**, y su cometido será **tranquilizarle** durante la sujeción. De esta manera se ayuda al paciente a aliviar su temor al desamparo, impotencia y pérdida de control.
- Deberían sujetarse con las piernas extendidas y ligeramente abiertas para agarrarlas por **los tobillos** bien a las tiras del segufix® o al travesero de la cama.
- Los brazos extendidos a lo largo del cuerpo (no se deben entrecruzar) y separados ligeramente de este, para sujetarlos por **las muñecas**, a las tiras del segufix® o al travesero de la cama.
- **El tronco** se debe sujetar firmemente a la cama con la correa especial (más ancha) diseñada para ese efecto. Cuidando que no esté floja, porque podría deslizarse por ella y ahorcarse, ni tampoco excesivamente fuerte, que le dificulte la respiración.
- **La sujeción debe permitir** administrar perfusión endovenosa por el antebrazo, así como recibir líquidos o alimento.
- Mantener **la cabeza** del paciente ligeramente levantada para disminuir sus sentimientos de indefensión y para reducir la posibilidad de aspiración pulmonar.
- **Comprobar periódicamente** cada poco tiempo las sujeciones por la seguridad y la comodidad del paciente.
- Después de contener al paciente, el médico debe comenzar el tratamiento mediante una **intervención verbal**.
- Incluso cuando están sujetos, la mayoría de los pacientes necesitan **medicación antipsicótica** de manera concentrada y por vía intramuscular.

- Cuando el paciente esté bajo control, se deben **ir eliminando las restricciones** a intervalos de cinco minutos, hasta que el paciente tenga solo dos. Las restantes se eliminarán al mismo tiempo, ya que el paciente no se puede contener con una sola sujeción.
- La sujeción mecánica debe continuar el **menor tiempo posible**, a medida que el paciente se va tranquilizando se le deben ir retirando sujeciones.

Prevenir los tromboembolismos:

a) Para evitar tromboembolismos, sobre todo en ancianos, debe liberarse una extremidad de las cuatro cada 30 minutos.
b) Para una inmovilización superior a las 24 h o en pacientes con factores de riesgo requerirá hacer profilaxis de trombosis, con heparina de bajo peso molecular (HBPM).

5.3.6. Acciones del equipo sanitario en un paciente sujeto terapéuticamente

Mantener la **dignidad y la autoestima** del paciente porque la pérdida de control y la imposición de sujeciones mecánicas pueden resultar muy penosas para este:

- Preservar la intimidad del paciente.
- Explicar la situación a los otros pacientes sin revelar la información que el paciente considere confidencial.
- Mantener contacto verbal con intervalos regulares mientras se halle despierto.
- Implicar al paciente en planes para poder finalizar la sujeción mecánica.
- Desacostumbrar progresivamente al paciente a la seguridad que supone un entorno de aislamiento.

Mantener la **integridad física** porque ellos no van a poder atender sus necesidades fisiológicas y pueden sufrir los riesgos que implica la inmovilidad:

- Comprobar las constantes vitales periódicamente (enfermero).
- Ayudar al paciente en la higiene personal.
- Acompañarle al cuarto de baño o proporcionarle cuña u orinal.
- Regular y controlar la temperatura de la habitación.
- Realizar los cambios posturales necesarios.
- Almohadillar las sujeciones.
- Ofrecer alimentos y líquidos si están prescritos por el médico.
- Observarle frecuentemente y retirar todos los objetos peligrosos de su entorno.

5.3.7. Contención verbal

Implica comunicarse con el paciente de manera calmada y asertiva para evitar situaciones de riesgo. Se utiliza antes de recurrir a otras formas de contención. Es una estrategia fundamental en el manejo de situaciones agitadas, ansiosas o conflictivas en el ámbito de la salud mental y evitar así la agresión.

Debemos calmar al paciente desde la empatía y asertividad, sin amenazas y sin elevar nuestro tono y con palabras que reduzcan su tensión emocional, pero no olvidar que hay que establecer límites, definir las expectativas y poner normas de comportamiento.

También, es muy importante evitar la escalada, (que el paciente empeore), y no ignorar las señales de peligro.

5.3.8. Contención farmacológica

Es una medida terapéutica que consiste en administrar medicamentos para calmar al paciente y reducir su agitación o agresión, se hace con la mínima intensidad y registra en la historia clínica, especificando la duración y el tipo de contención aplicada.

Debe estar respaldada por una prescripción facultativa, cada caso se evaluará de forma individual. Se debe obtener el consentimiento del paciente siempre que sea posible.

Existen excepciones en situaciones de urgencia vital o cuando el paciente no puede tomar decisiones.

5.4. Centros libres de restricciones

Las medidas de restricción en residentes y usuarios de las residencias de mayores, de centros de personas con diversidad funcional y de otros de servicios sociales de carácter residencial, se han justificado hasta hoy en día en pro de la seguridad del paciente. Actualmente y mediante diversos estudios se empieza a cuestionar su eficacia y sobre todo las consecuencias negativas de su uso.

5.4.1. Contención física

La OMS define la contención mecánica o física como «la restricción de movimientos mediante cualquier método manual, dispositivo físico o mecánico, material o equipo conectado o adyacente al cuerpo del paciente, que él o ella no puede sacar fácilmente.

Los ejemplos de contenciones físicas más frecuentes son las barras laterales, cinturones (abdominal o pélvico), chalecos (torácico o integral), muñequeras y tobilleras, etc. Incluso, pueden actuar como contención las butacas o sillas bajas, reclinables, sillas de ruedas frenadas delante de una mesa, es decir, la disposición del mobiliario si busca restricción, limitación o dificultad de movilidad.

Es tradicional, y sigue siendo habitual, el uso de las contenciones físicas referidas a personas mayores para evitar caídas, controlar alteraciones de conducta o la interferencia con los tratamientos.

5.4.2. Contención química

En el grupo de contenciones farmacológicas o químicas se ubica el uso de benzodiazepinas o antipsicóticos, es decir, psicofármacos con capacidad sedativa. Los tratamientos pueden dirigirse a disminuir síntomas específicos (por ejemplo, delirios o alucinaciones), pero en otras ocasiones tienen un fin puramente sedante.

5.4.3. Propósitos para el cambio

A nivel estatal se propone:

- El respeto a la dignidad, a la libertad y a la promoción de la autonomía de la persona, lo que implica que todo procedimiento de restricción debe estar precedido por un intento de contención verbal u otras estrategias menos invasivas, y posteriormente registrado para una evaluación por el equipo terapéutico en relación con las causas de su fracaso. Conviene, en todo caso, remarcar la importancia de actuaciones preventivas o anticipatorias (sobre el entorno, con cuidados específicos y adaptados, etc.), frente a las reactivas.
- Nadie debe ser sometido a ningún tipo de inmovilización o de restricción física o tratamiento farmacológico sin prescripción facultativa, salvo que exista peligro inminente para la seguridad física del usuario o de terceros.
- La concurrencia del consentimiento informado y documentado en los términos ya descritos, de la Ley 41/2002, de 14 de noviembre, básica reguladora de la autonomía del paciente y de derechos y obligaciones en materia de información y documentación clínica.
- Atender a los principios de cuidado, excepcionalidad, necesidad, proporcionalidad, provisionalidad y prohibición del exceso, debiendo aplicarse las contenciones con la mínima intensidad posible y por el tiempo estrictamente necesario, eludiendo aplicaciones rutinarias, especialmente en relación con personas mayores.
- El uso de las sujeciones vendrá determinado cuando no haya funcionado otro método de prevención o, en supuestos de riesgo inminente y grave para la persona o para terceros. En las personas con problemas de salud mental se trata de atender episodios de descompensación en cuadros de agitación psicomotora y/o alteraciones de conducta graves que entrañan dichos riegos, siendo estas situaciones habitualmente excepcionales en personas mayores. Su uso con la finalidad de mantener la sedestación, levantamiento de la cama o interacción social puede estar indicado en personas con discapacidad física muy inhabilitante.

En los centros residenciales y/o sociosanitarios de personas mayores y de personas con discapacidad, así como a las unidades psiquiátricas, uno de los capítulos que necesariamente deberá ser supervisado es el relativo a la aplicación de sujeciones y, en el caso de que se apliquen, verificarán:

1. Que existe una prescripción médica.
2. Que el centro dispone de un protocolo para el uso de las sujeciones.
3. Que se deje constancia documental de la indicación, el uso y el tipo de contención aplicada respecto de cada paciente, especificando la duración.
4. Que se respete la normativa sobre consentimiento informado.

5.4.4. Alternativas terapéuticas

A pesar de que se cumplan los requisitos para llevar a cabo algún tipo de restricción o medida que interfiera en la autonomía del paciente, es necesario estudiar la situación, volver a evaluar, valorar el caso y buscar alternativas a estas medidas. Algunas son:

- Con pacientes confusos o agitados: debemos estar más tiempo con ellos, requieren mayor supervisión, usar pictogramas u objetos que orienten o informen, así como facilitar su medio, por ejemplo, eliminar objetos innecesarios de la habitación, usar camas bajas, timbres de fácil pulsación y cercanos a él, etc.
- Con pacientes que deambulan: vigilancia, actividades de entretenimiento, uso de espacios comunes amplios, pautas de conductas donde se refuerce, por ejemplo, tiempo que pasa sentado, haciendo una actividad, etc.
- Con pacientes en tratamiento químico u aparataje: valorar la necesidad, la alimentación, la forma de administrarla, etc.
- Cuando hay miedo a caídas: si estas se repiten constantemente, habrá que evaluar el motivo y establecer un protocolo de prevención.

5.4.5. Consecuencias negativas derivadas de las restricciones

Existen casos, en los que para tratar de evitar situaciones o conductas que deriven en daño para el paciente, se realizan medidas que, de manera inmediata o a lo largo del tiempo, han demostrado tener peores y más graves consecuencias. Estas son: deterioro de las actividades de la vida diaria (AVD), mayor agitación, estrés, pérdida de memoria, alteraciones sensoriales, edemas, aparición de úlceras, aumento de riesgo de enfermedad nosocomial, etc.

6. Internamiento del enfermo mental

La Ley de Enjuiciamiento Civil (Ley 1/2000, de 7 de enero), en su artículo 763 , señala que el internamiento forzoso del enfermo mental, requiere para ello previa autorización judicial; y en la misma no se regula al internamiento **voluntario**, que es el más frecuente.

Dentro del internamiento **forzoso o involuntario** encontramos dos situaciones:

1.ª *Internamiento urgente*: en este caso se permite y recomienda el traslado del paciente de forma inmediata a un centro psiquiátrico por decisión médica o por la persona que esté al cuidado del interesado.

Tal y como indica el art. 763, se dará cuenta dentro de las 24 horas primeras al Juez, o bien, si existieran problemas para ingresarlo, se solicitará en el Juzgado de Guardia su ingreso urgente con la documentación acreditativa de encontrarse en tal situación clínica.

Ortega Monasterio y Talón Navarro (1986), dan como indicaciones médicas que aconsejan un internamiento forzoso las siguientes:

1. Riesgo de autoagresividad.
2. Riesgo de heteroagresividad.

3. Pérdida o grave disminución de la autonomía personal (con incapacidad para realizar las tareas de cuidado personal más necesarias).
4. Grave enfermedad mental, que aunque no incluya inicialmente ninguno de los supuestos anteriores, suponga un riesgo de agravación en caso de no ser adecuadamente tratada.

Sabías que...

El internamiento voluntario del enfermo mental es el más frecuente de los internamientos psiquiátricos, incluso más que el involuntario y forzoso; y se establece por contrato directo entre el paciente y la dirección del centro. Generalmente el enfermo da su libre consentimiento a su ingreso, es innecesaria la autorización judicial e inútil la existencia de vigilancia.

2.ª *Internamiento ordinario no urgente*: igualmente está contemplado en el art. 763 del CC y tiene las mismas indicaciones que en el ingreso urgente. Se solicitará a la autoridad judicial, bien por parte de familiares, tutores o centros asistenciales, la propuesta de ingreso del paciente, y el Juez, tras examen directo del afectado y el dictamen de un facultativo por él designado (Médico Forense u otro médico), para llegar a la existencia o no de una causa médica que justifique el ingreso, concederá o denegará la autorización del internamiento, poniéndolo en conocimiento del Ministerio Fiscal, como indica el art. 763 del Código Civil y a los efectos preventivos del art. 757 apartado tercero y art. 758.

El Juez de oficio recabará información sobre la necesidad de proseguir el internamiento, cuando lo crea pertinente, y, en todo caso, cada seis meses, y acordará lo procedente sobre la continuación o no del internamiento (art. 211). El Juez solicitará la información a los facultativos que le están asistiendo en el centro donde se encuentra ingresado el paciente, o puede indicar que sea reconocido y emitir informe al respecto por un Médico Forense o un médico especialista por él designado.

Solución a las actividades

Actividad 1.

- ☐ a) Psicodinámicas.
- ☐ b) Psicomotrices.
- ☑ c) Conductistas.

Actividad 2.

Tipo

- Ansiedad simple
- Ansiedad generalizada
- Ataque de angustia
- Trastorno fóbico

Definición

- Es la alteración emocional de carácter más o menos persistente con tendencia a la cronicidad.
- Es aquella crisis puntual, que no tiene tratamiento farmacológico, siendo el equipo de salud el que colabora para una resolución positiva.
- Es la alteración emocional debida a la presencia de un temor irracional y persistente ante un objeto específico, actividad y situación que determina una conducta de evitación.
- Son crisis recurrentes de angustias que surgen espontáneamente.

Actividad 3.

La OMS define la neurosis como trastornos mentales sin base orgánica demostrable en los que el paciente puede tener considerable introspección y tiene indemne el sentido de la realidad, de forma que habitualmente no confunde sus experiencias subjetivas y fantasías mórbidas con la realidad externa. La conducta puede estar seriamente afectada, pero la personalidad no está desorganizada.

Actividad 4.

- ☐ a) La esquizofrenia.
- ☑ b) La depresión.
- ☐ c) La paranoia.

Actividad 5.

- El objetivo fundamental de la terapia psicoanalítica es la resolución de un conflicto **intrapsíquico** (oposición de exigencias internas contrarias). Para ello se establece una relación **interpersonal** entre el paciente y el terapeuta.
- La terapia conductual conocida como modelado se usa principalmente para implantar **conductas** en el repertorio conductual de un individuo, y se denomina también **aprendizaje** observacional, pues el paciente observa y aprende las conductas de una persona que actúa como modelo. Se utiliza mucho para la adquisición de **habilidades sociales**.